El libro de los DEPORTES

CONTIENE MÁS DE 100 DEPORTES

COLECCIÓN DEPORTE PARA TODOS

VOLUMEN 1

EL LIBRO DE LOS DEPORTES

Grupo de Estudio Kinesis
Coordinación Editorial: Gladys Elena Campo S.

Primera Edición: 2003

© Editorial KINESIS
Cra. 25 No. 18-12 Armenia - Colombia
Telefax: (6) 740 1584
Teléfono: (6) 740 9155
E-mail: editorial@kinesis.com.co
www.kinesis.com.co

I.S.B.N. 958-9401-75-9
Hecho el Depósito Legal en cumplimiento con la Ley 44 de 1993.
Decreto 460 de 1995

Diseño y Diagramación Electrónica:
Editorial Kinesis

Pre-Prensa: Suministros Gráficos Ltda.

Impreso por: Editorial Kinesis

IMPRESO EN COLOMBIA / PRINTED IN COLOMBIA

VOLUMEN 1

ACERCA DEL DEPORTE

9 - Evolución del deporte

JUEGOS OLÍMPICOS

14 - Juegos olímpicos de la antigüedad
19 - Juegos olímpicos modernos
28 - Deportes olímpicos
33 - Juegos olímpicos de invierno
34 - Elementos Representativos

ARTES MARCIALES

39 - Aikido
43 - Capoeira
56 - Hapkido
61 - Judo
73 - Karate
86 - Kendo
92 - Kick boxing
100 - Ninjitsu
106 - Sumo
112 - Taekwondo
118 - Sistema Wushu

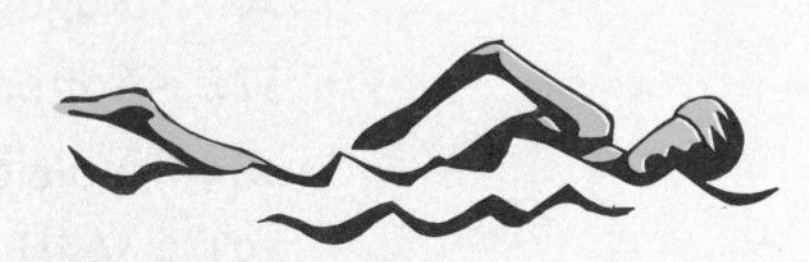

DEPORTES ACUÁTICOS

133 - Saltos ornamentales
144 - Natación Competitiva
158 - Nado Sincronizado
168 - Polo Acuático

DEPORTES DE AVENTURA

181 - Campamentismo
192 - Escalada
196 - Espeleología deportiva
203 - Montañismo (Alpinismo)
208 - Orientación
215 - Paracaidismo
220 - Rafting
223 - Buceo Deportivo
228 - Trekking (senderismo)
230 - Vuelo libre (Parapentismo y Ala deltismo)

Editorial Kinesis

CONTENIDO

DEPORTES DE COMBATE

239 - Boxeo
245 - Esgrima
256 - Lucha (Libre y Grecorromana)

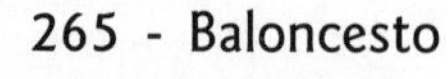

DEPORTES DE CONJUNTO

265 - Baloncesto
275 - Balonmano
287 - Béisbol
307 - Fútbol Americano
316 - Fútbol Soccer
329 - Fútbol Sala
338 - Hockey sobre césped
346 - Hockey sobre patines
355 - Polo
360 - Rugby
378 - Softbol
384 - Voleibol
391 - Voleibol Playa

DEPORTES DE INVIERNO

401 - Curling
404 - Esquí (Alpino y Nórdico)
414 - Hockey Sobre Hielo
420 - Patinaje Sobre Hielo
420 - Patinaje de velocidad
426 - Patinaje Artístico Sobre Hielo
428 - Tobogaaning (Bobsleigh - Luge y Skeleton)
434 - Snowboard

DEPORTES DE PRECISIÓN

439 - Billar (Inglés y Francés)
450 - Bolos
457 - Golf
467 - Tiro con Arco
476 - Tiro Olímpico

CONTENIDO

DEPORTES DE RAQUETA

485 - Bádminton
491 - Raquetbol
497 - Squash
503 - Tenis de Campo
510 - Tenis de Mesa

DEPORTES INDIVIDUALES

517 - Ajedrez
529 - Atletismo
(pista - campo - marcha y pruebas combinadas)
568 - Ciclismo (Carretera - Pista - Mountain Bike)
594 - Equitación
604 - Fórmula Uno
620 - Gimnasia Acrobática
623 - Gimnasia Aeróbica
635 - Gimnasia Artística
649 - Gimnasia Rítmica
660 - Jogging
664 - Halterofilia
671 - Patinaje sobre ruedas
676 - Patinaje de velocidad sobre ruedas
682 - Patinaje Artístico sobre ruedas
687 - Patinaje extremo
689 - Skateboarding (Monopatín)
692 - Triatlón
696 - Pentatlón Moderno

DEPORTES NÁUTICOS

701 - Esquí Acuático
704 - Piragüismo (Kayak y Canotaje)
718 - Kayak-Polo
723 - Remo
728 - Surf y otras modalidades nacidas del surf
733 - Vela
740 - Windsurfing

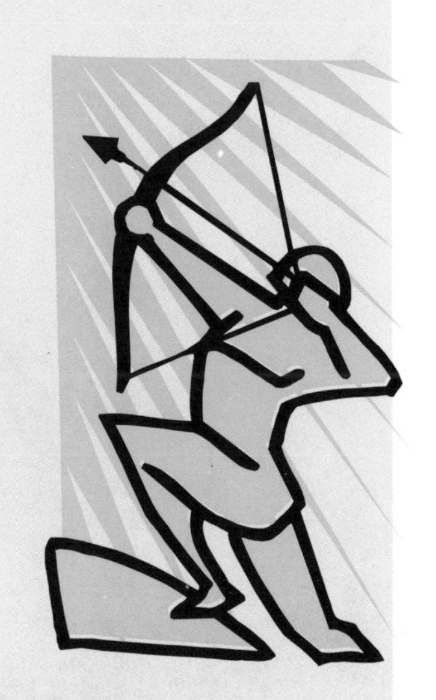

NOTA ACLARATORIA

Para leer este trabajo se debe tener presente que en los casos en que se hace referencia al género masculino se debe interpretar como una condición compartida a ambos sexos, pues queda claro que resultaría muy dispendioso y bastante fatigante para el lector, si hubiéramos abarcado todas las situaciones posibles que pueden surgir al hacer referencia directa tanto al género femenino como al masculino. Por eso, las palabras "el", "al" "a él", etc., se han utilizado indistintamente para incluir tanto al género masculino como al femenino, sin distingos de sexo.

ACERCA DEL DEPORTE

La eficacia del deporte como medio de actividad física varía según la especialidad deportiva, con condiciones que cambian en cuanto a la dependencia de compañeros, el equipamiento, el medio en que se practica, etc; por ello, la gran variedad de deportes existentes hace pensar que cualquier persona puede encontrar y elegir un deporte que llene sus expectativas, de acuerdo con su edad, condiciones, preferencias y un largo etcétera.

En esta obra, además de hacerse una interesante síntesis acerca de los deportes y los juegos olímpicos, se presentan una gran variedad de deportes agrupados según su característica con el medio o de interacción más relevante, así: Artes marciales, Deportes acuáticos, Deportes de aventura, Deportes de combate, Deportes de conjunto, Deportes individuales, Deportes de invierno, Deportes náuticos, Deportes de precisión y Deportes de raqueta.

PARTE

EL DEPORTE

La palabra deporte proviene del antiguo provenzal usado en el siglo XIII *deportarse que significaba* "divertirse, descansar", y éste del latín *deportare* "traslado, transportar", pasando quizá por distraer la mente; en el sentido moderno de "actividad al aire libre con objeto de hacer ejercicio físico», el término deporte es retomado en el siglo XX del inglés *sport* (que a su vez viene del francés antiguo *deport*, equivalente a deporte). Aunque este término ya había sido utilizado durante siglos en Inglaterra para referirse exclusivamente a las actividades de caza, es en el siglo XX, que se empieza a utilizar en casi todas las lenguas del mundo, como traducción del vocablo *sport* para referirse a una serie de actividades formales con unas características determinadas.

El diccionario de la Real Academia de la Lengua, define el término como «recreación, pasatiempo, placer, diversión o ejercicio físico, por lo común al aire libre» «actividad física, ejercida como juego o competición, cuya práctica supone entrenamiento y sujeción a normas».

A lo largo de la historia, el deporte moderno que actualmente se caracteriza por la aparición de nuevos deportes y por la continua renovación de las normas y reglas de las federaciones internacionales, ha ido transformándose para finalmente convertirse en toda una institución de las sociedades industriales. Según García Ferrando (1990), entre los factores que han influido en el desarrollo y evolución del deporte se encuentran el desarrollo de nuevos materiales deportivos, el desarrollo de los medios masivos de comunicación, la teoría constitucional (antecesora de los reglamentos deportivos), las exposiciones internacionales (antecesoras de los grandes encuentros deportivos), la difusión de determinadas actitudes sociales como la igualdad de oportunidades, la idea de salud pública, el patriotismo y el nacionalismo, la enseñanza gratuita y obligatoria, el ocio como política de progreso, etc.; cabe además mencionar uno de los aspectos que más ha contribuido a la institucionalización del deporte y a su profunda evolución que es el que considera al deporte de alta competición como una actividad tan seria que comparte con el trabajo sus características fundamentales. Veamos entonces su evolución:

EVOLUCIÓN DEL DEPORTE

Desde que existe el hombre, siempre le ha animado el espíritu de competencia, primero, con la naturaleza que le ofrecía un medio hostil en donde debía garantizar su supervivencia y luego, con sus congéneres con los que debía medir sus fuerzas, por ello las experiencias deportivas son tan antiguas como el mismo hombre. En la medida en que el medio se iba tornando menos agreste y el hombre iba ejerciendo una dominación sobre él la lucha por la supervivencia se transformó paulatinamente en competición y en encuentros de tipo lúdico. Prueba de ello son los elocuentes testimonios de arte que recrean imágenes de lucha, competiciones de fuerza, y carreras diversas.

Los egipcios hace más de siete mil años habían establecido la reglas para la lucha y las competiciones de fuerza, entre los deportes que practicaron se encontraban una especie de hockey, encuentros de remeros y diferentes carreras, entre las que se cuentan las carreras de cuádrigas.

En China, dos mil setecientos años antes de nuestra era, se practicaba el kung-fu, antecesor de todas las artes marciales modernas.

En Asia central diferentes tribus organizaban juegos mortuorios que comprendían juegos de carrera a pie, tiro con arco y otros lanzamientos.

Los Asirios y Cretenses organizaron competencias de tiro con arco, saltos y juegos de pelota. Los Persas, ejercitados desde la niñez competían en el manejo del arco, equitación, caza, tiro de jabalina, natación y carreras a pie.

Pero es a los griegos a quienes se les atribuye el ser la primer cultura que en la antigüedad recogió los aportes de las civilizaciones que la precedieron y los sistematizó en un sistema organizado en donde la actividad física jugaba un papel fundamental dentro de la educación del ciudadano. Como actividades privilegiadas para los guerreros y reyes se realizaban juegos deportivos entre los que se contaba con carreras de carros, lucha, lanzamiento de jabalina y de disco, tiro con arco, pugilato carreras a pie y esgrima; en el siglo VII a.C., los espartanos ya planificaban el desarrollo físico de sus soldados con métodos estrictos, orientados al desarrollo de las capacidades físicas en un programa general de ejercicios que consistía en carreras, lucha, salto, natación, caza, pugilato y juegos de pelota.

El mayor legado de los griegos en el campo deportivo fue sin duda alguna la realización de los juegos deportivos, sobre todo los olímpicos.

Dentro de todo su pensamiento filosófico-educativo, los helenos dieron una extraordinaria importancia a la *"gimnástica"*, un sistema de ejercicios corporales, que además de desarrollar los aspectos físicos constituía el medio ideal para formar el carácter de los individuos. Para ello contaban con todo un personal especializado entre los que podemos contar: el *gimnasta*, quien por su conocimiento de los efectos del ejercicio sobre el organismo, ejercía de médico y planificaba la actividad; el *paidotribo*, encargado de desarrollar el programa de entrenamiento y el *gimnasiarca*, administrador del gimnasio y el estadio.

Los romanos quienes en muy buena parte heredaron el pensamiento griego, construyeron grandes coliseos donde se celebraban carreras de carros tirados por caballos y toda clase de juegos populares; Los jóvenes romanos practicaban boxeo, caza, lucha y lanzamientos de piedra en el campo de Marte con fines exclusivamente militaristas; Los juegos de pelota que como el *trigonalis* y el *haspatrum* gozaban de gran popularidad; La pasión de los romanos por los baños generó festivales acuáticos, en donde se competía en natación; Sin embargo, en la época de mayor poderío del imperio romano, el entrenamiento pierde su sentido inicial, y pasan a ser más importantes los espectáculos circenses protagonizados por los gladiadores, los que día a día se tornaban más violentos.

Una vez cristianizado el imperio romano, Teodosio I el Grande prohibió todos los espectáculos de circo y semejantes por considerarlos más que crueles, paganos. La actividad deportiva se centró entonces, en la realización de justas y torneos destinados a la nobleza, mientras que el pueblo se divertía con la lucha grecorromana, las competencias de arco y las carreras pedestres.

Hacia la baja edad media, se dieron una serie de cambios en la que se volvió a considerar la actividad corporal como importante, sobre todo en el campo educativo; es en esta época cuando surgen algunos de los deportes modernos: en Inglaterra, el criquet, fútbol, tenis y billar; en Holanda, el patinaje sobre hielo; en Escocia, el golf; en Venecia, la natación; en Francia, la esgrima es reemplazada por la lucha con espada, etc.

La idea de competición atlética fue madurando con el paso del tiempo, hasta que los ingleses en medio de la revolución industrial dieron un verdadero impulso en el campo educativo a la mayor parte de las disciplinas deportivas practicadas hoy en día; no obstante y a pesar de cierta actitud puritana que la iglesia anglicana del siglo XVII protagonizó en contra de este tipo de actividad. Definitiva fue la concepción del pedagogo Thomas Arnold (1795-1843), quien como deportista convencido y director del Rugby College, innovó en el campo de la pedagogía inglesa al promulgar un movimiento que más que instruir y educar pretendía sobre todo preparar el cuerpo y el espíritu. A partir de esta propuesta se dio el florecimiento de las competiciones interescolares, con programas muy bien elaborados, carreras y concursos variados, integrándose como aspecto fundamental en el ambiente educativo.

Otro aspecto crucial en el impulso al deporte fueron las apuestas, que contribuyeron a darle un especial empuje a éste; en la Inglaterra del siglo XVIII eran ya famosas las competencias de carreras a pie y de caballos, los combates de lucha, esgrima y de boxeo, alrededor de las que giraban grandes apuestas.

De la competencia-apuesta en combinación con la era industrial, de la que Inglaterra es su cuna, que todo lo mide en función del costo-beneficio se generaron las marcas o *récords*, definitivas en el futuro pensamiento olímpico.

Otro aspecto que impulsó aún más el deporte fue el sentimiento patriótico surgido entre los jóvenes europeos, luego de estallar numerosas guerras a principios del siglo XIX. Estos hechos obligaron a los individuos a medir sus fuerzas y a competir, fue así como el esfuerzo físico por el deporte empezó a manifestarse de una manera intensa.

El triunfo de la propuesta de Arnold es arrasadora, pues a través del deporte, los estudiantes descubren la necesidad de la autodisciplina y de la responsabilidad, conocen el espíritu de equipo y la lealtad al grupo.

Cuando hacia fines del siglo XIX y principios del XX, el esfuerzo del barón Pierre de Coubertain se consolidó con la reinstauración de los juegos olímpicos, ya existían numerosas asociaciones inglesas deportivas, entre las que podemos contar la *Football Association*, constituida en 1863; el *Amateur Athletic Club* (1866), el *Amateur Mwetropolitan of Swimming Asociation* (1869), la *Rugby Football Association* (1871), la *Bicyclist Union* (1878), la *National Skating Association* y la *Metropolitan Rowing Association* (1879), la *Amateur Boxing Association* (1884), la *Hockey Association* (1886) y la *Lawn Tennis Association* (1895). No por nada a Inglaterra se le ha llamado la cuna del deporte moderno, de donde por supuesto, proviene la palabra *sport* (deporte) que quería decir "actividades físicas elegidas por el hombre con el fin de obtener algún resultado" y "medio de activar el cuerpo humano".

Los ingleses organizaron a partir de 1760 las primeras carreras de velocidad de 100 metros (110 yardas) y utilizaron también la distancia griega del estadio equivalente a 201,16 metros (200 yardas) y la de un cuarto de milla (402,33 metros); posteriormente continuaron equiparando las distancias utilizadas en las competiciones dólicas griegas: 804,67m.(media milla); 1.609,31 m. (la milla); 3.218,68 m. (dos millas); 4.828,02 m.(tres millas) y 9.656,05 m. (seis millas). Cuando toda Europa comenzó a practicar las carreras a pie, todas esas distancias fueron equiparadas a los 100, 200, 400, 800, 1.500, 3.000, 5.000 y 10.000 metros, pruebas en las que aún se compite en el atletismo.

Una vez el deporte se ha instalado en el mundo entero como un fenómeno de masas sin precedente, la era de la informática hace su aporte aplicando en él todos los recursos científicos y tecnológicos para la preparación del atleta, cuyo objetivo único es registrar una nueva marca que supere todas las anteriores.

La gran empresa del deporte de finales del siglo XX y comienzos del XXI ha requerido la profesionalización de los deportistas que otrora lo hicieran de aficionados, razón por la que el concepto de amateurismo ha desaparecido incluso en los mismos juegos olímpicos, donde una vez fueran sancionados los atletas que hubieran recibido remuneración económica por concepto de alguna actuación deportiva. Hoy en día las grandes firmas transnacionales utilizan en sus campañas las imágenes de los más destacados deportistas, pagándoles grandiosas sumas de dinero, conscientes del impacto que causan dentro de sus potenciales compradores.

La gran empresa del deporte de finales del siglo XX y comienzos del XXI ha requerido la profesionalización de los deportistas.
Hoy en día, las grandes firmas transnacionales utilizan en sus campañas las imágenes de los más destacados deportistas, pagándoles grandiosas sumas de dinero, conscientes del impacto que causan dentro de sus potenciales compradores.

JUEGOS OLÍMPICOS DE LA ANTIGÜEDAD

Los juegos de Olimpia se organizaban cada cuatro años, lapso de tiempo al que se le denominó olimpiada

Los Juegos Olímpicos han sido desde la antigüedad el acontecimiento más importante en el mundo. Aunque si bien se desconoce el origen exacto de estos juegos, algunos registros hacen ver que fueron instituidos por Pelops, hijo de Tántalo y que se celebraron por segunda vez por orden de Atreo en el año 1250 a. C. Posteriormente, la mitología cuenta que Heracles los celebró con los argonautas al volver de su expedición a la Cólquide como conmemoración de su triunfo y logró que todos los espectadores y atletas se comprometieran a volver allí cada cuatro años; sin embargo, las constantes guerras entre las ciudades estado griegas interrumpieron esta costumbre, hasta que en el siglo VI a. C. fueron reestablecidos para en el 350 a. C. alcanzar su máximo esplendor.

A pesar de todos estos datos, la historia asume el año 776 a.C. como la fecha que dio comienzo a los juegos olímpicos, una de las expresiones más características del sistema educativo de la antigua Grecia, en la medida en que representaban el ideal humano de perfección, y que constituían una ocasión para exaltar las virtudes sociales, artísticas y atléticas de los pueblos.

Se le atribuye al rey Ifito de la Elida en el Peloponeso, la creación de los antiguos juegos olímpicos que se realizaban en Olimpia en honor a Zeus. El rey Ifito firmó un tratado entre los Eleos, Pisatos y Espartanos, pueblos del Peloponeso en constante guerra, que consistía en que periódicamente (cada cuatro años) se realizaran en el verano unos juegos de tres días de duración, durante los cuales se pactaba una tregua sagrada en el territorio de Olimpia y se vivía como una nación unida.

Los Juegos Olímpicos eran organizados por la ciudad de Elis, en el Altis o recinto sagrado de Zeus, situado en el valle de Olimpia, al suroeste de la península, en la confluencia de los ríos Cladeo y Alfeo, dominado por el Monte Kronius.

Durante el mes de las fiestas, cuyo carácter no era meramente atlético, se proclamaba una tregua en toda Grecia que garantizaba la seguridad necesaria a competidores y peregrinos para hacer el viaje de ida al valle de Olimpia y de vuelta a sus sitios de origen.

En los juegos, un verdadero evento social, una fiesta de hermandad, de exaltación a la excelencia atlética y a los valores religiosos, se realizaban certámenes de tipo atlético, poético y musical en los que sólo podían competir los hombres libres de legítima sangre griega; se llevaban a cabo inicialmente durante tres días (en el 468 a.C. se extendieron a cinco días), en el primero se hacían piadosas ofrendas a los dioses y finalizaban con las competencias deportivas: primero el *stadium* o carrera corta de los 200 varas (192,27 m.), en la que participaban los seis mejores atletas de todas las ciudades; luego el *diaulos* o *diáulica*, en el que se recorrían distancias equivalentes a 384.54 m.; y el *dólicos* o carrera larga de 4.614,48 m; el *pentathlon* que comprendía competencias en lanzamiento de disco, carrera, salto, lucha y boxeo. Hacia el medio día las competencias de luchadores; al iniciar la tarde el *pancracio* o encuentros de boxeadores, cuyos combates se prolongaban hasta que uno de los contendientes admitía su derrota; finalmente el espectáculo lo cerraban las *cuadrigas* o carreras de carros tirados por caballos.

Al final del certamen, el nombre del *olimpiónikos o* vencedor y el de su ciudad natal eran proclamados por un heraldo; el triunfador era coronado con ramas de olivo y sus proezas se narraban por doquier; cuando regresaba a su tierra sus conciudadanos le recibían con un himno triunfal interpretado con declamaciones, cantos corales y baile, expresamente compuesto para la ocasión.

Santuario de Corinto

En Grecia se realizaban también otros tres grandes juegos:
Los Istmicos en Corinto,
los Píticos en Delfos
y, los Nemeos en el Santuario de Argólide

Paralelos a los juegos olímpicos, los mas importantes de todos, se desarrollaron en muchos lugares de Grecia una serie de espectáculos dedicados a diferentes dioses, estos eran:

Los **JUEGOS ISTMICOS,** realizados en el santuario de Corinto en honor a Poseidón. Instituídos en el siglo XIV a.C. por Sísisfo, en honor de Melicerto, hijo de Atamas, rey de Orcomene, cuyo cuerpo fue llevado por un delfín a las orillas del Istmo; después de que fueron interrumpidos debido al bandidaje de Sinnis, fueron restablecidos por Teseo. Los participantes competían por una corona de arrayán o mirto en los mismos ejercicios que se realizaban en Olimpia, en poesía y en música.

Santuario de Delfos

Los **JUEGOS PÍTICOS**, realizados cada cuatro años en el santuario de Delfos en honor al Dios Apolo; estos juegos cuya instauración se atribuyó a Agamenón, Diomedes, Anfictión, y hasta al mismo Apolo, eran los más solemnes después de los de Olimpia. En ellos se disputaban, primero, los premios de lira, de flauta y de canto; luego se añadieron todos los ejercicios del cuerpo; al igual que para los atletas de Olimpia, la recompensa a los vencedores primero, fue una suma de dinero, y más tarde ramas de roble, que fueron substituidas finalmente por una corona de laurel.

Los **JUEGOS NEMEOS** celebrados cada tres años en el santuario de Argólide dedicado a Zeus y a su hijo, el mortal Hércules; el mito cuenta que fueron instituidos por los jefes del ejército de Adrasto, antes de marchar contra Tebas, en honor de Argquemoro hijo de Lycurgo, muerto por una serpiente mientras su madre enseñaba a Adrasto el lugar donde corría un arroyo. Más tarde, Hércules, que había dado muerte a un león en el bosque vecino, substituyó estos juegos fúnebres por otros juegos conmemorativos de su victoria. El vencedor de estos juegos era coronado con una corona de arrayán o mirto.

Santuario de Argólide

Lanzamiento de disco

Lucha

Salto

Carreras de Caballos

Sin embargo, y como se mencionó anteriormente, los mayores de todos los juegos de la Grecia antigua fueron los Juegos Olímpicos. La primera competición que se celebró en estos juegos fue la carrera del estadio, cuyo primer ganador de toda la historia de los olímpicos fue Koroibos de Elide. A partir del 752 a.C., año en el que se instituye la corona de olivo como presea para el atleta vencedor, (Diacles de Mesenia, fue el primero en obtener una corona de olivo), se fueron incorporando diferentes competencias a saber:

- *Diaulo*, o carrera del doble estadio (366 metros), que consistía en una ida y retorno a lo largo del estadio (724 a.C.).
- *Dólico* o carrera de resistencia (1.098 metros) *en la que se corría seis veces la distancia del diaulo* (720 a.C.).
- *Pentathón* que comprendía un prueba de salto de longitud; lanzamiento de la jabalina, dotada de un lazo en el asta con el fin de crear un movimiento giratorio y darle mayor precisión y distancia; lanzamiento de disco, en el que el atleta debía lanzar un plato de bronce con forma de lente; una carrera y por último, un ejercicio de lucha similar al *pancracio* (708 a.C.).
- *Cuadrigas* o carreras de carros tiradas por caballos (680 a.C.).
- *Pancracio*, una brutal mezcla de lucha y boxeo (648 a.C.).
- *Carrera con armas* (520 a.C.).
- *Carrera de carros tirados por mulas* (500 a.C., suspendidas en el 444 a.C.).
- *Competencia de trote* (496 a.C., suprimida en el año 440 a.C.).
- *Biga* o competencia de carros romanos de dos ruedas tirados por dos caballos (408 a.C.).
- *Trompeta*, que consistía en retener la respiración por el máximo tiempo en cierta parte de la ejecución y *Heraldo* o competiciones entre los jefes de las delegaciones asistentes (396 a.C.).
- *Carrera de carros tirada por potros* (384 a.C.).
- *Carrera de potros* (256 a.C.)
- *Lucha* (192 a.C.).

Aunque a las mujeres no les estaba permitido competir, pues debían limitarse al papel de espectadoras y sólo en el caso de que no fueran casadas, existen registros de mujeres vencedoras en las antiguas olimpiadas: en el año 396 a.C. Kyniska de Esparta, hija y hermana de Reyes, fue la vencedora en la cuadriga, era la propietaria de los caballos que competirían, razón por la que se le permitió participación. (recordemos que la mujer espartana entrenaba y competía con los hombres).

Con la invasión romana en el 157 a.C., los juegos olímpicos perdieron su esplendor, los clásicos deportes griegos fueron reemplazados lentamente por el circo romano en donde se realizaban carreras de carros de dos ruedas tirados por caballos, carreras de equilibrio sobre los caballos lanzados a galope y finalmente, y como principales atracciones, la lucha entre gladiadores a quienes se les llamaba *reciarios*, y la lucha entre *bestiarios* (gladiadores) con las fieras.

Cristianizado el imperio romano, Teodosio I el Grande en el año 393 de nuestra era, prohibío mediante decreto imperial todos los espectáculos de circo y también las olimpiadas por considerarlos paganos. A partir de esta fecha y hasta 1896 las olimpiadas no se volverían a llevar a cabo y el legado arquitectónico de los templos en los que los griegos los realizaban fueron destruidos.

En el año 393 de nuestra era, Teodosio I el Grande prohibío las olimpiadas por considerarlas paganas.

LA REINSTAURACIÓN DE LOS JUEGOS OLÍMPICOS

El barón Pierre de Coubertain empeñado en revivir las emociones de los atletas de la antigüedad, reinstauró los juegos olímpicos en 1896

El padre Didón, definió la filosofía deportiva en las tres palabras: citius, altius, fortius (más rápido, más alto, más fuerte) que algunos años se convertirían en el lema de los Juegos Olímpicos.

En la era moderna, el interés arqueológico en las ruinas de Olimpia, el movimiento deportivo iniciado en Inglaterra por Thomas Arnold y el sentimiento patriótico nacido de los conflictos en las naciones europeas durante el siglo XIX, llevó en 1833 a Gustav Johan Schartau, a fundar en Lund un comité olímpico destinado a recrear los viejos juegos olímpicos. En 1852, el alemán Ernst Cuirtius, dio una conferencia acerca de los juegos olímpicos de la antigüedad, sus investigaciones entusiasmaron a tal punto al millonario griego Major Evangelis que en 1859, 1870, 1875, 1888 y 1889 fue el patrocinador de los juegos panhelénicos.

Sin embargo fue el barón Pierre de Coubertain (1863-1937), quien empeñado en revivir las emociones de los atletas de la antigüedad, precisamente el encargado de reinstaurar los juegos olímpicos, a partir de una conferencia que tuvo lugar en la Universidad de la Sorbona del 16 al 23 de junio de 1894.

El olimpismo, una doctrina concebida por el barón, quien consideraba el deporte como un medio de superación educativa y como un estímulo a los ideales universales de fraternidad y paz, se agrupó en un movimiento que proponía, formar el carácter de los jóvenes mediante la práctica del deporte, suscitando en ellos el sentido de la disciplina, el dominio de sí mismo, el espíritu de equipo y la disposición a competir en un campo de convivencia, y de relación con los demás. Además de reunir a las juventudes de todo el mundo en un gran festival que ayudaría a crear, por encima de las fronteras, vínculos de confianza y amistad entre todos los pueblos.

Las ideas de Coubertín despertaron diferentes reacciones. Algunos las calificaron de extremistas, sin embargo, otros hicieron suyo su mensaje renovador; entre ellos se cuenta el padre Didón, quien definió la filosofía deportiva en las tres palabras que hizo grabar en la bandera del club escolar de Arcueil: *citius, altius, fortius* (más rápido, más alto, más fuerte) y que algunos años después el propio Coubertín convertiría en el lema de los Juegos Olímpicos.

En noviembre de 1892, cuando Coubertín presentó el proyecto en una sesión solemne en la Sorbona y, después de hablar del carácter indispensablemente democrático e internacional del deporte, dijo:

«Hay personas que califican de utopistas, o acusan de irrazonables, a los que hablan de la desaparición de la guerra; sin embargo, hay quienes creen en la disminución progresiva de las posibilidades de guerra, en lo cual yo no veo utopía alguna. Es evidente que el telégrafo, los ferrocarriles, el teléfono, la apasionada investigación científica, los congresos y las exposiciones hacen más por la paz que todos los tratados diplomáticos. Yo espero que el deporte hará aún más...

La exportación de remeros, corredores, esgrimistas: he ahí el libre intercambio del futuro. El día en que este intercambio se produzca en las costumbres de la vieja Europa, la causa de la paz habrá recibido un nuevo y poderoso apoyo».

Aún así la proposición de Coubertín no fue aceptada en ese primer momento; solo fue hasta 1894, cuando, durante el Congreso Universitario y Deportivo convocado por él y reunido nuevamente en la Sorbona, 79 delegados de catorce países acordaron por unanimidad crear el Comité Olímpico Internacional y restablecer los Juegos, conservando su espíritu antiguo, aunque adaptándolos a la vida moderna.

En abril de 1896 se celebraron los primeros juegos olímpicos modernos en la ciudad de Atenas con la participación de diversos atletas de entre los cuales solo participaban deportistas aficionados. Por más de 100 años esta celebración deportiva mundial -la segunda en importancia después del mundial de fútbol- al igual que ha visto desfilar grandes figuras recordadas por sus hazañas atléticas, ha sido también el escenario de los cambios sociales y políticos, que aunque ocurridos fuera de los estadios, han tenido una repercusión innegable en ellos.

En abril de 1896 se celebraron los primeros juegos olímpicos modernos en la ciudad de Atenas

JUEGOS OLÍMPICOS MODERNOS

1503 años después de abolidos los juegos olímpicos de la antigüedad, se realizaron las primeras competencias olímpicas de la modernidad, llevadas a cabo durante diez días en la ciudad de Atenas. 280 competidores (197 de ellos griegos) de 13 países, participaron en 43 pruebas de nueve disciplinas deportivas (atletismo, natación, lucha, tenis, gimnasia, esgrima, tiro al blanco, pesas y ciclismo).

Desde este primer evento al que nadie le apostaba, la atracción lo suscitó el atletismo que al igual que la natación se convirtieron con el paso del tiempo en las atracciones principales de los juegos.

En los primeros juegos olímpicos solo se hicieron presentes 285 atletas representantes de 13 países de los 34 que se ofrecieron a participar en la primera asamblea olímpica llevada a cabo en la Sorbona el 16 de junio de 1894.

Los años subsiguientes, al contrario de representar un progreso en la organización de los juegos, giraron alrededor de escándalos de todo tipo. Los juegos de París en 1900, que estuvieron presididos por el desconcierto de sus cinco meses de duración y las condiciones en que se debían realizar las competencias, serán recordados por la historia como los más caóticos y desorganizados; 1066 atletas de 20 países entre los que estuvieron 6 mujeres tenistas, se midieron en 19 disciplinas, incluyendo equitación, remo, fútbol, waterpolo, rugby, golf y tiro con arco.

JUEGOS OLÍMPICOS

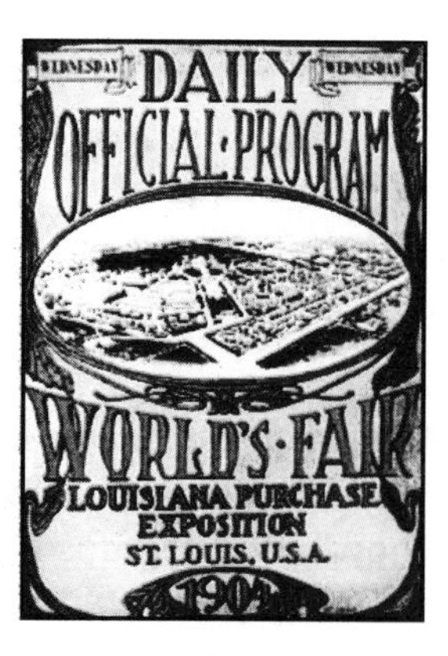

Cuatro años después del fracaso de los juegos de París, los juegos de 1904 se celebraron en San Luis, luego que Chicago, la ciudad designada inicialmente para la organización de los juegos, presionara por el retraso de las olimpiadas ante el COI, presión que obviamente no fue atendida. La larga travesía por el Atlántico hacia un país lejano, fue el principal motivo que argumentaron varios países europeos para no asistir, sin embargo algunos europeos residentes en Estados Unidos participaron en la competición. El mismo barón de Coubertin no asistió a esta cita olímpica.

Estos juegos estuvieron marcados por escándalos y trampas. En el maratón, el neoyorquino Fred Lorz atravesó la meta en primera posición, sin embargo, poco antes de la premiación se supo que en la novena milla, Lorz había sido literalmente cargado hasta cerca de la entrada del estadio. Entonces se dio como ganador oficial de la carrera al estadounidense nacido en Inglaterra, Thomas Hicks, que había quedado segundo, no obstante durante la prueba, Hicks se sintió ligeramente indispuesto y fue reanimado con una mezcla de inyecciones de estricnina y brandy.

Con la participación de 2059 deportistas representantes de 22 países, los juegos de Londres de 1908, precedidos por el primer desfile oficial de la historia de las delegaciones, fueron protagonizados por un incidente bochornoso entre ingleses y estadounidenses: debido a la ausencia de la bandera de los Estados Unidos en el estadio olímpico durante la ceremonia inaugural, los atletas de este país se negaron a seguir el protocolo no saludando al rey Eduardo VII, quien indignado sentó su protesta. Este incidente se trasladó a las competiciones, en las que en las finales de los 400 metros se descalificó a un corredor estadounidense por obstruir el paso a un atleta inglés, cuando se volvió a repetir la final, los otros dos atletas que disputaban la final, que además eran estadounidenses, se negaron a participar.

En los Juegos de Londres en 1908, se realizó por primera vez el desfile de delegaciones en la ceremonia inaugural

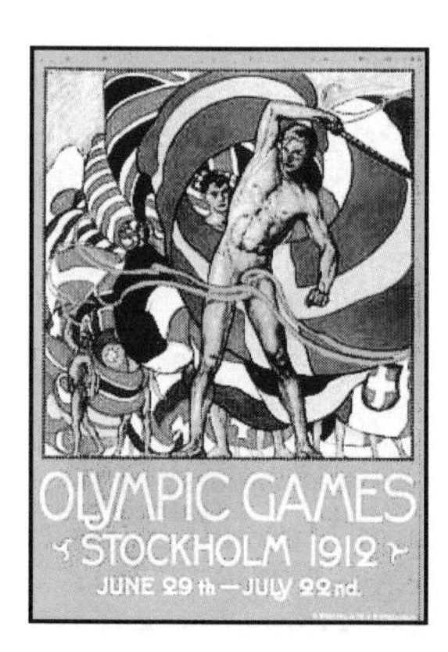

Solo hasta 1912 en Estocolmo se dio por fin una verdadera competición deportiva, esta vez las justas fueron un verdadero modelo de organización y eficiencia: el desfile de las delegaciones fue espectacular; los ganadores de cada prueba recibieron por primera vez medallas, mientras en sus podios, se interpretaban los himnos de sus países y se izaban sus banderas.

57 mujeres participantes de los 2541 deportistas en total, lucharon por la gloria deportiva, a pesar de la oposición de Coubertin.

Una vez finalizada la primera guerra mundial se le otorgó la sede de los juegos de 1920 a Amberes, donde en medio de una atmósfera desconsoladora se izó por primera vez la bandera olímpica e igualmente se hizo el juramento olímpico.

No fueron invitados los equipos de las naciones derrotadas (Alemania, Austria, Bulgaria, Hungría y Turquía). Los Rusos también fueron los grandes ausentes quienes debido al pensamiento generado durante su revolución en 1917, solo volvieron a participar en las olimpiadas hasta 1952.

Con 2607 atletas de 29 países y 2607, entre los que se encontraban 73 mujeres, los organizadores no lograron convencer a suficientes inversionistas, por lo que las entradas tuvieron precios muy elevados; de esta forma, el público brilló por su ausencia salvo en los deportes más populares como el fútbol o el boxeo.

Sobre un fondo blanco sus cinco anillos entrelazados, de colores rojo, amarillo, azul, verde y negro, representan los cinco continentes y los colores básicos de las banderas nacionales de los países del mundo.

En 1914, Coubertin creó la bandera olímpica como un emblema de unidad de las naciones. En este mismo año, los juegos programados a realizarse en la ciudad de Berlín, fueron cancelados debido al conflicto mundial que se desarrollaba.

Debido a la popularidad alcanzada por los juegos olímpicos, en 1924 se iniciaron los juegos de invierno, en forma paralela a los tradicionales desarrollados en París, que desde esa ocasión se denominaron los juegos de verano. Estos juegos reservados para los deportes sobre nieve y hielo se iniciaron en Chamonix y tuvieron tanto éxito que el COI decidió que no deberían coincidir. Por ello, se programan dos años después de pasada la olimpiada.

A partir de los juegos de Amsterdam, en cada olimpiada la llama es encendida en Grecia y luego es transportada por numerosos atletas de todo el mundo hasta el lugar en donde se realizan las juegos.

En los juegos de París en 1924, en los que participaron 3092 deportistas de 45 países de los cuales 136 eran mujeres, se adoptó el lema "Citius, Altius, Fortius" (más veloz, más alto, más fuerte), propuesto por el maestro de escuela francés R.P. Didon.

Aunque para Francia estos juegos constituían la oportunidad de remediar en algo el fracaso de los juegos de 1900; lamentablemente no lograron substraerse del clima político de la postguerra por lo que en su transcurso se dieron casos de violencia, chauvinismo y xenofobia. Un caso sonado fue el del equipo italiano de esgrima que se retiró de la competencia entonando el himno fascista.

En ese mismo año el barón de Coubertain se retiró de la presidencia del COI a los 61 años de edad, y aunque después de esto se celebraron seis olimpiadas más antes de su muerte en 1937 no asistió a ninguna de ellas.

Los juegos de Amsterdam de 1928, se llevaron a cabo con la participación de 3014 atletas (290 mujeres) de 46 países, en momentos en que el mundo atravesaba por graves problemas socio-económicos, que más tarde derivarían en la recesión económica del 29.

En la ceremonia inaugural, cuando por primera vez se encendió un pebetero permanente para la llama olímpica, (aunque ésta no fue traída desde Olimpia) que según la usanza de los antiguos juegos ardía en Olimpia mientras éstos duraran como un símbolo de tregua.

La gran ausente fue la reina Guillermina, quien se oponía a la realización de los juegos; el público que colmaba el estadio, en su mayoría germanófila aplaudió con gran entusiasmo a los atletas austríacos y alemanes que volvían a los juegos luego de 16 años de ausencia.

Un día antes de la ceremonia inaugural, el equipo francés y el norteamericano intentaron entrar al estadio para entrenar, cuando les fue negado el acceso, el equipo de los Estados Unidos, dirigido por el oficial de ejército Douglas McArthur (quien años más tarde sería el héroe de la segunda guerra mundial), decidió derribar las puertas del estadio y entrar a entrenar; en tanto que los franceses decidieron no participar en la ceremonia de inauguración.

Aunque como hemos mencionado, las mujeres ya habían participado en algunas olimpiadas, el nuevo presidente del COI, el conde belga Henri de Baillet Latour permitió a partir de estas olimpiadas la participación masiva de la mujer en todos los deportes. Por primera vez las mujeres participaron en pruebas de atletismo pese a la oposición del barón de Coubertin. Las pruebas femeninas fueron: 100m, 800m, relevos 4x100m, salto de altura y lanzamiento de disco.

En la prueba de 800 m. varias mujeres se desmayaron después de cruzar la meta tras una carrera muy disputada en la que resultó ganadora la alemana K. Radke quien además batió el récord del mundo. Este incidente obligó al presidente del COI, a excluir de los juegos todos los deportes de categoría femenina, finalmente la Federación Internacional prohibió que las mujeres corrieran más de 200m. Esta prohibición se mantuvo durante 32 años, hasta los Juegos de Roma en 1960.

Debido a la depresión económica del 30 y a los vientos de guerra que soplaban con fuerza en el mundo, los juegos de los Ángeles de 1932 registraron muy poca asistencia.

Sin embargo en esta olimpiada se gastó mucho dinero, producto del apoyo económico que Garland, el organizador de los juegos, consiguió con actores famosos. La organización fue excelente, con una villa olímpica moderna y adecuada a las necesidades deportivas de los 1281 deportistas de 47 países, entre las que por primera vez figuraba China; las 127 mujeres participantes fueron alojadas en hoteles.

A pesar de la crisis, para los Estados Unidos, estos juegos representaron un gran negocio, que le dejaron al Comité Olímpico de este país un superávit de un millón de dólares.

Los juegos de 1936 se llevaron a cabo en Berlín bajo una situación política deteriorada en Europa a causa de la amenaza del nazismo. Sin embargo los alemanes demostraron al mundo su superioridad tecnológica y a su vez fueron sorprendidos por la superioridad deportiva de los atletas de raza negra.

Berlín, poniendo la tecnología al servicio del deporte mundial, realizó unos juegos espectaculares con una organización perfecta en la que el régimen nazi invirtió unos 30 millones de dólares en la instalación de teletipos para la prensa que la conectaron en instantes a diarios y radiodifusoras en cualquier parte del mundo, el sistema de *photo-finish*, un circuito cerrado de televisión en el estadio, un *zeppelin* para transportar material pe-

riodístico a otras naciones y la gran novedad, la aparición de la televisión, gracias a la que más de 160.000 personas siguieron los juegos, retransmitidos por circuito cerrado en varias salas especiales ubicadas por todo Berlín. El recuerdo de esta gran manifestación de poderío, fue registrada en una película oficial y documental: «Olympia».

En la ceremonia inaugural fueron soltadas 10.000 palomas, al mismo tiempo que el dirigible Hindenburg surcaba el cielo; el desfile de las delegaciones fue único; por primera vez el fuego sagrado fue traído del santuario de Olimpia en Grecia a través de 3.076 Km., en una posta compuesta por 3300 atletas; finalmente Hitler recibió un ramo de olivo de manos de Spiridon Louis, el primer ganador de la maratón, quien estaba vestido con un traje típico de pastor griego.

Todo ese ostento de poderío se vio rápidamente superado en lo deportivo, por Jesse Owens, un atleta de raza negra quien a sus 22 años se convirtió en el Rey del atletismo al ganar 4 medallas de oro.

A causa de la segunda guerra mundial, el deporte queda relegado, es así como entre los juegos de 1936 y 1948 el progreso experimentado durante los años 30 queda congelado. Los juegos de 1940 se otorgaron inicialmente a Tokio, pero a causa del conflicto chino-japonés pasaron a Helsinki debido a la neutralidad de Finlandia ante el conflicto europeo, sin embargo éstos no se llevaron a cabo al igual que los juegos de 1944.

Al finalizar la guerra en 1945 se le otorgó a Londres la sede para los juegos de 1948. A pesar de las resistencias de ciertos sectores de la sociedad que consideraban mas importante la reconstrucción de su país por encima de cualquier tipo de juegos, éstos se realizaron con la participación de 4468 deportistas representantes de 58 países, entre los que no se contaban Japón y Rusia, que rechazaron la invitación, y, Alemania, Italia y el nuevo estado de Israel, que no fueron oficialmente invitados.

La antorcha olímpica llegó de Grecia, pero no pasó por Alemania. Por primera vez se televisó en directo la ceremonia inaugural siendo vista por más de medio millón de británicos.

A partir de los juegos de Helsinki en 1952 y por 40 años más, se hace evidente la guerra fría fruto de la confrontación ideológica entre los Estados Unidos y la Unión Soviética. Estos juegos donde arribaron 5800 deportistas representantes de 69 países en busca de la gloria olímpica, en 17 disciplinas, serían el inicio de una guerra deportiva para demostrar a través del deporte qué sistema de vida era mejor para el mundo, el capitalismo o el comunismo; los soviéticos ausentes de la competición atlética desde 1912 fueron en esta ocasión los segundos en el cuadro de medallería (76 vs 71) después de los estadounidenses. Pero cuatro años más tarde en Melbourne se desquitarían arrasando con 99 medallas contra 74 de los norteamericanos.

En Helsinki compitieron nuevamente, Japón y Alemania, representada esta última por un equipo de la zona occidental, ya que no pudieron competir los representantes de la dividida zona comunista.

La escena política se hizo sentir fuertemente en los juegos de Melbourne en 1956. De un lado el levantamiento húngaro contra Rusia acababa de ocurrir, por lo que el equipo de Hungría participó no solo de sorpresa sino también con grandes dificultades, a tal punto que los atletas británicos les prestaron a los húngaros zapatillas y uniformes para sus competiciones. A la final de warter polo protagonizada por Rusia y Hungría se trasladó la contienda vivida en estas dos naciones. Por otro lado, Egipto, Líbano, Irak e Israel boicotearon los juegos negándose a participar debido a la presencia de Francia e Inglaterra en el medio oriente. China popular abandonó los juegos porque Taiwan, la china nacionalista, fue aceptada.

Los juegos de Roma en 1960, en los que propio Papa Juan XXIII, recibió a los 5.900 atletas de 85 países, pasaron a la historia por la transformación radical que la televisión le imprimío a los juegos.

El mérito de los juegos de Tokio en 1964, en los que se batía el récord de inversión, fue el de mostrar un Japón renovado con un enorme potencial económico.

Los juegos olímpicos de 1968 realizados en México son los primeros en la historia a ser disputados en una país de habla hispana y los primeros celebrados en altitud. Sin embargo México pasó a la historia por dos hechos: la masacre (200 muertos) producida 10 días antes de la cita olímpica de una manifestación de estudiantes que protestaban contra los gastos que suponía la realización de los juegos en contraste con la situación del país y, las peleas "a puño limpio" entre norteamericanos provocadas por los atletas Tommy Smith y John Carlos, ambos estadounidenses, quienes subieron al pódium con guantes negros en un gesto desafiante, en señal de protesta contra las políticas raciales de los Estados Unidos. Finalmente los atletas fueron deportados a su país como criminales.

A pesar de los hechos ocurridos cuatro años antes, los juegos olímpicos de Munich en 1972 afrontaron la peor crisis de su historia debido a hechos políticos: en el transcurso de los juegos, un comando terrorista palestino que exigía la liberación de 200 compañeros, petición a la que el gobierno israelí se negaba, secuestró a 11 atletas de la delegación israelí, en el curso de las acciones policiales en busca de lograr su liberación los rehenes murieron junto con tres de los terroristas. No obstante, los juegos fueron reanudados después de un día de duelo, decisión que obviamente también fue controvertida.

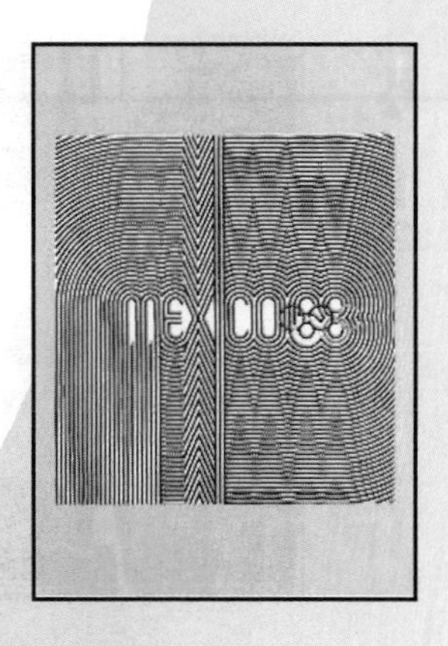

Por los hechos acaecidos en las dos olimpiadas anteriores, Montreal, volcó todos sus esfuerzos y grandes sumas de dinero en garantizar la seguridad en los juegos de 1976. Los soviéticos boicotean la cita olímpica, decidiendo a último momento no participar en ella debido a razones políticas.

En Moscú 1980 el boicot lo protagonizó los Estados Unidos, quienes en contra de la invasión de los soviéticos a Afganistán decidieron no participar en los juegos. 61 países más se unieron a la decisión de Jimmy Carter, entre los que se contaban Gran Bretaña y Francia.

En 1984 los juegos se realizaron en los Ángeles, juegos en los que los soviéticos con 16 países aliados a su causa, obviamente no participaron. Sin embargo, los dos hechos mas significativos se desarrollaron en otro plano: el comisionado de los juegos revolucionó el mundo olímpico al financiarse mediante la venta de los derechos de las insignias olímpicas a las empresas privadas. A partir de este momento y debido a la influencia de la televisión comercial sobre las ganancias obtenidas por la venta de toda clase de artículos, se inició una oferta multimillonaria por obtener los derechos olímpicos. Por otro lado, el entonces presidente del COI J. Samaranch rompió con la política de no permitir la participación de deportistas profesionales en los juegos, lo que durante tantos años fue objeto de controversias, mentiras y escándalos.

En Seúl 1988, empezaron a competir los atletas profesionales donde estrellas de talla mundial se dieron cita. También se puso en evidencia la influencia de las ciencias médicas en el campo deportivo, el hecho más relevante de estos juegos lo protagonizó Ben Johnson, un atleta canadiense que batiendo en forma sorprendente el récord de los 100 metros (9,73 seg.) fue encontrado positivo en la prueba de doping.

Para los juegos de Barcelona en 1992, la Unión Soviética había sido fraccionada en 15 países independientes, el muro de Berlín había caído uniendo a la alemania separada, Sudáfrica después de años de segregación racial estaba cambiando de actitud, el profesionalismo había sido definitivamente aceptado. Desde su majestuosa inauguración se sentía un ambiente de paz lejos de los antiguos boicoteos o las falsedades que buscaban esconder el pago a los deportistas; los países de la ex-Unión Soviética participaron con un equipo unido; atletas sudafricanos de raza blanca y negra se encontraron nuevamente participando por su país después de 32 años.

Después de largas discusiones de quienes consideraban los juegos de 1996 que conmemoraban los 100 años de la versión moderna olímpica deberían ser realizados en la ciudad que los inspiró y que por primera vez los realizó, finalmente se hicieron en Atlanta, en donde el fútbol femenino hizo su debut con muy buenos resultados. También fueron modalidades debutantes el voleibol playa y el ciclomontañismo.

Los juegos de Sidney 2000 en su vigésimo séptima versión, fueron un ejemplo de la poderosa máquina económica montada alrededor del deporte: Australia percibió por turismo durante la realización de los juegos alrededor de 4.270 millones de dólares. 220 fue el número récord de países que transmitieron el evento, ingresando al COI 798 millones de dólares por derechos los de transmisión.

Se incluyeron como deportes olímpicos el taekondo y el triatlón y la participación femenina en la modalidad de levantamiento de pesas.

Actualmente los superatletas compiten en 32 deportes diferentes mientras otros tantos esperan su turno de ingreso.

Mascota

Athenà Phèvos

The Peace and Friendship Stadium at Faliron Coastal Zone, site for volleyball.
Credit : ATHOC
http://www.olympic.org/uk/games/athens/index_uk.asp

LOS DEPORTES OLÍMPICOS

Atletismo de pista y de campo - Dividido en cuatro categorías:

- *Carreras pedestres:* De velocidad (100m, 200 m y 400 m); de medio fondo (800m y 1500 m); de fondo (5000 m y 10000 m); vallas (100 m y 400 m para mujeres, 110 y 400 m para hombres); relevos (4x100 m y 4x400 m) y carrera de obstáculos (3000 m para hombres); maratón; marcha en carretera 20 Km para damas y 50 Km para hombres.
- *Saltos*: De longitud; de altura; de pértiga y triple salto (masculina)
- *Lanzamientos*: De peso; de disco, de jabalina; de martillo.
- *Pruebas combinadas*: Decatlón (masculino) y heptatlón (femenino)

Badminton

Baloncesto

Balonmano

Béisbol - Exclusivamente Masculino

Boxeo - Exclusivamente Masculino

Ciclismo - Dividido en tres categorías:

- *Carretera*: Individual (228 Km para la modalidad masculina y 128 Km para la femenina) e individual contra reloj (46,8 Km masculino y 31,2 Km femenino).
- *Pista*: dividida en pruebas individuales y por equipos, pruebas de velocidad y de resistencia, persecuciones, carreras contra reloj y carreras por puntos.
  - Velocidad olímpica
  - Americana (masculina)
  - Keirin (masculina)
  - Persecución por equipos sobre 4 Km(masculina)
  - Contra reloj: 1 Km (masculina) - 500 m (femenina)
  - Carrera por puntos: 40 Km (masculina) y 25 Km (femenina)
- *Bicicross*

Esgrima - Dividido en tres categorías tanto en la modalidad individual como por equipos:

- *Florete*
- *Espada*
- *Sable* (Exclusivamente masculino)

Fútbol

Gimnasia - Dividido en tres disciplinas:

Artística: Comprenden cuatro competiciones: calificación, final del concurso múltiple individual, finales por aparatos y finales por equipos.

La calificación, en la que 12 equipos de 6 gimnastas y 26 gimnastas individuales compiten por la clasificación. 5 de los 6 gimnastas se presentan en 6 aparatos masculinos (ejercicios de *suelo, caballos con arzones, anillas, barras paralelas barra fija y salto de potro*) y cuatro aparatos femeninos (*ejercicios de suelo, barras asimétricas, barra de equilibrio y salto de potro*). La puntuación total de cada equipo se calcula sobre la base de los cuatro mejores resultados.

En la Múltiple individual participan los mejores 36 gimnastas de acuerdo con la calificación anterior, con un máximo de 3 por equipo, quienes compiten en un aparato y un ejercicio libre.

En las finales por aparatos, compiten los 8 mejores gimnastas, con un máximo de 2 por equipo, clasificados en el primer concurso sobre uno de los aparatos, presentando un ejercicio libre.

En las finales por equipos, los mejores 6 equipos enfrentan cinco de los 6 integrantes de sus equipos en los 6 aparatos para hombres y en los 4 para mujeres.

Rítmica. Con ejercicios de *aro cuerda, pelota, mazas* y *cinta*, se reserva solo a la modalidad femenina. Comprende las competiciones en:

Concurso general individual, en el que las gimnastas presentan 4 (cuerda, aro, cinta y pelota) de los 5 ejercicios y clasifican a la final las mejores 10 gimnastas.

En el concurso general por equipos, 5 gimnastas por equipo presentan dos ejercicios. En uno utilizan 10 mazas y en el otro 2 aros y 3 cintas, clasificándose a la final los mejores 8 equipos.

Trampolín

Halterofilia - Dividido en:

8 categorías de peso para hombres: 56 Kg, 62 Kg, 69 Kg, 77 Kg, 85 Kg, 94 Kg, 105 Kg y más de 105 Kg.

7 para mujeres: 48 Kg, 53 Kg, 58 Kg, 63 Kg, 69 Kg, 75 Kg y más de 75 Kg.

Hípica - Con pruebas individuales y por equipos, este deporte está dividido en tres disciplinas:

Salto

Doma

Concurso completo. Comprende las pruebas de doma, recorrido de fondo y salto de obstáculos.

Hockey sobre césped

Judo - Dividido en 7 categorías de peso, tanto en la modalidad masculina como en el femenina, solo que entre una y otra varían los pesos en los que se agrupan.

- *Masculina*: Superligeros, menos de 60 Kg; Semiligeros, menos de 66 Kg; Ligeros, menos de 73 Kg; Semimedios, menos de 81 Kg; Medios, menos de 90 Kg; Semipesados, menos de 100 Kg; Pesados, más de 100 Kg.
- *Femenina*: Superligeros, menos de 48 Kg; Semiligeros, menos de 52 Kg; Ligeros, menos de 57 Kg; Semimedios, menos de 63 Kg; Medios, menos de 70 Kg; Semipesados, menos de 78 Kg; Pesados, más de 78 Kg.

Lucha olímpica - Se agrupa en 8 categorías exclusivamente masculinas: 54 Kg, 58 Kg, 63 Kg, 69 Kg, 76 Kg, 85 Kg, 97 Kg y 130 Kg. está dividida en:

- *Lucha grecoromana*
- *Estilo libre*

Natación - Las competiciones de natación se dividen en:

- *Libre*: 50m, 100m, 200m, 400m, 800m (fem.) y 1500m (masc.).
- *Pecho*: 100m y 200m
- *Espalda*: 100m y 200m
- *Mariposa*: 100m y 200m
- *Cuatro estilos individuales*: 200m y 400m.
- *Relevos:* 4x100m y 4x200m en estilo libre y 4x100m en cuatro estilos.

Nado sincronizado - Esta disciplina exclusivamente femenina incluye una prueba por parejas y otra por equipos, cada una de las cuales ofrecen un programa técnico u obligatorio y otro libre.

Pentatlón moderno: De participación femenina y masculina, incluye equitación, esgrima, natación, tiro con pistola y carrera a campo través.

Piragüismo - Empleándose dos tipos de embarcaciones: el *kayac* monoplaza (K1), biplaza (K2) y de cuatro plazas (K4), así como *canoas* monoplaza y biplaza, estas competiciones se dividen en:

- *Pruebas de velocidad sobre pistas de aguas tranquilas*, con nueve regatas para hombres y 3 para mujeres.
- *Pruebas de eslálom sobre recorridos de aguas bravas*, con una prueba para mujeres (K1) y tres para hombres (K1, C1 y C2).

Remo - Las pruebas comunes tanto masculinas como femeninas son: *Skiff*,

dos en pareja sin timonel, cuatros en pareja sin timonel, dos en pareja sin timonel peso ligero, dos en punta sin timonel y ocho en punta con timonel.

Las pruebas exclusivamente masculinas son: *cuatro en punta sin timonel* y *cuatro en punta sin timonel peso ligero.*

Saltos de trampolín - Consisten en cuatro pruebas tanto femeninas como masculinas en:

- *Trampolín de 3m.*
- *Vuelo alto de 10 m.*
- *Salto sincronizado de 3m.*
- *Salto sincronizado de 10 m.*

Sóftbol - Exclusivamente femenino

Taekwondo - Tanto las competiciones masculinas como las femeninas comprenden cuatro categorías de peso:

- *Masculina*: menos de 58 Kg; menos de 68 Kg; menos de 80 Kg; más de 80 Kg.
- *Femenina*: menos de 49 Kg; menos de 57 Kg; menos de 67 Kg; más de 67 Kg.

Tenis de campo - Comprende competiciones en individual femenino y masculino y en dobles femenino y masculino.

Tenis de mesa - Comprende competiciones en individual femenino y masculino y en dobles femenino y masculino.

Tiro olímpico - Con 17 pruebas, de las cuales 7 son de participación femenina se dividen en cuatro categorías:

- *Escopeta*
- *Carabina*
- *Pistola*
- *Blanco móvil*

Tiro con arco - Las pruebas de tiro con arco se desarrollan en cuatro pruebas (masculinas, femeninas, individuales y por equipo sobre cuatro distancias:

- *90m para hombres y 70m para mujeres sobre blancos de 122 cm.*
- *70m para hombres y 60m para mujeres sobre blancos de 122 cm.*
- *50m mixto sobre un blanco de 122 cm.*
- *30m mixto sobre un blanco de 80 cm.*

Triatlón - La competición olímpica de este deporte se lleva sobre 1,5 Km de natación, seguido de 40 Km de bicicleta y 10 Km de carrera a pie.

Vela - Disputada sobre dos tipos de carreras:

- *Regatas*
- *Pruebas dobles*

Se llevan a cabo 11 categorías: 3 masculinas (Mistral, para windsurf; Finn para barco de orza individual; y 470, para barco de orza doble); 3 femeninas (Europa, para barco de roza individual; Mistral y 470); y, 5 mixtas (lasetr, para barco de orza individual; 49er para barco de orza de alto rendimiento; Torando para catamarán; Star, para embarcaciones de quilla doble; y, Soling).

Voleibol

Voleibol de playa

Waterpolo

JUEGOS OLÍMPICOS DE INVIERNO

Los deportes de invierno son todos aquellos deportes que para su práctica requieren la utilización de hielo o nieve.

Comprenden:

- Los deportes de toboganes (tipo luge de course y bobsleigh).
- Hockey sobre hielo.
- Biatlón.
- Patinaje sobre hielo (artístico y de velocidad, dividido en el tradicional de pista oval y el patinaje en pista corta).
- Curling
- Esquí sobre nieve (nórdico y alpino).

El siguiente es el listado de los juegos olímpicos de invierno realizados con sus respectivas sedes:

I	1924 Chamonix
II	1928 Saint Moritz
III	1932 Lake Placid
IV	1936 Garmisch-Partenkirchen
V	1940 Garmisch-Partenkirchen (Canceladas - II Guerra Mundial)
VI	1944 Cortina d'Ampezzo (Canceladas - II Guerra Mundial)
VII	1948 Saint Moritz
VIII	1952 Oslo
IX	1956 Cortina d´Ampezzo
X	1960 Squaw Valley
XI	1964 Innsbruck
XII	1968 Grenoble
XIII	1972 Sapporo
XIV	1976 Innsbruck
XV	1980 Lake Placid
XVI	1984 Sarajevo
XVII	1988 Calgary
XVIII	1992 Albertville
XIX	1994 Lillehammer
XX	1998 Nagano
XXI	2002 Salt Lake City

Los Juegos Olímpicos de Invierno se han realizado desde 1924, como complemento de las Olimpíadas, disputándose igualmente cada cuatro años, dos años después de éstos y en una nación que puede ser distinta a la destinada a albergar los Juegos Olímpicos propiamente dichos.

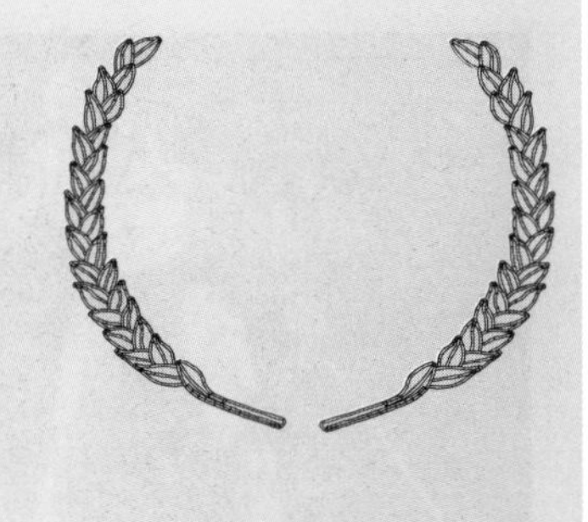

ELEMENTOS REPRESENTATIVOS

JURAMENTO

Se incluyó por primera vez en los juegos de Amberes de 1920. Durante la ceremonia inaugural los deportistas representados por uno solo de ellos, se comprometen a cumplir con las reglas que rigen la competencia.

El juramento, escrito por Coubertin, dice lo siguiente:

«En nombre de todos los competidores prometo que tomaremos parte en estos Juegos Olímpicos respetando y cumpliendo todas las reglas que gobiernan el verdadero espíritu deportivo, por la gloria del deporte y el honor de nuestros equipos».

ANTORCHA

La llama olímpica que simboliza el espíritu olímpico de la antigüedad se enciende cada cuatro años en la ciudad de Olimpia con una lente que capta los rayos del sol, luego es transportada por diferentes atletas en todas partes del mundo hasta la ciudad que organiza los juegos. Apareció por primera vez en la celebración de los juegos de Berlín en 1936, gracias a la propuesta de Karl Diem, quien tomando la idea de los juegos de la antigüedad, la convirtió en un símbolo de los juegos de la modernidad.

LEMA

La frase "*Citius, Altius, Fortius*" creada por el monje dominico Henri Didon, que significa más rápido, más alto, más fuerte, es el lema olímpico adoptado desde los juegos de París en 1924.

BANDERA OLÍMPICA

En 1914, Coubertin creó la bandera olímpica como un emblema de unidad de las naciones. Sobre un fondo blanco sus cinco anillos entrelazados, de colores rojo, amarillo, azul, verde y negro, simbolizan con los colores básicos de las banderas nacionales de los países del mundo, la unión de los cinco continentes y la reunión de los atletas de todo el mundo con un espíritu de franca competencia y amistad.

HIMNO

Creado por los griegos Spiros Samaras y Costis Palamas, el himno olímpico se interpreta en la inauguración de los juegos en el momento en que entra la llama olímpica al estadio sede.

MASCOTA

Las mascotas agregan un toque de originalidad bajo una figura animada que refleja las tradiciones de la gente de la ciudad sede de unos Juegos Olímpicos. La primera mascota oficial en alcanzar la popularidad universal como símbolo de los Juegos Olímpicos apareció en Munich 1972, el perro salchicha Waldi. Después vinieron el castor Amik, de Montreal 1976; el oso Misha, en Moscú 1980; el águila Sam, en Los Ángeles 1984; los tigres Hodori y Hosuni, en Seúl 1988; el perro Cobi, en Barcelona 1996; la figura animada Izzy, en Atlanta 1996; Olly, Millie y Syd, en Sydney 2000.

MEDALLA

Cuando resurgió el Olimpismo en 1896 la costumbre honorífica de recompensar a los atletas vencedores en las diferentes justas fue retomada simbólicamente, por lo que se crearon tres medallas, una de oro, otra de plata y otra de bronce, todas de idénticas dimensiones: 6 cm. de diámetro y 3 mm. de espesor. Entre 1896 y 1928 el aspecto exterior de la medalla variaba constantemente en función de los aspectos relevantes de cada ciudad sede. A partir de los juegos de Munich en 1972, el italiano Giuseppe Gassiolli, realizó un diseño que fue ubicado definitivamente en el anverso de la medalla, ya que el otro lado se deja al criterio de los organizadores de cada edición de los Juegos. Este diseño contiene a Niké, la diosa griega de la victoria, blandiendo una corona de laureles y un fragmento del Coliseo de Roma, sobre el que figura el número ordinal de los Juegos Olímpicos, su año y su sede.

MENSAJE

En Londres 1908 Coubertin escuchó en el sermón del Obispo de Pennsylvania durante un servicio especial para los Juegos, las siguientes palabras: «*Lo más importante en los Juegos Olímpicos no es ganar, sino participar. Justo como lo más importante en la vida no es el triunfo, sino el esfuerzo*", desde entonces, esas palabras han sido anunciadas en todos los tableros electrónicos de cada edición de los Juegos Olímpicos Modernos.

ELEMENTOS REPRESENTATIVOS

ARTES MARCIALES

El concepto de artes marciales comprende muchas disciplinas y diversas tradiciones orientales, que ponen en práctica sistemas de combate basados en la ejercitación conjunta del cuerpo, la mente y el espíritu como un sistema único, en cumplimiento del ancestral propósito de ser un medio de repeler con las armas naturales que posee el cuerpo humano cualquier agresión. Estas fueron evolucionando y fusionándose hasta llegar a la amplia variedad de artes marciales con que se cuenta en la actualidad, que van desde el deporte competitivo, pasando por técnicas de defensa personal, hasta escuelas de meditación con un enorme auge en los países de occidente.

PARTE 2

Artes Marciales

AIKIDO

La palabra *Aikido* compuesta por tres ideogramas (*ai*, que significa unión; *ki*, que significa energía; do, que significa camino), puede ser traducida como el camino de la unión con la energía del universo, o el camino de la armonía espiritual.

El Aikido es un arte marcial japonés que emplea la fuerza del oponente para derrotarlo, utilizando principalmente técnicas de agarre y evasiones corporales en donde se enfatiza la evasión y la redirección circular o espiral de la fuerza de agresión del atacante, generando más que golpes y patadas, caídas, lanzamientos, inmovilizaciones y palancas.

Además de que el Aikido excluye categóricamente toda idea de competición, se diferencia de la mayoría de las artes marciales, en que el aikido busca controlar el ataque mediante el uso de técnicas de torsión de articulaciones, proyecciones e inmovilizaciones, procurando que el atacante no salga lesionado, pues la finalidad del aikido no es lesionar al contrario, sino por el contrario evitar lastimar y ser lastimado.

HISTORIA

Morihei Ueshiba
(1883-1969)

Este arte marcial fue fundado en Japón por Morihei Ueshiba, quien basándose en antiguas artes marciales como el *daito-ryu aikijujutsu* o el *kenjutsu* que estudió a lo largo de su vida, creó un nuevo arte marcial con una filosofía bastante diferente.

Ueshiba profesaba un gran amor por el budo, por lo que durante su juventud pasó por diferentes escuelas de artes marciales: realizó estudios sobre el budo y su vía espiritual; estudió el Jujutsu en varios de sus Ryus, del que queda remanencia en los movimientos de pies y manos del Aikido; lo absorbió el estudio de la lanza, de donde nacieron diferentes movimientos corporales que luego fueron básicos en las técnicas de Aikido con bastón y en el IRIMI. De su síntesis extrajo la mayor parte de las técnicas de Aikido, que existen bajo una forma más o menos similar de una o varias escuelas de Juijutsu y de buen número de formas de manejar la espada, el bastón o la lanza.

La experiencia de la segunda guerra mundial profundizó en Ueshiba la necesidad de encontrar un Arte Marcial que no persiguiera la destrucción del rival, "porque quien quiere destruir se expone a ser destruido". Así, con la idea del respeto por el rival, Ueshiba creó en 1942 el Aiki budo, que en su versión moderna es Aikido.

IMPLEMENTOS

KEIKOGI

El "keikogi" es un traje de algodón similar al de otras artes marciales, que consta de pantalón y chaqueta, que se lleva tradicionalmente sin ropa interior; el cinturón, u "obi", que sólo se lleva en blanco o índigo, y el negro para los yudansha, cierra la chaqueta del keikogi siendo enrollado por debajo del ombligo.

HAKAMA

La "hakama" es una falda pantalón plisada, que antiguamente era utilizada por los jinetes, samurais y nobles. El hakama se pone después de haber apretado el cinturón y debe llegar al maléolo externo del tobillo.

ARMAS

Las escuelas que entrenan con armas usan el *jo*, una vara entre 1.5 y 1.7 m de largo, el *bokken*, una espada de madera y el *tanto*, un cuchillo normalmente de madera.

ESCUELAS

A lo largo de la historia, el Aikido ha vivido varias fases y sufrido modificaciones en sus métodos de práctica. Hasta el propio Morihei Ueshiba, su fundador, varió la enseñanza en ocasiones siempre intentando mejorar pero siendo fiel a las bases que sentó. De esta forma, muchos de los grandes maestros, sucesores de Ueshiba, crearon sus propias escuelas según su manera de interpretar y de sentir el Aikido, dando lugar a diferentes estilos del Aikido:

AIKI BUDO: Se denomina así al arte que el maestro Ueshiba enseñaba en sus orígenes. Es muy cercano en estilo a las formas de Jutsu previamente existentes como la Daito-ryu Aiki-jutsu.

AIKIKAI AIKIDO: Aikikai es el nombre comúnmente utilizado para referirse al estilo liderado por Kisshomaru Ueshiba, hijo del fundador del Aikido, bajo el auspicio de la Federación Internacional de Aikido, la principal organización para el desarrollo y popularización del *Aikido* a través del mundo. Esta escuela sigue la línea que dejó el fundador Ueshiba, después de su muerte. Posee un estilo suave, con movimientos muy armónicos, próximo a los últimos días de Ueshiba.

SHODOKAN AIKIDO (Tomiki-ryu Aikido): escuela formada por Kenji Tomiki Shihan, que fue uno de los primeros y mejores alumnos de Ueshiba y al primero que O'sensei otorgó el grado de 8º Dan. Tomiki sensei era un consagrado judoka, de los mejores alumnos de Jigoro Kano (fundador del *Judo* moderno). Es por esto por lo que quiso enseñar *Aikido* aplicando los métodos de entrenamiento del *Judo* introduciendo, además del *Aikido* tradicional, un elemento competitivo que creía necesario para el mejor aprendizaje de las técnicas. Es un estilo duro y de los más efectivos dado a su aplicación competitiva.

YOSHINKAN AIKIDO: Su fundador, Gozo Shioda, estudió *Aikido* con Ueshiba antes de la Segunda Guerra. La principal diferencia entre el *Yoshinkan* y los demás estilos es que éste está relacionado más con el *Aikido* que Ueshiba enseñaba antes de la guerra, por tanto tiende a reflejar más robustez o dureza que otras formas.

También se pone gran énfasis en los seis movimientos básicos (Kihon Dosa).

IWAMA-RYU AIKIDO: Es el estilo enseñado por Morihiro Saito, que siendo técnicamente similar al *Aikido* que enseñaba Ueshiba a principios de los cincuenta en el dojo de Iwama, cuenta con un repertorio de técnicas muy abundantes que hacen mucho énfasis en el entrenamiento con armas.

SHIN-SHIN TOITSU AIKIDO: También llamado *Ki-Aikido*. En 1974 Koichi Tohei, en ese entonces Jefe de Instructores en el Aikikai, se separó de la organización y fundó el Ki no Kenkyukai para enseñar Aikido con un fuerte énfasis en el concepto de Ki, estilo que denominó Ki no Kenkyukai Hombu, creando la Sociedad Internacional del Ki. Como sugiere el nombre sus enseñanzas se centraban más en el *ki* y el estudio del *ki* por encima de la *waza*, siendo un estilo más fluido y suave que los demás.

YOSEIKAN: Esta forma fue desarrollada por Minoru Mochizuki, quien fue uno de los primeros estudiantes de Ueshiba y también de Jigoro Kano en el Kodokan (judo).

Este estilo incluye elementos del Aiki-Budo junto con aspectos del Karate, Judo, Jujutsu y otras artes.

TOMIKI-RYU: Fundado por Kenji Tomiki, un antiguo estudiante de Ueshiba y del fundador del Judo Jigoro Kano. Tomiki, produjo una de las grandes fracturas del Aikido cuando decidió racionalizar el entrenamiento del Aikido, dentro de los parámetros seguidos por Jigoro Kano para el Judo. Adicionalmente pensó que introduciendo el elemento competición, podría servir para dar forma y focalizar su práctica. Este estilo usa Katas en la enseñanza y mantiene competiciones a manos libres y con cuchillo.

Artes Marciales

CAPOEIRA

La Capoeira es un sistema de lucha dinámico, coreográfico, llevado a cabo por dos compañeros, caracterizado por la asociación de movimientos rituales, acompañados con música, cuyo instrumento principal es el berimbau. Este juego coreográfico simula intenciones de ataque, defensa y esquiva, al mismo tiempo que los competidores exhiben sus habilidades, fuerza y autoconfianza, con la pretensión de demostrar superioridad sobre el compañero. El complejo coreográfico se desenvuelve a partir de un movimiento básico denominado de *gingado*, del cual surge un desarrollo aparente espontáneo y natural, con el objetivo disimulado de obligar al compañero a admitir su propia inferioridad.

HISTORIA

El origen exacto de la Capoeira se desconoce

Aunque el origen exacto de la Capoeira no se conoce, se especula que el mismo podría provenir de Angola, en donde se realizaba un tipo de danza ritual de origen bantú. A pesar de ello, existen otras versiones que sugieren el origen brasilero de la Capoerira, donde la corona portuguesa introdujo en Brasil alrededor del Siglo XVI, más de tres millones y medio de esclavos africanos negros, provenientes de dos grandes grupos étnicos: los sudaneses, originarios de la región del golfo de Guinea, repartidos mayoritariamente en Bahía; y los bantúes, provenientes de las regiones próximas al río Congo, Angola y Mozambique, que fueron distribuidos por la costa en el nordeste y sudeste. Esta mezcla de culturas condujo a que se perdiera la unidad como tribu, pero con el tiempo formó una identidad colectiva, producto de la situación lejos de su hogar.

Aprovechando la invasión holandesa al Brasil, llevada a cabo entre 1624-1630, los esclavos huyeron en masa hacia el nordeste, donde formaron los *quilombos*, organizándose social y políticamente a la manera de las sociedades tribales de África.

Cuando los holandeses fueron expulsados, y el Brasil regresó al dominio portugués, los gobernantes, se ocuparon de desarticular y acabar con los *quilombos*, restituyendo los esclavos al cautiverio.

No contando con armas suficientes para defenderse, los esclavos, a partir de la observación en la selva de las peleas de los animales, de sus golpes y saltos, descubrieron en el cuerpo una valiosa arma de defensa, desarrollando una especie de juego acompañado de instrumentos que les recordaban sus antiguas ceremonias y rituales. Este sistema de lucha de autodefensa basado en el cuerpo, en el que se alternaban gritos ofensivos y defensivos al compás de una música con un sentido solo perceptible para los iniciados y cuya finalidad era practicar un sistema de combate encubierto, ya que las autoridades no permitían ninguna manifestación de violencia por parte de los esclavos africanos, se desarrolló aprovechando los espacios libres que los esclavos abrían dentro del matorral o "capoeiras" (un espacio dentro del alto matorral que se cortaba con el fin de entrenar dicha lucha).

Cuando las autoridades comprendieron que los esclavos practicaban un sistema de lucha encubierta, este sistema reformó tácitamente sus pautas de entrenamiento, modificado el ritmo de la danza, que de una forma vertiginosa pasó a ser más lenta.

El término "*Capoeira*", fue utilizado por primera vez por Rafael Bluteau en 1712, haciendo referencia a la ferocidad de los gallos de pelea. En un principio, el término, se

usó como sinónimo de delincuente y el capoeirista fue considerado marginal, ya que la Capoeira, se practicaba en los espacios públicos, sin requerir de enseñanza ni organización sistematizada, lo que afectaba la previa autorización dependiente de las jefaturas locales encargadas de administrar el orden.

Desde el siglo XIX hasta principios del XX, las principales ciudades brasileñas de la época, como Recife, Salvador y Sâo Paulo, fueron objeto de innumerables confusiones protagonizadas por los capoeiristas. De 1890 a 1930, la capoeira fue considerada ilegal, siendo prohibida por decreto por la legislación brasileña, entableciéndose la prohibición de "realizar en las calles y plazas públicas ejercicios de agilidad y destreza corporal" conocidos con la designación de capoeiragem; además de andar en pandillas (maltas) con armas o instrumentos capaces de producir una lesión corporal, provocando tumulto o desorden.

A pesar de ser prohibida durante mucho tiempo, la Capoeira sobrevivió en la cultura del Brasil como una manifestación africana y afro-brasilera. Desde mediados del siglo XIX, se presentó una continuidad en la forma del juego de la calle, construyéndose una fuerte tradición especialmente en Sâo Paulo, Río de Janeiro y Salvador. Por ejemplo las fiestas de Largo, comunes en el calendario de Salvador, fueron antesala de las exhibiciones de los capoeiristas bahianos, donde se reunían capoeiristas en rodas que iban de simple divertimento a peligrosas luchas, en las que ocasionalmente aparecían cuchillos y navajas.

A partir de 1910 se crearon en Salvador, las Escuelas de Capoeira manejadas como academias clandestinas, pues la persecución duró hasta la década de 1930, hasta que en 1932, el capoerista Manoel Dos Reis Machado, "Bimba", abrió una Academia de Capoeira, realizando una profunda transformación en la visión marginal que se tenía de esta, que conllevaría a su legitimidad social a partir de su afirmación como deporte. "Bimba" desarrolló una nueva modalidad que denominó *Capoeira Regional Bahianana*, buscando la adhesión de las clases medias y blancas de Salvador y limitando su práctica al espacio cerrado de las academias, de las que el Centro de Cultura Física y Capoeira Regional, obtuvo el primer reconocimiento oficial en 1937. Posteriormente, el mismo gobierno lo invitó a abrir nuevos institutos en Río de Janeiro, San Pablo, Recife y Belo Horizonte.

De ahí en adelante, la Capoeira pasó a ser enseñada en las academias; hasta que en 1953, el comité del gobernador de la Bahía, programó una exhibición en presencia del entonces Presidente de la Republica.

En la década de 1970, las academias de Capoeira se instalaron definitivamente en Sao Paulo; en 1972 fue nombrado como "Deporte Oficial Brasileño" y, aprobado su reglamento técnico con un texto revisado y actualizado con la asesoría de la Confederación Brasilera de Pugilismo.

Una década más tarde, se consolidó su internacionalización, hasta que en 1999 fue creada la Federación Internacional. En la actualidad existen dos formas de capoeira: el estilo regional y el Angola. El primero es rápido y agresivo y, se practica de pie; el segundo se realiza al nivel del piso y con un ritmo mas suave.

EL JUEGO EN LA RODA

La roda está formada por un círculo de jugadores y los instrumentos.

El desarrollo del juego en la roda, sigue de la siguiente forma:

1. El maestro toca un solo con el *berimbau*.
2. Los demás instrumentos empiezan a tocar.
3. El maestro canta una *ladainha*.
4. El maestro canta el canto de entrada denominado *chula*, todos oyen con atención y luego responden en coro.
5. Al pie del berimbau se encuentran acurrucados dos participantes con la cabeza encorvada. Levantan la cabeza y observan al cantor que continua cantando; el coro siempre respondiendo. A medida que el nivel de energía de la roda va creciendo, las manos de los dos jugadores tocan el suelo, trazando unas señales mágicas que cierran el cuerpo y fortalecen el espíritu.
6. Enseguida, ejecutan una reverencia: apoyados solo con las manos, levantan el cuerpo y las piernas con la cabeza casi tocando el suelo; luego, lentamente, vuelven a la posición acurrucada y se enfrentan en un diálogo de movimientos de estudio.
7. Cuando en la chula se canta la frase "*vamos embora*" (vamos ahora), los jugadores ruedan al centro de la roda, apoyando en el suelo únicamente sus pies y manos.
8. Mientras el maestro y el coro cantan los corridos, el juego, se desenvuelve mediante fintas, golpes, esquivas, derribes y contraataques, en tanto que varias personas toman turnos para guiar los *corridos*.
9. El juego termina cuando uno de los jugadores inmoviliza a su oponente, se aproxima al adversario y lo saluda; la música también finaliza a una señal del maestro.
10. Al pie del berimbau, otra pareja espera acurrucada y luego parte para adentro de la roda, para continuar con el juego.

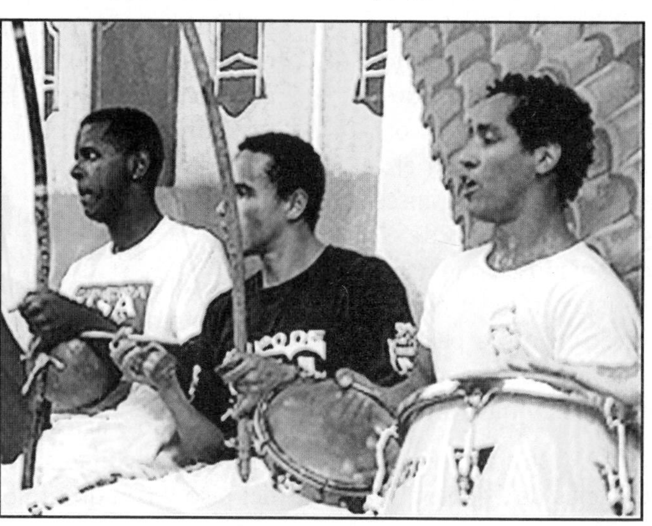

COMPETICIONES

INDIVIDUAL

En la modalidad individual se disputan las siguientes categorías:

Pena: Hasta 63 Kg.

Leve: De 63-68 Kg.

Medio: De 68-74 Kg.

Medio pesado: De 74- 81 Kg.

Pesado: Por encima de 81 Kg.

Las modalidades de competición de capoeira deportiva son cuatro: Individual Parejas Conjunto Individual técnica

Estas competiciones tienen una duración de un minuto y 30 segundos, y son juzgadas por 6 árbitros laterales mediante la observación de los siguientes aspectos:

- *Ataque*: La aplicación de los golpes lineales o giratorios exigidos en una distancia que permita atacar al adversario.

- *Defensa*: La habilidad demostrada por el capoerista para anular, desviar o atenuar los golpes del adversario, por medio de esquivas, de forma que se neutralicen sus golpes.
- *Eficiencia*: La colocación de los golpes desequilibrantes y traumáticos correctos y permitidos que produzcan efecto y demuestren superioridad de un capoerista sobre otro.
- *Volumen de juego*: La habilidad técnica demostrada en la colocación de los golpes y la destreza para hacerlo. Es la variedad de golpes y movimientos.
- Se exigen durante el juego 5 *armadas* y 5 *meia luas de compasso*, siendo necesario el orden en la aplicación de los golpes. También se exigen 10 esquivas que solo son válidas si se hacen en defensa de algún golpe o movimiento aplicado por el adversario.

INDIVIDUAL TÉCNICA

En la modalidad individual técnica, el tiempo de la demostración es de un minuto y de 3 a 5 árbitros valoran:

- *Creatividad*
- *Técnica*
- *Flexibilidad*
- *Equilibrio*
- *Volumen de golpes.*

PAREJAS

En la modalidad de pareja, el tiempo de juego es de minuto y medio y de 3 a 5 árbitros consideran los siguientes aspectos:

- *Ataque*
- *Defensa*
- *Eficiencia*
- *Volumen de juego*
- *Vestimenta*

CONJUNTO

En la modalidad de conjunto participan un mínimo de 10 participantes y un máximo de 15 y la duración de la presentación no excede los 10 minutos y de 3 a 5 árbitros consideran los siguientes aspectos:

- *Vestimenta*
- *Ritual*
- *Ritmos*
- *Toques y cánticos*
- *Volumen de juego*

La Capoeira es un juego de defensa y ataque,
una danza y una lucha.
La música que es tocada por los músicos de la roda
es el elemento básico que dirige el juego, donde dos jugadores
comienzan su juego con el ritmo de los instrumentos
de percusión y las canciones que narran diferentes historias.

Este deporte posee dos bases de acción: el esquive y el contraataque. Los movimientos son armoniosos, elegantes y suaves, en el que las piernas tienen un papel especial.

En la actualidad existen dos formas de capoeira:
el estilo regional y el Angola.
El primero es rápido y agresivo y, se practica de pie;
el segundo se realiza al nivel del piso y con un ritmo mas suave.

Editorial Kinesis

FUNDAMENTOS

La práctica de la capoeira se desenvuelve obedeciendo los siguientes parámetros:

- ***Ritmo regido por el berimbau:*** Por ser una manifestación coreográfica de ritmo africano, el encuadramiento de los movimientos de la capoeira al ritmo es fundamental para su práctica. El toque del berimbau lleva en sí a un estado transicional de conciencia calmada, pacífica y placentera, posibilitando un juego sin violencia y bien cadenciado, permitiendo a los compañeros el estudio, análisis, reflexión y creación de gestos rituales capaces de enriquecer el caudal de reflejos de defensa, de esquivas y contraataques, que componen el perfil del comportamiento del verdadero capoeirista.
- ***Movimientos rituales ritmo-dependientes:*** El conjunto de los movimientos de los participantes, para ser reconocido como juego de capoeira, debe ser ajustado al ritmo-melodía del toque y obedecer las reglas tradicionales de cada estilo, especialmente aquellas que garantizan la seguridad de su practica, y por sobre todo, respetar el principio de una lucha disimulada bajo la forma de danza.
- ***Disciplina y respeto a la tradición, a los mas viejos y a los compañeros:*** En las sociedades de cultura oral, como las africanas, la unión entre las generaciones es indispensable para la sobrevivencia del grupo y de los individuos, valorando a los mas viejos como depositarios de la sabiduría y de la experiencia, imprescindibles para la educación de los mas jóvenes.
- ***Camaradería:*** *La capoeira, como una actividad intrínsicamente guerrera,* potencialmente dañina y mortal, no puede ser practicada sin confianza recíproca, sin un compromiso de no-agresividad, de no-violencia, de respeto mutuo.
- ***Movimientos en esquiva, circulares y descendientes:*** De la misma forma en que los orientales consideran la esfera como la forma de perfección y el círculo, como su expresión mas auténtica, en la capoeira, los movimientos, principalmente los dislocamientos, deben ser circulares y girar en torno del centro de gravedad del compañero, escapando de su ataque y contorneando su flanco en la búsqueda de un punto débil o abertura en la guardia. Las esquivas descendientes, generan movimientos mejor apoyados en el suelo y por lo tanto más seguros, permitiendo también el alcance de los puntos más bajos del cuerpo.

- ***Disimulo de la intención:*** En concordancia con la definición y concepto de la capoeira como una lucha disimulada bajo la forma de danza, la simulación de la intención adquiere un papel fundamental dentro de este arte. El floreo, especialmente aquellos realizados con los miembros superiores, es el instrumento mas adecuado para la disimulación de la intención.
- ***Alerta, calma, relajamiento y auto confianza permanentes:*** El capoeirista necesita mantener continua sintonía con la mente del compañero para detectar sus intenciones reales y así poder anticiparse a sus gestos y mo-

vimientos. De esta postura mental surge naturalmente una eterna vigilancia que conlleva al inmediato ajuste a las variables exteriores. Solo en perfecta tranquilidad se consigue un estado de alerta relajado indispensable para desencadenar los reflejos de defensa, ataque y contraataque en un tiempo mínimo de reacción, durante un momento de peligro.

- ***Estado de conciencia modificado:*** Bajo la influencia del campo energético generado por el ritmo-melodía *de la capoeira*, el practicante alcanza un estado modificado de conciencia en que el ser se comporta como parte integrante del conjunto armonioso en el que se encuentra incorporado.

LA MÚSICA

La música es una parte integral en la práctica del Capoeira. Todos los toques están compuestos por un patrón de cuatro tiempos seguidos por una corta pausa; las letras de la música tienen un significado especial, ya que contienen referencias anecdóticas, palabras de coraje y, observaciones filosóficas. La forma como se desarrolla la música en una *roda* es como sigue:

1. El maestro toca un solo con el *berimbau*.
2. Los demás instrumentos empiezan a tocar.
3. El maestro canta una *ladainha*.
4. El maestro y el coro cantan una *entrada* o *chula*.
5. El maestro y el coro cantan los *corridos*.
6. Varias personas toman turnos para guiar los *corridos*.
7. La música y la *roda* terminan a una señal del maestro.

LADAHINA

La ladainha, es un canto utilizado frecuentemente en el estilo Angola, que sirve para informar y recordar la historia, tradiciones y filosofía del Capoeira, generalmente la canta el mestre solo, aunque también existen algunas formas de ladainha de tipo llamada-respuesta. Tradicionalmente se canta al inicio de la roda, con el propósito de prepararse para la roda, por lo que mientras esta dura, no hay juego físico.

Existen ladainhas tradicionales mientras que, otras se componen en el momento, para comentar o describir la situación del momento.

En el caso de las rodas de estilo Regional, la ladainha se omite por completo, el juego comienza inmediatamente mientras el grupo canta *corridos*.

La tendencia a excluir la ladainha influye principalmente en dos aspectos; en primer lugar existe un menor énfasis en la parte ritual y en la filosófica del Capoeira, y el simbolismo de la *roda* se olvida a favor de la destreza y confrontación física. En segundo lugar, se disminuye el papel del maestro como fuente de sabiduría y conocimiento.

CHULA

La chula es un canto de tipo llamada-respuesta que es precedido por una ladainha, cuyo propósito es alertar a todos que el juego va a comenzar, además de rendir homenaje a las tradiciones, a personalidades específicas (maestros y su linaje o cualquiera de los presentes) o la ubicación en donde se lleva a cabo la roda.

Cuando al final de la ladainha el maestro canta la palabra "*amigo* o *camarada*", se empieza la chula; luego el maestro canta una frase precedida por la interjección "*ié*" y el coro repite la frase, quienes añaden al final la palabra "*camara*".

En algunos casos, el juego comienza con la chula; en otros, se comienza al final de esta, o, a media chula, cuando se canta la frase "*vamos embora*" (vamos ahora).

CORRIDO

El corrido es un canto de tipo llamada-respuesta que se canta uno tras otro hasta finalizar la roda.

La estructura más común de un corrido consiste en una frase en solo, seguida por una frase del coro. Aunque en algunos casos, este intercambio se rompe por una estructura de "*quadra*", que consiste en un solo conformado generalmente de cuatro frases que por lo general regresa a su forma de una sola frase.

Cuando en la roda se quiere introducir un nuevo corrido, se empieza por el coro y después se canta el solo, para de esta forma, alertar al grupo sobre el cambio.

CAMBIO DE MÚSICOS

Durante el transcurso de la roda, es común que los jugadores tomen el lugar de los músicos. Para ello, el jugador se aproxima al músico por atrás (dentro de la *roda*), para hacer el cambio tan rápido como sea posible, puesto que la ausencia de cualquier instrumento puede afectar el ritmo de la música.

REGLAMENTACIÓN

RODA

Las disputas de capoeira se realizan en una círculo de 2,5 m de radio, al que se le llama *roda*. La roda, delimitada por una línea con 10 centímetros de largo, tiene el piso de material no flexible, como madera, cerámica, plástico, etc.

Alrededor de la roda se ubica una cinta de seguridad, libre de obstáculos, delimitada por una línea de 10 centímetros de largo a la distancia de 1,30 m de la línea que limita el área de disputa.

VESTUARIO

El vestuario del capoeirista consiste de:

Un pantalón blanco en helanca, que alcance al tobillo y esté atado a la cintura con un cinturón indicativo de la clase a la que se pertenece.

Una camisa blanca de media manga de malha, que lleva estampada en el pecho el escudo de la escuela a la que se pertenece.

INSTRUMENTOS

BERIMBAU

El berimbau es un instrumento musical simple de cuerda, procedente de África, que se constituye como el principal instrumento de la roda, ya que es el que marca el ritmo del juego, e, inicia y termina la roda. Este instrumento está compuesto de la mitad de una calabaza, hueca y bien seca, en donde se agujerean en el centro dos puntos próximos. Aparte, se hace un arco como el de las de flechas, con la correspondiente cuerda. Se amarra la extremidad del arco con una cuerdecilla, a la calabaza, y entonces, juntando el instrumento al pecho que sirve en este caso de caja sonora, se hace vibrar la cuerda del arco, por medio de una varilla o baqueta hecha de bambú.

Existen tres formas de golpear el alambre en conjunto con el *dobrao:*

- *Zumbido*: El *dobrao* se oprime ligeramente contra el alambre, produciendo poca presión, dando como resultado un zumbido. Este golpe por lo general se da dos veces por cada tiempo, mientras la calabaza se mantiene junto al abdomen.
- *Solto*: El *dobrao* se mantiene separado del alambre mientras se golpea con la baqueta, produciendo un tono bajo. Durante este golpe, la calabaza se mantiene alejada del abdomen.
- *Presao*: El *dobrao* se oprime fuertemente contra el alambre, empujándolo hacia fuera, produciendo un tono alto. Durante este golpe la calabaza se mantiene alejada del abdomen.

En un ensamble tradicional de *Capoeira*, el *berimbau gunga* toca el ritmo principal y el *berimbau medio* toca el invertido y el *berimbau viola* toca pura improvisación.

Tipos de berimbau:

- Gunga
- Medio
- Viola o Violinha
- Barra Boi
- Berimbau de Boca

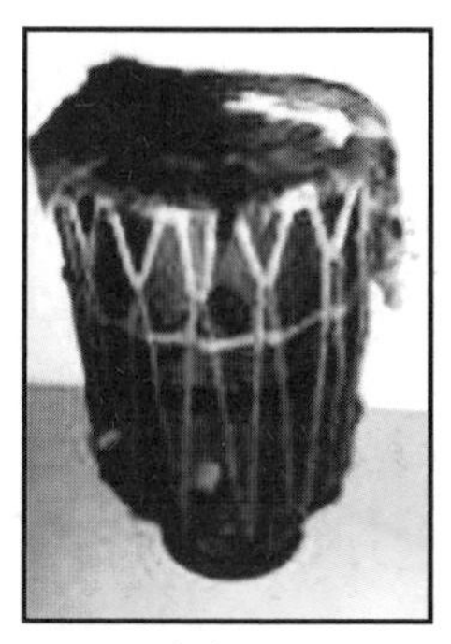
Atabeque

ATABAQUE

El atabaque es un tambor (muy similar a la conga de la música afro-cubana) de origen africano que se usa dentro de la roda como instrumento de apoyo. Por su sonido fuerte, con un ritmo semejante al latido del corazón, no puede ser tocado más alto que el berimbau.

Pandero

PANDERO

El pandero es un instrumento originario de la India que se usa en la roda como otro instrumento musical de apoyo siendo quizá el segundo instrumento más importante en la música de Capoeira.

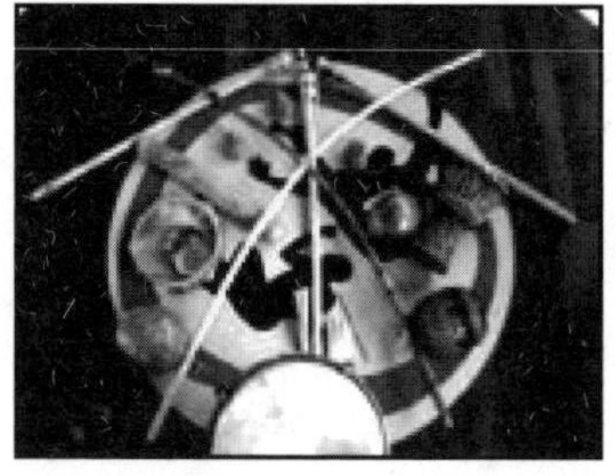
Reco-Reco

RECO-RECO

Instrumento musical de origen desconocido, que aunque actualmente resulta poco común, se utiliza como apoyo dentro de la roda, proporcionando un fondo muy rítmico.

AGOGÓ

El *agogo* es un instrumento en forma de campana con un sonido bastante agudo con el que se marca el ritmo al grupo.

ENSAMBLE DE LOS INSTRUMENTOS

En una roda de Angola tradicional, se utilizan en su orden: un atabaque, un reco-reco, un panderos, tres berimbau (berimbau gunga, berimbau media, berimbau viola), un pandeiro (para un total de dos) y un agogo.
El primer instrumento que se empieza a tocar es el *berimbau gunga,* lo sigue el *berimbau medio,* el *berimbau viola,* después los panderos, el *reco-reco, agogo* y por último el *atabaque.*
En la roda de Capoeira Regional, creada por el maestro "Bimba" sólo se permite un *berimbau* y dos o tres panderos. Esto asegura que el toque del *berimbau* no sea opacado por otros instrumentos tocados con demasiada fuerza.

PUNTUACIÓN

El volumen de juego vale 2 puntos.

Cada caída aplicada vale 2 puntos, donde sólo se computan las caídas desequilibrantes consumadas.

No se permite la utilización de los siguientes golpes:

- *Agarrones, cabezazos traumatizantes, codazos, dedos en los ojos, galopantes, puños, golpes a los genitales.*
- *Atacar al adversario cuando está en el suelo como resultado de la aplicación de un golpe traumatizante o desequilibrante,*
- *Trabar las piernas del adversario con las manos en la aplicación de contragolpes.*

Los golpes traumatizantes deben aplicarse siempre por encima de la cintura.

El vencedor del juego es el contrincante que ejecute los golpes y movimientos exigidos, proporcionando a su adversario el mayor número de caídas y presentando mayor volumen de juego.

En caso de empate en el número de puntos, los capoeristas tienen un minuto más de prórroga, y en caso de volver a empatar, aquel que presente mayor volumen de juego resulta vencedor.

Solo es válido el Knock Out provocado por golpes desequilibrantes.

Artes Marciales

HAPKIDO

El Hapkido es un arte marcial coreano de defensa personal, que etimológicamente significa el camino de la unión de la energía (hap: unión; ki: energía; do: camino). Con su amplia variedad de técnicas, que muchas veces recuerdan otras artes marciales, tiene como objetivo, dar un golpe, hacer una inmovilización o un lanzamiento a corta distancia del oponente, enfatizando en ello la generación de poder, a partir de movimientos circulares, movimientos sin resistencia y el control del oponente.

HISTORIA

En el extenso período de guerra en el siglo VI, cuando la dinastía China del Rey Silla, le ganó al ejército de Paekche, y se instaló en la península de Corea, se oficializó el primer grupo de practicantes de artes marciales, que siendo guerreros aristocráticos del gobierno de Silla, se conocieron como los Hwa Rang.

Los Hwa Rang, profundizando en el budismo y el estudio de la energía, entrenaron toda forma de combate cuerpo a cuerpo (*Su Bak*), al que adicionaron el adiestramiento de armas como el sable, bastón, lanza, gancho, el arco y la flecha. A este sistema de arte marcial, que combinaba patadas con golpes, los Hwa Rang le llamaron Su *Bak Gi*, siendo el primer arte marcial documentado que existe en la Península de Corea. Posteriormente, el sistema Su Bak, se denominó *Tae Kyon*, un método taoísta que incluía 70% de técnicas de manejo del Ki (meditación y concentración de energía) y un 30% de entrenamiento de patadas.

Cuando en 1909, la dinastía Yi del Japón, invadió la Península de Corea, se prohibió a todos sus habitantes la práctica del Tae Kyon. Durante esta ocupación, Yong Shul Choi (fundador del Hapkido), fue enviado y obligado a realizar trabajos pesados en el Japón, cuando tenía 7 años de edad, siendo empleado por el señor Miromoto.

En ocasiones, Choi era asignado a realizar trabajos para Sokaku Takeda, de la generación de los Aiki-ju-jitsu, por lo que Choi aprendió el Aikijutjitsu de Takeda, quien abrió una escuela del Daito Ryu Aikijitsu, entre los que se encontraba Morihei Ueshiba, el fututro fundador del Aikido.

A la muerte Takeda en 1943, mientras su compañero de práctica Morihei Ueshiba, se quedo en su país combinando el Ju-jutsu con los principios del shintoismo para crear el Aikido; Yong Sul Choi volvió a su país natal, donde comenzó a estudiar artes coreanas. Con la finalización de la guerra de Corea, hacia 1953, Choi abrió su propia academia, en la que empezó a enseñar Yu Sool o Yawara (otros nombres para jujutsu), instalando su propia escuela (kwan) en la que enseñó su estilo personal introduciendo puñetazos y patadas junto a las técnicas de inmovilización y proyección propias del Aikijutsu y al que llamó Hapki Yul Kwan,

Unos de sus primeros alumnos fueron Han Jae Ji y In Hyuk Suh. El primero, después de trasladarse a su ciudad natal y de estudiar tae kyon y entrenarse en el uso del bastón largo (Chang Bong) y corto (Dan Bong), comenzó su propia escuela, siguiendo el nombre del arte de su maestro, que después cambio por el de Hapkido. El segundo creó un nuevo arte marcial denominado Kuk Sul Won, sobre la base del Hapki-do, con más énfasis en la práctica de armas y la formas (Hyong).

En 1963 los Maestros Choi y Ji fundaron la Korea Kido Association, que rigió las Artes Marciales Coreanas, que por ese entonces, superaban los treinta estilos. Dos años más tarde Ji abandonó la Korean Kido Association y fundó la Korean Hapkido Association, en la que se centralizó la seguridad del entonces presidente coreano Park Chung Hee.

En 1967 la Korean Hapkido Association, autorizada por el gobierno coreano, realizó una exhibición enviando un equipo entre los que se encontraban Ji Han Jae, Bong Soo Han, Kim Moo Won y Myung Kwang Shik, quienes deslumbraron con sus técnicas a coreanos, vietnamitas y estadounidenses. Como consecuencia de la demostración, ese mismo año el Maestro Bong Soo Han, comenzó a entrenar a la policía de seguridad de la USA Air Force y un año más tarde, establecido en Estados Unidos creó la International Hapkido Federation. En 1970 Myng Jae Nam formó otra Asociación con un estilo similar al Aikido japonés. En 1971, Kim Moo Won, fundó una nueva Korea Hapkido Association, paralela a la de Han Jae Ji.

En 1973 se reunieron los líderes de las Asociaciones surgidas, con el fin de estandarizar la enseñanza y los métodos de exámenes para acceder a los Dan, pero al poco tiempo cada uno siguió su propio camino, así, Myung Kwang Sik fundó en California (Estados Unidos), la World Hapkido Federation.

Cuando en 1979 fue asesinado Park Cheung Hee y toda la guardia de seguridad, fue encarcelada Han Jae Ji emigró a los Estados Unidos, para instalar allí la sede del Sin Moo Hapkido.

El Taekwondo se ha orientado más hacia la competición, mientras el Hapkido ha mantenido mucho más su estatus de arte marcial

Hoy en día el Hapkido y el Taekwondo comparten un estatus similar en el estado coreano y son igualmente las disciplinas marciales coreanas más difundidas por todo el mundo. A pesar de sus diferencias, la práctica del Hapkido y del Taekwondo se desarrolla de forma integrada y complementaria, pues ambas provienen de los principios del antiguo Tae Kyon, aunque no hay que olvidar que el Taekwondo se ha orientado más hacia la competición, mientras el Hapkido ha mantenido mucho más su estatus de arte marcial.

TÉCNICA

El Hapkido, como arte de la defensa personal por excelencia, emplea una gran variedad de técnicas que usan el control externo del cuerpo y el control interno o mental

Las técnicas del Hapkido incluyen técnicas similares a muchas otras artes marciales, que se combinan con muchas formas de patadas, proyecciones, estrangulaciones y llaves de la escuela japonesa DaitoRyu Aiki Ju Jutsu del Maestro Sogaku Takeda, técnicas de manos y pies del antiguo Taekyon y los mismos principios del Aikido japonés, incluyendo técnicas de armas que incluyen palo, bastón, cuchillo, katana, cuerda, etc. Así el Kapkido logra un repertorio de 270 técnicas de base, a las que añadiéndole sus variantes suman un total de 3.800 técnicas que incluyen inmovilizaciones de articulaciones, puntos de presión, lanzamientos, ataques con las manos, patadas, proyecciones, estrangulaciones, barridos y manejo de armas, que se practican muchas veces sin oponente; sin embargo, la mayoría de ellas se realiza con un compañero dotado de un equipo fuertemente acolchado al cual el practicante golpea y patea con toda su fuerza.

Como arte de defensa personal por excelencia, emplea una gran variedad de técnicas que usan la tensión física y la relajación, o el control externo del cuerpo y el control interno o mental.

El desarrollo de la parte interna, se hace mediante la técnica denominada SON-DO (*son*:Dios; *do*:camino), que mejora la energía interior o KI. Esta técnica consiste en practicar respiraciones abdominales, adoptando algunas posiciones y realizando meditación.

La distancia a la que se practica el Hapkido es muy importante, ya que de ella depende en gran medida la técnica a utilizar

La parte externa se desarrolla mediante la práctica de:

- Todo tipo de patadas.
- Golpes con todas las partes posibles del pie y rodilla, en todos los niveles (bajo (tibia, tobillos, rodillas, muslos), medio (cuerpo y zona genital) y alto (cara)), en todas las direcciones y posiciones (de pie, saltando, sentado o tumbado en el suelo), golpeando tanto con una pierna como con las dos a la vez, así como variando el nivel de altura, las distancias y contra uno o varios adversarios.
- Golpes de manos, que incluyen golpes con los puños, muñecas, codos, cantos de las mano, punta de los dedos, etc., en todas la direcciones y contra uno o varios oponentes.
- Luxaciones o llaves, que se hacen directas, ante cualquier agarre, ataque o intento de este.
- Proyecciones de todo tipo, practicadas directas o como salida de cualquier agresión o al término de una luxación.

Así los movimientos de defensa y ataque se clasifican en 4 bloques principales, que son:

- Chigui Sul: Ataques con las manos.
- Kokki Sul: Luxaciones de articulaciones.
- Donchigui Sul: Proyecciones, lanzamientos y barridos.
- Jok Sul: Técnicas de patadas, saltos y rodillazos.

Todos ellos divididos en 3 categorías:

- Manos vacías vs. manos vacías
- Manos vacías vs. Arma
- Arma vs. Arma

La distancia a la que se practica el Hapkido es muy importante, ya que de ella depende en gran medida la técnica a utilizar, así: en la distancia larga se emplean patadas y saltos; en la media, se emplean los golpes de manos, presiones a nervios, luxaciones y proyecciones y en la distancia corta (cuerpo a cuerpo), se emplean técnicas tanto de pie como en el suelo.

En la práctica no existen Katas ó Pumses.

En nivel de Cinturón Negro se emplean armas tradicionales coreanas, divididas en dos grandes grupos:

- *Bulkyo Moo Sul*, en las que se manejan el Dang Bong (palo pequeño), Chang Bong (palo largo) y Dan Jang (bastón).

- *Kung Jung Moo Sul*, en las que se manejan la Po Bak (cuerda) y el Kum (sable).

PRINCIPIOS DEL HAPKIDO

- PRINCIPIO DEL AGUA CORRIENTE (Yu): La defensa del adversario se debe realizar de una manera fluida, flexible y adaptándose al adversario; como el agua con una roca, que no trata de romperla, sino que la rodea esquivándola y la desgasta poco a poco. En Hapkido, no se detiene un fuerte ataque directamente por la fuerza, sino que más bien se penetra en la defensa del adversario y se le neutraliza utilizando técnicas blandas ó duras aprovechando la fuerza del oponente canalizándola en la dirección deseada.

- PRINCIPIO DEL CÍRCULO (Won): La teoría del círculo plantea que cada hombre tiene su círculo propio, dentro del cual está su territorio particular. Plantea la tendencia al círculo para desviar la energía del adversario y aprovecharla para reducirlo o vencerle, por lo cual , todas las técnicas del Hapkido están basadas en movimientos circulares, de esta forma se puede utilizar la fuerza del contrario para desviar, controlar y dirigir en la dirección deseada al atacante. Además de obtener una posición adecuada para contraatacar y, dar continuidad a los movimientos manteniendo la autoridad y el equilibrio.

Las técnicas no se practican sin estudiar además, los tres principios sobre los que se fundamenta el Hapkido, ya que de ellos se derivan sus movimientos y técnicas

- PRINCIPIO DE LA ARMONÍA (Wha): En el Hapkido, debe existir una combinación simultánea de mente, cuerpo, ambiente y técnica, siendo la armonía, el elemento más importante que se debe lograr. Este principio trata utilizar una fuerza positiva contra una fuerza negativa, con un perfecto equilibrio entre la energía interior, el cuerpo, la técnica y el ambiente.

Artes Marciales

JUDO

En idioma japonés, la palabra Judo quiere decir camino de la suavidad o gentileza. Este arte marcial recibe así su nombre porque trata de conseguir la máxima eficacia con el mínimo esfuerzo, para lo que el practicante debe desarrollar todas sus capacidades físicas y mentales.

En el combate, el objetivo es desestabilizar al oponente, para ello, cada judoka intenta voltear a su oponente cuando se encuentran de pie o dominar y controlarlo cuando se lucha en el suelo. Se da como vencedor, al judoka que, según criterio de los jueces, realice una llave ganadora (ippon) o al que conforme a las técnicas de lanzamiento e inmovilización, y descontando las posibles penalizaciones, supere en puntuación al contrario.

Los dos principios sobre los que se fundamenta el Judo son:

- El EQUILIBRIO: es importante saber provocar el desequilibrio del cuerpo del adversario en el momento oportuno.
- La NO RESISTENCIA: principio que se basa en un anciano médico japonés que solía meditar paseando por el campo y quien observó que en invierno, cuando nevaba, las ramas mas duras y gruesas se quebraban con facilidad, pero las más jóvenes y flexibles se doblaban, dejaban caer la nieve y recuperaban su posición, sin dañarse.

El dojo o área donde se desarrolla el combate posee un suelo o Tatami formado por planchas de gomespuma prensada que amortigua las caídas. Cada combate dura entre 4 ó 5 minutos, dependiendo de la categoría. Las categorías están divididas por el peso del judoka: 10 para las competiciones masculinas y 7 para las femeninas.

Categoría	Masculina	Femenina
Peso superligero	60 Kg.	48 Kg.
Peso semiligero	66 Kg.	52 Kg.
Peso ligero	73 Kg.	57 Kg.
Peso semimedio	81 Kg.	63 Kg.
Peso medio	90 Kg.	70 Kg.
Peso semipesado	100 Kg.	78 Kg.
Peso pesado	Más de 100 Kg.	Más de 78 Kg.

HISTORIA

El origen del judo está ligado a las artes marciales de oriente, donde se han desarrollado hace casi 1000 años.

El Judo se inició en Japón, como una nueva forma del "ju-jitsu", gracias a Jigoro Kano, quien habiendo aprendido el Jui-Jitsu, antigua arte marcial japonesa en declive para la época, que se basaba en una serie de técnicas de combate que comprendía proyecciones, inmovilizaciones, estocadas, patadas y anudamientos de cuerda, en las que se pueden usar armas cortas, menores o no usar armas, lo que lo llevó a crear a fines del siglo XIX un nuevo arte.

Jigoro Kano, estudiando las técnicas de Jujitsu, observó en ellas sus puntos fuertes y añadió sus propias creaciones, desarrollando su propia teoría general del Jujitsu. Así pues fundió muchas de las sutilezas del Jujitsu con el espíritu de su propia época para crear una nueva arte marcial a la que llamó Judo.

Jigoro Kano, llegó a la conclusión de que el fin último de la práctica y el entrenamiento del Judo debería ser diferente al que tenía el Jujitsu, aunque las técnicas del Judo fueran similares a las técnicas originales del Jujitsu. "Do" se refiere al "camino que uno debería llevar en la vida", lo que significa "un modo de vida en el cual uno mejora el carácter y pule el espíritu"; en cambio, "Jujitsu" hace énfasis en la técnica en sí misma (el propósito principal de la práctica del Jujitsu).

En 1882, Kano estableció en Tokyo el kodokan (un dojo de 20 m^2.). Kodokan significa un lugar (kan) para enseñar (ko) el camino (do), o lo que es lo mismo un lugar para enseñar judo. En el Kodokan, no sólo se realizaban prácticas de técnicas físicas, sino también conferencias acerca de fisiología, psicología, filosofía, etc. y se destinaba una sección de preguntas y respuestas, algo inaudito en el sistema educacional japonés de la época.

El Judo se inició en Japón, como una nueva forma del "ju-jitsu", gracias a Jigoro Kano

En el tiempo en que se estableció el Judo, muchos continuaron entrenando Jujitsu, en particular, por fuertes rivalidades surgidas con respecto al Kodokan.

En 1886 se organizó un torneo por parte de la policía, que enfrentó el Jujitsu al Judo. Este torneo fue muy importante para los judokas, ya que permitió evaluar las posibilidades de la disciplina. Aunque hubo dos o tres empates, los resultados fueron en favor del judo, fue así como se afirmó la reputación del Judo Kodokan, y el Kodokan continuó creciendo desde entonces.

Jigoro Kano incluso después de establecer el Kodokan, continúo estudiando el Jujitsu, a partir del que añadió nuevas técnicas y recursos, y sistematizó gradualmente las técnicas del Judo, hasta que hacia 1887, las técnicas del Judo Kodokan habían alcanzado su plenitud. En 1890, el judo ya era muy popular en Japón, tanto que se constituyó en un deporte oficial, siendo practicado, entre otros, en los programas de entrenamiento de la policía.

En 1895, las técnicas de proyección fueron sistematizadas en una forma conocida como Go Kyo no Waza; éstas se incrementaron en 1920 a 40 técnicas.

En comparación a las técnicas de proyección, el desarrollo de las técnicas de inmovilización fue más lento; sin embargo, estas técnicas también disfrutaron de un considerable desarrollo.

Las técnicas de golpes al adversario, unas técnicas peligrosas que incluyen golpes de puño y patadas, se empezaron a practicar principalmente en la forma de kata, ya que este tipo de práctica reflejaba el deseo de Jigoro de mantener segura la práctica principal del Judo. Hasta más o menos el año 1907, el contenido de seis katas estaba ordenado de la siguiente forma: Nage no Kata, Katame no Kata, Kime no Kata, Ju no Kata, Koshiki no Kata y Itsutsu no Kata.

En 1918, se estableció en Londres el Budokway, el primer club de Judo de Europa, realizándose en 1926 el primer encuentro internacional entre este club y la selección alemana.

En 1949 se creó la Unión Europea de Judo y en 1951 la International Judo Federation.

Los primeros campeonatos mundiales se llevaron a cabo en Tokio en el año de 1956, los que a partir de 1965 se realizan cada dos años y, los campeonatos femeninos, se comenzaron a realizar a partir de 1980.

En los juegos olímpicos, el judo ingresó como deporte de exhibición a partir de los juegos de Tokio 1964, entrando a formar parte de los juegos 7 categorías masculinas (menos de: 60 Kg, 66 Kg, 73 Kg, 81 Kg, 90 Kg, 100 Kg y más de 100 Kg.), en los juegos de Munich 1972. En tanto que las categorías en la rama femenina (48, 52, 57, 63, 70, 78 y más de 78 Kg.), se introdujo en los juegos de Seúl 1988, convirtiéndose en deporte oficial en los juegos de Barcelona 1992.

GRADOS (KYUS)

El progreso en judo es reconocido por la concesión de grados que están representados por el color del cinturón que el judoka lleva anudado en su judogui. El color del cinto, se va oscureciendo de acuerdo a los años de dedicación y práctica, simbolizando el proceso de aprendizaje y crecimiento del practicante.

Las categorías en judo se dividen en grados Kyu (alumno) y Dan (maestro). El grado más alto posible es el décimo segundo Dan, conseguido solamente por su creador.

En Japón los colores del cinto del judoka son blanco, marrón y negro; en occidente se utilizan siete colores: cuando un judoka se inicia es un 6° kyu lleva cinturón blanco y a medida que continúa su progreso técnico pasa por los siguientes grados:

GRADOS	CINTURÓN
6° kyu rokyu	cinturón blanco - cinturón blanco-amarillo
5° kyu gokyu	cinturón amarillo - cinturón amarillo-naranja
4° kyu yokyu	cinturón naranja - cinturón naranja-verde
3° kyu sankyu	cinturón verde - cinturón verde-azul
2° kyu nikyu	cinturón azul - cinturón azul-marrón
1° kyu ikkyu	cinturón marrón

Cuando un cinturón marrón se examina ante un tribunal de profesores establecido por la Federación correspondiente, consigue el grado de cinturón Negro 1° Dan, que corresponde a un judoka con una muy buena cualidad técnica.

A partir de que el judoka obtiene el cinturón negro 1° Dan, comienza a profundizar en las diferentes áreas del judo: competidor, profesor, árbitro, etc. Su progreso técnico se establece por grados en Danes, los cuales exigen un tiempo de permanencia y un examen técnico en cada uno de ellos.

Los cinturones que usan los judokas que han accedido al cinturón negro son:

1° dan shodan	cinturón negro
2° dan nidan	cinturón negro
3° dan sandan	cinturón negro
4° dan yodan	cinturón negro
5° dan godan	cinturón negro
6° dan rokudan	cinturón negro o cinturón de bandas de color blanco y rojo

El progreso en judo es reconocido por la concesión de grados que están representados por el color del cinturón.

Las categorías en judo se dividen en grados Kyu (alumno) y Dan (maestro). El grado más alto posible es el décimo segundo Dan, conseguido solamente por Jigoro Kano.

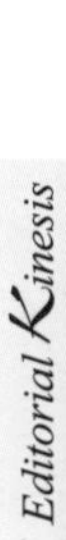

7° dan sichidan	cinturón negro o cinturón de bandas de color blanco y rojo
8° dan hachidan	cinturón negro o cinturón de bandas de color blanco y rojo
9° dan kudan	cinturón negro o cinturón rojo
10° dan judan	cinturón negro o cinturón rojo

El más alto grado alcanzado posteriormente es el cinturón rojo, conseguido por sólo trece hombres del 10º Dan, llegando después del 11º Dan, de cinturón rojo y al 12º Dan, de color blanco.

RANDORI Y KATA

El Kata es un método de estudio de las técnicas de la defensa y el ataque del Judo en un orden y métodos preestablecidos.

El Randori (práctica libre) es un método de estudio del Judo mediante ataques y defensas reales aplicados durante movimientos libres con un oponente.

Randori-no-kata. El Randori-no-kata es una selección de técnicas de trabajo de pie y de suelo. Comprende el *Nage-no-kata* y el *Katame-no-kata*,

Kime-no-kata. El Kime-no-kata representa el Atemi-waza o arte de golpear, o vencer a un adversario armado de un cuchillo o de un sable, que se estudia bajo la forma Kata.

Ju-no-kata. El Ju-no-kata se ejecuta muy lentamente y, con una extrema suavidad.

Koshiki-no-kata. El Koshiki-no-kata nos muestra la parte artística del Judo. El Maestro Kano decidió mantener la práctica de este Kata del antiguo Jiu-Jitsu en recuerdo y homenaje a su Maestro de la escuela de Kito. En este Kata, Tori y Uke se presentan vestidos con las pesadas armaduras de los Samurais.

Itsutsu-no-kata. El Itsutsu-no-kata también forma parte del patrimonio artístico del Judo. Son cinco movimientos sin denominación, que expresan el flujo y el reflujo de las olas del mar.

Kodokan-Goshin- Jitsu- kata. Es la Kata de la defensa personal de Kodokan.

El Kata es un método de estudio de las técnicas de la defensa y el ataque del Judo en un orden y métodos preestablecidos.

El Randori (práctica libre) es un método de estudio del Judo mediante ataques y defensas reales aplicados durante movimientos libres con un oponente.

REGLAMENTACIÓN

Dojo o área de combate

ÁREA DE LA COMPETICIÓN

El dojo o área de combate tiene unas dimensiones mínimas de 14m x 14m y máximas de 16m x 16m, está cubierta por un tatami, generalmente de color verde, que está formado por planchas de gomespuma prensada que amortigua las caídas.

El área de la competición se divide en dos zonas. La demarcación entre estas dos zonas se llama zona de peligro y se indica por una área roja, de aproximadamente 1 m. ancho, Esta zona forma parte del área de competición, y es paralela a los cuatro lados del área de la competición.

ÁREA DE COMBATE

El área interior incluida la zona de peligro, se denomina área de combate y mide mínimo 8m x 8m o 10m x 10m., máximo.

En el centro de esta área se fijan una cinta adhesiva azul y otra blanca, de 10 cm de ancho x 50 cm de largo, separadas a una distancia de 4m entre sí. Estas cintas indican las posiciones donde los competidores deben empezar y finalizar el combate. La cinta azul se coloca siempre a la derecha del árbitro y la blanca a su izquierda.

El área exterior a la zona de peligro se denomina área de seguridad y tiene 3m. de ancho.

Alrededor del área de la competencia, se encuentra una zona libre, de un mínimo de 50 cm de ancho.

El Judo-gi se compone de pantalón ancho de color blanco, casaca blanca abierta y cinturón de color correspondiente a la categoría del judoka.

VESTUARIO

El traje de Judo se llama Judo-gi y se compone de pantalón ancho de color blanco, casaca blanca abierta y cinturón de color correspondiente a la categoría del judoka.

Los competidores llevan un judogi azul o blanco. (El primer competidor en ser llamado usa el judogi azul, el segundo el blanco.)

CINTURÓN (OBI)

La finalidad práctica del cinturón es sujetar el traje; la simbólica es unir el alma y el cuerpo.

El color del cinto, se va oscureciendo de acuerdo a los años de dedicación y práctica, simbolizando el proceso de aprendizaje y crecimiento del practicante.

JUECES

Los encargados de dirigir un combate son:

- Un árbitro, que permanece dentro del área de combate, dirige y administra el combate. Mientras anuncia una valoración, haciendo el gesto apropiado, el árbitro debe estar situado para observar a un juez por lo menos dentro de su línea de visión para estar inmediatamente consciente de cualquier diferencia de opinión.
- Dos jueces de línea son los encargados de controlar el combate. Los dos jueces de línea se sientan uno enfrente del otro, en esquinas opuestas fuera del tatami. Su función es asistir en sus funciones al árbitro
- Anotadores y Cronometradores. Los jueces son asistidos por los anotadores, encargados de listados y un mínimo de dos cronometradores, uno para registrar el tiempo real de competencia y otro especializado para llevar el tiempo del osaekomi (inmovilización).

El cronometrador principal, equipado con una bandera amarilla se encarga de llevar el tiempo real del combate, pone en marcha el reloj al oír los anuncios de *hajime* (comienzo) o *yoshi* (continuar) y los detiene al oír los anuncios de *matte* (detenerse) o *sonomama* (no moverse). Levanta la bandera amarilla siempre que haya detenido su reloj y baja la bandera cuando reinicia el reloj.

El cronometrador del tiempo de inmovilización (*osaekomi*) equipado con una bandera verde se encarga de poner en marcha su reloj al oír la palabra *osaekomi*, lo detiene en *sonomama* (no moverse), y lo reinicia en *yoshi* (continuar). En cualquier caso que oiga *toketa* (inmovilización rota) o *matte* (detenerse) detiene el reloj e indica el número de segundos transcurridos al árbitro o al vencimiento del tiempo para la inmovilización (osaekomi).

El cronometrador del tiempo de inmovilización levanta una bandera verde durante la competencia siempre que haya detenido el reloj y baja la bandera cuando ha reiniciado su reloj.

TIEMPO DE INMOVILIZACIÓN (OSAEKOMI)

- Ippon (un punto completo)**:** un total de 25 segundos.
- Waza-ari (casi un ippon): 20 segundos o más pero menos de 25 segundos.
- Yuko (casi Waza-ari)**:** 15 segundos o más pero menos de 20 segundos.
- Koka (puntuación menor)**:** 10 segundos o más pero menos de 15 segundos.
- Un osaekomi de menos de 10 segundos se considera igual que un ataque.

al contrario sujeto al otro competidor, de manera que

COMIENZO DEL COMBATE

Los competidores deben saludar al entrar al área de la competición y en los límites de la zona de peligro, hacia el área de combate, al entrar y al salir de cada combate. Después de saludar hacia el área de combate los competidores avanzan hacia sus marcas respectivas y deben saludar simultáneamente entre ellos, para luego dar un paso adelante. Una vez se ha terminado el combate y el árbitro ha otorgado el resultado, los competidores dan un paso atrás simultáneamente y se saludan entre ellos.

DURACIÓN DEL COMBATE

Para los Campeonatos Mundiales y los Juegos Olímpicos, la duración de tiempo del combate es de 5 minutos de tiempo real de combate para hombres y 4 minutos se tiempo real de combate para mujeres, con un período de 10 minutos de descanso entre los combates.

PUNTUACIÓN

Para marcar un punto decisivo, el judoka debe hacer caer a su adversario de espaldas, con fuerza y haciendo uso de una técnica adecuada. En caso de que no se marque ningún punto decisivo durante el tiempo reglamentario, los árbitros cuentan los puntos obtenidos por cada competidor en función de sus ataques. Si durante el combate, no se marca ningún punto, el árbitro en común acuerdo con los jueces, designa el vencedor siendo éste el judoka que haya aplicado más técnicas en el combate.

IPPON (PUNTO COMPLETO)

El ippon o punto completo pone fin al combate estableciendo el vencedor. El árbitro anuncia *ippon* cuando un yudoka aplica alguna de las siguiente técnicas:

- *Proyección*: un judoka consigue lanzar a su adversario ampliamente sobre su espalda, limpiamente y con considerable fuerza y velocidad.
- *Inmovilización*: un judoka consigue mantener sea incapaz de levantarse del suelo durante 25 segundos después del anuncio del tiempo de inmovilización (osaekomi).
- *Luxación de codo*: un judoka consigue realizar sobre su adversario una llave, de tal forma que gira su brazo hasta rebasar su posición normal, el competidor al que se le aplica la llave se rinde golpeando dos veces con su mano o pie y dice maitta (me rindo), esto con el objeto de no causar lesión alguna. La única técnica de luxación que se permite realizar es la de codo.
- *Estrangulación*: un judoka mediante sus brazos y piernas, consigue privar de suministro de aire a su adversario como efecto de un shime-waza (técnicas de estrangulación) o kansetsu-waza (técnicas de desarticulación). Al igual que en la luxación de codo, el judoka al que se le aplica la estrangulación debe rendirse para evitar perder el conocimiento.

WAZA-ARI AWASETE IPPON

Dos waza-ari puntúan ippon. Si un competidor consigue un segundo waza-ari (medio punto) en el combate.

SOGO-GACHI (VICTORIA COMPUESTA)

El árbitro anuncia *sogo-gachi* cuando:

- Un competidor consigue un waza-ari (medio punto) y su oponente posteriormente recibe keikoku como consecuencia de una penalización.
- Un competidor cuyo oponente ya ha recibido un keikoku como consecuencia de una penalización, posteriormente consigue un waza-ari (medio punto).

WAZA-ARI (CASI PUNTO - CASI IPPON)

Con el iipon, el waza ari es el otro punto positivo que anuncia el árbitro en voz alta; tiene una validez de 7 puntos. El árbitro anuncia waza-ari cuando:

- Un competidor proyecta con control al otro competidor, pero la técnica carece parcialmente de uno de los tres elementos necesarios para el ippon *(punto completo)*.
- Un competidor está inmovilizando con osaekomi-waza (técnica de inmovilización) al otro competidor que es incapaz de escaparse durante 20 segundos o más, pero menos de 25 segundos.
- A un competidor se le ha castigado con keikoku, el otro competidor recibirá waza-ari (medio punto) inmediatamente.

YUKO (CASI WAZA ARI)

Equivale a 5 puntos, aunque en ningún caso dos yukos (cuya suma es 10), dan la victoria en el combate. Solo sirven para sumar puntos en caso de que el combate se decida por superioridad. El árbitro anuncia *yuko* cuando:

- Un competidor con control proyecta al otro, pero la técnica carece parcialmente en dos de los otros tres elementos necesarios para el *ippon*.
- Un competidor inmoviliza con una técnica de inmovilización al otro competidor que es incapaz de escaparse durante 15 segundos o más pero menos de 20 segundos.
- Un competidor es penalizado con chui (amonestación seria) el otro competidor recibe yuko (casi waza ari) inmediatamente.

KOKA (PUNTUACIÓN MENOR)

El koka que se considera una ligera ventaja, equivale a tres puntos (casi un yuko). El árbitro anuncia *koka* cuando:

- Un competidor con control proyecta al otro competidor hacia un hombro, muslo(s), o nalgas con velocidad y fuerza.
- Un competidor inmoviliza con una técnica de inmovilización al otro competidor que es incapaz de escaparse durante 10 segundos o más pero menos de 15 segundos.
- Un competidor es penalizado con shido (penalización) el otro competidor recibe *koka* (puntuación menor) inmediatamente.

INFRACCIONES Y PENALIZACIONES

AGARRES NO VÁLIDOS

Un agarre "Normal" es en general, en el que existe coincidencia entre el agarre de una mano con el lado que le corresponde en la chaqueta del contrario, con la mano izquierda se puede agarrar cualquier parte del lado correcto (derecha) de la chaqueta del oponente sobre el cinturón y con la mano derecha cualquier parte del lado izquierdo de la chaqueta del oponente sobre el cinturón.

Se decreta un agarre no válido cuando en una posición en pie se realiza cualquier agarre "normal" sin atacar. (Generalmente dentro de 3 a 5 segundos).

NO-COMBATIVIDAD

La no-combatividad puede tomarse cuando durante aproximadamente 25 segundos, no se realiza ninguna acción de ataque en general, por parte de uno o ambos competidores. No debe otorgarse cuando no habiendo acción de ataque, el árbitro considera que el competidor está buscando la oportunidad de atacar efectivamente.

En una posición en pie, después que se ha establecido el kumikata, no realizar algún movimiento de ataque.

SHIDO (PENALIZACIÓN)

Es una penalización que supone una penalización de 3 puntos, equivale a conceder un koka al adversario y se le da al competidor que comete una infracción leve como:

- Evitar intencionalmente el agarre a fin de impedir la acción del combate.
- Adoptar en la posición en pie una excesiva postura defensiva. (Generalmente más de 5 segundos)
- Realizar una acción diseñada para dar la impresión de un ataque pero que claramente muestra que no había ningún intento para proyectar al oponente. (Falso ataque)
- Estar de pie, con ambos pies completamente dentro de la zona de peligro a menos que se empiece un ataque, ejecute un ataque, contrarreste el ataque de su oponente o se defienda del ataque del oponente. (Generalmente más de 5 segundos).
- En una posición en pie, sostener la(s) manga(s) del oponente continuamente con un propósito defensivo o agarrar su manga en "torniquete". (Generalmente más de 5 segundos).

- En una posición en pie, mantener entrelazados continuamente los dedos del oponente de una o ambas manos para impedir la acción del combate. (Generalmente más de 5 segundos).
- Desarreglar su propio judogi (uniforme) intencionalmente, soltarse o desajustarse el cinturón o los pantalones sin el permiso del árbitro.
- Arrastrar al oponente hacia el suelo para empezar ne-waza (técnicas de suelo).
- Insertar un dedo o dedos dentro de la manga del oponente o en los bajos de sus pantalones, o para agarrar en "torniquete" su manga.

CHUI (AMONESTACIÓN SERIA)

Esta penalización que supone un aviso con penalización de 5 puntos, equivale a conceder un yuko al adversario y se le otorga al competidor que comete alguna de las siguientes infracciones, consideradas como serias:

- Aplicar shime-waza usando los bajos de la chaqueta o el cinturón, o usando sólo los dedos.
- Aplicar las piernas en tijeras al tronco del oponente (dojime), al cuello o la cabeza. (cruzar los pies en tijera, mientras estira las piernas).
- Dar puntapiés o golpear con la rodilla, la mano o el brazo del oponente para romper su agarre.
- Retorcerle uno o más dedos (al adversario) para romper su agarre.
- En tachi-waza (técnicas en pie) o ne-waza (técnicas en suelo) salir del área del combate intencionalmente u obligar al oponente a que salga del área del combate.

KEIKOKU (ADVERTENCIA)

Esta penalización supone una advertencia con penalización de 7 puntos, equivale a conceder un waza-ari al adversario y se otorga al competidor que comete una infracción grave como:

- Intentar proyectar al adversario enrollando una pierna alrededor de la pierna del oponente, estando más o menos en la misma dirección que el oponente y tirándose hacia atrás encima del contrario (kawazu-gake).
- Aplicar kansetsu-waza (técnicas de desarticulación) en cualquier otra parte que no sea la articulación del codo.
- Levantar del suelo al oponente que está tendido sobre el tapiz para proyectarlo de nuevo al suelo.
- Sesgar por el interior la pierna de apoyo del oponente cuando éste está aplicando una técnica como harai-goshi (barrido de la cadera), etc.
- Desatender las instrucciones del árbitro.
- Hacer señas innecesarias, comentarios o gestos despectivos al oponente o al árbitro durante el combate.

HANSOKU-MAKE (DESCALIFICACIÓN)

Esta Penalización supone la descalificación del judoka al ser penalizado con 10 puntos. Equivale a conceder un ippon al adversario y se otorga al competidor que comete una infracción muy grave como:

- Hacer cualquier acción que pueda poner en peligro o pueda dañar al oponente sobre todo el cuello, la columna vertebral, o que pueda ir contra el espíritu de Judo.
- Caerse directamente al tapiz mientras aplica o intenta aplicar técnicas como waki-gatame (luxación con control axilar).
- "Echarse" de cabeza sobre el tapiz doblándose hacia adelante y hacia abajo mientras realiza o intenta realizar técnicas como uchi-mata (proyección por el muslo interior), harai-goshi (barrido de la cadera), etc.
- Caerse intencionalmente hacia atrás, cuando el otro competidor está aferrándose sobre su espalda y donde cualquiera de los dos tiene control sobre los movimientos del otro.
- Llevar un objeto duro o metálico (cubierto o no).

Artes Marciales

KARATE

El karate es una forma japonesa de lucha sin armas, cuyo método de ataque y defensa, se apoya en el empleo efectivo del cuerpo y en la utilización de sus posibilidades a partir de la organización y racionalización de técnicas para bloquear un ataque y contraatacar al opositor golpeando o pateando, con las manos y pies libres.

El Karate actual está formado por tres ramas inseparables: arte físico, deporte y defensa propia, todas basadas en el uso de esas mismas técnicas fundamentales.

El significado literal de los caracteres japoneses que forman la palabra es "El camino de la mano vacía", donde Kara, significa vacío; Te, manos , y Do, camino o arte.

HISTORIA

En 1948, los estudiantes de Funakoshi, los clubes universitarios y los dojos privados en todo Japón se organizaron oficialmente en la Nihon Karate Kyokai (Japan Karate Association, JKA) y nombraron al Maestro Funakoshi como su sensei, es decir el maestro, el guía que enseña, educa, evalúa y otorga grados y su autoridad no se pone en duda.

Las primeras señales de una técnica de puños y patadas, que se aproxime a la forma actual del karate, aparecieron en China hacia el siglo VI de nuestra era, en donde un monje budista llamado Ta-mo Lao-tsu (Bodhidharma), creó un método al que llamó Shaolin-zu-kempo, ("método del puño") que rápidamente se extendió por el país. Este método cuyo énfasis se centra en la aplicación práctica de técnicas de mano y pies para bloquear y atacar, junto con técnicas duras-blandas y largas-cortas, es decir, golpeantes cortas y técnicas cortas percutantes.

Posteriormente, en Okinawa antiguo reino de Ryukyus, una isla localizada entre China y el sur de Japón, se fusionaron diferentes técnicas existentes de combate sin armas, entre ellas el kenpo proveniente de China, cuyos elementos fueron probablemente adaptados e incorporados a los estilos de combate local, lo que dio como resultado una nueva forma de combate a la que se le llamó Okinawa-te o To-de.

Sin embargo, es a Gichin Funakoshi, a quien se reconoce como el verdadero padre del karate. Este maestro chino, se instaló en Japón desarrollando en Tokio, a partir de la fusión de las artes marciales Okinawenses y de la filosofía Budo de las artes marciales japonesas, tales como el kyudo, el arte de tiro con arco, o el kendo, un arte al que llamó karate. Posteriormente, y con el fin de incorporar su arte al conjunto de las artes marciales japonesas ya existentes, añadió el sufijo Do, que significa camino.

Hacia 1892, Itosu, un profesor de escuela comenzó a enseñar este nuevo arte a sus alumnos y para cuando llegó el tiempo de reclutamiento en el ejército, se observó que aquellos que entrenaban karate estaban en mejor estado físico que otros. Sorprendidos por este descubrimiento, este maestro fue invitado a hacer una demostración y a partir de allí esta técnica se empezó a implantar como un método de educación física, que más tarde, se extendío por todo el Japón.

En los años posteriores comenzaron a desarrollarse diferentes estilos, con técnicas, métodos de entrenamiento y formas de entender un mismo arte marcial propios, causando el fraccionamiento del Karate.

Durante la II Guerra Mundial todas las artes Budo fueron controladas por el gobierno y como el karate no era considerado un arte nativo de Japón, no se permitío participar en él, salvo a través del judo. Después de la guerra, las fuerzas de ocupación prohibieron las artes Budo, pero, ya que el karate no estaba relacionado con el departamento de gobierno (recuérdese que anteriormente había sido prohibido por éste), en 1947, se permitió reabrir los clubes de karate.

¿QUÉ SIGNIFICA ARTE BUDO?

Literalmente arte *Budo* significa el camino de las Artes Marciales japonesas. El arte Budo proviene de dos ideogramas japoneses: *Bu*, que significa parar la lucha, detener el conflicto, parar la confrontación, y *do, que significa* la vía, el camino, el método, la enseñanza que nos permite comprender perfectamente la naturaleza de nosotros mismos.

El *Budo* es la vía a seguir para el mantenimiento de la paz, el estudio de las armas con un fin espiritual, para construir un mundo armonioso y justo, la finalidad del *Budo* es el acceso a un estado mental superior. Entre las artes Budo se cuentan el Kendo, el Iaido, el Judo, el Karate do, el Naginata do, el Sumo, etc.

ESTILOS DEL KARATE-DO

Como mencionábamos anteriormente el Karate-Do, cuenta con diferentes estilos y en cada estilo existen varias organizaciones, que lo reglamentan y definen sus lineamientos, veamos algunos de ellos.

ESTILO SHOTOKAN

Derivado directamente de las enseñanzas de Gichin Funakoshi, quien al crear su propio dojo en 1936, le llamó shotokan.

El shotokan hace énfasis en las katas (sucesión de movimientos encadenados), ya que Funakoshi fue uno de su grandes exponentes. Cuando están en competencia los karatekas Shotokan pueden moverse de modo ligero con un centro de gravedad relativamente elevado, pero en el momento de golpear adoptan una postura baja invariablemente fuerte.

WADO RYU "LA ESCUELA DE LA ARMONÍA"

El primer estilo del karate que se formó sobre la base de las enseñanzas japonesas y métodos, combinados con las influencias de Okinawa de Gichin Funakoshi, fue fundado por el maestro japonés de Jiu Jitsu Hironori Otsuka, quien continuando con el estilo tradicional aportado por su también maestro Funakoshi, conjugó estas dos artes marciales, a principios de 1930, creando el Wado Ryu o escuela del camino de la Paz,

Básicamente el estilo Wado Ryu, busca la armonía con los oponentes, es decir, no utilizar la fuerza contra los oponentes, sino que por el contrario armonizar con ellos, es decir estar en unión con el opositor en un plano mental, para así saber cuándo va a atacar.

El Wado Ryu utiliza entre sus técnicas el Taisabaki, que es un método por el que los ángulos del cuerpo cambian rápidamente, no para ponerlo lejos del alcance de su opositor sino para guardarlos dentro de alcance del ataque contrario. Esto quiere decir que utiliza la fuerza del opositor para convertirla en una agresión contra él mismo; para ello el karateka realiza diferentes cambios de movimiento, entre los que se cuentan retrocesos, esquivas, bloqueos de brazo o muñeca, lanzamientos y barridos, que evitan un ataque mientras que simultáneamente se realiza un contraataque.

GOJU-RYU (EL ESTILO DE FUERZA/SUAVIDAD)

Este estilo que combinó las técnicas tradicionales de Okinawa con principios chinos internos y externos, se desarrolló en Okinawa hacia finales del siglo XIX, y ve a Chojun Miyagi como su fundador a partir de la creación en 1930 de su escuela instalada en Kioto (Japón).

El Goju-Ryu, se concentra en la eficacia del movimiento así como el desarrollo personal, debido a que combina los principios de los estilos chinos suaves internos que se concentran en los movimientos circulares y el desarrollo del Ki (energía vital), mientras que los externos son principios fuertes basados en la fuerza física.

Este estilo, que más que eficacia en el combate a corta distancia, busca el fomento de las cualidades espirituales del individuo, se caracteriza por posiciones cortas y altas, y por la ejecución de los movimientos con una respiración abdominal sonora (*ibuki*) que se basa en el antiguo sistema "Naha-te" o "Shorei-Ryu" del maestro Kanryo Higashionna. Los katas se realizan con lentitud y contracción.

SHITO-RYU

Esta escuela creada en 1930 por el Maestro Kenwa Mabuni, se desarrolla fundamentalmente en dos formas de trabajo (Shuri) rápido y Naha (fuerte), por lo que este estilo se basa en la velocidad de las acciones y la fuerza.

el Karate-Do, cuenta con diferentes estilos y en cada estilo existen varias organizaciones, que lo reglamentan y definen sus lineamientos

El uso de las posiciones en este método es natural (ni muy bajas ni muy altas), usándose en las defensas posiciones más bajas que en los ataques. Las distintas posiciones se utilizan en todas las direcciones coordinando el cuerpo y la cadera con la ejecución de la técnica.

Utiliza además técnicas de mano abierta, sobre todo en defensa, cuyo recorrido es corto y técnicas de puño, que se usan en ataques y contraataques, siendo de recorrido corto y muy rápido.

Posee técnicas de defensa clásicas y además técnicas de:

- *Guaku Waza*: Técnica de control del adversario.
- *Nage Waza:* Técnica de proyección y barridos.
- *Shime Waza:* Técnica de estrangulación.

KARATE TRADICIONAL

Los practicantes del Karate tradicional participan en diferentes competencias establecidas en las siguientes categorías:

Enbu

El enbu es una modalidad de competencia del karate tradicional que enfatiza la parte relacionada con la defensa personal; los dos competidores deben mostrar habilidades técnicas extremadamente eficientes, que se ejecutan bajo las siguientes condiciones:

- Mostrar ataques y defensas en secuencia coreográfica en un período de 1 minuto.
- Las técnicas ofensivas deben incluir Tsuki, mae-geri, mawashi-geri y ushiro-geri.
- Las técnicas defensivas, usadas para evadir el ataque deben incluir Uke (bloqueo), Sabaki (cambios) o Kawashi (desviaciones)
- Las técnicas de contraataque permitidas son; tsuki (puño), Uchi (golpe), ate (quebrar), geri (Pateo).
- Los blancos permitidos son: Jodan (Cara, cabeza), Chudan (área del estómago), Gedan (bajo estómago)
- No se permite hacer contacto a ninguno de los contendores, excepto en las técnicas de bloqueo sobre los brazos o piernas y cuando se rompe el balance.
- Cualquiera de los dos competidores puede alternar de ofensivo a defensivo, o ser uno de los dos únicamente, excepto en la división mixta, donde solamente el hombre puede atacar.
- Los competidores deben mantener el Zanshin (balance físico y mental) durante las técnicas al igual que antes y después de cada técnica.
- Al final de la demostración, uno de los competidores debe mostrar la más clara técnica terminal Todome.

Fukugo

El Fukugo es otra modalidad de competencia del karate tradicional que exige avanzadas habilidades en los participantes, tanto en kata como en combate.

El componente Kata consiste en el Kitei (esquema obligatorio), que contiene todos los elementos y estilos del Karate Tradicional, este esquema es variado cada cuatro años por el Comité Técnico de la ITKF.

Confrontación de Kitei: dos competidores ejecutan su demostración en forma simultánea, desde la posición de inicio, mirando a la tribuna principal. Al finalizar la Kata, los jueces toman su decisión a partir de la habilidad técnica menos las penalizaciones de los concursantes.

Kumite

La competencia de Kumite es una confrontación entre dos oponentes en combate libre y sin contacto, en el que resulta vencedor, el competidor que aplique una técnica que cumpla con los requisitos del Todome waza (ataque terminal), la cual combina un momento correcto, la distancia efectiva (mawai) y se enfoca a una zona o blanco específico. En caso de no existir Todome waza, se declara ganador al competidor que registre el puntaje más alto de acuerdo con los puntos recibidos por técnicas efectivas y por las penalidades impuestas a su oponente.

Las áreas blancos permitidas en los golpes son:

- Jyo-Dan: Área de la cara, desde la línea de las cejas hasta la punta de las orejas (sin incluirlas) y alrededor del mentón.
- Chu-Dan: Área comprendida desde el cinturón (cintura) hasta la línea imaginaria en el pecho superior y que se extiende de axila a axila, sin incluir los costados del cuerpo.

Áreas Prohibidas:

- Ojos (ataque por Nukite)
- Base del cráneo
- Garganta
- Ingle

Una Kata es una secuencia fija de unas técnicas específicas de ataque y defensa. La competencia en Kata se lleva de manera individual o por equipos

KATA

Una Kata es una secuencia fija de unas técnicas específicas de ataque y defensa. La competencia en Kata se lleva de manera individual o por equipos en donde la puntuación se otorga de acuerdo a cuatro factores:

- *Dinámica Corporal.* Grado o proporción de poder generado por la dinámica corporal y acción muscular y la adecuada respiración.
- *Poder.* Referido a la eficacia y poder enfocado con respecto al objetivo de la técnica; el grado de poder y control de la velocidad apropiadamente con el objetivo de la técnica; y, el grado fuerza de voluntad (espíritu).

- *Forma.* Se refiere a tres factores: la adecuada complementación entre la intención y la técnica; el balance (posición, posturas y coherencia) y la estabilidad emocional y concentración mental.
- *Transmisión.* Entre la que se cuentan: la calidad de la destreza en la ejecución de los giros del cuerpo; la calidad de la continuidad entre técnica y el ritmo apropiado correspondiente al objetivo de cada técnica.

REGLAMENTO DE COMPETENCIA

ÁREA DE COMPETENCIA

El área de competencia, una superficie plana de material semiabsorvente de choques, es un cuadrado de 8 m. de lado, medidos a partir de las líneas que marcan el límite exterior. Alrededor de esta área se ubica un área de seguridad conformada de la misma superficie plana y con los mismos requerimientos de seguridad que el área de competencia.

A ambos lados del punto central del área de competencia y a 1,50 m. de éste, se dibujan paralelas dos líneas de un metro de largo que corresponden a la posición inicial de los competidores.

INDUMENTARIA DE LOS COMPETIDORES

Todos los competidores deben vestir Karate-Gis Blancos (Uniforme de Karate), de acuerdo con las siguientes normas:

- La camisola debe ser lo suficientemente larga para que llegue al nivel de las ingles. Las mangas deben cubrir el codo, pero no cubrir las muñecas.
- Los pantalones deben cubrir las rodillas pero no los tobillos. Ni las mangas ni los pantalones deben estar doblados.
- El cinturón debe estar amarrado a la cintura, entre la parte baja de las costillas y arriba de la cadera, las puntas no deben sobrepasar las rodillas.

Los competidores pueden hacer uso de protectores de puño para que en caso de algún contacto accidental puedan servir como protección para la posible transmisión de patógenos en la sangre.

También se les permite utilizar como medida de protección:

- Protector Bucal.
- Protector de testículos (de plástico o de metal).
- Protector de busto para las mujeres (de espuma o plástico vestido debajo de la camisola del Karate-Gi).

Editorial Kinesis

JUECES

Los Jueces se designan entre aquellos que posean calificación tanto en Kumite como en Kata, de entre el conjunto de jueces calificados por la ITKF:

Kumite	Juez de Kumite
Kata	Juez de Kata
Kumite de Fuku-Go	Juez de Kumite
Ki-tei de Fuku-Go	Juez de Kata
En-Bu	Juez de Kata

El equipo de jueces está integrado por:

- Un juez central. Es el encargado de controlar toda la competencia. Conduce el comienzo, las suspensiones y el final del combate; otorga los puntos e impone las sanciones.
- Cuatro jueces de esquina. Ubicados en cada una de las esquinas y por fuera del área de competencia, cuentan con un silbato y un juego de banderas rojas y blancas, para asistir al juez central en las infracciones cometidas.
- Un segundo árbitro. Se encarga de supervisar el desarrollo del combate; cuando se le solicita da su opinión acerca de las acciones desarrolladas en el combate.
- Cronometristas, anunciadores y anotadores.

INICIO DEL COMBATE

Una vez el juez central y los jueces de esquina se ubican donde les corresponde, los contendores se ubican frente a frente sobre la línea de iniciación y hacen la reverencia mutua. El combate comienza cuando el juez central dice, ¨shobu sanbon hajime¨.

DURACIÓN DE LA COMPETENCIA

Un encuentro dura 3 minutos, contabilizados de acuerdo al "tiempo efectivo" de combate, es decir, el tiempo de competencia en la que se lleven a cabo únicamente acciones de combate.

Este tiempo comienza cuando el juez central anuncia "Shobu Sanbon Hajime" (Comenzar) o "Tsuzukete Hajime" (Continuar) y, termina cuando anuncia "Yame" (Parar) o "Jyo-Gai" (fuera del límite del área).

El tiempo efectivo también debe detenerse cuando el juez central indica el otorgamiento de un punto.

PUNTUACIÓN

Los puntos se obtienen por utilizar correctamente las técnicas del Karate en el cuerpo del contrario

Los puntos se obtienen por utilizar correctamente las técnicas del Karate en el cuerpo del contrario. El combatiente que primero obtenga 3 *ippons* (puntos completos), 6 *waza ari* (medios puntos) o, una combinación que totalice dos *sanbon*, se declara vencedor del encuentro.

Para el caso de empate (*Hiki-Wake*) en el que es necesario determinar un ganador, se lleva a cabo un *Kettei-sen* (Combate final) en forma inmediata y sin período de descanso.

El período para este combate final es de 1,30 min., durante el cual el primer competidor que reciba *Waza-ari* o *Ippon* es el vencedor. Sin acumulación de puntos o penalizaciones, de la confrontación anterior.

Si al finalizar Kettei-sen, no se determina un ganador porque no hay puntos o el puntaje está empatado, entonces los jueces de área se encargan de decidir el ganador (victoria por decisión).

IPPON (PUNTO COMPLETO)

Se otorga un *ippon* o punto completo por la ejecución de una técnica de *Todome* (ataque terminal) con, momento correcto y distancia efectiva (*ma-ai*) hacia un blanco establecido del cuerpo, con lo cual la capacidad ofensiva del oponente se neutraliza completamente.

La *Técnica Todome* se refiere a:

- El Uso efectivo instantáneo y explosivo de una técnica dirigida con tal poder corporal y velocidad para alcanzar el máximo impacto (*Kime*).
- La estabilidad del cuerpo durante la ejecución de la técnica para soportar el choque del impacto cuando se libera completamente la técnica de Karate, incluyendo una parada sólida o momento (balance).
- La Retención del equilibrio físico y mental inmediatamente después de la ejecución de la técnica (*Zanshin*).

Momento correcto se refiere a la ejecución oportuna de una técnica en el preciso instante en que los niveles físicos y mentales del oponente se encuentran desconectados o en "*Kyo*" (fuera) de tal manera en que se explote la debilidad momentánea iniciando una acción ofensiva simultánea.

Distancia correcta, se refiere al alcance suficiente para permitir el uso más efectivo de una técnica y el ángulo correcto de impacto de la misma en un área del blanco. La posición debe ser tal que la técnica no se debe sobre extender, pero se debe lograr la apropiada proximidad para desarrollar Todome.

La distancia debe ser tal que la correcta área de contacto de la técnica, haga total y efectivo impacto en el objetivo. Los requerimientos de distancia en el área de un blanco en el momento de impacto son:

- *Jyo-Dan* (área de la cara): Aproximadamente 5 cm. o menos; excepto Keri en la cual se permite 10 cm. o menos.

- Chu-Dan (área del estomago): Aproximadamente 3 cm. o menos; excepto Keri en la cual se permite 5 cm, o menos.
- Un ángulo de penetración entre 80° a 100°.

WAZA-ARI (PUNTO SEMICOMPLETO)

Se define como la ejecución de una técnica efectiva, que carece ligeramente de alguno de los siguientes criterios para ser considerado un Ippon:

- Poder corporal total (ligeramente débil).
- Al momento del enfoque, posición o "momentum", o ambos ligeramente débiles.
- Retención del equilibrio físico y mental inmediatamente después de la ejecución de una técnica, ligeramente débil.
- Técnica ejecutada ligeramente fuera del "momento oportuno".
- Técnica ejecutada ligeramente fuera de distancia.

TÉCNICAS QUE NO OTORGAN PUNTO

Aún cuando la técnica sea efectiva, ésta no se considera punto cuando:

- El oponente inicia un ataque, la técnica debe ser cubierta, bloqueada o evadida. De lo contrario la técnica de contraataque que se ejecute contra ella no se cuenta como punto, siendo sujeta a penalización de *mu-shi* (técnica ignorada).
- La técnica ejecutada se mueve en una dirección, mientras que el cuerpo retrocede o se aleja en dirección opuesta a la mencionada técnica (nige).
- La técnica es ejecutada después de que el oponente es agarrado (Tsukami), auque el agarre y la ejecución de una técnica simultáneamente es aceptado.
- La técnica siguiente, no es ejecutada a continuación e inmediatamente en el caso cuando el oponente resbale y caiga o sea derribado por la técnica procedente.

BLANCOS	ÁREAS PROHIBIDAS
Jyo-Dan: Área de la cara, desde la línea de las cejas hasta la punta de las orejas (sin incluirlas) y alrededor del mentón.	Ojos (ataque por Nukite)
	Base del cráneo
Chu-Dan: Área comprendida desde el cinturón (cintura) hasta la línea imaginaria en el pecho superior y que se extiende de axila a axila, sin incluir los costados del cuerpo.	Garganta
	Ingle

VIOLACIONES Y SANCIONES

TEN-TO (CAÍDA)

Cuando un competidor cae y hace contacto con el piso con otra parte del cuerpo que no sea pies o manos pero ningún punto ha sido otorgado ni recibido, este competidor se penaliza con "*Ten-to*"(caída). La caída podrá ser producida por él mismo, o causada por el oponente.

El castigo *Ten-to* se realiza retrocediendo al competidor penalizado de su posición original en el centro del área de competencia, hacia el lugar justo en el límite interno del área (los talones deben tocar la línea del borde del área) y en *Shizen-tai* (posición natural de piernas abiertas).

El competidor no penalizado se mueve hacia adelante para enfrentar al competidor penalizado, en posición Shizen-tai, ambos extienden los brazos y manos haciendo contacto con las yemas de los dedos, luego ambos regresan a la posición Shizen-tai, desde donde se reinicia la confrontación.

Si el competidor penalizado se mueve antes que el competidor no penalizado será sancionado con *Jyo-Gai*.

JYO-GAI (SALIDA DEL ÁREA)

Cruzar los límites de las líneas del área de competencia con cualquier parte del cuerpo del competidor, haciendo contacto con el piso fuera del área. Esta violación ocurre cuando el Shu-Shin no ha anunciado Yame (parar), o se ha otorgado un punto.

Un competidor que comete Jyo-Gai dos veces durante un combate se penaliza de tal manera que su oponente recibe Waza-ari (Medio punto). Si el mismo competidor comete Jyo-Gai dos veces más en el mismo combate individual, se le otorga otro medio punto (Waza-ari) a su oponente.

En caso de que ambos competidores cometan simultáneamente Jyo-Gai, no se sanciona a ninguno de los dos.

Cuando un competidor cae y hace contacto con el piso con otra parte del cuerpo que no sea pies o manos, se penaliza con "Ten-to"(caída). La caída puede ser producida por él mismo, o causada por el oponente

FALTAS

Las siguientes acciones y técnicas están prohibidas:

- Ataques directos contra el oponente excepto contra las extremidades superiores o inferiores, donde únicamente se permiten aplicar las técnicas de bloquear o barrido. Las técnicas de barrido aplicadas a la articulación de la rodilla están expresamente prohibidas (ate);

- Ataques a la cara con una técnica Nukite (Mano de lanza).
- Ataques a la base del cráneo.
- Ataques a la garganta.
- Ataques a la Ingle.
- Agarrar, chocar, enganchar, empujar con el cuerpo contra el oponente.
- Lanzamientos o técnicas peligrosas de rompimiento del balance.
- Ignorar completamente el inicio de una técnica del oponente sin ejecutar defensa.
- Comportamientos antideportivos tales como insultos verbales, provocaciones o similares.
- Adulaciones personales, celebraciones u otros comportamientos similares dentro del área de competencia.
- Incurrir en fingimientos.
- Ignorar, oponerse o desobedecer a las indicaciones del Shu-Shin.

SANCIONES A LAS FALTAS

Cuando un competidor comete una infracción a las reglas, se produce una amonestación o sanción que es anunciada por el juez central.

Chui (Advertencia)

Las violaciones menores o cuando la infracción no es ejecutada íntegramente, se notifica al ofensor con *Chui* (Advertencia). En caso que el mismo competidor cometa nuevamente otra violación de tipo *Chui* durante el mismo combate, será entonces sancionado con *Kei-koku*.

Kei-koku

Las infracciones menores previamente amonestadas, en las cuales las intenciones son accidentales, tienen como resultado una sanción de *Kei-koku* y se le suma un *waza ari* (medio punto) al contrario.

Cuando el mismo infractor comete dos violaciones *Kei-koku* en el mismo combate se le otorga un *Han-soku Chui*.

Han-soku Chui

Se impone por infracciones que ya han sido castigadas con medio punto (*waza ari*). En este caso se le suma un *ippon* (punto) al contrario.

Han-soku

Cuando un competidor comete un acto grave se le sanciona con *Han-soku* (Falta). La resultante de *Han-soku* es la pérdida inmediata del combate ya que se eleva el puntaje del contrario a *sanbon*

Shii-kaku (descalificación)

Un competidor puede ser descalificado (*Shii-kaku*) de toda la competencia por:

- Violación premeditada y deliberada de los reglamentos de la categoría de competencia correspondiente.
- Excesiva agitación y nerviosismo que impidan el seguro desarrollo del combate.
- Recibimiento de *Han-soku*, dos veces durante la competencia dentro de la misma categoría.
- Recibimiento de *Muno* (carencia de habilidad competitiva), lo que indica que el competidor no tiene la suficiente habilidad en las técnicas de Karate.

COMPETENCIAS

TIPOS DE COMBATE INDIVIDUAL

El combate individual se puede hacer de dos formas:

Ippon Sho-bu (combate a un punto completo)

El tiempo de combate es de 1,30 min., en el que el competidor que primero marque Ippon o awasette Ippon (dos Waza-ari) se declara ganador.

San-bon Sho-bu (Combate de tres etapas)

Los competidores combaten en tres etapas de Ippon-Sho-bu, con un descanso de 30 seg. entre ellas. Cada etapa es separada y distinta, en las que los puntajes y sanciones no se acumulan.

El vencedor es el combatiente que gane dos etapas.

COMBATE POR EQUIPOS

Un equipo de combate está compuesto por tres miembros.

Procedimiento de competencia

- En el momento de la competencia, los miembros de cada equipo deben competir en combates de 1,30 min. cada uno, en el orden exacto en que fueron registrados. Cada combate finaliza cuando un miembro del equipo marca un Ippon (incluido dos waza-ari), resultando vencedor el equipo que mayor puntaje acumule.
- En el caso de una sanción de Ten-to, que por falta de tiempo no se ejecute en ese combate, el equipo contrario recibe 1 punto.
- Si un miembro de un equipo es penalizado con Han-soku, el equipo completo recibe Han-soku, sin embargo si un miembro del equipo recibe Chui, o Kei-koku, esa penalización no se acumula de una ronda a otra o a otro miembro del equipo.
- Si un miembro de algún equipo abandona la competencia se considera abandono del equipo con su consecuente derrota.

Kettei-sen de representantes

En el caso de puntajes empatados entre equipos, el resultado se determina por un combate de representantes. Para ello, cada equipo selecciona su propio representante. En el Kettei-sen de representantes los jueces de área determinan el ganador con base únicamente a lo sucedido en dicha confrontación.

Artes Marciales

KENDO

El kendo es un arte marcial con armas de origen japonés, cuyo significado traduce el Camino de la Espada, en la que el kendoka intenta golpear ciertas áreas vitales de su oponente con una especie de sable llamado "shinai", que se sostiene normalmente con ambas manos y cuya finalidad última es mejorar la personalidad y lograr un perfecto equilibrio mental y físico (espíritu del Budo).

El kendo o esgrima japonesa surgió a partir de la evolución natural de las técnicas del uso del sable y se fue perfilando a partir de las experiencias en combate que en un principio se denominó kenjutsu (ken: sable, jutsu: arte), pero que con su consecuente evolución histórica y filosófica pasó a denominarse kendo o vía del sable.

Este arte se creó como resultado del manejo de la espada en los combates reales que se sucedían en la edad media japonesa, evolucionando posteriormente a partir de las antiguas escuelas de Kenjutsu (Arte del Sable), como una actividad no guerrera a partir del período Meiji.

La historia del Kendo es paralela al desarrollo de la historia del sable japonés, por ello hay que referirse al desarrollo de esta arma. En realidad, las primeras espadas fueron importadas de la China y la península Coreana; las primeras espadas japonesas, que se utilizaron para estocar y cortar, llamadas *Kiriha-Tsukuri*, eran rectas y planas, con dos filos.

A partir del siglo X, cuando Japón rompió sus relaciones con China y comenzó a estructurar su propia caballería, aparecieron las primeras espadas un poco curvas, con un solo filo y un largo de 75 a 80 cm.; con el tiempo se varió su tamaño, forma y curvatura, y recibió el nombre de *katana*. Durante la época feudal, con la creación de la clase Samurai, se desarrolló la verdadera espada japonesa, creada con la típica hoja curva, diseñada para que el guerrero montado a caballo pudiera cortar al enemigo de arriba hacia abajo.

De otro lado, al final del siglo XII, el gobierno cayó en manos militares, dominado por el clan Minamoto, que se instaló en la ciudad de Kamakura, lejos de Kioto (la antigua capital japonesa). Durante el shogunato de Kamakura (1192-1333), las artes marciales alcanzaron un gran desarrollo y el kenjutsu recibió un significativo empuje, en el que evolucionó no sólo técnica sino que además adquirió por encima de todo un cierto matiz místico. Durante el siguiente período, llamado Muromachi (1392-1573), el kendo progresó gradualmente en los campos de batalla durante la época en que los grandes señores luchaban entre sí por la hegemonía del país en las "guerras entre estados". En este mismo período surgieron muchos maestros de kendo, que impulsaron el arte, logrando la primera organización y reglamentación, en la que se marcaban las relaciones entre maestros y alumnos, y se hacía distinción entre dos categorías: el Kendo de combate, practicado entre dos adversarios, que se enfrentaban en lucha a muerte, y el Kendo de escuela o ryuha, empleado como entrenamiento y práctica con fines de aprendizaje técnico.

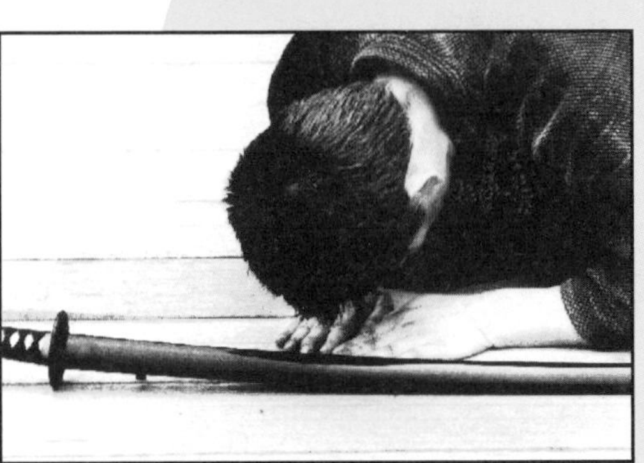

En el siglo XV, el kenjutsu con un alto contenido filosófico pasó a llamarse kendo. Durante la época de Edo (1603-1868), caracterizada por una relativa paz e interés en la educación, disminuyó la necesidad de la espada, hasta que por edicto del emperador, sólo al Samurai le fue permitido portar espadas y practicar artes marciales; entonces, muchas escuelas de Kendo enfatizaron más en las formas, que en la técnica del combate verdadero, acentuándose el misticismo adquirido durante la época kamukara; también se empezó a usar como arma, una caña de bambú cubierta por una funda de cuero, pues practicar con una hoja real resultaba muy peligroso.

Como consecuencia de todo ello,

El kendo o esgrima japonesa surgió a partir de la evolución natural de las técnicas del uso del sable y se fue perfilando a partir de las experiencias en combate que en un principio se denominó kenjutsu

HISTORIA

se idearon varias katas o formas normativizadas para la práctica de las técnicas. Luego, buscando un mayor realismo en la práctica, se desarrolló la espada de madera, o *bokuto*, que permitió nuevamente el entrenamiento de las técnicas con el arma, pero sin resultar demasiado peligrosas.

Durante el período de restauración Meiji (1868-1912), en el que Japón recibió una fuerte influencia occidental, desaparecieron los últimos samuráis y se promulgaron leyes que no permitían el porte y uso de sables. Todos estos hechos, junto con la desventaja que presentaban los sables como arma de combate frente a las armas de fuego, llevaron a la disminución de la práctica del Kendo.

En 1870, el Maestro Naganuma de la escuela Shikishinkage Ryu y el Maestro Nakanishi de la escuela Itto Ryu, en un intento por mantener viva esta tradición, crearon la espada de bambú (*Shinai*) y los protectores, iniciándose lo que se llamó Shinai Uchi No Kendo. La creación de la armadura, inspirada en las armaduras utilizadas por los samuráis, que constaba de un casco y otras piezas de cuero, metal y bambú, que protegían cabeza, pecho, costados y brazos, facilitó a los practicantes golpearse en las partes específicas del cuerpo sin sufrir lesiones, lo que permitió un entrenamiento más intenso, con golpes reales sobre las armaduras. Finalmente, el antiguo Kenjutsu reemplazado por el Kendo practicado con la espada de bambú se popularizó dando origen al Kendo actual.

En 1876 y debido al éxito de los espadachines durante la rebelión de Satsuma, resurgió la apreciación por el combate con espadas, como un sistema válido de ataque y defensa. A partir de ahí, el departamento de policía metropolitana de Tokio instauró en su programa de entrenamiento, la práctica obligatoria del Kendo.

Durante la guerra Chino-Japonesa (1894-1895) todo el conjunto de las artes marciales resurgieron aunque con un matiz bastante militarista. Al finalizar la guerra se creó en Kyoto el Butokay, una organización que reunía todas las artes marciales, resaltando de ellas su aspecto espiritual.

Durante la guerra Ruso-Japonesa (1904) el espíritu militarista y el gusto por las artes marciales se mantuvo, hasta el punto de que el Kendo fue implantado de forma obligatoria en los programas de educación física de las escuelas secundarias de Japón, así y poco a poco, el kendo se vuelve a desarrollar, alcanzando una gran difusión. Para 1939 se publicaron una serie de reglas de Kendo, llamadas nihon kendo katas.

Al entrar Japón en la segunda guerra mundial, el espíritu del kendo impregnado de una nueva filosofía, anuló las anteriores corrientes y fue eliminado de los programas escolares; así mismo, el butokai que tanto contribuyó al florecimiento de estas tradiciones fue cerrado. En un intento porque el kendo no desapareciera, surgió el Shinai Kyogi como una forma pura del kendo, hasta que en 1952 se creó la Federación de Kendo de Japón (Zen Ken Ren), celebrándose el primer campeonato; al año siguiente se volvío a introducir su práctica en los colegios, hasta que en 1962, la enseñanza del kendo adquirió nuevamente la categoría de obligatoriedad en todas las escuelas de Japón, como un nuevo sistema de entrenamiento renovado sobre los principios de la sociedad actual.

En 1967 se celebró en Tokio el primer torneo internacional de kendo y en 1970 se creó la Federación Internacional de Kendo.

El iai es la técnica del desenvainado. Estas técnicas nacieron en la época en que el kendo se practicaba con sable auténtico y en combates reales; fueron creadas para afrontar las situaciones en las que estando sentado, tumbado o en cualquier otra postura el guerrero era atacado teniendo el sable envainado.

La técnica en sí consistía en desenvainar (nukisuke), cortar (kirisuke), sacudir la sangre de la hoja (ciburi) y envainar (noto), desde diferentes posturas en un solo movimiento equilibrado, preciso y limpio. Si por cualquier causa la reacción al ataque sufrido por sorpresa no resolvía la situación con el iai y se tuviera que proseguir el combate, éste se desarrollaba según las técnicas del kendo propiamente dicho.

En las distintas escuelas se practicaban determinados golpes en distintas posiciones de salida y los alumnos debían, asimismo, imaginarse todo tipo de circunstancias y situaciones y resolverlas de forma satisfactoria con ejercicios.

Hoy en día, el kendo se practica con sable de bambú (shinai) y su práctica deportiva no exige dominar la técnica del desenvainado, por lo que actualmente, el iaido se practica únicamente en forma de katas, en las que se tiene muy presente la limpieza de la ejecución, el control de los movimientos, la suavidad y el equilibrio de los mismos.

IADO

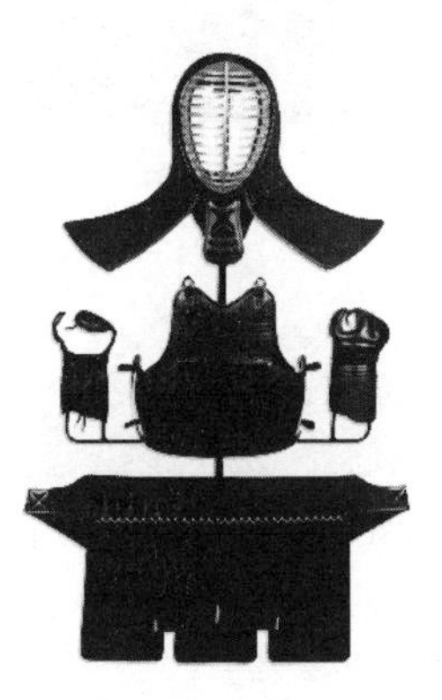

IMPLEMENTOS

SHINAI

El shinai, es un sable de 90 cm a un metro de longitud, con un peso aproximado de 400 gramos, que está construido con cuatro cañas de bambú, unidas en sus extremos por dos piezas de piel, una pequeña en la punta y otra mayor en el mango, unidas y tensadas por un cordón para formar un arma redonda y hueca, de menos de 8 centímetros de diámetro.

Su empuñadura (*Tsuka*) posee una guardia de forma circular, hecha con un trozo de cuero que se denomina tsuba. Desde esta guardia hasta la punta del shinai, (*sakigawa*), corre un hilo llamado "*tsuru*" que representa el dorso de la hoja, por lo que hay que golpear siempre por la parte contraria, que representa el filo del arma.

KENBOGU

La kenbogu es una armadura especial, compuesta por:

- El *Kabuto o men*, es un casco protector para la cabeza que consta de una máscara de enrejado de hierro con faldones a los lados fuertemente acolchados que brinda una protección rígida a la garganta.
- El *hachimaki o do*, es un peto de bambú cubierto de piel fuerte que protege el tronco
- El *tare*, una protección que cubre el bajo vientre y las caderas confeccionada con tela fuerte
- Los *Kote*, unos guantes de cuero duro que protegen las manos y muñecas.

Todo este equipo se lleva por encima de un kimono o keikogi de algodón que, en lugar de pantalón, lleva el *hakama* o falda pantalón que se emplea también en el Aikido.

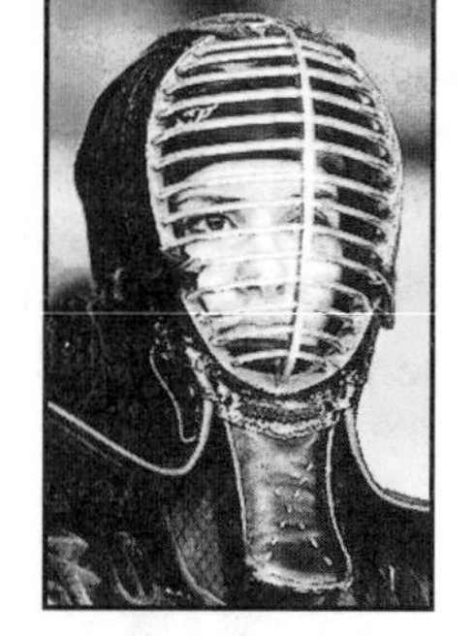

HAKAMA

La hakama es una falda pantalón plisada, que antiguamente era utilizada por los jinetes, samurais y nobles, para proteger las piernas de la maleza. Sus cinco pliegues del frente representan las cinco virtudes (gotoku) de la sociedad tradicional japonesa (Chuu: Lealtad; Ko: Justicia; Jin: Humanidad; Gi: Honor; y Rei: Respeto); el pliegue en la parte trasera simboliza que en realidad, las cinco virtudes son una.

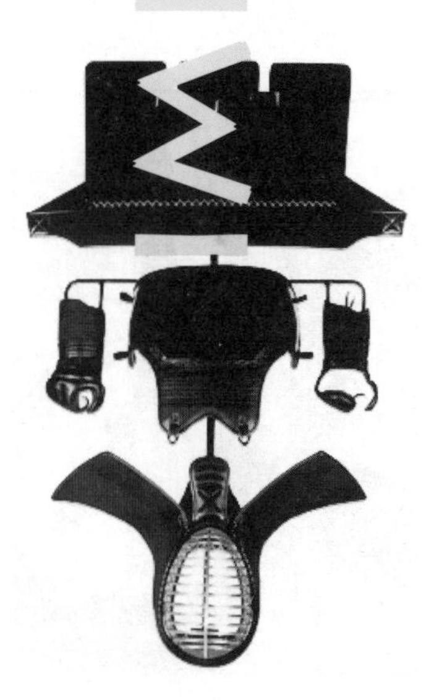

COMPETICIONES

El principal vehículo escogido para el desarrollo del espíritu del Budo es el Shiai, para lo que se establecen diferentes tipos de competiciones:

- Combate: El combate se desarrolla de una forma bastante dura y lineal. El equipo de protección utilizado incluye: men (careta), do (peto protector), kote (guanteletes protectores de manos y muñecas) y tare (protector de caderas y bajo vientre).
- Katas: Para el entrenamiento se considera esencial la práctica del kata con una especie de sable de madera llamado "bokuto". Aún cuando el kendoka actúa en las katas en solitario, éste debe imaginarse que es atacado por uno o varios enemigos reales para intentar sentir la sensación de peligro y alta concentración que proporcionaría un ataque real.
- Existen además competiciones donde los kendokas deben demostrar su habilidad cortando de un solo tajo haces de paja del grueso del cuerpo de un hombre y troncos de bambú de hasta 15 cm. de diámetro, puntuando además la velocidad y limpieza del golpe y su movimiento.

GRADOS

En Kendo se avanza de acuerdo al método de kyu's y dan's, similares a los colores de los cinturones de otras artes marciales. Pero el obi (cinturón) siempre permanece del mismo color. En los niveles más altos, se debe competir con una katana real, y también con espadas más pequeñas como la soto o la wakizashi.

Los combates de kendo (shiai) se realizan en una pista de 9 a 11 metros de lado. Dos practicantes compiten, uno vistiendo una cinta roja en su espalda y el otro una blanca.

REGLAMENTACIÓN

JUECES

En la pista de combate se encuentran tres árbitros:

- El shushin (árbitro jefe), es el responsable de administrar el combate y hacer los pronunciamientos.
- Dos fukushin (sub-árbitros).

Los tres árbitros son responsables de determinar los puntos validos (yuukou datotsu) y los actos prohibidos. Cada árbitro lleva una bandera roja y una blanca. Un yuukou datotsu se señala levantando la bandera correspondiente al concursante que hizo el ataque. Si al menos dos árbitros coinciden en el yuukou datotsu (levantando sus banderas), el combate se detiene y se le otorga un punto al participante.

La mayoría de campeonatos se disputan a 3 puntos (sanbon shoubu), en el que el primer participante en anotar 2 puntos es el ganador. Si el tiempo del combate se termina y solo un combatiente ha anotado un punto, ese combatiente gana el encuentro.

TIEMPO DE COMBATE

El tiempo límite para los campeonatos es de cinco minutos, pero para torneos locales es generalmente de tres minutos. Si no hay un ganador al final del tiempo de combate, se disputa una extensión del combate (enchou).

Durante el enchou, el primer participante en anotar un punto gana el combate. Para campeonatos, el tiempo para el enchou es ilimitado, pero en torneos locales, usualmente es de solo uno o dos minutos, con un máximo de 2 enchou permitidos.

YUUKOU DATOTSU (PUNTO VÁLIDO)

El Yuukou datotsu está definido por un golpe o estocada precisa a un área válida (datotsu bui) de la armadura del oponente usando el datotsu bu del shinai, hecho con buena postura, y un estado mental y físico de alerta contra el contraataque del oponente (zanshin).

Un yuukou datotsu puede ser anulado cuando:

- Falta zanshin.
- Hay gestos exagerados de poder excesivo o de efectividad del datotsu.

ACTOS PROHIBIDOS

Los siguientes actos prohibidos causan la pérdida del encuentro:

Cuando un combatiente recibe dos amonestaciones (hansoku), el oponente recibe un punto.

- Insultar al oponente o a los árbitros.
- Usar protecciones no autorizadas.
- Incapacitar al oponente de una manera que no le sea posible continuar.

Los siguientes actos prohibidos causan amonestación o falta (hansoku):

- Salirse de la pista.
- Dejar caer el shinai o perder control sobre él por más de un momento.
- Hacer zancadilla al oponente o barrerle las piernas para hacerle caer.
- Empujar injustamente al oponente fuera de la pista.
- Solicitar una suspensión del encuentro sin causa justificada.
- Colocar una mano sobre el rival o agarrarle.
- Agarrar el shinai del oponente.
- Tocar el shinai propio en su punta.
- Poner intencionalmente el shinai en el hombro del oponente.
- Perder tiempo intencionalmente.
- Hacer tsuba zeriai injustificadamente.
- Realizar un golpe o estoque indiscriminado.
- Tras haber caído al suelo, perder tiempo sin contraatacar al oponente.

Artes Marciales

KICK BOXING

El kick boxing es un deporte de contacto que utiliza los puños y las piernas y que consiste en impactar al oponente con técnicas de boxeo, permitiéndose además, golpear con la tibia en zonas como el tronco, las piernas y la cabeza; sus técnicas de mano son similares al boxeo excepto que utiliza el giro de puño y codo, en tanto que las técnicas de piernas, son una recopilación de todas las artes marciales, donde se destaca las patadas al muslo (low kick) y los golpes con la rodilla. Las peleas de Kick Boxing se realizan sobre un ring de boxeo y el número de rounds varía de acuerdo al tipo de pelea (Amateur, Profesional y de Campeonato).

HISTORIA

Aunque el Muay Thai Boxing de Thailandia y el Full Contact surgido a partir de Karate tradicional, no tienen nada que ver entre sí. El Kick Boxing es una mezcla de estos dos estilos diferentes.

Por un lado está el Muay Thai que nació en Tailandia en el siglo XVI, y que era un deporte brutal en el que se permitían toda clase de golpes (con los puños, pies, codos, rodillas y la cabeza) y donde la única protección eran

Kenji Kurosaki, un joven japonés practicante de karate Kyokushinkai en el que se permite el contacto pleno con excepción de los puños en la cara, impresionado por la violencia del Muay Thai, añadió a este algunas técnicas del boxeo occidental y del Karate Kyokushinkai, eliminando los golpes de codo y rodilla iniciando una nueva modalidad a la que llamó Kick Boxing (boxear y patear). En esta nueva modalidad se empleó un sistema de combate realizado principalmente con los puños cubiertos con guantes de boxeo tradicionales, combinados con golpes de pie desnudo incluyendo ataques con la rodilla y la tibia, proyecciones y barridas y prohibiéndose los golpes de codos y rodillas ejecutados contra el rostro.

unas tiras de cáñamo que se enrollaban alrededor de las manos. A partir de 1930, esta modalidad adoptó unas reglas similares a las del boxeo inglés, usándose a partir de ahí los pantalones cortos y los guantes de boxeo occidental.

Luego Kurosaki empezó la enseñanza del Kick boxing a otros karatecas como Patrick Brizon y Jan Plas, quienes fueron los pioneros de la especialidad en Europa.

De otra parte, la historia del full contact, comenzó a partir de 1960, cuando los competidores de Karate norteamericanos ansiosos por un tipo de competición que les permitiera más contacto, crearon una nueva modalidad a la que llamaron Karate al Knock out. El coreano John Rhee creó los primeros equipos protectores que se emplearon en dicho deporte, que pasaron luego a ser utilizados por los competidores del Taekwondo de la I.T.F.

En 1974, Mike Anderson, llevó a la práctica una adaptación del Karate y Taekwondo tradicional, orientado al profesionalismo y realizado al Knock out estableciéndose así un reglamento que indicaba la obligatoriedad de que los competidores estuvieran dotados con guantes, protectores de pie sintéticos y pantalones largos de colores, cuya denominación fue la de Karate Full Contact (Karate de contacto pleno).

Con el transcurso del tiempo, este deporte adoptó métodos de entrenamiento muy similares a los usados en el boxeo; las técnicas de brazo adoptaron los golpes clásicos del boxeo inglés y las patadas se variaron, modificándose también los reglamentos para que fueran muy similares a los del boxeo, con la inclusión de los golpes con los pies, lo que llevó a que los combates se disputaran sobre rings, por rounds, y con división de pesos.

Este Karate profesional inmediatamente atrajo la atención de varios practicantes, debido a sus reglas flexibles y la posibilidad de usar trajes vistosos; aunque lo que verdaderamente popularizó esta nueva modalidad fue principalmente la posibilidad de realizar sobre el adversario Knock Out, con golpes a pleno contacto.

Con el auge del Full Contact, se creó posteriormente el Ligth Contact, una modalidad del Full Contact donde el combate realizado también a plenitud, requería que el knock out no fuera el fin del combate, ya que la finalidad de éste era la demostración de las capacidades técnicas de los participantes. Luego apareció el Semi Contact en donde el contacto era mas controlado.

En la década de 1980, conforme el Full Contact iba abandonando las técnicas del karate y el Kick Boxing se expandía, las palabras Kick Boxing se utilizaron para definir un deporte con varias modalidades (Boxeo Americano o Full-Contact, Boxeo Thailandés o Muay-Thai y el Boxeo Francés o Savate). De ahí que para diferenciar las dos modalidades más conocidas, la modalidad nacida en los EE.UU., se denominó como Kick Americano, en la que los golpes deben impactar por encima de la cintura y la modalidad que surgió en Japón a partir del May Thai tailandés, se llamó Kick Boxing Oriental.

Poco a poco, y a través de la diferenciación marcada entre las raíces, fundamentos y reglamentos de estas dos modalidades, donde el low-kick es la gran diferencia, el Kick-Boxing Americano, quedó como Full-Contact, y la variante Oriental es la que permaneció con la denominación de Kick-Boxing.

DIVISIÓN DE PESOS

Todo competidor se clasifica según su peso en las siguientes divisiones:

Peso	*Kilos*
Mosca	51.4 - 54
Gallo	54 – 55.338
Pluma	55.338 – 57.153
Súper pluma	57.153 – 58.967
Ligero	58.967 – 61.235
Súper ligero	61.235 – 63.503
Welter	63.503 – 66.678
Súper welter	66.678 – 69.853
Medio	69.853 – 72.574
Súper medio	72.574 – 75.750
Ligero pesado	75.750 – 79.378
Súper ligero pesado	79.378 – 83.007
Crucero	83.007 – 86.182
Pesado	86.182 – 95.254
Súper pesado	más de 95.254

REGLAMENTACIÓN

RING

El cuadrilátero lo constituye una plataforma acolchada de no más de 5 m. de lado entre las cuerdas. La plataforma no supera los 1,21m. sobre el suelo. Los postes del ring son de metal de no más de 10,16 cm en diámetro y se extienden hasta una altura de 1,5 m sobre el suelo del ring.

Completamente alrededor del ring, se colocan por lo menos 3 cuerdas de 2.54 cm. de diámetro. La cuerda más baja se ubica a 46 cm. sobre el suelo del ring y la cuerda más alta a 1,3208 m.

PROTECTORES

Todo competidor debe usar:

- Protector bucal.
- Guantes, asegurados a las manos después de que los luchadores entren al ring. (Los guantes para combates profesionales se atan con cuerda, en combates amateurs se atan con velcro).
- Los competidores hombres deben utilizar un protector de entrepierna o abdominal, en tanto que las mujeres deben usar un guarda-pechos.
- Se puede usar un vendaje de 3-8 cm. de anchura puesto directamente sobre la mano para proteger debajo de la muñeca. La cinta puede cruzar al revés de la mano dos veces, pero no cubrir ninguna parte de los nudillos. También pueden usar en cada pie, vendajes quirúrgicos de no más de 5.08 cm. de ancho sujetando con cinta quirúrgica de no 3.8 cm. de ancho el lado del empeine y no más de 4 vueltas al tobillo.

JUECES

El árbitro es el oficial que conduce el enfrentamiento, siendo el encargado del seguimiento del combate y de los combatientes dentro del ring.

Aparte del árbitro, se requiere la presencia de tres jueces, un cronometrador, un apuntador, que es quien suma todos los puntos de las faltas de acuerdo con las instrucciones del árbitro al final de cada asalto, restando el número de puntos apropiado del resultado dado por cada árbitro juez al final del combate y un anunciador, que informa al público la decisión de los jueces.

DURACIÓN DEL COMBATE

La duración de los asaltos es de 2 minutos, con un tiempo de descanso de un minuto entre ellos. La cantidad de asaltos es mínimo 5 y máximo 15.

PUNTUACIÓN

La puntuación hecha por los tres jueces se basa en el resultado de cada asalto. Los jueces determinan el ganador de cada asalto de acuerdo con su relativa eficacia, puntería y táctica ofensiva, comparado con respecto a su oponente, así, los dos luchadores comienzan cada asalto con 10 puntos cada uno.

A medida que transcurre el combate los luchadores son juzgados, basándose en las siguientes decisiones:

- *10 y 10 puntos*: asalto igualado. La efectividad de los dos competidores se juzga igual; ni uno, ni otro controla mayormente la parte ofensiva de la acción.
- *10 y 9 puntos:* el luchador ganador domina parcialmente. Cuando un luchador es ligeramente superior al otro en efectividad, controla más la acción o es más ofensivo que su oponente.
- *10 y 8 puntos:* un luchador ganador es claramente superior, demuestra técnicas significativamente superiores sobre su contrincante.
- *10 y 7 puntos*: Ganador (arrollador). Sobrepone al perdedor: cuando el ganador del asalto demuestra habilidades superiores arrolladoras comparado con su contrincante, evidenciado por más de un derribo oficial, etc.

CUENTA

Ocho de pie

Cuando el árbitro decide que un luchador puede estar aturdido o posiblemente herido, puede dar al luchador una cuenta de ocho de pie (cuenta sin necesidad de estar derribado), durante este tiempo, el árbitro puede evaluar si el luchador puede continuar. En cuanto a la puntuación, la cuenta de ocho de pie será considerada como derribo.

Cada competidor debe conectar por lo menos seis patadas en cada asalto. Si un combatiente ejecuta un número mínimo de conexiones se penaliza con un punto por cada patada menor de seis. Si un combatiente no logra el mínimo de patadas en la mayoría de los asaltos será descalificado.

Cuenta sobre un luchador derribado

Si un luchador es derribado o se deja caer a propósito, el árbitro manda al contrincante al rincón neutral más lejano y comienza la cuenta, el árbitro anuncia los intervalos de un segundo mientras puntualiza el final de cada segundo con el movimiento del brazo hacia abajo. Si el luchador derribado no logra levantarse antes de la cuenta de 10, el otro luchador será el ganador por knock out. Si ambos luchadores caen al mismo tiempo, el árbitro sigue contando hasta que uno se levante. Si los dos siguen en el suelo hasta terminar la cuenta, se decidirá empate técnico. Si un luchador se levanta y el otro no al final de la cuenta, el primero en levantarse será declarado ganador por Knock out. Si los dos se levantan antes del final de la cuenta, el asalto continuará. Si uno se levanta y cae de nuevo, inmediatamente el árbitro vuelve a la misma cuenta. Si el luchador se levanta por más de dos segundos o de algún modo es tocado por el contrincante, el árbitro comienza la cuenta de nuevo.

Un luchador será considerado derribado si cualquier otra parte de su cuerpo toca el suelo menos sus pies.

Si un luchador es derribado tres veces en el mismo asalto, el oponente obtiene el combate por knock out técnico.

FALTAS

Las técnicas de combate aceptadas incluyen todas las utilizadas por el Boxeo, Karate, Taekwondo, Kung Fu y artes de lucha similares.

Las técnicas de combate aceptadas incluye todas las utilizadas por el Boxeo, Karate, Taekwondo, Kung Fu y artes de lucha similares. Barridos de pie a pie son aceptados, pero un barrido no será considerado como derribo. La utilización de cualquier patada es permisible, mientras éstas no se produzcan en áreas de falta. Las áreas aceptadas para las patadas incluyen el interior, exterior y posterior de los muslos y gemelos.

Las siguientes acciones se consideran como faltas:

- Dar puñetazos o patadas en la ingle, rodilla, columna vertebral, garganta, región de riñones o clavícula.
- Ejecutar cualquier técnica ofensiva sobre un oponente caído o sobre uno que está intentando incorporarse.
- Dar cabezazos
- Morder
- Pinchar el ojo con el pulgar del guante o golpear con la rodilla al contrincante.
- Golpear con el codo
- Golpear con el guante abierto o con la muñeca.
- Aplicar palanca contra cualquier articulación, golpes de raspadura, golpes con palma de talón.
- Sujetar cualquier parte del cuerpo del contrincante, incluyendo la cabeza, pierna, pie o brazo.
- Atacar en el período de descanso o cuando el árbitro ha llamado a Tiempo Fuera.
- Hacer Lucha libre, tirando o empujando a un contrincante fuera del ring o al suelo.
- Mantener fija la pierna del contrincante o pisar el pie
- Sujetar al contrincante con una mano, mientras que con la otra se le pega.
- Utilizar pasa cuerdas o postes como palancas mientras se dan patadas o puñetazos.
- No responder inmediatamente al silbato del árbitro y a la orden de separación.
- Fallar en ejecutar por lo menos seis patadas con contacto en cada asalto.
- Evitar contacto físico total con el contrincante.
- Disimular una caída o lesión.
- Incurrir en conducta no deportiva como escupir, usar lenguaje o acciones impropias, discutir con el árbitro o tirar el protector de un escupitajo.

DESCALIFICACIÓN POR FALTAS

Si un peleador suma más de cuatro puntos para restar en el mismo asalto o repite la misma falta más de tres veces en un combate, será descalificado por el árbitro por excesivas faltas.

TIEMPO FUERA DESPUÉS DE UNA FALTA

Si el árbitro decide que un combatiente necesita tiempo para recuperarse después de haber sido víctima de una falta, puede parar el asalto; después de un período de tiempo razonable de dos minutos, el árbitro y el médico del ring deciden si el combatiente puede continuar. Si puede continuar el asalto seguirá, si no, el combate se detiene.

La puntuación en este caso será de la siguiente manera:

- Si el árbitro decide que la falta no era de naturaleza accidental, pero fue causada por tácticas dudosas por el otro combatiente y el luchador lesionado no puede continuar: el árbitro descalifica el agresor y da el combate al luchador víctima de la falta.
- En caso de una falta sin culpabilidad: no se restan puntos a ningún luchador. Si el luchador víctima no puede continuar, los puntos de los asaltos anteriores se suman y el combate lo obtiene el que va ganando hasta el momento.
- Si el árbitro decide que el luchador lesionado fue responsable de su propia herida: no penaliza al otro competidor, y si se determina que el luchador herido no puede continuar, ese luchador pierde por knock out técnico.

Artes Marciales

NINJITSU

El Ninjutsu, o Ninpo Taijutsu, en su forma más avanzada, es un Arte Marcial tradicional del Bujutsu Japonés que se desarrolló como un sistema de espionaje japonés entre los siglos XIII y XVII. El vocablo japonés Ninjutsu, está compuesto por ¨nin¨ que significa oculto, furtivo, resistencia, perseverancia y ¨jutsu¨ cuyo significado es arte; así el Ninjutsu se refiere al arte cultivado por los Ninjas para sobrevivir, para el cual se requería mucha perseverancia y entrenamiento.

HISTORIA

A pesar de que no se sabe a ciencia cierta de dónde provienen las bases del ninjutsu, se cree que las bases de este arte provienen del Tibet, como un sistema de enseñanza basada en la observación de la naturaleza de los monjes chinos, que huyeron hacia Japón durante la dinastía china Tang y que llevaron con ellos las técnicas y conocimientos que darían origen a los futuros ninjas.

Editorial Kinesis

Durante la época feudal japonesa, la clase que dominaba el Japón eran los Shogun y los Samurai, sus guerreros y, todo aquel que no se encontrara dentro de estos dos grupos, se convertía en vasallo de aquellos. No obstante esta circunstancia, surgió un grupo ilegal que se reveló contra la clase dominante Samurai, por lo que debieron huir hacia las regiones de las altas montañas de Iga y Koga. Perseguidos, esta cultura se mantuvo por mucho tiempo aislada del resto, cultivando para su supervivencia el ocultismo, las ciencias (medicina, sicología, entre otras), las técnicas de combate con y sin armas y el desarrollo del espíritu.

Aunque, una antigua leyenda cuenta que los ninjas eran discípulos de los tengu, unos espíritus mitad hombre, mitad ave que habitaban los bosques de las altas montañas, lo cierto es que su preparación, comenzaba casi desde su nacimiento, siendo entrenados en métodos de combate con armas y sin ellas, el estudio del cuerpo humano, sicología humana, patrones culturales y fenómenos naturales con un acercamiento personal a la naturaleza.

Debido a la condición socio-política de aquel entonces, los *yamabushi* (monjes guerreros) y los *ronin* (samurais renegados) se vieron también forzados a refugiarse en las altas montañas, donde en contacto con las familias Iga y Koga aprendieron parte de su conocimiento, y luego, obtuvieron nuevamente su lugar en la casta guerrera. Las personas que posteriormente fueron conocidas como ninjas desempeñaron originariamente solamente un papel de consejeros en los campamentos de los jefes militares que se disputaban el control de las diversas regiones del Japón, pues debido a la proximidad de los ninjas con la naturaleza y su inclinación a ciertos poderes ocultos, ellos proporcionaban valiosas perspectivas en la guerra, asumiendo el papel de espías y hasta de asesinos políticos.

Poco a poco esta demanda fue creciendo hasta que, particularmente entrenados en el arte de sobrevivir, los ninja, fueron empleados masivamente por los señores feudales durante los siglos XII al XV. En este período de lucha por el poder, numerosos señores contrataron clanes ninja debido a sus conocimientos de estrategia, infiltración y eficacia en el combate, ya que podían entrar en una fortaleza, escalar muros, y marcharse sin dejar absolutamente ninguna pista; eran verdaderos maestros en el arte del disfraz utilizándolo como método para la infiltración y el escape; controlaban su respiración así como también los latidos de su corazón logrando pasar desapercibidos ante un enemigo; eran expertos corredores, dotados de una precisa memoria visual y sentido de la dirección y orientación; dominaban a la perfección el combate sin armas y con ellas, los explosivos y los venenos; expertos además en el arte de montar y combatir a caballo. Por todas estas habilidades y sus ganas de vivir libremente, eran contratados para robar documentos, distraer o matar. Sus trajes negros ("Shozoku") les ayudaba a pasar desapercibidos en las noches, aunque en el invierno, cambiaban su atuendo por el color blanco con el fin de camuflarse en la nieve.

Casi ningún extraño por fuera del clan llegaba a recibir instrucción en las artes del Ninjitsu; cuando un ninja moría, otro nuevo miembro recién nacido en la familia le sucedía, siendo sus maestros del arte totalmente desconocidos.

En el siglo XVII, con la unificación de Japón y su consecuente pacificación, el empleo de los ninja fue totalmente prohibido, pues desapareció la necesidad de las extensas redes de espionaje y el entrenamiento en las artes guerreras, hasta el punto que el ninjutsu llegó a ser un arte en extinción, de no ser por un pequeño grupo que continuó practicándolo totalmente en secreto, siendo usados en ocasiones muy esporádicas en las guerras entre comerciantes.

Tras la restauración Meiji, se produjo una apertura del Japón a la cultura occidental y las artes marciales perdieron su significado marcial, transformándose en deportes de lucha o movimientos zen con métodos de ejercicio para el desarrollo personal, abandonándose el legado de sus antepasados.

En los conflictos que durante el siglo XX protagonizaron los japoneses (la guerra Ruso-Japonesa, la primera Guerra Mundial, la guerra Chino-Japonesa y la segunda guerra Mundial), las tropas regulares recibieron entrenamiento ninja, que se utilizó para los asaltos contra fortalezas enemigas.

Finalizados los conflictos, en la segunda mitad del Siglo XX, algunas escuelas (Ryû) tradicionales se abrieron al exterior, dándose a conocer. Masaaki Hatsumi como heredero del título de gran maestro de las nueve tradiciones guerreras, agrupó las enseñanzas de los 9 Ryû tradicionales y creó en 1972, tras la muerte de su Maestro y mentor Takamatsu Toshitsugu, una organización mundial dedicada a la enseñanza y difusión del verdadero arte ninja, a la que denominó Bujinkan.

El bujinkan cuenta con nueve diferentes escuelas (Ryû), Tres de estas basan sus enseñanzas en Ninjutsu, (Ninpô) mientras que las otras seis son de Bu Jutsu (Artes de Guerra).

La fusión de estas escuelas dieron vida a lo que hoy es Bujinkan Budô TaiJutsu. En la Bujinkan Dôjô, no existe ningún tipo de competencia, ya que la verdadera esencia del Camino Marcial (Budô), es el trabajo en uno mismo; aquí se entrena principalmente el Taijutsu (arte de usar el cuerpo).

El Taijutsu es un método ilimitado basado en la libertad de movimientos, que comprende todo tipo de ejercicios que desafían la capacidad corporal en busca de aprender a utilizar al 100% el cuerpo, mediante el control total de la fuerza. Se caracteriza por la naturalidad de sus técnicas y la utilización de todo el cuerpo en conjunto; además estudia, en los distintos medios de la naturaleza, los movimientos de puños, piernas, rodillas, codos, estrangulaciones, evasiones, luxaciones, controles, proyecciones, etc., integrando todo ello en un estado llamado *Sanshin*, donde el cuerpo, la mente y el espíritu se encuentran en armonía. El Taijutsu, como método de auto protección ninja, y la base sobre la que se construye su estilo y se fundamenta en el *Go-dai* o los cinco elementos:

- *Chi* (Estabilidad de la tierra): es la actitud de confianza y fuerza.
- *Sui* (La respuesta que fluye como el agua): es la actitud de transmitir y atacar.
- *Ka* (La expansión del fuego): es la actitud de ver mas allá de lo normal, percibiendo el potencial del ataque y comprometiéndose a detenerlo en el momento que se percibe.
- *Fu* (La actitud del viento): es moverse libremente, siendo suficientemente diestro para saber donde se debe estar para poder tomar control de la agresión, posicionándose para tomar control del momento.
- *Ku* (La fuente de todos los elementos - el vacío): es usar la habilidad para enfrentar los ataques inesperados, y adquirir una actitud apropiada en respuesta.

ESCUELAS DEL BUJINKAN BUDO TAIJUTSU

Según Hatsumi, el término Budô Taijutsu, provee a las artes marciales Bujinkan de una concepción mucho más genérica y amplia que la utilizada antiguamente como Ninpô taijutsu, que hacía referencia de forma específica a los estilos de Ninpô o Ninjutsu. El sistema Bujinkan Budô Taijutsu, está compuesto por nueve estilos diferentes de Artes marciales tradicionales Japonesas, cada una con características diferentes en los aspectos técnico y filosófico, estas son:

TOGAKURE RYU - NINJUTSU (Escuela de la puerta oculta)

Fundada por Daisuke Nishina en el siglo XII. Sus técnicas se basaban en:

- Senban shuriken: estrella arrojadiza de cuatro puntas exclusiva de este ryû.
- Shukô: pieza de metal con cuatro garfios que se colocaba en la mano y se agarraba a la muñeca con una pieza de piel, que se usaba para escalar y en muchas ocasiones como defensa ante ataques con espada.
- Shindake: un tubo de bambú de pequeñas dimensiones usado para respirar bajo de la superficie del agua y en muchas ocasiones, como cerbatana.
- En el combate sin armas (Taijitsu), los ataques se dirigían, principalmente, a los ojos, oídos y genitales.

GYOKKO RYU-KOSSHI-JUTSU (Escuela del tigre con diamantes)

Creada por Hakuunsai Tozawa a mediados del siglo XII, fue desarrollada en Japón a través de los principios establecidos por Cho Gyokko y Yo Gyokko que llegaron desde China, cuyas técnicas se basaban en:

- Kosshijutsu: ataques a los músculos
- Shitojutsu: utilización del dedo pulgar y los dedos
- Bloqueos poderosos
- Distancias largas en combate,
- Uso de las luxaciones y proyecciones
- Desequilibrio del enemigo para luego atacar sus puntos vitales.

KOTO RYU - KOPPO-JUTSU (Escuela del tigre derribado)

Creada en el siglo XVI, fue organizada en el siglo XVI por Sakagami Taro. Esta escuela se especializa en el ataque a las partes duras del oponente (*koppo jutsu*), tratando de romperlas y en los ataques a los puntos vitales, como complemento del ataque principal. Entre las características técnicas cuenta con:

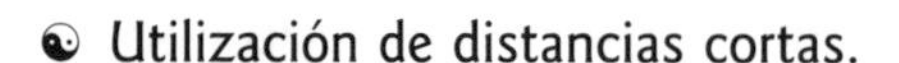

- Utilización de distancias cortas.
- Técnicas directas y rápidas concentrándose más en los métodos de golpeo.
- Desplazamientos cruzando las piernas
- Técnicas en las que se pisa los pies al adversario.

SHINDEN FUDO RYU - DAKENTAI-JUTSU (escuela del corazón inmutable)

Fundada por Izumo Kanja Yoshiteru en el siglo XII. Sus técnicas se especializan en:

- El reconocimiento del estilo natural como postura defensiva.
- Defensa frente adversarios que atacan con puñetazos y agarres.
- No utilizar demasiados golpes, tratando de usar todo el cuerpo como arma
- Con respecto a las armas, se practicaba principalmente con espada larga, también Yari, naginata, bo jutsu, hojo Jutsu (cuerda), ono (hacha) y otsuchi (maza).

KUKISHINDEN RYU HAPPO (HIKEN-JUTSU) (Escuela de la tradición de los nueve dioses demonios)

Desarrollada en la provincia de Kumano, en el siglo XVI. Se la conoce principalmente por su manejo superior de la espada, acompañaba con una postura baja del cuerpo con el fin de mantener un mejor equilibrio; además de técnicas encaminadas a derribar a los oponentes con el yoroi (armadura).

Era usual que los guerreros de esta escuela usaran armadura, por que sus técnicas se regían por movimientos muy pesados dirigiendo los ataques, principalmente, a las zonas donde la armadura no tenía protección alguna.

Algunas de las armas más características de esta escuela son:

- Hanbô, también denominado Sanyaku bô: bastón de pies.
- Kaginawa: gancho y cuerda.
- Kusarigama: hoz con una cuerda o cadena con un peso al final de la misma.
- Daisharin: pieza circular de madera muy parecida al eje y ruedas de un carro, que se utilizaba para trasladar las embarcaciones desde tierra firme al mar y viceversa.
- Bisentô: bastón de madera de gran peso con una hoja al final de hasta un 1 metro de largo.

TAKAGI YOSHIN RYU - JUTAI-JUTSU, (escuela del árbol alto y el corazón enraizado)

Fundada por Takagi Oriuemon Shigenobu en el siglo XVII. Estudia el Jutai-jitsu, intentando alcanzar los *Kyusho* (puntos vitales) en mayor número posible, incluso en los bloqueos. Los movimientos son suaves y envolventes, tratando de sujetar al enemigo y luego derribarle de golpe y directamente contra el suelo en el momento justo. Las técnicas se desarrollan a distancia corta ya que se realizan proyecciones, luxaciones, estrangulaciones siempre evitando que el oponente pueda escapar.

GYOKUSHIN RYU-NINJUTSU (escuela del corazón inamovible)

Fundada por Sasaki Goemon en fecha desconocida, se especializa en técnicas de sacrificio (sutemi), en las que se sacrifica el propio equilibrio para conseguir derribar al oponente y por el uso y dominio del Nagenawa.

KUMOGAKURE RYU-NINJUTSU (escuela escondida en las nubes)

Fundada por Heinaizaemon Ienaga Iga hacia el siglo XVI. Posee técnicas de Tai jutsu muy similares a las de la Togakure Ryu, pero con la diferencia que los ninjas de esta escuela solían saltar durante el combate; además utiliza un buen número de técnicas o paradas con antebrazo. Respecto a las armas, se destaca el uso de:

- Ippon sugi noburi: un tubo de metal de unos 25 centímetros de largo, con tres filas de pinchos en el exterior y una cadena sobre la mitad con un gancho metálico en cada extremo, que se usaba principalmente para subir a los árboles.
- Kamayari: lanza con gancho, diseñada para subir por los laterales de los barcos y combatir contra los espadachines.

GIKAN RYU - KOPPO-JUTSU (escuela de la verdad, lealtad y justicia)

Fundada por Uryu Hagan Gikanbo en el siglo XVI, se especializa en patadas especiales, ataques de puño y proyecciones y el uso dinámico del trabajo de pies.

Artes Marciales

SUMO

El sumo es un arte marcial japonés que se practica en un círculo de arena comparablemente pequeño, llamado "dohyo" de 4,55 metros de diámetro, delimitado por una cuerda, cuyo objetivo es que uno de los adversarios logre derribar al otro o bien lo saque del dohyo.

El régimen de los luchadores se basa en una dieta muy alta en calorías con un alimento especial, el "*chankonabe*", compuesto de pescado, carne, legumbres y mucho arroz, con el que se logra que los practicantes logren un peso promedio de 150 Kg.

En el sumo no existen categorías según el peso de los luchadores, en cambio, los sumatori están incluidos dentro una clasificación numérica o *banzuke*, agrupados de acuerdo con sus méritos, así:

- *Yokozuna*, el grado más alto y de mayor categoría del mundo del sumo.
  - *Ozeki*
    - *Sekiwake*
      - *Komusubi*
        - *Maegashira*
          - *Juryo*
            - *Makushita*
              - *Sandanme*
                - *Jonidan*
                  - *Jonokuchi*
- *Mae-zumo*, rango en el que se inicia en el sumo.

Los de rango Maegashira y superior están en la división Makuuchi, la más prestigiosa de todas.

El origen de la lucha japonesa de sumo proviene de una leyenda que relata una batalla entre dos kami (Takeminakata y Takemikazuchi), que se trenzaron en un combate por la posesión de las islas japonesas y en la que por primera vez se efectuó una técnica de proyección con llave, que se conoció como Sumai, una técnica muy parecida al kempo pero sin equipo.

HISTORIA

La historia del sumo comenzó realmente en el año 720 cuando la técnica sumai empezó a ser practicada como una conmemoración de la lucha celebrada entre los dos jefes enemigos, en banquetes en honor al emperador. De ahí en adelante, se convirtió en una de las funciones regulares organizadas para los banquetes de la corte, continuándose con la tradición por más de 400 años.

Durante el reinado del Emperador Shomu (724-749), muchos luchadores (sumotori) fueron reclutados de todas partes del país para practicarlo en el jardín del Palacio Imperial en una festividad llamada "sechie". Con el establecimiento del "sechie-zumo", el sumo se expandió desde un ritual agrario hasta ritos en los que se oraba por la prosperidad de la sociedad japonesa. Al final del siglo VIII, el Emperador Kanmu (781-806) hizo del sechie-zumo un acontecimiento anual en su corte, continuándose la costumbre hasta el período Heian.

En el siglo X, con el desarrollo del feudalismo y el dominio de la clase guerrera, el sumo empezó a practicarse como una técnica de lucha entre los guerre-

HISTORIA

Durante el reinado del Emperador Saga, la práctica del sumai se fomentó como un arte marcial; bajo la protección de la familia imperial, esta técnica se modificó por considerarse demasiado peligrosa, dando origen al Sumo.

ros; popularizado, el estilo de guerra pasó a ser practicado por la gente común entre los que aparecieron los luchadores profesionales de sumo.

Debido a la popularización del sumo durante el período de Heian (794-1192), el emperador impuso nuevamente el Sumai como símbolo de fuerza militar. En el período siguiente, el Kamakura (1192-1333), los samurais fueron los que adaptaron el sumai, enfrentándose en las guerras con sus armas y en combates cuerpo a cuerpo. Así, el Sumai se difundió entre los años 1336-1603, por su efectividad militar, pero en el período de guerra interna en Japón, los samurais se concentraron en el kendo.

En Febrero de 1578, Oda Nobunaga, un gran señor feudal particularmente aficionado al sumo, reunió cerca de 1.500 sumotori de todo el país para un torneo en su castillo. Hasta entonces no había límites en la arena en donde se practicaba el Sumo, pues el espacio se delimitaba simplemente por la gente que rodeaba el combate. En esta fecha y a raíz de la gran cantidad de luchas que habían de celebrarse en el mismo día, se pintaron unos límites circulares en el suelo del castillo.

En el período Edo (1603-1868), cuando el país estaba relativamente en paz, el gobierno prohibió las técnicas más crueles del sumai y reglamentó la actividad, convirtiéndolo en la actual competición deportiva que se extendió rápidamente. En un principio los luchadores profesionales fueron respaldados por los señores feudales, pero con el derrumbe del feudalismo los luchadores profesionales empezaron a ganarse la vida con una forma conocida como Kanjin Sumo, que consistía en luchas estrechamente ligadas a la adoración en los templos, en la que se realizaban recolectas de donaciones para la construcción o reparación de los templos y otras obras públicas, aunque parte del dinero también se usaba para pagar a los sumatoris que contaban con el respaldo de la gente del pueblo. Esta forma posteriormente se desarrolló en la actual Asociación de Sumo de Japón de luchadores de sumo profesionales, que ha preservado sus vínculos con esta larga tradición histórica.

El sumo profesional pasó por varios cambios de organización, hasta que en 1925 la Asociación de Sumo de Japón se constituyó como una entidad con carácter jurídico especial, con la función primordial de elevar el nivel técnico y fomentar el orgullo de la condición de ser un luchador de sumo.

El sumo aficionado es respaldado por la Federación de Sumo de Japón (Nihon Sumo Remmei), que en 1983 dio inicio junto con Brasil a la Organización de Sumo Internacional cuyo principal objetivo fue fomentar y fortalecer la práctica del sumo aficionado a escala mundial y crear la Federación de Sumo Internacional (ISO).

REGLAMENTACIÓN

DOHYO

El perímetro del dohyo, está formado por bolsas de paja (*tawara*) rellenas de tierra de 8,5 cm. a 9 cm de espesor y 81,8 cm. de longitud. El espesor de la soga que une las tawara es de 6 a 8 mm. y la altura desde el suelo que forma parte del *dohyo* es de 36 cm. Estas bolsas se llevan hacia atrás a los cuatro costados para formar un espacio (*toku-dawara*).

El dohyo circular de 4,55 m de diámetro, está ubicado dentro de un cuadrado de 7,27 metros de lado.

En la parte central del *dohyo* circular se dibujan dos líneas de 70 cm. de longitud y 5 cm de ancho separadas a 70 cm, que forman las líneas de comienzo *shikiri*, es decir, las líneas detrás de las cuales los luchadores se ubican en cuclillas y apoyan sus manos en el *dohyo*.

MAWASHI O SHIMEKOMI

El mawashi que es lo suficientemente fuerte para evitar que se pliegue hacia arriba al ser agarrada por un oponente, está formada por una tela fuerte de algodón de 40 cm de ancho, con una longitud suficiente para que dé de cuatro o cinco vueltas alrededor del cuerpo.

FORMAS DE SUJETAR LA INDUMENTARIA

En primer lugar un extremo se extiende parcialmente para doblarlo en dos y se ubica contra el cuerpo en la parte delantera. Luego se coloca entre las piernas, cubriendo los órganos genitales, y se envuelve con firmeza alrededor de la nalga derecha, regresándola nuevamente a la parte delantera. A esta altura el mawashi se pasa normalmente por el cuerpo en un punto por debajo del ombligo. Al pasar el mawashi alrededor del cuerpo nuevamente, se debe deja caer el extremo anterior y se asegura con la tela horizontal. Luego se pasa alrededor del cuerpo una o dos veces más y se ajusta el otro extremo adoptando la forma T en la parte trasera. Este ajuste es llevado a cabo doblando la indumentaria nuevamente para que se pueda doblar en ocho, pasando la punta extrema a través y por debajo de la primera parte de la tela horizontal y luego atándola para que sobresalga en un ángulo.

Además del *mawashi*, no se permiten ayudas externas ni otros implementos

JUECES

La dirección del procedimiento la tiene a cargo un total de 6 jueces, repartidos así:

- Un árbitro (*gyoji* o *shushin*), quien arbitra el combate y sobre el que recae todas las decisiones, debiendo árbitro debe fijarse muy bien en cualquier técnica no autorizada (*kin-te*).
- Cuatro jueces, sentados en los laterales norte, este, sur y oeste respectivamente, asisten al gyoji.
- Un juez principal, sentado enfrente del *dohyo* en el lateral norte, supervisa a los jueces.

En caso de desacuerdo entre los jueces, el juez principal escucha a cada uno de los otros jueces y decide quién es el vencedor de acuerdo con la decisión mayoritaria.

Si ambos competidores están respaldados por un número equivalente de jueces, el juez principal puede ordenar un nuevo combate.

DECISIÓN DEL COMBATE

Todos los encuentros son decididos sobre la base de una única victoria o derrota.

Un competidor será declarado perdedor cuando:

- Toca la superficie fuera del *dohyo* antes que su oponente;
- Cualquier parte del cuerpo que no sean las plantas de los pies toca la superficie del ring antes que su oponente; sin embargo, no será declarado perdedor si el caso es considerado como *kabai-te* (cuando un luchador tira decisivamente a su oponente y sus manos tocan el ring antes que su oponente) o por *okuri-ashi* (cuando el luchador fuerza a su oponente fuera del *dohyo* y sus propios pies accidentalmente tocan fuera del *dohyo* mientras completa la técnica);
- Durante un encuentro un luchador es levantado por su oponente más arriba de las caderas y la acción siguiente es juzgada como peligrosa;
- Un luchador es juzgado incapaz de continuar el encuentro como resultado de una lesión, etc.;
- Un luchador no obedece las instrucciones del árbitro.

Un competidor gana el encuentro cuando empuja al oponente fuera del límite del dohyo.

Cuando ambos competidores tocan la superficie de la parte interna o externa del dohyo simultáneamente se inicia un nuevo combate.

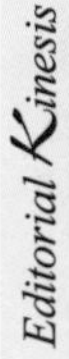

TÉCNICAS NO AUTORIZADAS *(KIN-TE)*

Las técnicas que por lo general causan lesiones, tales como boxeo y ciertos tipos de patadas y embestidas están prohibidas. Cualquier competidor que utilice una técnica no autorizada pierde el encuentro.

Las técnicas prohibidas son las siguientes:

- Palmetazo del costado (especialmente las orejas);
- Empujar con los dedos o puños (ejemplo en los ojos o en la boca del estómago);
- Arrebatar (ejemplo el cabello, la garganta, la parte vertical anterior del *mawashi*);
- Patear (distinto a la planta del pie por debajo del muslo);
- Retorcer los dedos en la forma incorrecta;
- Morder.

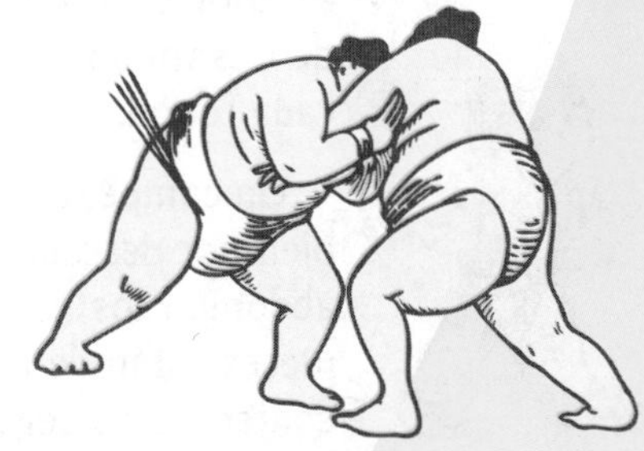

Artes Marciales

TAEKWONDO

El Taekwondo también llamado Karate Coreano, es un sistema preciso de ejercicios físicos simétricos, ideados para la defensa personal sin armas, que combina los movimientos directos y rápidos de los estilos japoneses, con los movimientos fluidos y circulares de la mayoría de los estilos chinos; en tanto que se diferencia de las demás artes marciales en sus poderosas técnicas de pateo. Su traducción literal significa el arte del pie y de la mano (Tae: patear-golpear con el pie; Kwon: puño-golpear con la mano y, Do: camino o arte) y su esencia es hacer consciente al individuo de su fuerza natural y de cómo aplicarla con la mayor ventaja posible.

En un cuadrado de 8 metros de lado, los dos contendientes el rojo denominado Chung y el azul denominado Hong, se enfrentan empleando sus manos, codos, puños, rodillas y pies, intentando golpear reglamentariamente al adversario. Cada golpe recibe una puntuación, siempre que se produzcan de la cintura hacia arriba, si se dan con las piernas, o desde la cintura hasta el extremo exterior del esternón, si se dan con los puños. Cada combate está compuesto de tres rounds de tres minutos cada uno, con un intervalo de un minuto entre cada round.

Un competidor puede ganar por knockout, al hacer más puntos que el rival o bien por descalificación del oponente; están prohibidos golpes por debajo del abdomen los puntos solo serán considerados como buenos solo si los tres jueces están de acuerdo. En caso de que un peleador caiga al piso se hace un conteo 10 de segundos como en el boxeo.

HISTORIA

La existencia del Taekwondo se remonta a las antiguas tribus coreanas, como producto de una mezcla de diferentes danzas, ritos religiosos y ejercicios para mejorar la salud, que luego se incorporaron a su sistema de defensa contra tribus rivales, cuya técnica se basaba fundamentalmente en movimientos, posturas y actitudes defensivas y ofensivas copiadas de animales como tigres y osos.

Durante el siglo VII, Corea se encontraba dividida en tres reinos, Silla y Koguryo, que hoy corresponden a Corea del Sur y, Paetché, que en la actualidad corresponde a Corea del Norte. Silla el más pequeño de estos reinos, era constantemente acosada por sus dos vecinos más poderosos.

Durante el reinado de Chin Heung, el vigésimo cuarto Rey de Silla, los jóvenes aristócratas y la clase guerrera, formaron una elite de cuerpo oficial llamado Hwa Rang Do. Estos guerreros conocidos por su disciplina y ferocidad, además de la práctica de lanza, arco, espada y gancho, también se entrenaban en disciplinas físicas, mentales y variadas formas de lucha con pies y manos; para fortalecer sus cuerpos escalaban montañas y nadaban en ríos turbulentos durante los meses mas fríos. Preparados de esta manera para defender su patria, se lanzaron a la tarea de conquistar Koguryo y Paetché, con lo que unificaron Corea por vez primera en su historia.

Durante este período se practicaban tanto en Silla como en Koguryo una forma de lucha de pies y manos, destacándose el Soobak-Do, el Tae Kyon y el Tang Su Do haciéndose muy popular entre la gente común un primitivo arte de lucha de pie llamado Soo Bak.

Los guerreros de Hwa Rang Do, agregaron una nueva dimensión a este arte nacional de lucha con pies, incluyendo un nuevo concepto mental y físico y elevando la lucha de pie al nivel de arte, con lo que se transformó en Soo Bak Gi. Posteriormente el tercer Rey de la dinastía Yi, reclutó activamente expertos en Taek Kyon, Sirum (combate coreano en lanzamiento de piedras) y Soo Bak Gi, para ayudar en la organización de una armada poderosa.

Si bien el reinado de Silla y la dinastía Koryo marcaron un florecimiento de las artes marciales en Corea, poco después, estas dinastías adquirieron una postura anti-militar, en la que cualquier manifestación relacionada con este aspecto era desaprobado.

Entre 1909 y 1945, cuando Japón ocupó Corea, los invasores prohibieron la práctica de toda manifestación cultural y deportiva no japonesa, autorizando únicamente a los policías coreanos la práctica de un arte marcial, a condición de que fuera el Karate (japonés). Durante la ocupación, sólo algunos coreanos en el exilio siguieron practicando sus artes nacionales, mientras que en su territorio ese derecho era negado totalmente.

En 1945, cuando finalizó la Segunda Guerra Mundial, se da también termino al dominio japonés, situación que impulsó a muchos coreanos a regresar a su país, muchos de ellos con

conocimientos marciales, reiniciaron la práctica del Tae Kyon, Tang Su Do y otras artes menores.

A pesar de la fuerte influencia dejada por el Karate, poco a poco se fueron diferenciando los movimientos fuertes y duros y del estilo japonés de los movimientos veloces y ágiles del estilo coreano.

Cuando Choi Hong Hee un militar coreano preso en Japón a causa de la invasión, regresó a su país comenzó la reestructuración de uno de los cuerpos militares, para lo cual buscó maestros de artes marciales para adiestrar a los soldados a su cargo. Así al combinar lo mejor de distintas artes, incluso el Karate que él mismo practicaba, llegó a crear en 1955, un arte denominado Taekwondo, que quiere decir el camino de los pies y de los puños (Tae: Pie; Kwon: Puño; Do: Camino).

Para 1957 las reglas de este nuevo estilo fueron establecidas.

Convertido en General, fue acusado de comunismo debido a sus contactos con Corea del Norte, por lo que en su carácter de Presidente de la Asociación Coreana de Taekwondo fundó en 1966 la I.T.F. (International Taekwondo Federation) y se exilió en Canadá para evitar ser condenado por subversión.

En 1970, las autoridades coreanas crearon la World Taekwondo Federation (W.T.F.) con sede en Seúl, prohibiéndose a nivel mundial la participación en la I.T.F.

Debido a esta división, el estilo I.T.F., influenciado por el Full Contact americano, adoptó protectores de pies y manos y cambió el estilo de combate prohibiendo el contacto pleno y haciendo las luchas sólo a marcar, además de mantener las formas tradicionales.

El estilo W.T.F. siguió con su sistema de lucha, pero por considerar que las ellas estaban muy influenciadas por el Karate, se fueron modificando varios elementos, como por ejemplo: al protector pectoral tradicional se le fue agregando otras protecciones: cabezal, inguinal, canilleras y protecciones de antebrazos, cambiando las formas El estilo W.T.F. es oficial en todos los países del mundo, reconocido como deporte olímpico oficial a partir de los juegos de Sydney 2000, tanto en categoría masculina como femenina.

CATEGORÍAS

Tanto la competiciones masculinas como femeninas comprenden 4 categorías:

Femenino	Masculino
Menos de 49 Kg.	Menos de 58 Kg.
Menos de 57 Kg.	Menos de 68 Kg.
Menos de 67 Kg.	Menos de 80 Kg.
Más de 67 Kg.	Más de 80 Kg.

LAS FORMAS (PUMSES)

Las formas o pumses son ejercicios formales de defensa y ataque predeterminados con una secuencia de pasos que constituyen los patrones de las técnicas básicas del Taekwondo; su objetivo es proporcionar un medio de entrenamiento para desarrollar las técnicas en una sucesión continua, logrando en ellas perfecto equilibrio, precisión, concentración coordinación y resistencia, elementos esenciales para la práctica del Taekwodo.

Las formas existen en categorías, todas ellas concebidas desde un punto de vista particular.

Los pumses son ejercicios formales de defensa y ataque predeterminados con una secuencia de pasos que constituyen los patrones de las técnicas básicas del Taekwondo, cuyo objetivo es proporcionar un medio de entrenamiento para desarrollar las técnicas en una sucesión continua

LAS FORMAS KI-CHO

Son las formas más esenciales. Se ejecutan en un patrón en forma de H, dan al practicante la ejecución de las técnicas fundamentales de marchas, giros, bloqueo y golpeo en sucesión continua y en las cuatro direcciones, e inician y finalizan en el mismo sitio. Al efectuarlas, el practicante debe recordar el hecho de que todos nacemos y morimos desnudos, sin traer nada al mundo y sin llevarnos nada de él.

LAS FORMAS TAE-KOOK

Son las formas básicas de combate y constituyen modelos de secuencias de pelea moderna hacia adelante y atrás, al frente y a la retaguardia.

LAS FORMAS PAL-GWE

Pal-Gwe significa «Ley, Mandato» y, cuando el practicante ejecuta estas formas está obligado a recordar las órdenes recíprocas que representa, que pueden ser entendidas bajo las siguientes premisas:

- Conócete y está en armonía con el universo.
- Sé responsable por ti mismo, y leal con tus compromisos.
- Sé respetuoso de tus relaciones; conoce los límites más allá de los cuales tu libertad se inmiscuye en la libertad de otros.
- Sé puro en motivo y recto en acción.

ROMPIMIENTOS

La habilidad para romper superficies duras con las manos desnudas y los pies descalzos, no es el objetivo del Taekwondo sino que es únicamente el resultado natural de años de entrenamiento en los principios y técnicas básicos de este arte.

Los aspectos a considerar en la técnica de los rompimientos son:

- La distancia entre sí mismo y el objetivo, para atacar en el alcance de máxima fuerza. Si se está demasiado próximo al objetivo, no habrá suficiente espacio para que el movimiento de ataque adquiera la máxima velocidad; si se está demasiado retirado, la fuerza se dispara antes de llegar al objetivo.
- La precisión en la coordinación, para estar seguro de romper el punto débil del material del blanco con el punto de mayor fuerza del área de golpeo de la mano, el pie, etc., de manera que se destroce el objetivo sin lastimarse.
- La fuerza. En las técnicas de rompimiento, la fuerza es el producto de la precisión y la velocidad. La velocidad es la que provee la fuerza de choque necesaria para romper a través de materiales duros.
- El enfoque o, concentración de la fuerza, la velocidad y exactitud. Este principio es el que permite alcances que a simple vista parecen imposibles.

Existen ciertos factores para tomar en cuenta en el rompimiento:

- Elegir materiales en el que sea perceptible que el grano que corra a lo largo, de tal manera que sea posible partirlos al hilo en una línea bastante recta.
- La pieza seleccionada debe ser rectangular, más larga en dirección perpendicular al grano que ancha en dirección paralela al hilo; no debe ser demasiado gruesa en proporción a su longitud y su anchura; debe ser bastante plana, cuando menos en el punto de contacto.
- La pieza por romper debe estar sostenida por una estructura firme o por varios ayudantes, tan cerca de las orillas de su longitud, perpendicular al hilo, como sea posible.
- Atacar el material del blanco a lo largo del grano, tan próximo al centro de la pieza como sea posible.

REEGLAMENTACIÓN

INDUMENTARIA

Los combatientes usan un "Dobok"

- Un peto que cubre el plexo solar y los flancos
- Casco
- Protectores de espinillas, antebrazos y genitales

DURACIÓN DE LOS COMBATES

Cada combate se desarrolla en 3 asaltos de 3 minutos cada uno, a reloj parado, es decir que, las detenciones que se producen en el transcurso de los asaltos no se contabilizan dentro del tiempo del combate. Hay un descanso entre los asaltos de 1 minuto.

JUECES

Los oficiales encargados de supervisar un combate, deben estar debidamente acreditados por la Federación Mundial de Taekwondo, éstos son:

- Un árbitro. Se encarga de controlar todo el desarrollo de la competencia, sancionando y otorgando puntos a los competidores y realizando la señalizaciones correspondientes para las detenciones del tiempo.
- Cuatro jueces. Ubicados en cada una de las esquinas por fuera del área de combate, asisten al árbitro en sus decisiones y, anotan las amonestaciones, puntos, violaciones y descalificaciones sancionadas por el árbitro.
- Dos jurados. Determinan el ganador de un encuentro basados en las tarjetas de puntos de los jueces y árbitro.
- Un cronometrista. Inicia y detiene el reloj oficial según las indicaciones del árbitro y anuncia el final de cada periodo de tiempo.
- Un anotador. Anota los registros oficiales de los resultados de cada encuentro.

ÁREA DE COMBATE

El área de la competición, un cuadrado de 12 metros de lado, contiene en su interior el área de combate, un cuadrado de 8 metros de lado; fuera de este cuadrado se encuentran los jueces. La superficie del área de competencia es plana y posee un recubrimiento sintético de espuma que amortigua las caidas.

PUNTUACIÓN

BLANCOS Y ÁREAS PROHIBIDAS

Los blancos permitidos de contacto son las áreas corporales comprendidas en el frente del cuerpo entre la cintura y la base del cuello.

Las únicas áreas del cuerpo que pueden utilizarse para la obtención de puntos son los nudillos y cualquier zona del pie abajo del tobillo.

Las zonas del cuerpo a las que no se pueden dirigir los ataques son:

- Espalda
- Cara, con el puño, (un contacto con la pierna a la cara si se considera válido).
- Cintura

Está igualmente prohibido utilizar en los golpes técnicas de mano abierta, por lo que para cualquier golpe con la mano, los dedos deben estar cerrados en puño.

DEDUCCIONES DE PUNTO («CAMCHON»)

Se otorga un punto cuando se registra un golpe con la mano o una patada válida; para ello, quien realiza el golpe debe tocar a su adversario en una zona o área autorizada, con la suficiente fuerza, equilibrio y con una técnica adecuada.

Se registra una deducción de punto en los casos de:

- Atacar al contrario caído.
- Atacar intencionadamente después de la declaración de «Kalyo» (separar).
- Atacar la espalda o nuca intencionadamente.
- Atacar con manos o puños la cara del oponente.
- Cabezazo.
- Salirse intencionadamente de la línea límite.
- Proyectar al oponente.
- Expresar observaciones incorrectas o conducta violenta por parte del competidor o del entrenador.

VIOLACIONES

AMONESTACIONES («KYONGO»)

Un competidor recibe una amonestación por:

- Agarrar al adversario.
- Empujar al adversario con los hombros, cuerpo, manos o brazos.
- Retener al adversario con las manos o brazos.
- Cruzar intencionadamente la línea de seguridad.
- Evitar golpes dando la espalda al adversario.
- Caerse intencionadamente.
- Simular lesión.
- Atacar con las rodillas.
- Golpear intencionadamente en los muslos, rodillas, espinillas o pisar los pies.
- Atacar la ingle.
- Atacar la cara del adversario con las manos o puño.
- Hacer manifestaciones de haber marcado punto levantando la mano.
- Expresar observaciones incorrectas o cualquier falta de buena conducta por parte del competidor o del entrenador.

Artes Marciales

WUSHU

Wushu, que significa «técnicas marciales», fue el nombre con el cual se designaron las artes marciales chinas, cuyo origen se remonta a las antiguas técnicas tribales de caza, lucha y danzas de carácter mágico-religioso realizadas alrededor del fuego bajo la dirección del chamán y que muchas veces imitaban los movimientos gráciles de algunos animales simbólicos como el mono, el tigre, el oso, etc.

Las bases del Wushu moderno como deporte fuertemente arraigado en la población, tuvo sus bases en la práctica diaria de los chinos, en la que desde las Dinastías Zhon y Qin, del siglo IX a.C. hasta las Dinastías Yuan y Ming del siglo XVII de nuestra era, fueron apareciendo una gran variedad de estilos de combate, basadas en los antiguos pensamientos filosóficos. Sin embargo, y debido a que, la práctica y difusión de innumerables estilos surgidos de estas técnicas estuvo durante muchos años restringida y circunscrita únicamente a los palacios, monasterios, ejércitos, milicias populares y clanes familiares, muchos de ellos fueron desapareciendo con el paso del tiempo.

Tras la fundación de la República Popular China en 1949, el Wushu se tomó como un componente importante dentro de la práctica física y desde entonces

El Wushu moderno, o Wushu, es un deporte basado en el wushu tradicional, cuyo objetivo es la competencia de alto rendimiento, por lo que sus elementos de arte marcial son tan sólo superficiales. Contiene como cualquier deporte, reglas competitivas muy bien estructuradas y su escuela se organiza federativamente como cualquier entidad deportiva, siendo dirigido mundialmente por la *International Wu Shu Federation.*

se ha desarrollado con la guía y el apoyo del gobierno. Actualmente el término wushu fue adoptado como un sistema de Arte Marcial Chino moderno que, compuesto de varias técnicas de mano vacía o con implementos tienen el objeto de lograr una estandarización similar a la lograda por el Judo en relación con el Budo Japonés, para poder competir a nivel Olímpico.

De acuerdo a lo anterior puede existir confusión cuando se habla de Wushu tradicional o Kung Fu y, Wushu moderno o simplemente Wushu. Pues bien, la diferencia entre cada una de estas denominaciones, consiste en que el Wushu tradicional o Kung Fu, es el arte marcial original chino, que con más de 300 estilos ha sido enseñado de generación en generación con objetivos marciales, formativos, culturales y de defensa personal. Su práctica conlleva aspectos de formación marcial que preparan al alumno para la autodefensa, con un alto contenido de disciplina y sus técnicas son evaluadas en virtud de la eficacia en el combate. Organizativamente, se agrupa en asociaciones que son generalmente escuelas, o grupos de escuelas asociadas, con una mentalidad en común.

Atendiendo a la división tradicional de las artes marciales chinas, el wushu tiene la misma distribución entre lo que tradicionalmente se denominaba artes marciales internas y externas.

- Artes Marciales Externas, que aplica el método Shaolin, mediante la práctica de formas vigorosas en las que se exhibe velocidad fuerza y coraje; este sistema se caracteriza por la fuerza de sus movimientos que son rápidos, ágiles y explosivos. Algunos de ellos son: Chang Quan, Nan Quan, San Chow, etc.
- Artes marciales Internas, que se denominan wuang du, se asocian con el Taoismo y practican formas más relajadas en las que la mente es el punto central. Este tipo de artes consiste en ejercicios de relajación para liberar el estrés y se practican con movimientos lentos, circulares, coordinados con la respiración y una adecuada actitud mental, estimulando el buen funcionamiento del organismo. Algunos de estos sistemas son: Taiji Quan, Espada de Taiji, Sable de Taiji, Chi Kung, etc. Con relación al combate, en general los estilos internos son aplicables a distancias medias, cortas y entre los más difundidos se encuentran: Hsing I Chuan, Xingyiquan, Tai Chi Chuan, Pa Kua Chang, Da Cheng Chuan.

En consecuencia y aunque la finalidad de ambas es la misma (la expresión de la fuerza vital mediante el dominio del cuerpo energético), las artes marciales externas tienen como primer objetivo el desarrollo del Qi a partir de los músculos para dirigirlo de éstos a los órganos internos. Mientras que en las internas, el desarrollo del Qi se establece a partir de Tantien y se considera que la relajación es la base para que el Qi circule libremente.

Dentro de la competencia existen siete categorías que son: Chang Quan, Nan Quan, Taijiquan, Palo, Sable, Lanza y Espada.

CONTENIDO Y CLASIFICACIÓN DEL WUSHU

LUCHA CON MANOS VACÍAS

A esta categoría pertenecen todos los estilos de combate con las manos vacías o libres y se divide en dos grandes grupos:

- **Chang Quan** o estilo del Norte del río Yangtse o puño largo, que utiliza tres formas (puño, palma y garra) y cinco posiciones (pies de arco, caballo, deslizamiento, vacío y descanso). Se caracteriza por posturas pausadas y tensas, movimientos ágiles, rápidos, y poderosos, y un ritmo libre. Emplea técnicas de brincos, saltos, balanceos, caídas y saltos mortales.
- **Nan Quan**, o boxeo del sur del río Yangtse, que utiliza trabajo de pies firmes y regulares, movimientos bien definidos, y buena disposición del cuerpo para estar dispuesto a atacar desde cualquier dirección con el uso de gritos.

Debido a la riqueza en el contenido del Wushu chino y a sus escuelas, este puede ser dividido en cinco categorías generales

ARMAS

Frente a otros sistemas de artes marciales el wushu es el más rico en técnicas, estilos y manejo de armas deportivas como el sable, la espada, el bastón, la lanza, el látigo, etc.

- **Armas cortas**, incluyen sable, espada, daga.
- **Armas largas** incluyen lanza, palo, alfanjes, sable de empuñadura larga.
- **Armas dobles**, incluyen sables dobles, espadas dobles, garras dobles, alabardas dobles, lanzas dobles de cabezas gemelas.
- **Armas flexibles o silenciosas**, incluyen el látigo de nueve secciones, látigos dobles, sable sencillo con látigo, garrote de tres secciones, martillo “meteoro” y dardo con cuerda.

CONJUNTO DE COMBATES

- **Combates con las manos desnudas**, como fintas con puños y luchas cuerpo a cuerpo con otra persona.
- **Combates con armas,** como combate con sables, combate con espadas, combate con lanzas, combate con palos, sable contra lanza, sables dobles contra lanza, garrote de tres secciones contra lanza.
- **Manos desnudas contra armas,** como sable, lanza o lanzas dobles, Palo, dagas, etc.

Ejercicios de grupo

Esta categoría incluye todos los ejercicios realizados por dos o más practicantes formando figuras en movimientos sincronizados y en ocasiones con

El objetivo general del *Chi Kung* es fortalecer el cuerpo y la generación de la energía (*chi*) que lo anima, para liberar de obstrucciones el flujo de dicha energía y dirigirla a donde sea necesario según el fin que se persiga (terapéutico, marcial o espiritual). Para ello el *Chi Kung* cultiva tres formas diferentes de energía que gobiernan el cuerpo (Xing) y que se consideran el origen y raíz de la vida:

- El *Chi* (energía vital). Es la energía interna del cuerpo que interviene en todos los procesos del cuerpo.
- El *Jing* (esencia). Como esencia Jing existe en todo, significando la fuente original de todos los seres vivos y determinando su naturaleza y características.
- El *Shen* (espíritu). Es lo que nos hace humanos.

Estas tres formas establecen relaciones simbióticas entre ellas, no pudiendo existir una sin la otra, así, el Jing necesita del Qi para manifestarse; el Qi no podría manifestarse sin el impulso del Shen para configurarlo, o sin la presencia del Jing para definir el hilo conductor de sus transformaciones; el Shen debe nutrirse con el Qi y a su vez el Qi depende de la fuerza de Shen y el Jing es indispensable para la presencia del Shen.

acompañamiento musical. Su objetivo es medir la destreza para combinar las armas o la lucha a manos libres combinando una serie de movimientos técnicos y realizando una serie de ataques y bloqueos en cualquiera de los sistemas wushu.

Combate libre

Sanda es un sistema de defensa personal muy efectivo en la que se utilizan todas las técnicas de ataque y defensa del Wu shu. Esta categoría incluye todos los duelos de combate libre entre dos luchadores de acuerdo a ciertas reglas fijas, como el sanshou, empuje de mano, duelos con armas cortas y largas.

TAI CHI CHUAN (TAIJI QUAN)

El Tai Chi Chuan es un arte marcial de origen Chino impregnado de una filosofía taoísta que puede ser practicado con aplicaciones terapéuticas o como un arte marcial de alta técnica, que se basa en el desarrollo de la energía interior mediante una serie de movimientos continuos, rítmicos, y lentos, ejecutados con suavidad y equilibrio, además de la ejercitación conjunta del cuerpo, la mente y el espíritu, como un sistema único.

CHI KUNG

Una parte importante en los ejercicios del tai chi chuan la constituye el Chi Kung o trabajo sobre la energía vital. Esta palabra proviene de los ideogramas chinos *Qi* que se refiere al "aliento vital" (la energía que anima a todo el universo) y *Gong* que se refiere a trabajo.

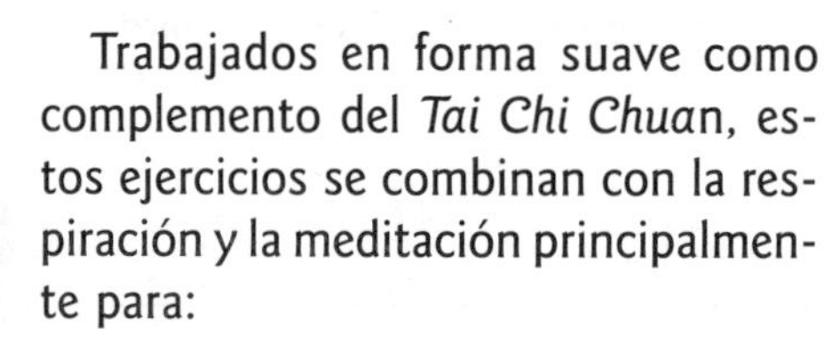

Trabajados en forma suave como complemento del *Tai Chi Chuan*, estos ejercicios se combinan con la respiración y la meditación principalmente para:

- activar la circulación de la energía a través de los meridianos,
- fortalecer los órganos internos,
- ejercitar las articulaciones y los músculos,
- promover la relajación y el control del estrés,
- prevenir lesiones ocupacionales
- expandir la conciencia en todos los niveles.

HISTORIA

Si bien es cierto que no se conoce exactamente el origen de este "boxeo taoísta o interno", es muy difundida la leyenda que indica al monje taoista y maestro de las duras técnicas marciales Shaolín, Chan San Feng como su fundador, a partir de las observaciones que éste realizara de una lucha entre una serpiente y un pájaro diez veces más grande. A partir de la contemplación de esta escena en la que la serpiente salió victoriosa, esquivando a su predador de una forma relajada y veloz, San Feng aplicó la pericia de la serpiente a las artes marciales conocidas por él concibiendo así el Arte del Tai-chi chuan.

Luego este método se desarrolló como una adaptación de diversos estilos de boxeo populares realizados durante la dinastía Ming. Durante el siglo XVI, como consecuencia del asalto constante de las costas Chinas por parte de piratas japoneses, tres comandantes (Yu Dayou, Tang Shunshi y Qi Jiquang), empezaron un arduo entrenamiento de sus tropas en diferentes técnicas de combate sin armas y con ellas; fruto de estos entrenamientos surgió la obra "boxeo clásico" escrita por Jiquang, en la que ilustra 32 posturas, que según los expertos constituye hasta nuestros días, la muestra más detallada de un conjunto de artes marciales con las manos vacías, que también pueden hallarse en el Tai Chi moderno.

Después de la caída de la dinastía Ming en 1644, Chen Wangting se dedicó en la provincia de Henán a la enseñanza del boxeo, basando su técnica en el boxeo clásico de Jiquang en combinación con la práctica de la meditación taoísta.

A finales del siglo XVIII, Wang Zongyue, sintetizó, este nuevo estilo de boxeo que se apartaba de los duros métodos Shaolín, relacionándolo con los principios de la teoría central del taoísmo en un manuscrito llamado la Teoría del boxeo de la gran popularidad. Este manuscrito fue obtenido posteriormente por el hermano mayor de Wu Yuxiang, quien habiendo aprendido el arte de Chen por intermedio de Yang Lu-chan, propuso la teoría del Tai Chi.

A mediados del siglo XIX, Yang Luchan, fundó en Pekín el estilo Yang, desde donde comenzó su difusión hacia toda China. Con su expansión se inició una serie de transformaciones, que hicieron los movimientos más relajados, eliminándose muchos de los saltos, golpes de pies y otras técnicas rudas; todos estos cambios desembocaron en el nacimiento de numerosos estilos, pero siempre basados en los mismos aspectos.

A partir de la rebelión de los bóxer a principios del siglo XX, el Tai Chi, como otras artes marciales, experimentaron una reconversión, situación que las obligó a encontrar nuevos sentidos a su fin inicial, tal y como lo había hecho el Japón, unos siglos antes. Así las escuelas tradicionales comenzaron a trasmitir su arte, ya no como un instrumento de lucha, sino para adquirir una serie de habilidades y aspectos internos; luego aparecieron las escuelas con fuertes tendencias deportivas en las que primaron aspectos atléticos.

ESTILOS MODERNOS DE TAI CHI

Además de las formas principales, hay otras formas populares, de origen más moderno que se han acentuado en los últimos años, tanto en el arte marcial como en el cuidado de la salud. Algunas de estas formas provienen de renombrados maestros del arte, siendo a su vez una expresión personal del sistema que aprendieron. Otras formas fueron creadas para la competición o para el cuidado de la salud en general.

Algunas de las formas más populares practicadas hoy en día son formas desarrolladas por el gobierno chino a partir de 1949, para promocionar el arte del Tai chi chuan como un ejercicio para desarrollar la salud y como un deporte.

Por invitación del primer ministro de China Chou En-Lai, Li Tian-Ji dirigió unos comités que crearon las siguientes formas:

- Secuencia simplificada de 24 movimientos de Tai Chi, de estilo Yang.
- Secuencia de 32 movimientos de espada
- Secuencia de 88 movimientos de Tai Chi, como una secuencia similar a la tradicional de 108 de la familia Yang y con los mismas posturas.
- Secuencia de 66 combinada de Tai Chi, que agrupa elementos de los cuatro estilos principales.
- Secuencia de 48 combinada de Tai Chi, basada en el estilo Yang.

En 1956 la Comisión Nacional de Deportes y Cultura física de China publicó la "secuencia simplificada de lucha Tai Chi consistente en 24 formas", siendo traducida al inglés en 1980, como una forma de introducir el Tai Chi en el mundo occidental.

Durante esa misma década y con la finalidad de realizar competiciones en el ámbito internacional, se fijaron secuencias de competición de los estilos Chen, Wu y Sun; surgió además la "Secuencia Internacional para competición de 42 formas", recopilando los elementos de los cuatro estilos más difundidos, Yang, Cheng, Wu y Su, aunque basada principalmente en el estilo Yang; luego la "Secuencia de 42 formas para competición de espada"; y posteriormente se crearon seis rutinas adicionales de Wushu denominadas: Nan quan (Lucha a corta distancia), Chang chuan (Lucha a larga distancia), Jian (Espada), Dao (Sable), Gun (Palo) y, Qiang (Lanza).

En 1991 se realizó en Beijing el primer Campeonato Mundial de Wushu donde se exhibieron estas nuevas rutinas. La "Secuencia de Competición Internacional de 42 formas" se consolidó definitivamente en 1995 durante el Tercer Campeonato Mundial de Wushu celebrado en Baltimore (Estados Unidos). Estas secuencias estándar, con un máximo de 6 minutos de duración, son las que se exhiben en las competiciones en lugar de las secuencias tradicionales, que pueden pasar de 20 minutos.

Atendiendo a la adopción del Wushu como un deporte de demostración en los Juegos Olímpicos, en el 2000 el gobierno chino, avanzó en el proceso de estandarización de las secuencias de tai Chi, realizando una selección representativa de las técnicas de los diferentes estilos de tai chi chuan, y generando formas acortadas que representan cada uno de los estilos mayores, así como formas que combinan aspectos de todos los estilos diferentes.

CHI KUNG

El *Chi Kung* se deriva de antiguas técnicas como el *Dao Yin*, que consistían en técnicas sobre el Qi (nutrición del principio vital, retención del aliento, liberación del cuerpo mediante el aliento y, adquisición, limpieza, absorción y fusión del aliento); técnicas de respiración, reglas de alimentación y dietética y normas higiénico-terapéuticas. Todo este conjunto de técnicas desarrollados en monasterios budistas y taoístas, es lo que se conoce actualmente como Chi Kung, siendo usado tanto por los que se especializan en el combate como por los métodos que promueven la salud. Este término empezó a ser empleado a principios del siglo XX (1910), designando primeramente su uso marcial y luego (a partir de 1936), para designar su aplicación terapéutica. Hoy en día la utilización del término Dao Yin está restringida a algunas técnicas de automasaje acorde con la traducción literal de los dos términos: Dao, que significa conducir, guiar o canalizar, y que en la práctica taoísta suele designar la conducción de la energía mediante la concentración mental y la respiración; y Yin, sinónimo de Dao que se traduce como conducir u orientar, y que se aplica a los movimientos del cuerpo, de las extremidades y especialmente de los órganos internos. De manera que, Daoyin terminó equiparándose a un automasaje con posturas concretas, estiramientos y ondulaciones corporales, destinado a abrir los conductos energéticos.

La competición de las diferentes categorías se celebra por peso con el sistema de ganar dos asaltos sobre tres realizados, siendo cada asalto de dos minutos con un intervalo de descanso de un minuto entre ellos.
Los métodos de ataque y defensa son especificados estrictamente según las técnicas de combate exactas de cualquier escuela de Wushu. Esto incluye técnicas de puño, técnicas de pierna, agarres y proyecciones. Las partes válidas incluyen la cabeza, el tronco y las piernas, considerando como falta los ataques dirigidos a la parte posterior de la cabeza, el cuello y los testículos.

REGLAMENTACIÓN

PRUEBAS

PRUEBAS DE COMPETICIÓN OBLIGATORIAS:

- Chang quan.(Boxeo largo)
- Taiji quan.(Boxeo de taichi)
- Manejo de la espada.
- Manejo del palo.
- Nan quan.(Boxeo corto)
- Manejo del sable.
- Manejo de la lanza.

PRUEBAS DE EXHIBICIÓN O TRADICIONAL

Cualquier prueba o estilo de wushu aparte de las incluidas en la lista de pruebas de competición.

- Formato de competición individuales.
- Parejas.
- Grupos.

ÁREA DE COMPETICIÓN

El área de combate es un cuadrado de 8 metros de lado, cubierto de goma espuma revestida de goma, a una altura de 60 cm. El centro del tapiz de dicha área está marcado con un diagrama de Ying y Yang de 1 metro de diámetro y a 90 cm. de los bordes del área se coloca una línea amarilla de aviso de 10 cm. de ancho, que a su vez se resalta con una línea roja de 5 cm. de ancho. Alrededor del área se coloca una protección con colchones de goma espuma de 2 metros de ancho y de 20-40 cm. de alto.

TIEMPO DE COMPETICIÓN

El tiempo de competición para una rutina de Chang quan, Nan quan, Sable, Espada, Palo o Lanza es mínimo de 1 minuto 20 segundos.

Para la forma de Taiji quan el tiempo de competición es de 5 a 6 minutos

Para el manejo de espada de taiji es de 3 a 4 minutos.

En las pruebas de exhibición, el tiempo de competición es mínimo de 1 minuto; 50 segundos para parejas y 3 minutos para pruebas de grupo.

VESTUARIO DE LOS COMPETIDORES

La indumentaria de los competidores que van descalzos, consiste en:

- casco
- un peto o escudo de goma
- suspensorio
- espinilleras
- protector de empeine
- protector bucal
- guantes de boxeo unificado.

JUECES

Las competiciones de wushu las supervisan:

- Un arbitro principal, quien dirige el trabajo de cada grupo de jueces y se asegura que las normas de competición se cumplan totalmente.
- Uno a dos árbitros principales auxiliares, ayuda(n) al árbitro principal en su trabajo, y, en su ausencia, (uno de ellos) actúa como arbitro principal.
- Un grupo de jueces que consta de un juez principal (Organiza el estudio técnico de su grupo; da permiso

para que los competidores puedan volver a actuar; deduce las violaciones de tiempo y de movimientos de inicio y finalización, y anuncia las puntuaciones finales de los participantes.); cinco jueces de tapiz (Aplican las normas correctamente, dando las puntuaciones independientemente y tomando notas detalladas sobre las actuaciones); un encargado de marcador (Toma las puntuaciones del grupo de jueces y calcula las finales); y, un cronometrador (Registra los tiempos de los competidores e informa al juez principal de cualquier violación de tiempo).

- Un encargado principal de registros y de dos a tres auxiliares: el encargado principal de registros prepara los formularios de registro para las competiciones, y, examina y verifica los resultados para decidir las clasificaciones. Los encargados auxiliares realizan las tareas asignadas por el encargado principal de registros.
- Un encargado principal de marcadores y de dos a tres auxiliares: el encargado principal del marcador, se encarga del trabajo de la sección de marcadores e informa al árbitro principal y a los presentadores cualquier cambio que tenga lugar. Los encargados de los marcadores, llevan un registro de los competidores según el orden de la competición, después conducen al equipo de participantes al área de la competición y entregan las listas de competidores al juez principal.
- De uno a dos presentadores: Presentan los competidores, anuncian los resultados, y distribuyen al público algunas explicaciones de normas y regulaciones características de las pruebas de cada evento, y otro material sobre el **wushu.**

INICIO DE LA PRUEBA

Cuando se nombre al competidor(a) antes de la actuación, y cuando el juez principal dé la puntuación final el competidor(a) saludará a éste con saludo de palma y puño, de la siguiente forma: en posición de pie, con los pies juntos, palma izquierda y puño derecho presionados a la altura del pecho y a unos 20 ó 30 cm. de distancia.

En el manejo de armas, la mano que sujeta el arma se encuentra con la mano que esta libre frente al pecho, con la punta hacia abajo del arma si es sable o espada, hacia arriba si es lanza o palo.

Una vez que cualquier parte del cuerpo del competidor empiece a moverse, se considera que comienza la actuación y el tiempo empieza a contar. Cuando el participante junta los pies en el movimiento final, el reloj se detiene, contándose así el tiempo de competición.

PUNTUACIÓN

En todas las pruebas (Chang quan, Sable, Espada, Lanza y palo; Nan quan y Taiji quan), la puntuación más alta será de 10 puntos. Los criterios específicos de evaluación y deducción serán los siguientes:

Criterios de puntuación para 6 puntos por la calidad de movimientos da **6 puntos,** deduciéndose de ellos:

- **0,05** puntos, por inconformidad leve en las especificaciones técnicas, en cualquier forma de mano, postura, técnica de manos, juego de pies, técnica de piernas, saltos, técnica de equilibrio y arma.
- **0,10** puntos, por una inconformidad aparente
- **0,20** puntos, por una inconformidad grave.
- El número de apariciones de dedo-espada se cuenta solamente en posturas fijas, y la deducción de puntos se hace solo una vez del total, **pero no más de 0,20 puntos**.
- **No más de 0,20 puntos**, cuando se producen varios errores en un movimiento simple.
- Si el competidor permite que el borde afilado de su sable o espada toque cualquier parte de su cuerpo, o mezcla el uso de espada con el de sable, es penalizado como cualquier inconformidad en la calidad de movimientos.

2 puntos por la fuerza y coordinación en actuaciones que representa energía y suavidad, aplicación certera y adecuada de fuerza, movimientos limpios y coordinados de manos, ojos, cuerpo, y juego de pies y armas y cuerpo coordinados en el manejo. **A estos 2 puntos se restan**:

- De **0,10** a **0,50** puntos, por ligera inconformidad con las especificaciones.
- De **0,60** a **1** puntos, por inconformidad en armas.
- De **1,10** a **2,0** puntos, por inconformidad grave.

2 puntos por Espíritu, ritmo y estilo, en actuaciones que representen el buen ánimo, y ritmo y estilo bien caracterizado, deduciéndose:

- De **0,1** a **0,5** puntos por ligera inconformidad con lo exigido
- De **0,6** a **1,0** puntos por inconformidad clara.
- De **1,1** a **2,0** puntos por una inconformidad grave.

CRITERIOS DE PUNTUACIÓN PARA LAS PRUEBAS DE EXHIBICIÓN:

Puntuación para las pruebas individuales:

- Posturas correctas y métodos claros: **4** puntos.
- Aplicación suave de la fuerza y movimientos coordinados: **3** puntos.
- Estilo característico y contenido rico: **2** puntos.
- Concentración mental y ritmo característico: **1** punto.

Puntuación para parejas:

- Certeza y una defensa y ataques razonables, **4** puntos.
- Pericia y buena cooperación, **3** puntos.

PUNTUACIÓN

- Contenido rico y estructura lógica, **2** puntos.
- Combate natural y estilo característico, **1** punto.

Puntuación para pruebas de grupos:

- Calidad: **4** puntos por movimientos limpios, correctos, y diestros; concentración mental y pericia.
- Contenido rico: **3** puntos por todos los movimientos de técnicas básicas y métodos de la prueba, con características claras de wushu.
- Cooperación, elegancia y armonía: **2** puntos.
- Estructura y coreografía: **1** punto por una estructura razonable y coreografía armoniosa con buen diseño.

Criterios de deducción para otros errores:

Por cada una de las siguientes faltas, el competidor se hace acreedor a una deducción de puntos de acuerdo a lo siguiente:

- No finalizar la Rutina (forma): **La forma no se puntúa**
- Olvidar una parte de la forma: de **0,1** a **0,3** de punto, según el grado de olvido.
- Afectar el movimiento con la vestimenta o decoración: de **0,1** a **0,2** puntos en cualquier caso que cualquier parte del cuerpo se enrede con el borde del sable o las borlas de la espada; el borde del sable, las borlas de la espada o la lanza, o el cinturón caigan al suelo; la vestimenta se desabotone o se rasgue, etc.
- Tocar el suelo o el cuerpo con el arma: de **0,1** a **0,2** puntos
- El arma se escurre de la mano: de **0,1** a **0,2** puntos
- El arma se cae: **0,4** puntos.
- El arma está deformada: de **0,1** a **0,3** puntos (según el grado de deformidad).
- Perder el equilibrio: de **0,1** a **0,2** puntos.
- Tambalearse o resbalarse: de **0,2** a **0,3** puntos.
- Añadir un movimiento extra de apoyo y si es por caída: **0,4** puntos.
- Salirse de la zona: **0,1** puntos si cualquier parte del cuerpo toca el suelo fuera de la zona y **0,2** puntos si es todo el cuerpo el que se sale.
- Realizar movimientos en direcciones desviadas: **0,1** puntos cuando el movimiento se desvíe 90 grados de la dirección exigida, o 40 grados (o más) en una actuación de Taiji-quan.
- Realizar movimientos de inicio y finales: **0,1** puntos por cualquier movimientos de inicio y final que no se ajusten a la forma especificada.
- Falta de movimientos exigidos o movimientos extra-añadidos: **0,3** puntos por cada movimiento que falte o que sobre en las rutinas obligatorias y, si hubiera pasos de menos o adicionales en un acercamiento a salto o en un paso.

REPETICIÓN DE UNA ACTUACIÓN:

- Cuando lo permita el juez principal, el competidor puede volver a actuar otra vez sin sufrir penalización, en caso de haber sido interrumpido por circunstancias ajenas.
- El competidor que pare la actuación debido a olvido, errores o arma rota le es permitido repetirla, pero se le deducirá **1** punto.
- Cuando un competidor no puede continuar la actuación a causa de lesión durante la competición, el juez principal tiene derecho a interrumpirla. Si se recupera tras un sencillo tratamiento, le puede ser permitido actuar como el último participante de su grupo. En este caso, se le deducirá **1** punto.

MÉTODOS DE PUNTUACIÓN

Las puntuaciones de cada competidor son las otorgadas por los jueces según su actuación tras descuentos por faltas en los diversos aspectos de acuerdo con los criterios de puntuación para la prueba a que se refiera.

La puntuación real del competidor se establece según la media de las tres puntuaciones medias dadas por los cinco jueces, eliminando la puntuación más alta y la más baja.

La puntuación final, la constituyen los puntos otorgados por el juez principal después de hacer los descuentos de las puntuaciones finales (o reales) por aquellos "otros errores" sobre los que él tiene poder.

TIEMPO DE MENOS Ó DE MÁS:

- En competición de taiji quan: **0,1** puntos por una actuación de menos o más de 1 segundo a los 5 segundos; **0,2** puntos por 5.1 a 10 segundos, y así sucesivamente.
- En otros estilos, **0,1** puntos por una actuación mayor ó menor en 1 segundo a 2 segundos del tiempo exigido; **0,2** puntos por una de 2,1 a 4,0 segundos y así sucesivamente.

ORDEN DE CLASIFICACIÓN

- Pruebas individuales: El competidor con puntuación más alta en cada prueba es el primero de la prueba; y así sucesivamente. Si hay preliminares y finales en la competición, las clasificaciones se deciden por las puntuaciones totales de los competidores en ambas; el de mayor puntuación será el primero de la prueba y así sucesivamente.
- Combinación de tres pruebas individuales y por equipos: Estas puntuaciones se deciden según las especificaciones relevantes en las regulaciones de la competición.

Empate: En caso de que dos o más competidores o equipos tengan la misma puntuación, se adoptan los siguientes métodos:

- Si los competidores tienen la misma puntuación en una de las pruebas individuales, el primer clasificado es: el competidor cuya media entre su puntuación mayor y menor (dada por los cinco jueces) se aproxime más a la media de las tres puntuaciones intermedias; si el empate persiste, el competidor cuya media de la puntuación mayor y menor sea más alta; si aún persistiera el empate, el competidor cuya puntuación menor sea más alta.
- Si los competidores tienen la misma puntuación en la combinada de tres pruebas individuales, el que tenga mejores puestos en la pruebas individuales es el primero; si aun persiste el empate, la segunda ronda de pruebas para los empatados decide el desempate; y así sucesivamente.
- Si los equipos tienen las mismas puntuaciones totales en las pruebas de equipo, el equipo que tenga más campeones de pruebas individuales será el primero; si persiste el empate el equipo que tenga más subcampeones se tendrá en cuenta y así sucesivamente.

DEPORTES ACUATICOS

Hemos agrupado aquí todas aquellas actividades deportivas que se desarrollan en espacios acuáticos no naturales, es decir, aquellos deportes que se llevan acabo en una piscina en donde las condiciones que se requieren son más estandarizadas que las desarrolladas en espacios abiertos naturales.

PARTE 3

Deportes Acuáticos

SALTOS ORNAMENTALES

Los saltos ornamentales, donde la sincronía y exactitud son parte fundamental del deporte, se dividen en pruebas de trampolín de 3 metros y plataforma de 10 metros, masculinas y femeninas, y sincronizados en las mismas alturas, en las que las parejas de saltadores, tanto en categoría masculina como femenina, se lanzan al agua. En cada prueba, los competidores realizan un número fijo de saltos, resultando vencedor el competidor o dúo que logre la mayor puntuación final.

HISTORIA

Los clavados competitivos evolucionaron en Europa a finales del Siglo XIX, muy influenciados por el progreso de la gimnasia sueca y alemana del Siglo XVII, que desarrolló todo un programa de ejercicios en el que durante el verano se ubicaban las barras de entrenamiento sobre el agua para practicar todo tipo de acrobacias con más seguridad. Pronto, el agua no fue sólo un sustituto de seguridad, sino que los gimnastas cada vez se preocupaban más de realizar rutinas acrobáticas completas, rompiendo la superficie con el menor chapoteo posible.

Debido al gran auge de la gimnasia, los clavados o saltos ornamentales ya eran un deporte a mediados de 1800, siendo incluidos por primera vez en el escenario olímpico en los juegos de San Luis 1904, pero sólo en la rama masculina en la prueba de plataforma. La rama femenina se incluyó a partir de Estocolmo 1912 y en los Juegos de Sydney 2000, se incluyó la modalidad de Saltos Sincronizados, realizados por parejas, tanto en categoría masculina como femenina, desde la plataforma de 10 metros.

ESPECIALIDADES

Cada prueba tiene dos secciones: saltos con límite, en los que los clavadistas seleccionan los saltos que globalmente no exceden un grado máximo de dificultad, y saltos sin límite.

Pruebas femeninas:	Pruebas masculinas
■ Trampolín 10 m.	■ Trampolín 10 m.
■ Trampolín 3 m.	■ Trampolín 3 m.
■ Trampolín Sincronizado 10 m.	■ Trampolín Sincronizado 10 m.
■ Trampolín Sincronizado 3 m.	■ Trampolín Sincronizado 3 m.

CATEGORÍAS

Cada prueba tiene dos secciones: saltos con límite, en los que los clavadistas seleccionan los saltos que globalmente no exceden un grado máximo de dificultad, y saltos sin límite.

Los clavadistas no pueden repetir el mismo salto en las dos secciones. Dentro de cada sección, cada clavado se selecciona de un grupo diferente dentro de 6 posiciones de salto, a saber:

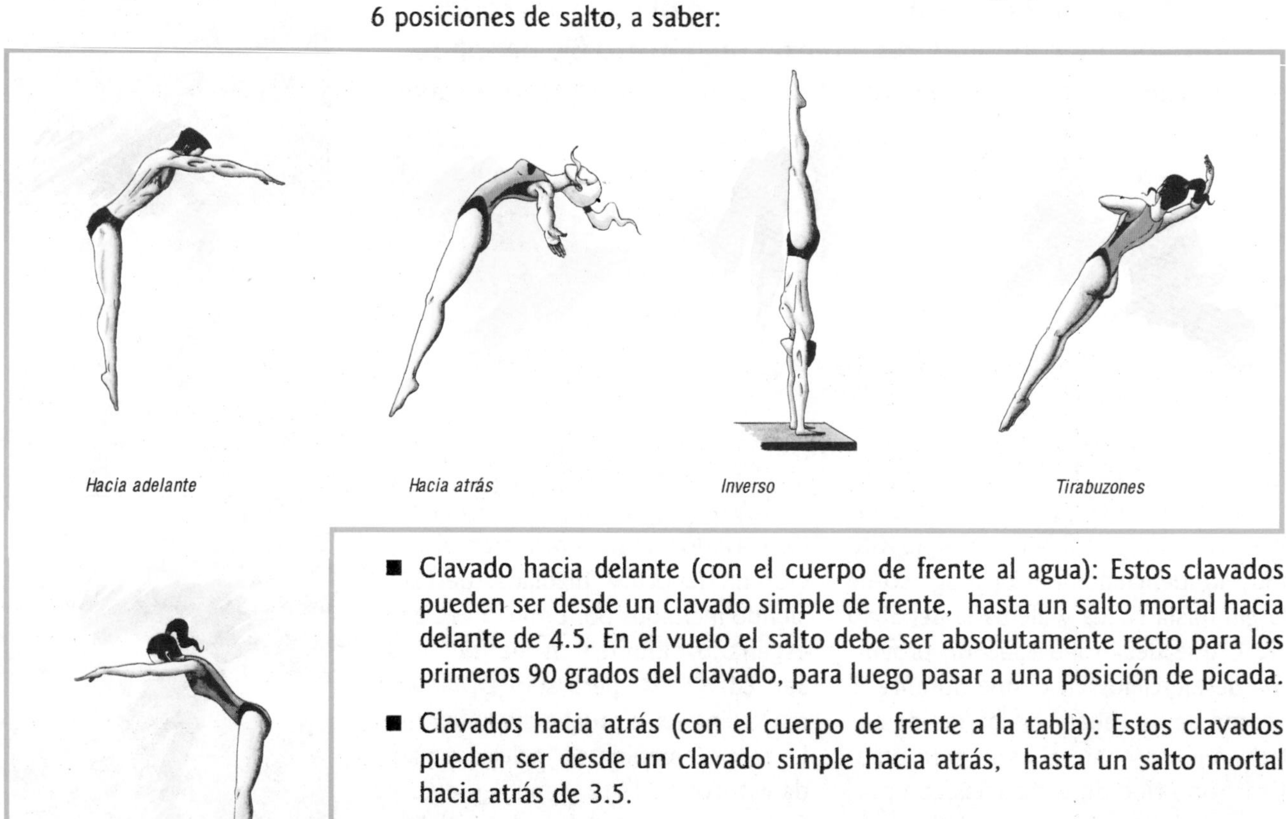

Hacia adelante — *Hacia atrás* — *Inverso* — *Tirabuzones* — *De cara al agua*

- Clavado hacia delante (con el cuerpo de frente al agua): Estos clavados pueden ser desde un clavado simple de frente, hasta un salto mortal hacia delante de 4.5. En el vuelo el salto debe ser absolutamente recto para los primeros 90 grados del clavado, para luego pasar a una posición de picada.
- Clavados hacia atrás (con el cuerpo de frente a la tabla): Estos clavados pueden ser desde un clavado simple hacia atrás, hasta un salto mortal hacia atrás de 3.5.
- Clavados inversos (con el cuerpo de frente al agua): Los clavadistas parten desde una posición invertida controlada y es el único grupo que puede realizarse únicamente de la torre, no el trampolín. Los clavadistas tienen muchas maneras de alcanzar la posición invertida.
- Clavados adentro: con el cuerpo de cara al agua.

- Clavados tirabuzones: en los que el cuerpo cambia de dirección en el aire. Estos clavados pueden realizarse en cualquiera de los otros grupos. Hay tirabuzones delanteros, dirigidos hacia atrás, inversos e interiores.
- Clavados en equilibrio: sólo permitidos en las plataformas.

POSICIONES DE SALTO

Hay 4 posiciones definidas de saltos: la posición de cuerpo agrupado, posición en carpa, cuerpo recto, y Libre. Cada clavado se realiza en una de estas posiciones. Cada clavadista pasa por escrito al jurado la descripción del salto que realizará junto con la altura a la que se intenta. Estos tres factores se combinan para asignar el grado de dificultad del clavado.

Cada salto se realiza en una de cuatro posiciones: Cuerpo agrupado, Posición en carpa, Cuerpo recto, y Libre.

Recto

Agrupado *Carpa* *Carpa abierta* *Libre*

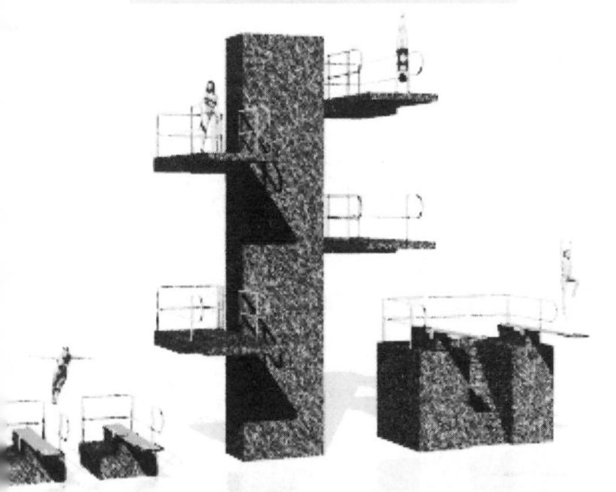

REGLAMENTACIÓN

INSTALACIONES Y EQUIPAMIENTO

El Trampolín tiene una longitud de 4,8 metros de largo por 50cm de ancho, están situados a uno o ambos lados de la palanca y disponen de un rodillo móvil para ser ajustados por el saltador.

En Juegos Olímpicos y Campeonatos Mundiales sólo se utilizan dos instalaciones: la plataforma de 10 metros y el trampolín de 3m. la profundidad de la piscina de clavados es de por lo menos 5 metros de profundidad bajo la vertical de la plataforma de 10 metros, y al menos 4 metros bajo la vertical de los trampolines de 3 metros, (altura medida a partir de la superficie del agua).

Las plataformas deben ser rígidas, recubiertas con un material antideslizante y accesibles mediante escaleras. Las de altura superior de un metro deben estar rodeadas por una baranda.

El Trampolín tiene una longitud de 4,8 metros de largo por 50cm de ancho, están situados a uno o ambos lados de la palanca y disponen de un rodillo móvil para ser ajustados por el saltador. La Palanca es fija y está situada a 10 metros desde el nivel del agua.

JUECES

Un panel de jueces integrado por un árbitro y 5 o 7 jueces son los encargados de evaluar la calidad del salto de cada uno de los participantes.

El árbitro es el encargado de controlar toda la competencia.

Los jueces, ubicados a ambos lados del trampolín, entregan el puntaje después de cada clavado.

Adicionalmente se requieren dos anotadores, cuya función es la de anotar los puntos entregados por los jueces y de llevar el registro del tiempo de cada clavadista.

Para el salto sincronizado, el jurado está compuesto por 9 jueces, de los cuales 4 juzgan la ejecución y saltos individuales, mientras que los otros 5 juzgan la sincronización de los saltadores en cuanto altura, distancia, velocidad y entrada en el agua.

COMPETICIONES

TRAMPOLÍN

No obstante en los Juegos Olímpicos y Campeonatos Mundiales sólo se realizan saltos desde el trampolín de 3 m., también se ejecutan saltos desde los trampolines de 1 y 3 metros.

Trampolín de 1 metro

Damas

La eliminatoria de la competencia para damas de trampolín de 1 m., comprende 6 diferentes saltos; 3 seleccionados de diferentes grupos, con un total de grado de dificultad que no exceda 5,7 y, 3 sin límite de grado de dificultad, debiendo escogerse uno de los grupos 1 ó 4; otro de los grupos 2 ó 3 y el tercero del grupo 5, siendo utilizados así todos los cinco grupos de dificultad.

La competencia final comprende 5 saltos de 5 grupos diferentes, sin límite de grado de dificultad.

Varones

La eliminatoria de la competencia para varones de trampolín de 1 m., comprende 7 diferentes saltos; 3 seleccionados de diferentes grupos con un total de grado de dificultad que no exceda de 5,7 y 4 sin límite de grado de dificultad, de 4 grupos, debiendo escogerse uno, de los grupos 1 ó 4; otro de los grupos 2 ó 3 y otro del grupo 5.

La competencia final comprende 6 saltos diferentes, sin límite de grado de dificultad, siendo utilizados los 5 grupos de saltos.

Trampolín de 3 metros

Damas

La competencia preliminar de trampolín para damas consiste de 6 saltos diferentes; 3 escogidos cada uno de un grupo diferente, cuyo grado total de dificultad no exceda de 5,8 y 3 sin límite de grado de dificultad, debiéndose escoger uno de los grupos 1 ó 4; otro de los grupos 2 ó 3 y el tercero del grupo 5.

La competencia final comprende 10 diferentes saltos; 5 seleccionados de diferentes grupos con un grado de dificultad total que no exceda de 9,5 y 5, sin límite de dificultad, seleccionados de grupos diferentes.

Varones

La competencia preliminar consiste en 7 saltos diferentes; 3 escogidos cada uno de un grupo diferente, cuyo grado total de dificultad no exceda de 5,8 y 4 sin límite de grado de dificultad, de 4 grupos, debiéndose escoger uno de los grupos 1 ó 4; otro de los grupos 2 ó 3 y el tercero del grupo 5.

La competencia final, comprende 11 diferentes saltos; 5 seleccionados de diferentes grupos con un grado de dificultad total que no exceda de 9,5 y 6 sin límite de dificultad, seleccionados de los 5 grupos diferentes, más otro de cualquier grupo.

En cada prueba, los competidores realizan un número fijo de saltos, resultando vencedor el competidor o dúo que logre la mayor puntuación final.

Los saltos se realizan desde plataformas de 5, 7,5 ó 10 m.

PLATAFORMA

No obstante e n los Juegos Olímpicos y Campeonatos Mundiales sólo se realizan saltos desde la plataforma de 10 m., también se ejecutan saltos desde las plataformas de 5, 7,5 ó 10 m.

Damas

La competencia preliminar consiste de 6 saltos diferentes; 3 saltos escogidos cada uno de un grupo diferente cuyo grado total de dificultad no exceda de 6 saltos sin límite de grado de dificultad, escogidos de por lo menos 4 grupos, siendo cada uno de un grupo diferente.

La competencia final, comprende 8 diferentes saltos; 4 seleccionados de diferentes grupos con un grado de dificultad total que no exceda de 7,6 y 4, sin límite de dificultad, seleccionados de grupos diferentes.

Varones

La competencia preliminar consiste en 7 saltos diferentes; 3 escogidos cada uno de un grupo diferente, cuyo grado total de dificultad no deberá exceder de 6,1 y 4 sin límite de grado de dificultad. Uno deberá escogerse de los grupos 1 ó 4; otro de los grupos 2 ó 3; otro del grupo 5 y otro del grupo 6, usando por lo menos 5 grupos.

La competencia final, comprende 10 diferentes saltos; 4 seleccionados de diferentes grupos, con un grado de dificultad total que no exceda de 7,6 y 6 sin límite de dificultad, seleccionados de grupos diferentes.

PROCEDIMIENTO EN LAS COMPETENCIAS

Cada competidor debe entregar al Secretario de Saltos, por lo menos con 24 horas de anterioridad al inicio de cada prueba, una forma oficial con la lista completa de los saltos que ha escogido para ejecutar. Esta forma debe contener en el orden de ejecución de los saltos:

Número y denominación de cada salto, de acuerdo con las tablas de la FINA.

La ejecución del salto (Extendido, En escuadra, Agrupado, Libre).

Altura del trampolín o plataforma.

Grado de dificultad.

- En las pruebas de la ronda eliminatoria, el orden de salida se decide por sorteo. En la ronda final, los saltadores compiten en orden inverso al lugar que obtengan en la ronda preliminar y de acuerdo con el puntaje alcanzado.
- Los saltos de cada ronda se ejecutan por todos los competidores en forma consecutiva, resultando ganador el competidor que obtenga la mayor puntuación en la final.
- Cada salto se anuncia una vez que el respectivo competidor toma su puesto en el trampolín o plataforma. El árbitro o un anunciador oficial anuncia el nombre del competidor y el salto que va a ejecutar; para las competiciones donde se utilizan diferentes plataformas, se anuncia la altura de la plataforma de salto.
- A cada competidor se le da suficiente tiempo para prepararse y ejecutar el salto; pero si se toma más de un minuto después de que el árbitro da la señal, el competidor recibe 0 puntos para el salto anunciado.

CALIFICACIÓN

Después de cada salto, a una señal dada por el árbitro, cada juez inmediata y simultáneamente, indica la calificación que otorga al competidor.

En cada una de las pruebas, los saltos reciben la puntuación de los jueces conforme a criterios prefijados de técnica y ejecución, sin tener en cuenta la dificultad, la forma de aproximación a la posición inicial, el grado de dificultad o cualquier movimiento debajo de la superficie del agua; añadiendo o restando puntos, atendiendo a las cuatro fases del salto: partida, despegue, vuelo y entrada.

Las calificaciones de los jueces son dictadas una a una en orden consecutivo al grupo secretarial o de anotadores, que las anota en su hoja de calificaciones, cancelando la más alta y la más baja; luego suman el total de las calificaciones válidas y la multiplican por el grado de dificultad a fin de determinar la puntuación de salto.

En las competencias en que haya 7 jueces, el total debe dividirse por 5 y luego multiplicarse por 3, con el fin de obtener el resultado comparable al de las competencias en que haya 5 jueces.

El ganador es el competidor que obtenga el mayor número de puntos, que se otorgan de acuerdo a la siguiente tabla:

Calificación	*Puntos*
Completamente fallado	0
Mal ejecutado	0.5 - 2
Deficiente	2.5 - 4.5
Satisfactorio	5 - 6
Bien ejecutado	6.5 - 8
Muy bien ejecutado	8.5 - 10

Los aspectos que deben considerarse en la ejecución de un salto son la técnica y gracia de la posición de salida, la carrera, el despegue, el trayecto en el aire y la entrada al agua.

EJECUCIÓN DEL SALTO

Los aspectos que deben considerarse en la ejecución de un salto son la técnica y gracia de la posición de salida, la carrera, el despegue, el trayecto en el aire y la entrada al agua, de acuerdo con los siguientes principios:

POSICIÓN DE SALIDA

Saltos sin carrera

- La posición de salida en saltos sin carrera debe ser tomada en la extremidad frontal del trampolín o plataforma.
- El cuerpo debe estar firme, la cabeza erguida con los brazos abiertos estirados en cualquier posición.
- El salto comienza cuando los brazos dejan la posición de salida.
- El competidor no puede botar sobre el trampolín antes de su despegue.

Saltos con carrera

- La posición de salida en los saltos con carrera debe ser considerada cuando el competidor esté listo para realizar el primer paso de su carrera.
- La carrera debe ser natural, firme y sin vacilaciones.
- El competidor debe ejecutar, por lo menos, 4 pasos en total, incluyendo la flexión final de la pierna para tomar el despegue o bote.
- El despegue o bote desde el trampolín debe hacerse con los dos pies simultáneamente; pero desde la plataforma puede realizarse con un solo pie.

Saltos desde invertida de manos

- La posición de salida en los saltos desde invertida de manos se considera cuando los dos pies han abandonado la plataforma.
- El equilibrio en la posición del cuerpo debe ser estrictamente vertical y estático

TRAYECTO EN EL AIRE

Durante el vuelo el cuerpo debe ir recto, en picada o doblado, permitiéndosele al competidor elegir la posición de los brazos. Durante el trayecto en el aire, el cuerpo puede mantenerse:

Extendido

En la posición de extendido, el cuerpo no debe flexionarse ni a la altura de las rodillas ni de las caderas; los pies deben mantenerse unidos, con los dedos en punta. La posición de los brazos es opcional.

En los saltos de extensión con medio o con un giro, el giro no debe realizarse manifiestamente sobre la tabla y el giro no debe empezar sino hasta que se haya marcado la posición de escuadra.

En los saltos volados, con vuelta, la posición de extendido debe marcarse claramente hasta que se haya ejecutado aproximadamente media vuelta. Esta posición debe mantenerse desde la salida. En los saltos con vueltas, que tengan giro, el giro puede ejecutarse durante cualquier tiempo del salto.

La posición de salida en saltos sin carrera debe ser tomada en la extremidad frontal del trampolín o plataforma.

Cintura flexionada o en escuadra

El cuerpo debe estar doblado a la altura de las caderas pero las piernas deben mantenerse estiradas sin flexión en las rodillas y los pies unidos con los dedos en punta. La posición de los brazos es opcional.

Agrupado

El cuerpo debe estar compacto, flexionado a la altura de las caderas y rodillas, debiendo estar tanto las rodillas como los pies unidos y las manos colocadas en la parte baja de las piernas, con los dedos de los pies en punta.

Si un competidor abre sus rodillas y sus pies durante el salto de posición agrupada, los jueces deben deducir de su calificación dos puntos. Si solo abre las piernas pero mantiene sus pies unidos, la deducción será de un punto.

En posición libre

En la posición libre, la posición del cuerpo es opcional pero las piernas deberán estar unidas y los dedos de los pies en punta.

La entrada al agua debe hacerse en forma vertical , con el cuerpo extendido, los pies unidos y los dedos en punta.

ENTRADA AL AGUA

La entrada al agua debe ser en todos los casos en forma vertical o lo más cercano a ello, con el cuerpo extendido, los pies unidos y los dedos en punta.

Entradas de cabeza

En esta entrada los brazos deben estar estirados más allá de la cabeza, siguiendo la línea del cuerpo con las manos juntas y cerradas.

Entradas de pie

Todas las entradas al agua de pie deben ser ejecutadas con los brazos pegados al cuerpo, sin flexión de los codos.

DEDUCCIONES Y PENALIZACIONES

Cada salto se anuncia una vez que el competidor toma su puesto en el trampolín o plataforma.

El árbitro declara salto fallado (0 puntos) cuando:

- El competidor se demora más de un minuto en la preparación de su salto.
- El competidor ejecuta un salto distinto del anunciado.
- Durante la ejecución del salto, el competidor recibe ayuda.
- El competidor rechaza la ejecución de un salto.
- El competidor rebota o ejecuta más de un bote sobre el extremo del trampolín en saltos sin carrera.
- El despegue o bote desde el trampolín se hace con un pie.
- En los saltos con carrera el competidor hace más de un salto sobre el mismo sitio antes del despegue final.
- El competidor ejecuta un segundo intento sin éxito para obtener el equilibrio no conseguido en los saltos parado de manos.
- El competidor ejecuta una segunda salida sin éxito en saltos con o sin carrera.
- El giro es mayor o menor al anunciado, en 90° o más.

Los Jueces deducen «2 puntos» cuando:

- El competidor realiza menos de 4 pasos en un salto con carrera o cuando se detiene antes del borde y luego continúa.
- El competidor realiza un segundo intento en los saltos desde parada de manos.
- El competidor ejecuta una segunda salida en saltos con carrera después de haber iniciado ésta, o en saltos sin carrera después de haber comenzado el balanceo de los brazos.
- El competidor abre sus rodillas en la posición agrupada, pero mantiene los pies unidos.
- El competidor abre sus rodillas y pies en la posición agrupada.

El Arbitro declara 2 puntos máximo, cuando:

Claramente el competidor ejecuta una posición diferente de la anunciada. El árbitro, antes de dar la señal a los jueces para que muestren sus calificaciones, anuncia tal falta declarando que el máximo de calificación es de dos puntos.

El Arbitro declara 4,5 puntos máximo, cuando:

Uno o ambos brazos del competidor están colocados arriba de la cabeza en una entrada de pies.

Los Jueces deducen de 1 a 3 puntos según su criterio, cuando:

- El competidor no muestra un firme equilibrio en los saltos desde parada de manos.
- La posición de uno o ambos brazos, en la entrada al agua, no es la correcta.

Deducción según criterio

Los Jueces deducen de acuerdo a su criterio personal, los puntos que consideren, cuando:

- Un saltador, preparándose para una salida hacia atrás, levanta ligeramente sus pies en movimiento involuntario que no llegue a ser considerado como brinco o despegue.
- No es asumida correctamente la posición de salida.
- En cualquier salto, el saltador toca la punta del trampolín, o se inclina a un lado de la línea directa de su vuelo.

A cada competidor se le da suficiente tiempo para prepararse y ejecutar el salto.

Deportes Acuáticos
NATACIÓN COMPETITIVA

La natación es un deporte en el que el nadador se sostiene y avanza en un medio acuático, mediante la acción de los brazos y las piernas.

Debido a que los seres humanos no nadan instintivamente, la natación es una habilidad que debe ser aprendida. A diferencia de otros animales terrestres que se dan impulso en el agua, en lo que constituye en esencia una forma de caminar, el ser humano ha tenido que desarrollar una serie de brazadas y movimientos corporales que le impulsan en el agua con potencia y velocidad. En estos movimientos y estilos se basa la evolución de la natación competitiva como deporte.

La natación competitiva incluye pruebas individuales y por equipos. En las carreras mixtas se utilizan los cuatros estilos de competición (libre, espalda, pecho y mariposa) siguiendo un orden determinado para individuales y otro para equipos. En las carreras de relevos los equipos están formados por cuatro nadadores que se van turnando, siendo el total de tiempos el que determina el equipo ganador.

En competiciones internacionales la longitud de las carreras varía de 100 a 1.500 metros.

El estilo libre incluye cinco competencias: 50, 100, 200, 400 y 1500 metros. En la rama femenina los 1500 se sustituyen por 800 metros. Los estilos pecho, mariposa y espalda incluyen solo dos competencias cada uno: 100 y 200 metros. Las competencias combinadas en las que los competidores nadan sucesivamente los cuatro estilos (mariposa, espalda, pecho y libre), se disputan en 200 y 400 metros. También existen competencias de relevos, en donde cuatro nadadores por equipo se enfrentan en los 100 y 200 metros (4x100 y 4x200) y, 4x100 combinados (espalda, pecho, mariposa y libre).

La competencia se ha vuelto tan fuerte que ha sido necesario definir reglas muy precisas para los distintos estilos y para regular las condiciones de tamaño y forma de la piscina, tipo de equipo, demarcación de las calles, temperatura del agua, etc. Los aparatos electrónicos para medir y cronometrar casi han sustituido a los jueces y cronometradores en los eventos de natación.

La natación es una actividad tan antigua como la humanidad.

HISTORIA

La natación es una actividad tan antigua como la humanidad, pues el hombre desde sus inicios debía luchar, sostenerse y avanzar en este medio hostil muchas veces por su misma supervivencia.

En los pueblos antiguos, sobre todo en aquellas civilizaciones de navegantes, la natación era una práctica muy popular. Algunos ejemplos ilustrativos de ello lo ofrecen diferentes pueblos, entre los que podemos contar a los fenicios y los egipcios. Los fenicios exigían a todos los tripulantes de sus barcos saber nadar, pues esta práctica era útil en caso de naufragio. En Egipto por ser un país atravesado por el Nilo, lleno de riesgos para quienes no se familiarizan con el agua, se consideraba el arte de la natación como un aspecto esencial en la educación pública. En la zona de los cartagineses, el estado estimulaba a la juventud a practicar ejercicios en el agua que servían de preparación para los futuros marinos.

Como deporte, hay registros que indican que 3.000 años antes de Cristo los egipcios ya hacían competencias de natación en el río Nilo; en la Grecia antigua eran también frecuentes las carreras en el agua; los soldados del imperio romano se entrenaban para atravesar el río con su equipo en la espalda, además es bien conocido por todos la afición de los romanos por los baños en los que habían piscinas. Aunque se tiene constancia de que los japoneses en el año 36 de nuestra era, organizaban grandes competiciones de natación, con la caída del Imperio Romano, esta práctica fue descuidándose hasta el punto de ser casi olvidada.

Durante la Edad Media, debido a las nuevas costumbres que vinieron con el cambio de civilización en Europa, las únicas personas que sabían nadar eran aquellas cuya ocupación tenía relación directa con el mar. Sin embargo, a finales del siglo XVI, en países orientales como Japón, se contaba con una organización nacional de natación por mandato del emperador.

En el Renacimiento, el interés por la Grecia clásica hizo que la natación recobrara su protagonismo perdido, convirtiéndose en una actividad muy popular entre la clase alta. Posteriormente, se relegó a clases medias-bajas hasta que en el siglo XVIII se empezaron a construir algunas piscinas municipales.

En 1810 Lord Byron cruzó el estrecho que separa Europa de Asia y que mide 1960 metros, esta hazaña que rememoraba la leyenda griega de Hero y Leandro llamó la atención de los aristócratas ingleses, creando una opinión favorable hacia la natación. Los ingleses estimulados por el nuevo florecimiento de la natación construyeron en Liverpool en 1828 la primera piscina, en 1836 fundaron la *National*

En 1810 Lord Byron cruzó el estrecho que separa Europa de Asia y que mide 1960 metros, esta hazaña que rememoraba la leyenda griega de Hero y Leandro llamó la atención de los aristócratas ingleses, creando una opinión favorable hacia la natación.

Con excepción del estilo mariposa, todas las formas de estilos existían mucho antes de hacer su entrada en la natación deportiva.

Swimming Association, asociación que se encargaba de organizar las competiciones en este deporte.

Aunque fue en Australia en el año de 1846 en donde se organizó el primer campeonato de natación moderna, fue en Inglaterra donde la natación se organizó verdaderamente gracias a la «*Asociation Metropolitan Swimming Club*», la primera agrupación de clubes que adoptó unas reglas para las carreras, así como una definición del amateur. En 1874, esta asociación se convertío en la primera federación nacional. La Federación Internacional se fundó en 1908.

La natación fue reconocida como deporte olímpico en los primeros juegos modernos realizados en Atenas en 1896. En 1908, año en el que se compitió por primera vez en una piscina especial para las pruebas de natación, se creó la F.I.N.A. (Federación Internacional de Natación Amateur) que tenía como cometido establecer las reglas, llevar la lista de récords y organizar las competiciones. Esta federación elaboró un programa olímpico que conservaba las pruebas adoptadas por la federación inglesa para los Juegos de Londres de ese año (100 metros libres, 400 metros libres, 1500 metros libres, 100 metros espalda, 200 metros braza y los relevos 4 x 200). Todas estas pruebas continuaron hasta los Juegos de 1960, únicamente desapareció la prueba de 100 metros espalda, que fue sustituida por la de 200 espalda, para reaparecer en los Juegos de Tokio en 1964. Desde los Juegos de 1956 el programa se había aumentado con la prueba de 200 mariposa y desde los de 1960 con la de relevos 4 x 100 metros estilos (espalda, pecho, mariposa y libre); en los Juegos de 1964 se añadió la de 400 metros estilos (mariposa, espalda, pecho y libre) y la de relevos 4 x 100 libre. En el año de 1975 aparecieron los 50 metros libres, sin embargo esta prueba no fue reconocida por la F.I.N.A sino hasta el año 1987 para aparecer en el programa olímpico en los juegos de Seúl en 1988.

Las competencias femeninas de natación se aceptaron en las olimpiadas de Estocolmo en 1912.

Los Campeonatos del Mundo, que tienen lugar cada cuatro años, se celebraron por primera vez en 1973.

En el siglo XX la natación es considerada no sólo una forma de supervivencia o de salvar vidas en caso de emergencia, sino también como un sistema valioso de terapia física y como la forma de ejercicio físico general más beneficiosa que existe. Este deporte que se centra en el tiempo de competición, en las últimas décadas ha concentrado todos los esfuerzos en romper récords. Los que una vez fueron los sorprendentes récords de velocidad de competidores de la talla mundial, como Duke Paoa Kahanamoku, Johnny Weissmuller, Clarence «Buster» Crabbe, Mark Spitz, David Wilkie, Shane Elizabeth Gould y Martin López Zubero entre otros, han sido, o serán eclipsados por posteriores marcas. Del mismo modo se están batiendo continuamente los récords de distancia y resistencia impuestos por los nadadores de maratón. Además, las diferencias que separan a hombres y mujeres dentro de la natación de competición se ha visto muy reducida; ha descendido la edad en que los nadadores pueden competir con éxito y aún no se han alcanzado los límites físicos de la especialidad.

EVOLUCIÓN DE LOS ESTILOS

Con excepción del estilo mariposa, todas las formas de estilos existían mucho antes de hacer su entrada en la natación deportiva. El estilo pecho o braza se practicaba principalmente en la Europa nórdica; un estilo similar al libre o crawl era habitual en los pueblos de países cálidos; muchos estilos derivados del libre eran practicados en el siglo XIX en Europa meridional y oriental.

Sin embargo todos estos estilos no se practicaban como los conocemos actualmente, hasta que la inauguración de las primeras piscinas de invierno en Inglaterra marcó la época en que la natación de carreras comenzó a desarrollarse.

El ESTILO LIBRE fue practicado por primera vez por Alick Wickhan, quien después de observar a unos nativos de la isla Rubiana, difundió este estilo, sin embargo éste adoptó dos estilos diferentes diferenciados el uno del otro en la patada: el libre australiano que consistía en dos batidos de pierna por cada ciclo de brazada; los muslos permanecían fijos y las rodillas se flexionaban para permitir que la parte inferior de cada pierna, hasta media pantorrilla, saliera alternativamente del agua para volver a caer en ella golpeándola vigorosamente y, el libre americano con un batido continuo en cuatro o seis tiempos por cada ciclo de brazada, realizado a partir de la cadera siendo únicamente la planta de los pies los que alcanzaban la superficie del agua.

El ESTILO ESPALDA, en sus inicios, se nadaba de una forma braceada, con recobro acuático y con patada de pecho, hasta que a partir de 1912 empezaron a aparecer cambios notables en este estilo. El americano Habner, incluyó el primer cambio sustancial al nadar con un ataque de brazos similar al utilizado por Trudgen, así, el brazo atacaba potentemente el eje corporal; el batido de las piernas se realizaba semejante al pedaleo, el cual, en el movimiento de la rodilla rebasaba la superficie del agua. En 1932 los japoneses sustituyeron el batido de pedaleo por un movimiento con las rodillas continuamente sumergidas; esta nueva patada permitío mantener fácilmente el torso en una posición plana y ligeramente oblicua.

La natación fue reconocida como deporte olímpico en los primeros juegos modernos realizados en Atenas en 1896.

En 1933 los americanos impusieron el estilo *Kiefer*, caracterizado por ataques al agua abiertos, seguidos de pasadas laterales poco profundas sin reposición de aguas; este estilo, permitió adoptar una postura plana y una acción de brazos menos agotadora.

En 1956 el «*Kiefer*» fue sustituido por un nuevo estilo, en el cual el nadador daba toda la potencia a la brazada y adoptaba una posición muy alta sobre el agua, ligeramente arqueada. El ataque volvió a efectuarse atacando el eje del cuerpo, con una pasada lateral y un batido en el cual la pierna estaba mucho menos en trayectoria ascendente que en el batido «*japonés*».

En 1962, se popularizó un movimiento de brazos rápido y la aplicación a la espalda de la «acción de rotación». El ataque seguía siendo sobre el eje longitudinal, hundiendo el hombro para apoyar el ataque. En su pasada lateral en forma de «S», el brazo se flexiona enseguida, la flexión acaba en un ángulo de 90° cuando rebasa la línea de los hombros; entonces se empuja hacia atrás y hacia abajo, volviendo a extender el brazo desde que inicia esta fase de movimiento.

El ESTILO PECHO, el más antiguo de todos, ya que es el único que permite desplazarse con la cabeza fuera del agua, comenzó a evolucionar, a partir del inicio de las competiciones cuando la técnica del estilo pecho dio lugar a un estilo mucho más rápido. La primera técnica practicada por los ingleses a la que denominaron "braza inglesa", consistía en un deslizamiento ascendente seguido de una remada paralela a la superficie seguida hasta la línea de los hombros, mientras que una amplia separación de las piernas era precedida de una flexión de las rodillas dirigidas al exterior. Esta técnica pasó en 1924 a una braza de carreras basada en nuevas concepciones, popularizadas por el alemán Rademacher. Un deslizamiento horizontal más poderoso, ya que la remada dada en profundidad y la posición baja de las rodillas, ofrecía a las piernas una mejor salida para una acción efectiva. Una variante de este estilo consistió en una braza en la que la tracción en profundidad se efectuaba con los brazos flexionados. Este estilo dio lugar a que el nadador Chet Jamtresk, en 1961, sacrificara la acción de las piernas a la acción de rotación de los brazos, cuya potencia de salida favorecía una técnica con la cabeza baja y los hombros sumergidos durante el empujón; la inspiración era realizada al final de cada empujón.

Actualmente, predomina en la mayoría de los nadadores la braza húngara, una modificación de la braza de los 80 en la que el nadador realiza un recobro por la superficie del agua en lugar del acuático. El movimiento de piernas limita al máximo la flexión de la cadera apoyándose en la «rotación» de las rodillas.

El ESTILO MARIPOSA, fue practicado por primera vez por el nadador Rademacher en 1926, quien aprovechando que el reglamento del estilo pecho no obligaba a efectuar la vuelta adelante de los brazos manteniéndolos en el agua había encontrado una manera más eficaz de volverlos a llevar adelante pasándolos por encima del agua, lo que suprimía el freno opuesto por el agua a su vuelta.

El Estilo Mariposa, fue practicado por primera vez por el nadador Rademacher en 1926

Cuando el estilo mariposa fue separado del estilo pecho en 1953, al mismo tiempo que se convirtióen el cuarto estilo, adquirió el derecho a su forma normal, con movimientos simultáneos de brazos y batidos simultáneos de piernas. Estos batidos, fueron llamados batidos de «delfín», y la mariposa con estos batidos fue llamada estilo «delfín».

Inicialmente, la mariposa de «delfín» fue nadada con una ondulación marcada con una sucesión de inmersiones y emersiones. La mariposa evolucionó hacia un estilo en el que los nadadores hacían el esfuerzo con los brazos, realizaban una tracción de brazos amplia, con una pasada flexionada y a menudo bastante ancha. La respiración se hacía cada dos ciclos de brazos, acción que permitió durante la tracción mantener los hombros sumergidos y el cuerpo en posición horizontal.

La mariposa de competición de estos días tiene dos variantes predominantes: una en la que se exagera la ondulación del cuerpo y se realiza una tracción de brazos en forma de ojo de cerradura, y otra en la que se intenta ondular lo menos posible realizando una tracción de crawl simultáneo. Esta última suele ir acompañada de respiración lateral.

REGLAMENTACIÓN

INSTALACIONES Y MATERIALES

PISCINA

La piscina de 21 metros de ancho y 25 o 50 metros de largo, está dividida en 8 carriles señalados por líneas oscuras pintadas en el fondo y separados en la superficie por hileras de flotadores. Su profundidad es de 1,80 metros y se mantiene a una temperatura mínima de 26°C +/- 1°.

Carriles: tienen un ancho mínimo de 2.0 m. con dos espacios, cada uno con un mínimo de 20 cm. de ancho, al lado de los carriles primero y último.

Líneas de señalización: Son unas líneas de un color oscuro contrastante, situadas en el fondo de la piscina en el centro de cada carril; tienen de ancho entre 20 - 30 cm. y de largo 46 m. para piscinas de 50 m., y 21 m. para piscinas de 25 m. Cada línea de carril termina a 2 m. de la pared final de la piscina, con una linea distintiva cruzada de 1 m. de largo y del mismo ancho que la linea del carril.

Sobre las paredes extremas o sobre los paneles de toque se colocan líneas de meta, en el centro de cada carril, del mismo ancho que las líneas de carril. Ellas se extienden sin interrupción, desde el borde del andén, hasta el piso de la piscina.

Corcheras: Se extienden a todo lo largo de la piscina, aseguradas a las paredes de los extremos con anclajes incrustados en ellas. Cada corchera está integrada por flotadores colocados el uno a continuación del otro, de un diámetro mínimo de 5 cm. y máximo de 15 cm. El color de los flotadores situados hasta 5 m de cada extremo de la piscina, será distinto del color del resto de flotadores. No puede haber más de una corchera entre cada carril y deben estar firmemente tensas.

Bajo la superficie del agua se colocan placas electrónicas de contacto de color rojo vivo con el número del carril del 1 al 8, cuya función es detener el cronómetro dispuesto en él al contacto del nadador.

PLATAFORMA DE SALIDA

La superficie de las plataformas de salida son firmes, están cubiertas con material antideslizante y no dan efecto de resortaje y está construida de tal manera que el nadador, en su salida hacia el frente, pueda agarrarse de ella al frente y a los lados.

La superficie de las plataformas de salida tienen como mínimo de 50 x 50 cm, con una inclinación máxima de 10° y están cubiertas con material antideslizante; la altura encima de la superficie del agua, está entre 50 y 75 cm; son firmes y no dan efecto de resortaje y está construida de tal manera que el nadador, en su salida hacia el frente, pueda agarrarse de ella al frente y a los lados.

Las agarraderas para la salida de espalda, están situadas entre 30-60 cm. encima de la superficie del agua, horizontal y verticalmente; deben ser paralelas a la superficie de la pared, y no sobresalir de ella.

Numeración: Cada bloque de salida está numerado de manera clara, en los cuatro lados, claramente visible para los jueces. El carril número 1 se encuentra al lado derecho, mirando la piscina desde el extremo de las salidas.

INDICADORES PARA LA VUELTA DE ESPALDA

Los constituyen una línea de banderolas suspendidas sobre la piscina a una altura mínima de 1.20 m. y máxima 2.50 m. sobre la superficie del agua, colocadas sobre soportes fijos situados a 15 m. de cada pared extrema.

EQUIPO AUTOMÁTICO DE CLASIFICACIÓN Y CRONOMETRAJE

Un equipo automático y semiautomático, es aquel que siendo activado por el juez de salida, juzga la llegada relativa y determina el tiempo que cada nadador ha registrado en una carrera.

Placas de llegada para equipo automático: Las medidas mínimas de las placas de llegada de toque son de 2.40 m. de ancho por 90 cm. de alto. Estas placas instaladas en una posición fija en el centro del carril, se extienden 30 cm. arriba y 60 cm. bajo la superficie del agua. El equipo de cada carril debe estar conectado independientemente, de tal forma que pueda ser controlado individualmente y con una sensibilidad en el borde superior tal que no se pueda activar con la sola turbulencia del agua, pero si sea activada con el toque suave de la mano.

JUECES

Para el control de las competencias se hacen necesarios el siguiente número de oficiales:

Árbitro: tiene control y autoridad absoluta sobre todos los oficiales, aprobando sus designaciones e instruyéndolos sobre todas las características especiales o reglamentos relacionados con las competencias. Hace cumplir todas las reglas y decide todos los asuntos relacionados con la conducción de la competencia, respecto de aquellos que no están previstos en las reglas. El árbitro es el responsable de dar la decisión en caso de que los resultados de los jueces de llegada y los tiempos registrados no estén de acuerdo.

Jueces de Nado: Los Jueces de Nado se colocan a cada lado de la piscina. Cada Juez de Nado se asegura que las reglas relativas al estilo de natación de la prueba correspondiente estén siendo observadas y vigila las vueltas para ayudar a los inspectores de vueltas.

Jueces de Salida: Tienen control absoluto de los competidores a partir del momento que el árbitro los pone bajo su mando hasta que la carrera ha empezado. Tienen autoridad para decidir si la Salida es buena, sujeto solamente a la

Se asigna un Inspector de Vueltas en cada carril y en cada extremo de la piscina. Cada uno de ellos se asegura que los competidores cumplan con las reglas relativas a las vueltas, comenzando desde el inicio de la última brazada anterior al toque y terminado al finalizar la primera brazada después de la vuelta.

decisión del árbitro. Si el Juez de Salida cree que la Salida no es buena, vuelve a llamar a los competidores después de dar la señal de partida, excepto después de una salida falsa.

Para dar la salida de una prueba, el Juez toma su posición a un lado de la piscina, a una distancia aproximada de 5 metros del extremo de las plataformas de salida, donde los cronometristas puedan ver la señal y los competidores puedan oírla.

Jefe de Inspectores de vueltas, uno en cada extremo de la piscina: se asegura que los inspectores de vueltas cumplan con sus obligaciones durante la competencia y recibe los informes de los inspectores de vueltas cuando ocurra alguna falta, presentándolos inmediatamente al árbitro.

Inspector de Vueltas en cada extremo de cada carril: Se asigna un Inspector de Vueltas en cada carril y en cada extremo de la piscina. Cada uno de ellos se asegura que los competidores cumplan con las reglas relativas a las vueltas, comenzando desde el inicio de la última brazada anterior al toque y terminado al finalizar la primera brazada después de la vuelta. Los inspectores de Vueltas del lado de la meta se aseguran que los competidores terminen su prueba de acuerdo con las reglas correspondientes.

En las pruebas individuales de 800 a 1500 m., cada Inspector de Vuelta del lado opuesto a la salida de la piscina, registra el número de tramos completados por el competidor de su carril, manteniéndolo informado de cuántos tramos le faltan, mostrándole la «*tarjeta de vueltas*».

Cada Inspector de Vuelta del lado de salida, da una señal de advertencia, cuando al nadador de su respectivo carril le falten dos tramos, más cinco metros para terminar su prueba, en eventos individuales de 800 y 1500 metros.

El Inspector de Vuelta en el lado de salida, determina en las pruebas de relevo, si el competidor que va a salir está todavía en contacto con la plataforma de salida, cuando el competidor precedente toca la pared de llegada.

Jefe de Anotadores: El Jefe de Anotación es el responsable de revisar los resultados emitidos por la impresora del computador o de los informes de tiempos y lugares recibidos del árbitro.

Anotador: Controla los retiros después de las eliminatorias o en las finales, anota los resultados en los formularios oficiales, registra los nuevos récords establecidos y llevan el puntaje cuando así se requiera.

Oficial Mayor: El Oficial Mayor reúne a los competidores antes de cada prueba.

Jefe de Cronometristas: El Jefe de Cronometristas asigna la posición en que se sentarán todos los cronometristas y los carriles de los cuales ellos son responsables. Recoge un formulario de cada uno de los cronometristas, mostrando el tiempo registrado, examina el tiempo oficial en la tarjeta de cada carril y si es necesario, inspecciona sus relojes.

Cronometristas: Hay un cronometristas para cada carril y 2 cronometristas suplentes, cualquiera de los cuales reemplaza al cronometrista cuyo cronómetro no se puso en marcha o se pare durante la prueba o si por cualquier circunstancia no está en capacidad de registrar el tiempo.

Cada Cronometrista toma el tiempo de los competidores del carril

asignado a él, poniendo en marcha su cronómetro a la señal de salida y deteniéndolo cuando el competidor de su carril haya completado la carrera.

Inmediatamente después de la carrera, los cronometristas de cada carril registran los tiempos de sus relojes en la tarjeta.

Jefe de Jueces de Llegada: El Jefe de Jueces de Llegada asigna a cada Juez de Llegada su posición y el lugar que controla. Después de la carrera, recoge de cada Juez de Llegada la tarjeta firmada con el resultado y establece los resultados y lugares enviándolos directamente al árbitro.

Cuando se usa un equipo automático de competencia para determinar el final de una carrera, el Jefe de Jueces de Llegada informa el orden de llegada registrado por el equipo, después de cada competencia.

Jueces de Llegada: Los Jueces de llegada, se sitúan en plataformas elevadas, en la misma línea de llegada para tener, en todo momento una visibilidad clara de la carrera y de la línea de llegada.

Después de cada prueba, los Jueces de Llegada deciden e informan el lugar de los competidores de acuerdo a la asignación que les haya sido dada.

PROGRAMA DE PRUEBAS

NATACIÓN	***VARONES***	***DAMAS***
Estilo libre	50 m - 100 m	50 m - 100 m
	200 m	200 m
	400 m - 1500 m	400 m - 800 m
Estilo espalda	100 m - 200 m	100 m - 200 m
Estilo pecho	100 m - 200 m	100 m - 200 m
Estilo mariposa	100 m - 200 m	100 m - 200 m
Combinado individual (mariposa, pecho, espalda, libre)	200 m - 400 m	200 m - 400 m.
Relevos Nado libre	4x100	4x100 m
	4x200	4x200 m
Combinado (espalda, pecho, mariposa, libre)	4x100 m	4x100 m

SALIDAS

La salida en las pruebas de estilos libre, pecho y mariposa, se hace con una zambullida.

La salida en las pruebas de estilos libre, pecho y mariposa, se hace con una zambullida. Al árbitro da la señal (un silbato largo), los competidores suben a la parte trasera del banco de salida, permaneciendo ahí con ambos pies a la misma distancia del frente de dicho banco. A la orden del Juez de Salidas «a sus marcas», toman inmediatamente su posición de salida, con un pie, cuando menos, en la parte delantera de la plataforma o banco de salida. Cuando todos los competidores estén quietos, el Juez de Salida da la señal de salida (tiro, corneta, silbato o voz de mando).

La salida en las pruebas de espalda y relevo combinado se hacen desde el agua. A un silbato largo del árbitro, los nadadores entran inmediatamente al agua y se ubican sin demora en la posición de salida. Cuando todos los competidores han asumido sus posiciones de salida, el Juez de Salida da la voz de mando «a sus marcas» y cuando todos estén quietos, da la señal de salida.

El Juez de Salida, vuelve a llamar a los competidores en la primera salida en falso y les recuerda que no deben salir antes de la señal de salida. Después de esa salida en falso, cualquier competidor que salga antes de la señal es descalificado. Si la señal de salida suena antes de que la descalificación sea declarada, la carrera continúa y el nadador o los nadadores son descalificados al terminar la misma. Si la descalificación se declara antes de dar la señal de salida, ésta no será dada, hasta tanto los competidores restantes sean nuevamente llamados por el juez de salida para recordarles las penalidades a que están expuestos y dar la nueva salida.

La señal para la falsa salida será la misma señal de la salida (tiro, corneta, silbato o voz de mando) pero en forma repetida y acompañada con la caída de la cuerda de salida en falso.

REGLAMENTACIÓN SOBRE ESTILOS

NADO ESTILO LIBRE

Estilo Libre significa que, el competidor puede nadar cualquier estilo, excepto en las pruebas de combinado individual o relevo combinado, en las que estilo libre significa cualquier estilo distinto del espalda, pecho o mariposa.

Cualquier parte del cuerpo del nadador debe tocar la pared al completar éste cada tramo de la prueba, incluyendo la meta final.

NADO ESTILO ESPALDA

Los competidores se alinean en el agua de cara a la salida y con las manos colocadas en las agarraderas de salida. Los pies, incluyendo los dedos, se ubican debajo de la superficie del agua, estando prohibido pararse en o sobre el rebosadero o encorvar los dedos sobre el borde del mismo.

A la señal de salida y al dar las vueltas, el nadador se despega o empuja en tal forma que el nado de la prueba lo ejecute sobre su espalda. Debe ir en esa posición toda la prueba, excepto cuando ejecute una vuelta. La posición normal sobre la espalda incluye el movimiento ondulante del cuerpo en esa posición, pero siempre y cuando dicho movimiento o balanceo no exceda de 90 grados en cualquier punto de la prueba. La posición de la cabeza es irrelevante en cualquier fase de la prueba.

Alguna parte del nadador debe quebrar la superficie del agua durante el desarrollo de la prueba, a excepción del caso en que se permite al nadador avanzar totalmente sumergido, después de la salida y de cada vuelta, no más allá de 15 metros, distancia máxima en que la cabeza del nadador debe haber quebrado la superficie.

Durante la vuelta, los hombros pueden girar sobre la vertical del pecho, pero el nadador debe retornar a la posición de espalda inmediatamente que abandone la pared. Cuando se realice la vuelta el nadador debe tocar la pared, con cualquier parte de su cuerpo.

Al llegar a la meta final, el nadador debe tocar la pared en la posición mantenida de espalda.

NADO ESTILO PECHO

Desde el principio de la primera brazada, después de la salida y después de cada vuelta, el cuerpo del nadador se debe mantener sobre el pecho y los hombros en línea con la superficie normal del agua.

En todo momento, los movimientos de los brazos deben ser simultáneos y en el mismo plano horizontal, sin movimientos alternativos. Las manos deben ser impulsadas juntas, hacia adelante, frente al pecho, abajo o sobre el agua y regresadas hacia atrás al nivel de la superficie del agua o bajo ella. Excepto en la salida y en las vueltas, las manos no deben ser llevadas más allá de la línea de las caderas.

En todo momento, los movimientos de las piernas deben ser simultáneos y en el mismo plano horizontal sin movimientos alternativos. En la patada, los pies deben ir hacia afuera en el movimiento hacia atrás. No se permiten movimientos en forma de 'tijera» o de «delfín». Romper la superficie del agua con los pies está permitido, pero sin que siga un movimiento hacia abajo en forma de patada de «delfín».

Al realizar las vueltas y al terminar la carrera, el toque debe ser ejecutado con ambas manos simultáneamente, ya sea arriba, abajo o a nivel del agua. Los hombros deben permanecer en el plano horizontal. La cabeza puede sumergirse después de la última brazada anterior al toque de pared, siempre y cuando la misma quiebre en alguna forma, la superficie del agua durante el último ciclo completo o incompleto precedente al toque.

Durante cada ciclo completo de una brazada y una patada, en ese orden, alguna parte de la cabeza del nadador debe romper la superficie del agua, excepto después de la salida y después de cada vuelta en que el nadador puede dar una brazada completamente atrás hacia las piernas, y una patada mientras se encuentra totalmente sumergido antes de regresar a la superficie. La cabeza debe quebrar la superficie del agua antes de que las manos, llevadas hacia atrás, en la segunda brazada, lleguen a la parte más lejana.

NADO ESTILO MARIPOSA

En el estilo mariposa, ambos brazos deben ser enviados juntos hacia adelante, por fuera del agua y llevados hacia atrás simultáneamente.

El cuerpo del nadador debe mantenerse, todo el tiempo, sobre el pecho, excepto cuando se ejecuten las vueltas. Los hombros deben ir en línea con la superficie del agua desde el comienzo de la primera brazada, después de la salida y después de cada vuelta, debiendo después de éstas, volver a la posición mencionada, hasta la nueva vuelta o final. Queda estrictamente prohibido rodar sobre la espalda.

Ambos brazos deben ser enviados juntos hacia adelante, por fuera del agua y traídos hacia atrás simultáneamente.

Todos los movimientos de los pies, deben ser ejecutados en forma simultánea. Se permiten movimientos simultáneos de las piernas y pies de arriba hacia abajo en el plano vertical. Las piernas o pies no necesitan estar al mismo nivel, pero no se permiten movimientos alternativos.

Al ejecutar las vueltas y al terminar la carrera, el toque se hace con ambas manos simultáneamente, ya sea arriba, abajo o a nivel del agua.

A la salida y en las vueltas, el nadador puede dar una o más patadas, pero sólo una brazada, debajo del agua, que lo haga salir a la superficie.

NADO COMBINADO

En los eventos de combinado individual, el nadador debe cubrir los cuatro estilos de natación en el siguiente orden: mariposa, espalda, pecho y libre.

En los eventos de relevo combinado, los nadadores cubren los cuatro estilos de natación en el siguiente orden: espalda, pecho, mariposa y libre, siendo finalizada cada sección, de acuerdo con la regla aplicable al estilo concerniente.

RELEVOS

- Un equipo de relevos está conformado por 4 nadadores.
- El equipo de un competidor cuyos pies dejen de tocar la plataforma de salida antes de que el compañero que le precede toque la pared, será descalificado, a menos que dicho infractor regrese al punto de salida original, junto a la pared.
- Cualquier equipo de relevos será descalificado de una carrera, si un miem-

bro del equipo, diferente del que le corresponde nadar el tramo respectivo, entra al agua durante el desarrollo del evento antes que los competidores de todos los equipos hayan finalizado su competencia.

- Cualquier nadador que termine su carrera, o su tramo en un evento de relevos, debe abandonar la piscina lo más pronto posible, sin obstruir a ningún otro competidor que no haya terminado aún su carrera. De otra manera, el nadador infractor, o su equipo de relevos, será descalificado.
- Si por una infracción se pone en peligro la oportunidad de triunfar de un competidor, el árbitro tendrá la autoridad para permitir que éste compita en la siguiente serie eliminatoria, o si la infracción ocurre en una final, disponer que se repita la misma.

LA CARRERA

Un competidor de natación en una competencia individual debe cubrir la distancia total para calificar y finalizar en el mismo carril por el cual la inició.

En todas las pruebas, un nadador debe hacer contacto físico con el extremo de la piscina, en las vueltas, las cuales deben ser hechas desde la pared.

No está permitido:

- Caminar o dar un paso sobre el fondo de las piscinas.
- Ponerse de pie sobre el fondo durante las pruebas de estilo libre o durante la porción de libre en los eventos combinados.
- Obstruir a otro competidor, nadando a través de otro carril o interferir de otra manera, esta acción descalifica al nadador culpable, si la falta ha sido intencional.
- Usar o ir equipado con cualquier dispositivo que pueda aumentar la velocidad, flotación o resistencia durante una competencia (como guantes palmípedos, aletas, etc.). Se pueden usar gafas.

RÉCORDS MUNDIALES

Para efectos de récords mundiales en piscina de 25 y 50 metros, serán reconocidas las siguientes distancias y estilos para ambos sexos:

Estilo Libre:	50, 100, 200, 400, 800 y 1500 m.
Estilo Espalda:	100 y 200 m.
Estilo Pecho:	100 y 200 m.
Estilo Mariposa:	100 y 200 m.
Combinado Individual:	200 y 400 m.
Relevo Libre:	4x100 y 4x200 m.
Relevo Combinado:	4x100 m.

Todos los récords deben ser hechos en competencias formales o en intentos individuales nadando contra el tiempo, celebrados en público y anunciados públicamente por medio de avisos hechos con por lo menos tres días de anticipación al día del intento.

Los récords del mundo se aceptarán únicamente cuando los tiempos hayan sido registrados con equipos automáticos de cronometraje y en piscinas de 50m de longitud.

Los tiempos iguales a una centésima de segundo deben ser reconocidos como récords iguales y los nadadores que registren esos tiempos iguales, serán considerados ambos como poseedores del Récord del Mundo. El tiempo del ganador de una carrera es el único que puede ser sometido como récord mundial. En el caso de un empate en una carrera donde se impone un récord, los competidores empatados serán declarados todos ganadores.

Todos los récords hechos durante los Juegos Olímpicos, Campeonatos Mundiales de Natación y Copas del Mundo quedarán automáticamente aprobados.

Deportes Acuáticos

NADO SINCRONIZADO

El Nado Sincronizado es un deporte que sintetiza un alto nivel de las técnicas de natación, capacidad de apnea, diversos elementos de gimnasia artística y gran oído musical. El área en que se llevan a cabo las presentaciones es una piscina de agua clara, de por lo menos 12 metros cuadrados, con una profundidad de 3 metros como mínimo para las rutinas obligatorias y de 1,70 metros para las rutinas libres.

Las competiciones de nado sincronizado se realizan de tres formas:

- *FIGURAS*: las nadadoras ejecutan 4 figuras previamente establecidas y seleccionadas por el Comité Técnico de Natación Sincronizada, para un periodo de 4 años. La mayor parte de las figuras se ejecutan en una posición inmóvil, aunque algunas permiten un cierto grado de movimiento hacia atrás. El bañador para las figuras debe ser negro con gorro blanco y pueden utilizarse gafas y pinzas de nariz.

- *RUTINAS TÉCNICAS* (ballet): Se ejecutan programas presentados en individual, dúos y equipos, con música y unos elementos obligatorios marcados por el reglamento. Para la presentación de las rutinas se incorporan diversas posiciones básicas para la formación de figuras, que son los movimientos acuáticos de las integrantes de un equipo. La música, con sonido subacuático, debe fluctuar entre los 90 y 100 decibeles.

- *RUTINAS LIBRES*: Son programas presentados en individual, dúos y equipos de rutinas libres sin restricciones en la elección de la música, contenido o coreografía.

HISTORIA

Los orígenes del nado sincronizado se remontan hacia comienzos del siglo XX, cuando un grupo de hombres realizó en Julio de 1903, en el Club Batl de Londres, una demostración de "Natación fantasía" o "Natación ornamental". A partir de esta exhibición, esta nueva actividad, se convirtió solo como una forma de entrenamiento, que se haría muy popular en los Estados Unidos hacia 1930.

A mediados de la década de 1940, Esther Williams, ex campeona estadounidense de natación en los 100 m. libres, llevó a la pantalla gigante la película *"Escuela de Sirenas"*, en donde se mostraba la posibilidad de realizar grandes y bellas demostraciones en una piscina. A partir de este acontecimiento cinematográfico, los Estados Unidos y Canadá, comenzaron a difundirlo rápidamente, estableciendo las primeras reglas para el naciente deporte.

Sin embargo, el nado sincronizado sólo se desarrollaría como deporte competitivo, hacia la década de 1950, cuando con ocasión de los Juegos Olímpicos de Helsinki de 1952 , el equipo campeón de los Estados Unidos realizó varias exhibiciones de notable calidad. A partir de ahí la Federación Internacional de Natación Amateur (F.I.N.A.), decidió crear en 1956 una Comisión especializada, cuya principal función fuera encauzar y, a la vez, ordenar los movimientos que las nadadoras realizaban dentro y fuera del agua; de esta forma se empezó a crear una reglamentación en esta especialidad, que con el paso del tiempo ha ido modificándose.

En 1958 se llevó a cabo el primer campeonato Europeo donde participaron 9 delegaciones y en 1973, los primeros campeonatos del mundo.

En 1984, durante los juegos de los Ángeles, se incluyó por primera vez como deporte Olímpico en las modalidades individual y duetos; en los juegos de Atlanta 1996, se modificaron las categorías de competencia olímpica donde se eliminaron las figuras, reemplazándolas por rutinas técnicas y rutinas libres; y en Sydney 2000 hizo su ingreso la modalidad de equipo.

REGLAMENTACIÓN

ÁREA DE COMPETENCIA

El área de la piscina es de por lo menos 12 metros cuadrados; con 3 m. de profundidad como mínimo para las rutinas obligatorias y 1.70 m., para las rutinas libres.

El agua debe ser clara para que sea visible el fondo de la piscina y la temperatura de ésta debe ser de 24 grados centígrados como mínimo.

Todas las rutinas deben realizarse con música, con un sonido subacuático que fluctúe entre los 90 y 100 decibeles.

JUECES

Se requiere un panel de jueces compuesto como mínimo por 5 o 7 jueces cuyas funciones son:

- Un Juez Árbitro. Tiene el control absoluto de la competición, siendo el encargado de hacer cumplir todas las normas y reglas.
- Un ayudante de Juez Árbitro por cada panel de jueces. En rutinas se pueden designar dos paneles de jueces; uno que juzga el mérito técnico y el otro la impresión artística.
- Para cada panel de Figuras: un controlador de prueba, un secretario, y dos anotadores.
- Para Rutinas: cronometradores, un controlador de prueba, un secretario y dos anotadores.
- Un Secretario Jefe.
- Un controlador del Equipo de Sonido.
- Un Locutor.

Durante la competición, los jueces se ubican en posiciones elevadas de manera que tengan una vista lateral de las competidoras.

COMPETIDORAS

Un equipo está formado por 8 nadadoras. Una participante puede hacer parte en un programa individual, uno de dúo y uno por equipo en cada prueba.

Cada participante, usa un traje de baño vistoso, con el cabello recogido y permitiéndose el uso de tapones para oídos y nariz;

FIGURAS

Cada sección de la figura debe ser claramente definida y en movimiento uniforme. En figuras el participante puede obtener de 10 a 0 puntos, utilizando décimas de punto, así:

Perfecto	10
Casi perfecto	9,9 a 9,5
Excelente	9,4 a 9,0
Muy bien	8,9 a 8,0
Bien	7,9 a 7,0
Adecuado	6,9 a 6,0
Satisfactorio	5,9 a 5,0
Deficiente	4,9 a 4,0
Flojo	3,9 a 3,0
Muy flojo	2,9 a 2,0
Apenas reconocible	1,9 a 0,1
Completamente Fallado	0

Para obtener la calificación final de Figuras la puntuación más alta y más baja de cada juez se eliminan, sumando las puntuaciones restantes; esta suma se divide por el número de jueces que emitieron su resultado y el resultado se multiplica por el coeficiente de dificultad, para obtener la puntuación de cada una de las cuatro figuras.

PENALIZACIONES

Se reducen 2 puntos por penalización cuando:
- Un nadador se para voluntariamente y solicita hacer la figura de nuevo.
- Un nadador no realiza la figura anunciada, o la figura realizada no tiene todos los elementos requeridos.
- Si el nadador comete la misma u otra falta, la puntuación de esta figura es de 0.

La suma de las cuatro figuras se divide por el total **M** coeficiente de dificultad del grupo y se multiplica por 10, entonces se deducen las penalizaciones y este resultado se multiplica por:

- 0.35 (35%) si se celebran dos competiciones (figuras o rutina técnica y rutina libre).
- 0.25 (25%) si se celebran tres competiciones (figuras, rutina técnica y rutina libre).
- Para hallar la puntuación media en dúos se suman estos resultados y se dividen por 2.
- Para hallar la puntuación media en equipos, se suman estos resultados y se divide por el número de competidores del equipo.

RUTINAS

Las rutinas se califican de acuerdo a dos aspectos principales: el primero, el mérito técnico, con un 40% por la ejecución de brazadas, técnicas de propulsión y precisión de formaciones; 30% por la sincronía entre las nadadoras y la musicalización y otro 30% por el grado de dificultad.

La segunda calificación considera la impresión artística, con un 60% por la coreografía, el 20% por la musicalización y el otro 20% por la coordinación total.

Las rutinas se califican de acuerdo a dos aspectos principales: el mérito técnico y la impresión artística.

LÍMITES DE TIEMPO PARA RUTINAS

Se permite un margen de permisividad de 15 segundos en más o en menos a los tiempos límites asignados a las rutinas libres; y 10 segundos para las rutinas técnicas.

Rutina Técnica Individuales	2,00 min.
Rutina Libre Individuales	3,30 min.
Rutina Técnica Dúos	2,20 min.
Rutina Libre Dúos	4,00 min.
Rutina Técnica Equipos	2,50 min.
Rutina Libre Equipos	5,00 min.

El cronometraje de las rutinas comienza y acaba con el acompañamiento musical.

Las rutinas pueden comenzar fuera o dentro del agua, pero deben acabar en el agua; el cronometraje de los movimientos en tierra finaliza cuando el último competidor abandona el suelo.

El acompañamiento y el juicio de la rutina comienzan con una señal del juez árbitro o el ayudante del juez árbitro. Después de la señal el (los) competidor(es) debe(n) ejecutar la rutina sin interrupción.

Cuando se disponga de jueces cualificados y estén disponibles en número suficiente, deberán actuar dos paneles de jueces: uno para mérito técnico y otro para impresión artística, ya que en la rutina, se adjudican dos puntuaciones de 10 a 0 puntos para cada una.

El Mérito Técnico considera tres aspectos básicos:
- Ejecución de las brazadas y figuras, técnicas de propulsión, precisión de las formaciones.
- Sincronización una con la otra y música.
- Dificultad de las brazadas y figuras, formaciones y sincronización

Al finalizar cada rutina, los jueces anotan sus puntuaciones de 10 a 0 puntos, utilizando décimas de punto, así:

Perfecto	10
Casi perfecto	9,9 a 9,5
Excelente	9,4 a 9,0
Muy bien	8,9 a 8,0
Bien	7,9 a 7,0
Adecuado	6,9 a 6,0
Satisfactorio	5,9 a 5,0
Deficiente	4,9 a 4,0
Flojo	3,9 a 3,0
Muy flojo	2,9 a 2,0
Apenas reconocible	1,9 a 0,1
Completamente Fallado	0

MÉRITO TÉCNICO

En esta primera puntuación se considera:

- Ejecución de las brazadas, figuras y partes de las mismas, técnicas de propulsión, precisión de las formaciones:

  Individual 50%

  Dúo 40%

  Equipo 40%

- Sincronización una con la otra y música:

  Individual 10%

  Dúo 20%

  Equipo 30%

- Dificultad de las brazadas, figuras y partes de las misma, formaciones y sincronización:

  Individual 40%

  Dúo 40%

  Equipo 30%

IMPRESIÓN ARTÍSTICA

En la segunda Puntuación se considera:

- Coreografía, variedad, creatividad, recorrido, formaciones, transiciones:

  Solo 50%

  Dúo 60%

  Equipo 60%

- Interpretación musical, uso de la música:

  Solo 20%

  Dúo 20%

  Equipo 20%

- Forma de presentación, dominio total:

  Solo 30%

  Dúo 20%

  Equipo 20%

La puntuación de rutinas es el total del mérito técnico y de la impresión artística, después de anular la puntuación más alta y más baja. Estos resultados se dividen por el número de jueces que dieron su resultado, y se multiplican por 6 para el mérito técnico, y por 4 para la impresión artística.

Rutina Técnica: El resultado de la rutina técnica se multiplica por:

- 35% (. 0.35) si se celebran dos competiciones (Rutina técnica y Rutina libre)
- 25% (. 0.25) si se celebran tres competiciones (Figuras, Rutina técnica y Rutina libre).

Rutina Libre: El resultado de la rutina libre se multiplica por:

- 65% (. 0.65) si se celebran dos competiciones (Figuras o Rutina técnica y Rutina libre)
- 50% (. 0.50) si se celebran tres competiciones (Figuras, Rutina técnica y Rutina libre).

PENALIZACIONES

En la competición de equipo, en rutina técnica o rutina libre, se deduce medio punto del total de la puntuación por cada miembro con menos de 8.

PENALIZACIONES EN RUTINAS TÉCNICAS Y RUTINAS LIBRES

Se deduce un punto de penalización cuando:

- Se supera el tiempo limite de 10 segundos para movimientos fuera del agua.
- Existe una desviación en el tiempo límite específico asignado a la rutina (en más o en menos).

Se deducen 2 puntos de penalización, cuando:

- Un nadador hace uso deliberado del fondo de la piscina durante la rutina.
- Un nadador hace uso deliberado del fondo de la piscina durante la rutina para ayudar a otro (s) nadador (es).
- Un competidor interrumpe una rutina durante los movimientos en tierra, y se le autoriza una nueva salida.

PENALIZACIONES EN RUTINAS TÉCNICAS:

- Se deducen 2 puntos de penalización de la puntuación del mérito técnico por cada elemento requerido omitido durante la ejecución de una rutina técnica.
- Se deduce medio punto (0,5) de la puntuación del mérito técnico por cada parte de un elemento requerido omitido durante una rutina técnica.
- Si un o o más competidores dejan de nadar antes de que la rutina finalice, la rutina es descalificada. Si la parada se produce por circunstancias ajenas al control del (los) competidor (es), el Juez árbitro autoriza a que la rutina vuelva a realizarse durante esa competición.

RESULTADO FINAL

El resultado final se determina por la suma de resultados de las diferentes competiciones realizadas, calculados de la siguiente manera:

En los encuentros que incluyan tres competiciones (Figuras, Rutina técnica y Rutina libre) los resultados se calculan de acuerdo con los porcentajes asignados a cada prueba:

Figuras	25%
Rutina Técnica	25%
Rutina Libre	50%

En pruebas que incluyan solo Figuras y Rutinas libres, los resultados se calculan sobre la base de:

Figuras	35%
Rutina Libre	65%

En pruebas que incluyan solo Rutina técnica y Rutina libre, los resultados se calculan sobre la base de:

Rutina Técnica	35%
Rutina Libre	65%

CALIFICACIÓN DE RUTINAS

- Se califica el mérito técnico a considerar en un 40% la ejecución de brazadas, técnicas de propulsión y precisión de formaciones.
- La sincronía entre las nadadoras y la musicalización: 30 % de la calificación y el otro 30% por el grado de dificultad.
- La segunda calificación considera la impresión artística con un 60% por la coreografía, el 20% por la musicalización y el otro 20% por la coordinación total

POSICIONES BÁSICAS

La mayor parte de las figuras se ejecutan en una posición inmóvil, aunque algunas permiten un cierto grado de movimiento hacia atrás.

Para la presentación de las rutinas se incorporan diversas posiciones básicas para la formación de figuras, que son los movimientos acuáticos de las integrantes de un equipo.

En todas estas las posiciones básicas se reglamenta que:

- Las posiciones de los brazos son opcionales.
- Los dedos de los pies deben estar juntos.
- Las piernas, el tronco y el cuello deben estar completamente extendidos, a menos que se especifique lo contrario.

Deportes Acuáticos

POLO ACUÁTICO

El Polo Acuático o Waterpolo es un deporte de equipo que se disputa en una piscina, entre dos conjuntos de 7 jugadores, diferenciados claramente por el color del gorro de baño. Cada equipo, durante cuatro períodos de 7 minutos cada uno y, jugando el balón con una sola mano sobre la superficie del agua, tratan de introducir el balón en la portería contraria, contando con un máximo de 35 seg. de tiempo para intentar realizar su lanzamiento a portería.

HISTORIA

Aunque se tiene muy poco conocimiento acerca del origen exacto de este deporte, se sabe que un deporte muy similar era practicado en ríos y lagos ingleses hacia 1870, como una versión acuática del Rugby. El origen al nombre del deporte, que no tiene nada que ver con el polo ecuestre, se debe precisamente a la pelota que era usaba en el juego, una bola inflada y vulcanizada importada de la India, llamada «pulu», cuyo significado es bola. Con el tiempo este vocablo hindú fue cambiado por la palabra inglesa «polo», por lo que el juego terminó llamándose waterpolo.

Una vez popularizado y extendido por gran parte de Europa y Estados Unidos, el waterpolo hizo su aparición olímpica, como primer deporte de conjunto, en los juegos de París 1900 a donde acudieron solo 4 equipos, compuestos principalmente por jugadores que participaban en diferentes pruebas de natación. Las mujeres debutaron en la competición olímpica en los Juegos de Sydney 2000.

REGLAMENTACIÓN

ÁREA DE JUEGO

El área de juego lo constituye una piscina con un rectángulo, marcado claramente con colores contrastantes respecto al fondo de la piscina, de 30 metros de largo, por 20 metros de ancho, en la rama masculina y 25 por 17 metros en la femenina, con una profundidad mínima de 1,80 metros.

A ambos lados de la piscina se colocan marcas distintivas para indicar lo siguiente:

Marca blanca: Línea de gol (a menos de 30 cm. desde el extremo de la zona de juego) y línea de medio campo (divide en dos partes iguales el área de juego).

Marca roja: Línea de 2 m. de la línea de gol, y área de reingreso ubicada en cada extremo del campo de juego, a 2 m. de la esquina del mismo, en el lado opuesto al de la mesa oficial.

Marca amarilla: Línea de 4 m. de la línea de gol.

PORTERÍAS

En el centro de cada uno de los fondos (línea de gol) de la piscina se encuentra una portería flotante sobre el agua, de 3 metros de largo por 90 cm. de alto, medidos a partir de la superficie del agua.

La pelota es totalmente impermeable.

BALÓN

La pelota, totalmente impermeable, pesa entre 400-450 gramos y su circunferencia oscila entre 68 - 71 cm., para los encuentros masculinos y entre 65 - 67 cm. para los femeninos.

JUECES

Los encargados de dirigir un encuentro de polo acuático son:

- *Dos árbitros*, provistos cada uno de un asta de 70 cm. de longitud equipada con una bandera blanca en un extremo y una azul en el otro, cada una con una dimensión de 35 x 20 cm., tienen el control absoluto sobre el juego, de acuerdo con el reglamento de polo acuático de la FINA.
- *Dos jueces de gol*, provistos cada uno de banderas, separadas de color rojo y blanco de 35 x 20 cm., sobre astas separadas de 50 cm. de longitud y ubicados al mismo lado de la mesa oficial, cada uno sobre la línea de gol en el extremo del campo de juego, tienen como obligaciones:
  - Señalar con la bandera roja cuando los jugadores estén correctamente colocados en sus respectivas líneas de gol al comienzo de un período.
  - Señalar con la bandera blanca cuando ocurra un inicio o un reinicio inapropiado.
  - Señalar con la bandera blanca para un saque de arco.
  - Señalar con la bandera roja para un tiro de esquina.
  - Señalar con ambas banderas la anotación de un gol.
  - Señalar con la bandera roja el reingreso impropio de un jugador expulsado o el reingreso impropio de un sustituto.

Cada juez de gol debe estar provisto con una reserva de balones y cuando el balón original salga fuera del campo, debe inmediatamente lanzar un nuevo balón al arquero (para un saque de gol), al jugador más cercano del equipo atacante (para un tiro de esquina) o a quien le indique el árbitro.

- *Dos Cronometristas*: Uno de ellos registra los períodos exactos de juego efectivo y los intervalos entre los mismos, el otro cronometrista registra los períodos de posesión continua del balón por cada equipo.

  Las obligaciones de los cronometristas son:
  - Registrar el exacto período efectivo de juego y los intervalos entre los períodos;
  - Registrar los períodos de posesión continua del balón para cada equipo;
  - Registrar los tiempos de exclusión de los jugadores expulsados del agua de acuerdo con las reglas, junto con el tiempo de reingreso de tales jugadores o sus substitutos;
  - Anunciar audiblemente el comienzo del último minuto del partido o de cualquier tiempo extra.

• Señalar el fin de cada período independientemente del árbitro, con un efecto inmediato a menos que: el árbitro simultáneamente haya concedido un tiro penal, o, el balón esté en vuelo y cruce la línea de gol, en cuyo caso cualquier gol resultante será concedido.

- *Dos secretarios*: provistos con banderas separadas de colores rojo, blanco y azul, de 35 x 20 cm., sobre astas separadas de 50 cm. de longitud, Uno mantiene el registro del partido y el otro secretario ejecuta las obligaciones relativas a la exclusión de jugadores y a la tercera falta personal.

Las obligaciones de los secretarios son:

• Mantener el registro del partido, incluyendo los jugadores, el marcador, todas las faltas de expulsión, las faltas penales y las faltas personales adjudicadas a cada jugador;

• Controlar los períodos de expulsión de los jugadores y señalar la expiración de los períodos de los mismos levantando la bandera correspondiente al color del gorro del jugador; excepto que un árbitro lo haga, deberán señalar el reingreso de un jugador expulsado o de un sustituto cuando el equipo del jugador haya retomado posesión del balón;

• Señalar con la bandera roja y por medio de un silbatazo el reingreso impropio de un jugador expulsado o de un sustituto (inclusive después de una señal con la bandera del juez de gol indicando un ingreso o reingreso impropio), señal que suspenderá el juego inmediatamente;

• Señalar, sin demora, la comisión de la tercera falta personal por parte de cualquier jugador como sigue: con bandera roja, si la tercera falta personal es una falta de expulsión o con bandera roja y un silbatazo si la tercera falta personal es una falta para penal.

Cada equipo tiene 13 jugadores, de los cuales 7, incluyendo el portero, están en el juego flotando todo el tiempo sin poder apoyarse en el borde de la piscina, y sin agarrar la bola con ambas manos.

EQUIPOS

Cada equipo tiene 13 jugadores, de los cuales 7 (incluyendo el portero) están en el juego, flotando todo el tiempo sin poder apoyarse en el borde de la piscina y sin agarrar la bola con ambas manos.

Cada equipo usa gorros, numerados del 1 al 13 por ambos flancos (el número 1 corresponde al portero); los gorros que van atados bajo la barbilla, sirven además como protectores para las orejas y son de color blanco para un equipo, azul para el otro y rojos para los porteros. Si un jugador pierde su gorra durante el encuentro, éste debe ser reemplazado en la primera detención del juego.

SUSTITUCIONES

Un jugador sólo puede ser sustituido:

- Durante el intervalo entre períodos de juego
- Antes del comienzo del tiempo extra.
- Después de la anotación de un gol, cuando él puede ingresar al campo de juego por cualquier lugar.

Las asustituciones se pueden llevar a cabo sin necesidad de avisar al árbitro, siempre que el jugador que entre lo haga por su esquina.

DURACIÓN DEL ENCUENTRO

Un encuentro consta de *4 cuatro tiempos de 7 minutos* de tiempo efectivo cada uno con 2 minutos de descanso entre cada tiempo, al final de los cuales los equipos, incluyendo suplentes y entrenadores cambian de lado.

En caso de empate se juegan dos períodos de tiempo extra de 3 minutos de juego cada uno. En caso de mantenerse el empate se juega a muerte súbita, es decir, el equipo que marque primero el gol es el vencedor.

INICIO DEL PARTIDO

Antes del comienzo del partido, los dos árbitros realizan el sorteo en presencia de los dos capitanes; el ganador tiene el derecho a escoger el lado del campo o los colores de su equipo.

Al inicio de cada período, los jugadores toman sus posiciones sobre sus respectivas líneas de gol, con un metro de separación aproximada y separados por lo menos a un metro de los postes del arco. No se permiten más de dos jugadores entre los postes del arco y que ninguna parte del cuerpo de un jugador sobrepase la línea de gol a nivel del agua.

Cuando los equipos están listos, un árbitro suena el silbato y suelta el balón al juego en la línea de medio campo.

PUNTUACIÓN

El gol se marca cuando todo el balón pasa enteramente sobre la línea de gol, entre los postes del arco y debajo del larguero. El gol puede ser marcado con cualquier parte del cuerpo (excepto con el puño cerrado), incluso nadando con la pelota hasta el arco y cualquier jugador que se encuentre dentro del campo de juego puede anotarlo, excepto el arquero al que no se le permite tocar el balón más allá de la línea central.

Después de la anotación de un gol, los jugadores toman sus posiciones dentro de su respectiva mitad del campo de juego y un jugador del equipo contra el cual se marcó el gol pone el balón en juego lanzándolo dentro de su propia mitad del campo de juego, después de advertir la señal del árbitro.

SAQUE DE ARCO

El saque de arco debe ser ejecutado por el arquero defensor desde cualquier lugar dentro del área de 2 m.

Un saque de arco se concede cuando:

- La totalidad del balón pasa completamente sobre la línea de gol, excluyendo la zona comprendida entre los postes del arco debajo del larguero, tocado en último lugar por un jugador del equipo atacante;
- La totalidad del balón pasa completamente sobre la línea de gol entre los postes del arco y debajo del larguero o golpea los postes del arco, el larguero o el arquero defensor, después de un tiro libre o un tiro de esquina, sin haber sido tocado intencionalmente por otro jugador.

TIRO DE ESQUINA

El tiro de esquina debe ser cobrado por un jugador del equipo atacante desde la marca de los 2 m. en el lado más cercano al punto donde el balón cruzó la línea de gol. Al lanzar un tiro de esquina ningún jugador del equipo atacante debe estar dentro del área de 2 metros.

Se concede un tiro de esquina cuando:

- La totalidad del balón pasa completamente sobre la línea de gol, excluyendo la zona comprendida entre los postes del arco debajo del larguero, tocado en último lugar por un jugador del equipo defensor;
- El arquero defensor, al ejecutar un saque de arco o un tiro libre, suelta el balón y antes que otro jugador lo haya tocado, recupera su posesión y permite que él pase dentro de su propio arco;
- Un jugador defensor al ejecutar un tiro libre y sin que cualquier otro jugador haya tocado o jugado intencionalmente el balón, le permite entrar a su propio arco.

TIROS NEUTRALES

En un tiro neutral, un árbitro lanza el balón al agua aproximadamente a la misma posición lateral donde ocurrió el incidente de manera que permita a los jugadores de ambos equipos tener igual oportunidad de llegar al balón después que éste haya tocado el agua.

Se considera un tiro neutral cuando:

- Al inicio de un período, un árbitro opine que el balón cae en una posición con ventaja definitiva para un equipo;
- Uno o más jugadores de cada equipo comete(n) una falta en el mismo momento lo cual hace imposible para el árbitro distinguir el jugador que cometió la primera falta;
- Ambos árbitros accionan sus silbatos al mismo tiempo para castigar con faltas ordinarias a los equipos oponentes;
- Un jugador de cada equipo comete una falta de expulsión simultáneamente, ya sea durante el juego efectivo o en tiempo muerto. El tiro neutral se cobra después de la expulsión de los jugadores que cometieron las faltas;
- El balón golpea o se atora en una obstrucción sobresaliente.

TIRO LIBRE

El árbitro suena su silbato para declarar las faltas y muestra la bandera del color correspondiente al color de los gorros usados por el equipo al que se le ha concedido el tiro libre. Este tiro debe ser lanzado de una manera tal que los jugadores puedan observar el balón cuando deja la mano del lanzador, al cual le está permitido llevar o driblar el balón antes de pasarlo a otro jugador.

TIRO PENAL

Un tiro penal puede ser ejecutado por cualquier jugador del equipo al que le fue concedido (excepto el arquero), desde cualquier punto de la línea de 4 metros del contrario. Para le realización de este cobro todos los jugadores deben abandonar el área de 4 metros y situarse a una distancia mínima de 2 metros del jugador ejecutor. El arquero defensor se ubica entre los postes del arco sin que ninguna parte de su cuerpo rebase la línea de gol a nivel del agua.

Cuando el árbitro controlador de la ejecución del tiro comprueba que los jugadores están en las posiciones correctas, da la señal para la ejecución por medio de un silbato, al mismo tiempo que baja las banderas simultáneamente de una posición vertical a una horizontal.

El jugador que ejecuta el tiro debe tener la posesión del balón para lanzarlo inmediatamente, en un movimiento ininterrumpido y directo, hacia el arco.

En el polo acuático existen diferentes tipos de faltas: Faltas ordinarias. Faltas de expulsión, Faltas penal y Faltas personales

FALTAS

En el polo acuático existen diferentes tipos de faltas:

FALTAS ORDINARIAS

Una falta ordinaria se castiga con la concesión de un tiro libre al equipo **contrario, lanzado por uno de** sus jugadores desde el punto donde ocurrió la **falta. En el caso de una falta** cometida por un jugador defensor dentro del área **de 2 metros, el tiro libre debe** ser lanzado desde la línea de 2 metros opuesta a **aquella donde ocurrió el** incidente. Son faltas ordinarias:

- Avanzar más allá de la línea de gol al inicio de un período, antes que el árbitro dé la señal de inicio.
- Ayudar a un jugador en el inicio de un período o en cualquier otro momento durante el juego.

- Agarrarse o empujarse de los postes del arco o de su estructura, agarrarse o empujarse de los lados o los bordes de la piscina durante el juego efectivo o agarrarse de los carriles excepto al comienzo de un período.
- Tomar parte activa en el juego estando de pie en el piso de la piscina, caminar cuando el juego esté avanzando o saltar desde el fondo de la piscina para jugar el balón o cargar sobre un contrario (regla no aplicable al arquero mientras se encuentre dentro del área de 4 metros).
- Tomar o mantener la totalidad del balón debajo del agua cuando se está atacando.
- Tocar el balón antes que llegue al agua, lanzado por un árbitro en un tiro neutral.
- Golpear el balón con el puño cerrado (regla no aplicable al arquero mientras esté dentro del área de 4 metros).
- Jugar o tocar el balón con las dos manos al mismo tiempo (regla no aplicable al arquero mientras esté dentro del área de 4 metros).
- Impedir o estorbar el libre movimiento de un contrario que no tenga el balón, incluyendo nadar sobre los hombros, brazos o piernas del contrario.
- Empujar o apartar a un contrario.
- Cometer una falta contra un jugador en posesión del balón antes de lanzar un tiro libre, un saque de arco o un tiro de esquina.
- Permanecer dentro de la zona de dos metros del arco contrario, excepto si está atrás de la línea del balón (No hay falta si el jugador toma el balón dentro de la zona de 2 metros y lo pasa a un compañero que está detrás de la línea del balón y éste dispara inmediatamente hacia el arco, antes que el primer jugador haya abandonado el área de 2 metros).
- Ejecutar un tiro penal de forma diferente a la prescrita.
- Demorar injustificadamente la ejecución de un tiro libre, un saque de arco o un tiro de esquina.
- Avanzar el arquero más allá de la línea de medio campo.
- Perder tiempo.
- Retener el balón por más de 35 segundos de juego efectivo, sin disparar al arco contrario.
- Enviar el balón fuera del campo de juego, incluyendo que rebote del lado del campo de juego por encima del nivel del agua.

FALTAS DE EXPULSIÓN

Una falta de expulsión se castiga concediendo un tiro libre al equipo contrario y la expulsión momentánea del jugador que cometió la falta. Son faltas mayores:

- Abandonar el agua o sentarse o pararse sobre la escalera o el borde de la piscina durante el partido, excepto en caso de accidente, lesión, enfermedad o con permiso del árbitro.
- Interferir la ejecución de un tiro libre, un saque de arco o un tiro de esquina.
- Salpicar intencionalmente agua a la cara del adversario.
- Agarrar, hundir o tirar hacia sí a un contrario que no tenga el balón.
- Ser culpable de mala conducta, incluyendo el uso de lenguaje soez, la violencia o las faltas persistentes en el juego, etc.
- Cometer un acto de brutalidad (incluido el patear o golpear o intentar hacerlo con intención maliciosa) contra un contrario u oficial, ya sea durante el juego o durante los intervalos entre períodos de juego.
- Negarse a obedecer o no mostrar respeto a un Árbitro u Oficial.
- Reingresar un jugador expulsado o ingresar un sustituto al campo de juego, de manera indebida.
- Interferir la ejecución de un tiro penal.
- Omitir el arquero defensor tomar la posición correcta sobre la línea de gol en la ejecución de un tiro penal, después de habérsele ordenado.

Al jugador expulsado se le permite reingresar al campo de juego por el área de reingreso más cercana a su propia línea de gol cuando:

- Transcurran 20 segundos de juego efectivo, momento en el cual el secretario levanta la bandera apropiada, previendo que el jugador expulsado ha llegado a su área de reingreso de acuerdo con las reglas;
- Se marque un gol;
- Los jugadores del equipo del jugador expulsado recuperen la posesión del balón durante juego efectivo momento en el cual el árbitro defensivo debe señalar, ondeando la mano, el reingreso;
- El juego sea reiniciado por un jugador del equipo del jugador expulsado después de una suspensión, momento en el cual el árbitro defensivo debe señalar, ondeando la mano, el reingreso (sin usar las banderas).

FALTA PENAL

Una falta penal se castiga con la concesión de un tiro penal en favor del equipo contrario y se sanciona cuando:

- Un jugador defensor comete cualquier falta dentro del área de 4 metros para evitar la probable anotación de un gol.
- Un jugador defensor da patadas o golpea a un contrario o comete un acto de brutalidad dentro del área de 4 metros.
- Interferir intencionalmente el juego por parte de un jugador expulsado, incluyendo la alteración del alineamiento del arco.
- El arquero u otro jugador defensor vuelca completamente el arco con el objeto de prevenir un probable gol.
- Un jugador expulsado o sustituto reingresa o ingresa de forma irregular al campo de juego antes de terminar el período de expulsión con el objeto de prevenir un gol.
- Un jugador o sustituto entra al campo de juego, sin estar autorizado para hacerlo.

FALTA PERSONAL

Se anota una falta personal al jugador que cometa una falta de expulsión o una falta penal. El árbitro indica al secretario el número del gorro del jugador culpable. Después de cometer la tercera falta personal, el jugador es expulsado del partido, con sustitución.

DEPORTES DE AVENTURA

Los deportes de aventura los constituyen una serie de actividades que se realizan al aire libre, en directo contacto con la naturaleza y que implican en mayor o menor medida, cierto riesgo para el practicante.
Algunas de las actividades que se integran en la clasificación de aventura son: la escalada, el trekking, el rafting, etc

PARTE 4

Deportes de Aventura

CAMPAMENTISMO

El campamentismo puede ser definido como una actividad al aire libre, que consiste en permanecer y pernoctar en un medio natural por un tiempo limitado con objetivos utilitarios, educativos, de supervivencia, o de interés social

HISTORIA

Los primeros datos de campamentos organizados provienen de Estados Unidos, donde se registró la primera experiencia en 1861 cuando Frederick Williams Gunn, profesor de la escuela Gunnery School comenzó a realizar con sus alumnos programas de verano. Este tipo de acitvidades se convirtieron para 1876 en parte de la Escuela Nacional de Educación Física de los Estados Unidos y en 1880 la Asociación Cristiana de Jóvenes (YMCA) organizó para sus miembros "Giras" durante el verano.

En 1885 Summer F. Dudley de la Asociación Cristiana de Jóvenes de Newbogsh fue el director del primer campamento, llevando a siete jóvenes durante ocho días a orillas del lago Orange. Esta experiencia con su director influyó notablemente en la evolución de esta actividad en Estados Unidos y Canadá.

Durante la primera guerra mundial se introdujo esta actividad en Europa, ya que algunas instituciones americanas y canadienses trabajaron en esa forma como instituciones de apoyo a los combatientes y prisioneros de guerra.

En 1921, Taylos Statten (1921) del Comité Nacional Canadiense fundó el primer campamento particular con una profunda filosofía educacional, ambiental y el desarrollo de actividades propias.

ORGANIZACIÓN GENERAL DEL CAMPAMENTO

PRE-CAMPAMENTO

El grupo de acampantes se debe formar con la mayor anticipación posible, haciendo un cálculo previo de los gastos y recursos necesarios.

Constituido el grupo es conveniente iniciar su adiestramiento en las técnicas esenciales de campamentismo.

LA ACAMPADA

Acampar es permanecer en el medio natural, independientemente de los medios con que se realice y de la duración de la estancia. Según los medios que se vayan a utilizar, la acampada puede ser:

Ordinaria

Se llevan tiendas de campaña, hornillos de gas y todo el material previamente preparado y transportado al lugar de la actividad.

De fortuna

En este tipo de acampada se emplea sólo lo que la naturaleza brinda. Por ejemplo, la tienda se sustituye por una construcción con ramas y hojas; el hornillo de gas por el horno de leña, etc.

Vivaqueo

Sólo se utiliza el material individual y lo que la naturaleza ofrece a los acampantes, pero sin modificación como grutas, zonas a cubierto del viento, etc.

TIENDA DE CAMPAÑA

TIPOS DE TIENDAS

Tienda canadiense

Este tipo de tienda es la más utilizada en los campamentos, cuyo uso es adecuado en la media y baja montaña. Se compone de una tienda interior confeccionada generalmente en seda o tejido similar a la que va cosido el suelo de material plástico; por encima de la tienda interior, y sin que haya contacto entre ambas, se coloca el doble techo de material plastificado, cuya función es preservar a la tienda interior de los agentes atmosféricos.

La tienda de campaña es el medio más generalizado para pernoctar en el medio natural, cuya utilización ofrece una gran protección principalmente contra agentes climáticos.

Tienda isotérmica

De construcción muy similar a la canadiense, sólo que presenta un ábside anterior y posterior y, la tienda interior va cosida a la exterior por la parte inferior, donde se une con el suelo de cubeta. Es muy útil en alta montaña por su poco peso, su amplia capacidad y sus excelentes cualidades térmicas.

Tienda túnel

La más utilizada en alta montaña por combinar perfectamente poco peso con muy buenas cualidades térmicas. Sus mástiles, de fibra de vidrio son semicirculares; la entrada en lugar de cremalleras, se cierra con velcro, lo que evita su congelamiento.

Tienda india

Con un solo mástil en la parte central, resulta de gran capacidad, pero no reúne cualidades para ser utilizada en montaña.

Tienda de camping o familiar

Se utiliza para estancias largas en un punto determinado, donde es posible el acceso de vehículos.

Tienda de pared

Utilizada en escaladas de larga duración, debido a su peso mínimo y que no requiere mástiles ni piquetas. Su sección es triangular y se fija a la pared por medio de dos clavijas.

PARTES DE LA TIENDA

1 Cierre de cremallera
2 Suelo de cubeta
3 Piquetas pequeñas
4 Vientos largos
5 Doble techo
6 Abside
7 Palo transversal
8 Vientos largos

MONTAJE DE LA TIENDA

Para el emplazamiento de la tienda los acampantes deben elegir un lugar con las siguientes características:

- Ubicar el campamento cerca de sitios donde se obtenga fácilmente agua potable, lejos de hormigueros, troncos que amenacen con caerse y lejos de las riveras de los ríos.
- Sobre un terreno ligeramente inclinado, para evitar el estancamiento de aguas en caso de lluvia; con el suelo firme pero blando, que no sea una hondonada o un cauce seco.
- Alejado de las zonas habituales de caída de agua; al abrigo del viento, pero que posea sol y sombra.

Para levantar la tienda se debe:

- Limpiar muy bien la zona de todo lo que pueda molestar o dañar el suelo como ramas, piedras, piñas, etc.

- La tienda interior se extiende colocando la puerta en el sentido contrario al viento reinante.
- Las piquetas pequeñas se fijan al suelo, introduciéndolas con una angulación de 25 a 30 grados, para evitar que se salgan por efectos del viento o movimiento en el interior; la cabeza de la piqueta se gira siempre hacia afuera, para evitar que pueda rasgar el suelo.
- Se abren las cremalleras, se colocan los dos mástiles (procurando que queden verticales) y el palo central, y se cierran de nuevo.
- Luego se colocan en la base de los mástiles las piezas de plástico; los vientos cortos, evitando la formación de arrugas y finalmente los vientos largos anterior y posterior, en forma de "V" y bastante separados para facilitar la entrada.
- Se coloca el doble techo, procurando fijar sus anclajes a las mismas piquetas de los vientos cortos de la tienda.
- Una vez finalizadas todas las operaciones de montaje, se modifican las tensiones de los vientos, procurando que los techos queden perfectamente lisos. Para el caso de lluvias se aflojan un poco los vientos. Pero en caso de fuerte viento los vientos se tensan.
- Se excava un pequeño surco alrededor del ábside y los laterales, para facilitar, en caso de lluvia el desagüe.

Para plegar la tienda:

- Se quita el doble techo y se plega
- Luego se quitan los vientos largos y los cortos; se sacan los mástiles, dejando las cremalleras cerradas y se empieza a plegar la tienda sin desclavarla todavía del suelo.
- Se coge por los agujeros de los mástiles y se coloca hacia un mismo lado, evitando las arrugas.
- Se desclava y plega. Una vez plegada la tienda, se coloca encima el doble techo y las bolsas de mástiles y piquetes y, se enrolla todo fuertemente.

MORRAL

Las condiciones que debe presentar un elemento tan importante en la acampada deben ser:

- El morral debe ser impermeable para conservar secos los objetos en caso de lluvia.
- Para aprovechar mejor el espacio, la ropa se debe guardar enrollada y verticalmente.
- Los objetos deben ir agrupados por uso, procurando colocar cargas iguales sobre los costados para balancear el peso.
- En un bolsillo especial deben ir los implementos más indispensables (mapas, linternas, fósforos, lápiz y cuerdas) para encontrarlas fácilmente en caso de necesidad.

Editorial Kinesis

UTENSILIOS DE COCINA

Las cocinas de cartuchos descartables de gas son las más prácticas y confiables, su uso es cómodo y no requiere de demasiada manipulación para encenderlas y apagarlas; además, de que el transporte del combustible está exento de riesgos de filtraciones, no despiden olor.

Es aconsejable rodear la cocina, durante el uso, con una lámina de papel metalizado para que concentre el calor. Esta lámina es muy liviana y el ahorro de tiempo y combustible es notable.

BOLSA DE DORMIR

Un buen saco de dormir debe reunir unas características mínimas que son:

- El material externo debe ser resistente, ligero, impermeable y transpirable.
- El material interno debe ser de poliéster o nylon y el relleno de fibra térmica, sintética o plumón.
- El saco debe ser colgado y aireado (Solo se guardará en la bolsa en caso de viaje).
- Por último se recomienda adquirir un buen aislante, para evitar que penetre el frío al saco.

FUEGO

Antes de encender el fuego, se debe recordar:

- Para hacer cualquier tipo de fuego, es necesario preparar una buena base. Para ello se cortan pequeñas ramas bien secas, que resultan de fácil combustión.
- Cortar alrededor todas las malezas, la hierba seca que pueda incendiarse y llevar el fuego a la pradera o monte.
- Si se incendia la hierba para limpiar, hay que hacerlo poco a poco, cuidándose mucho del viento; aunque en realidad lo más práctico es quitar panes de tierra del suelo y dejarla apilada a un lado, para luego cubrir el terreno al terminar.
- No sobra tener previsto, elementos para combatir eventuales incendios, tales como tierra, agua, etc.

TIPOS DE FUEGO

Pagoda

Este tipo de fuego se hace cuando el suelo está muy húmedo o mojado. La base del fuego se hace con leña verde y las capas superiores con leña seca, disminuyéndose el diámetro a lo alto.

Fuego de zanja o foso

Es un buen fuego para una marcha o campamento volante. Se prepara cavando una zanja cruzada en el sentido del viento, de unos 20 cm de ancho, 60 de longitud y 20 de profundidad; también se puede construir con dos líneas de piedra, ladrillo o tierra, dejando entre ellas el espacio indicado.

Fuego Polinésico

Se hace un hueco en la tierra de la forma y dimensiones en un cubo ordinario; en el fondo se coloca una piedra lisa, una hoja de lata, etc., se enciende con ramas pequeñas en el fondo del agujero y se conserva con troncos de 2 ó 3 cm de espesor y de aproximadamente 30 cm de largo, puesto a lo largo de las paredes; para activar la combustión se ponen ramitas de madera que ardan bien.

Fuego de Estrella

Se construye colocando en el suelo, como radios de una rueda, varios trozos de madera de 25 a 30 cm de longitud y de 3 a 5 cm de grosor. En el centro de los maderos se colocan materiales más fáciles de inflamar. Una vez encendido el fuego central, se van arrimando troncos de madera, colocándolos en estrella.

CABUYERIA

El termino cabuyería es un nombre colectivo que abarca cables, calabrotes, guindalezas, piolas, etc., que pueden fabricarse con fibras naturales o sintéticas, o con alambre.

CUERDA

Una cuerda es básicamente un conjunto de fibras torcidas ó trenzadas entre sí.

NUDOS

Un nudo es un entrelazamiento de las partes de una cuerda o más, a través de una acción con un fin específico en el que se forma una masa uniforme.

Las condiciones que debe reunir un buen nudo son:

- De fácil y rápida hechura
- Resistente
- Útil para lo que se propone
- Fácil de deshacer

El trato que se le debe dar a las cuerdas es muy importante, ya que de él depende en gran medida su durabilidad, se aconseja:

- Evitar contacto directo con: agua, arena, tierra, tintas, pinturas, grasas, etc.
- No arrastrarla sobre superficies ásperas ó filosas.
- Protegerlas de las esquinas vivas con lonas rodillos ó similares.
- Revisarlas minuciosamente cada lapso de tiempo tramo por tramo.
- Almacenarlas en forma adecuada

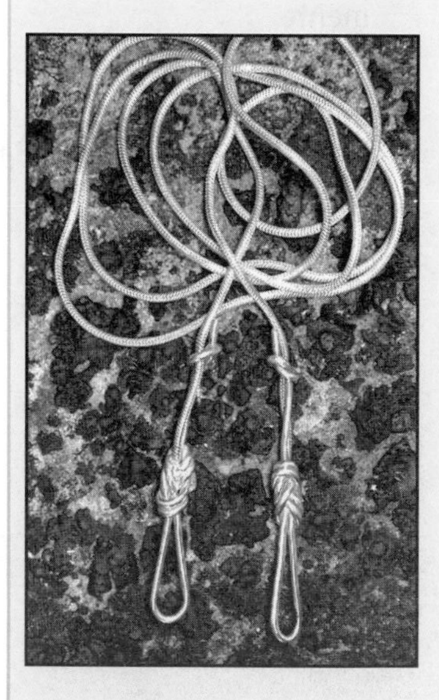

TIPOS DE NUDOS

Nudo simple o medio nudo

Pequeño nudo de uso multiple, que se usa para evitar que el cabo se despase de un cáncamo, motón u otro punto, y en cabos delgados, para que no se descolchen.

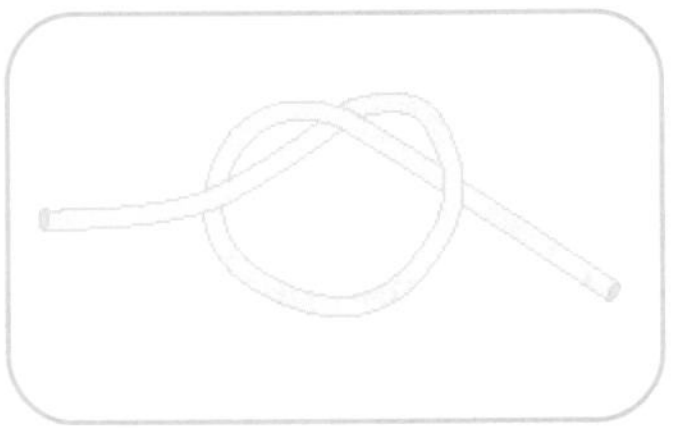

Nudo llano o rizo

Usado para atar cuerdas de la misma mena o grosor. Es muy sólido cuando está tirante y es muy fácil de deshacer. Para hacerlo primero se deben tomar las puntas del cabo una en cada mano y luego colocar la punta derecha sobre la izquierda; luego se finaliza el nudo anudando las puntas en el sentido contrario a como se inició; para este caso: izquierda sobre derecha.

Nudo de Ballestrinque

Se utiliza en especial para atar cabos en objetos cilíndricos, como por ejemplo, un cabo a un mástil. Es un nudo muy sencillo que puede soportar tensiones hacia abajo, aunque es no muy seguro pues se corre lateralmente.

Se toma la punta del cabo, luego se le da una vuelta al poste y con la misma punta se le da otra vuelta al poste pero por el lado contrario. Finalmente la punta pasa por debajo de la vuelta que dio.

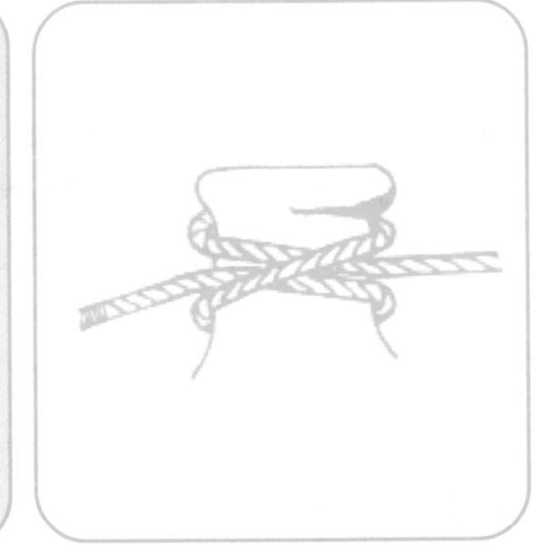

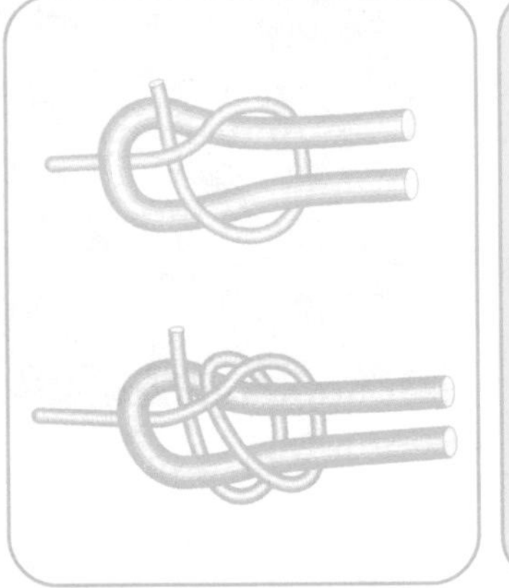

Vuelta de escota

Este nudo se usa para unir cuerdas de diferente grosor, aunque no se recomienda para unir cabuyería sintética.

El nudo de escota simple se hace tomando primero un seno con el cabo mas ancho, luego con el cabo más delgado se ingresa por el seno, se le da la vuelta a las dos partes y al retorno se pasa por debajo del chicote que ingresó por el seno.

El nudo de escota doble, se diferencia del vuelta escota simple porque el chicote da una vuelta completa a las dos partes.

Nudo de acortamiento o margarita

Usado para disminuir la longitud de una soga, cuyas puntas no se desean desatar.

Se hacen tres cotes sucesivos y pasando "A" y "B" por los cotes laterales "C" y "D" respectivamente, se obtiene el nudo.

Nudo As de guía

Llamado el rey de los nudos, corresponde a un lazo fijo, que una vez ajustado, no puede correrse y se usa para hacer un lazo fijo y arrojárselo a alguien en peligro; para hacer anclajes para descensos; para arrastrar un herido, para subir o bajar a una persona, como también para lazar animales, sin peligro de ahorcarlo.

Como primer paso se toma un chicote del cabo, y se le hace una gasa a unos centímetros de la punta; posteriormente se hace cruzar la punta del cabo por la gasa. Una vez que a cruzado se le da la vuelta al chicote y se finaliza regresando saliendo por la gasa donde entró y se ajusta bien.

El as de guía doble, cumple la misma función que el as de guía pero con mayor seguridad ya que para este, se utiliza una soga doble. Se comienza con un cote, cuidando que el firme quede debajo del mismo. Luego se pasa el seno por dentro del cote. Por último se abre el seno "A" y se introduce el seno "B" y se ajusta.

Nudo pescador

Así llamado porque es el que usan los pescadores para unir eficazmente el sedal con que pescan. Puede ser usado para unir cordeles delgados o para unir cuerdas rígidas, cables metálicos y cintas duras de cuero.

Las dos puntas o chicotes del mismo grosor se toman y se anuda una de las puntas al chicote contrario; finalmente se anuda la punta (2) al chicote (1), y se ajusta.

Nudo ocho

Se usa en trabajos de tracción, como nudo de seguridad, y como base para silletines.

Se toma un chicote del cabo y se hace una gasa, dejando unos centímetros o lo necesario en el chicote. Con el chicote separado, se gira por detrás del cabo muerto y se pasa dentro de la gaza realizada anteriormente.

Media llave y dos cotes

Sirve para hacer firmes cabos de amarre en ángulo recto a estacas, caños, etc. Como primer paso se le dan dos vueltas al tronco, tensionando bien el nudo, sobre todo si el tronco u objeto redondo es liso. Luego se anudan los dos cotes, teniendo en cuenta que si es necesario se puede aplicar unos cotes más para dar mayor seguridad.

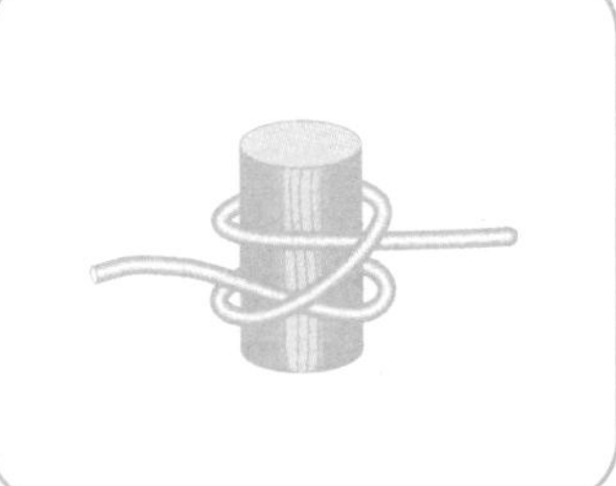

Vuelta de braza

Utilizado principalmente para arrastrar o remolcar maderos, puede atarse muy rápidamente. El extremo de la cuerda se pone alrededor de un palo, mástil o poste, y luego alrededor de la parte de la cuerda que ha quedado tirante, se envuelve varias veces sobre la parte que quedó aplicada.

Nudo corredizo

Se hace sobre el firme y con este se hace un seno que se introduce dentro del cote de arriba hacia abajo. Este debe quedar de tal forma que el nudo simple se corra sobre el firme.

Nudo cadena

Es una sucesión de nudos corredizos, que se van trenzando y que al final adquiere la forma de una cadena;

Una vez hecho un nudo corredizo, se toma el firme, se realiza un seno "B" y se lo introduce en el seno "A" del nudo corredizo; luego se ajusta el seno "A" sobre el "B", tirando desde la posición "1". Se continua el ajuste tirando de la posición "2" , quedando formado un único seno "B".

Se vuelve a repetir y así sucesivamente hasta el largo deseado y se termina pasando el chicote que queda dentro del último seno, fijándose la cadena. Al terminar la trenza se hace un nudo para fijarla. Si una vez finalizado se tira del extremo, la cadena se desarmará fácilmente.

AMARRES

Los amarres sirven para atar troncos juntos en la construcción de instalaciones que se hacen en campamentos, en vez de usar clavos.

Se hacen empleando cordeles resistentes o cuerdas delgadas con los cabos reforzados. La mena de la cuerda depende de la clase de trabajo requerido.

Amarre redondo

Se usa para unir troncos en paralelos, muy utilizado para la confección de astas.

El amarre se inicia con un nudo Ballestrinque aplicado fuertemente alrededor de uno de los troncos, y luego se rodea con la cuerda los troncos, dando las vueltas que se crean necesarias cuidando que cada nueva vuelta pase al lado de la anterior. Luego se introduce la punta de la driza hacia la zona central de los dos troncos, y se comienza a aplicar en ahorque. El amarre se finaliza con un nudo ballestrinque sobre uno de los dos troncos paralelos.

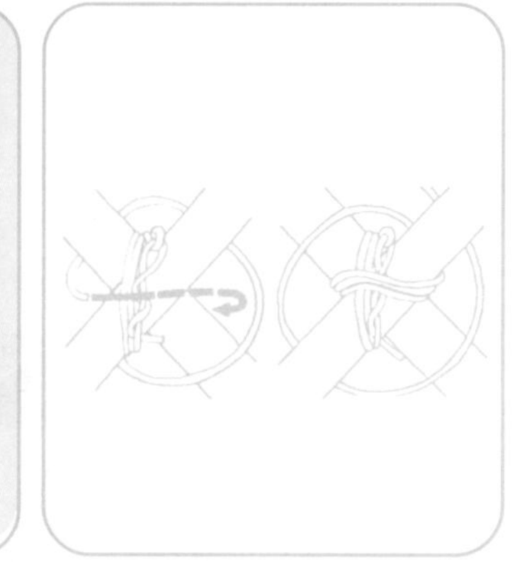

Amarre cuadrado

Se usa para atar troncos que se tocan en ángulo recto, especialmente cuando soportan un peso o tienen la tendencia a correrse hacia abajo.

Sobre el tronco vertical se inicia con un nudo en ballestrinque y luego se van rodeando los troncos dando vuelta arriba del tronco y luego por debajo. Para finalizar se hace un nudo en ballestrinque sobre el tronco horizontal.

Amarre en diagonal

Se usa para atar dos maderos que se cruzan en forma de "X", principalmente cuando los maderos no se tocan y lo que se quiere es forzarlos a estar en contacto.

Se inicia con un nudo en ballestrinque que une los dos troncos aplicado sobre el ángulo mayor, se dan varias vueltas, que dependen de la abertura que se le desee dar al amarre; se ahorca el amarre dando unas dos vueltas entrecruzadas y se concluye rematando con otro nudo en ballestrinque.

Trípode

Usado para unir tres troncos y hacer un trípode. Se inicia con un nudo en ballestrinque sobre el tronco central y se van rodeando cada uno de los troncos; se finaliza con un nudo en ballestrinque para posteriormente girar el tronco central.

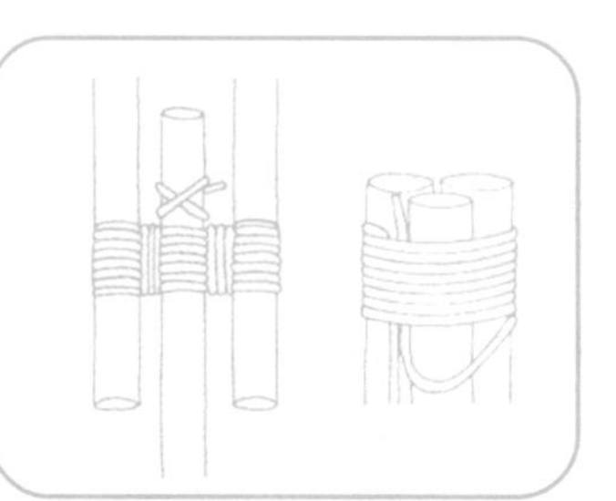

Deportes de Aventura

ESCALADA

La escalada es una especialidad de montaña que consiste en subir rocas o paredes artificiales con las manos y piernas, valiéndose exclusivamente de las piezas que sobresalen del muro para llegar lo más alto posible.

Cada ruta tiene un nivel de dificultad particular que depende de la longitud de la ruta, el tamaño y la distancia entre los apoyos.

TIPOS DE ESCALADA

Los diferentes tipos de escalada, se distinguen de acuerdo con diferentes variables como son: estilo, tipo de terreno, equipamiento, clima, etc.

ESCALADA ARTIFICIAL

En esta utilizan los anclajes como los puntos esenciales de avance. Este tipo de escalada se realiza en paredes prácticamente carentes de apoyos o grietas naturales. Generalmente este tipo de escalamiento se lleva a cabo apoyándose en escalerillas de cinta de nylon llamadas estribos.

ESCALADA DEPORTIVA

Se realiza en paredes artificiales o acondicionadas especialmente (palestras), que imitan las escabrosas murallas de piedra de las montañas, en donde el apoyo para los pies y manos lo constituyen piedras artificiales. Posee alto grado de dificultad, por lo que los deportistas escalan asegurados con un elástico y protegidos con un casco.

ESCALADA EN HIELO

En este tipo de escalada donde el terreno excede los 60° de inclinación, se debe emplear una técnica, equipamiento y entrenamiento más especializado.

ESCALADA EN ROCA

Este tipo de escalada se lleva a cabo en zonas montañosas de paredes rocosas de más de 60° de inclinación donde es indispensable usar las manos para avanzar. Su objetivo principal, a diferencia del montañismo es la utilización del medio por el cual se llega a la cumbre y no hacer cumbre. Se lo puede subdividir inicialmente en escalada libre, donde para avanzar se utilizan sólo las manos, pies y cuerpo y, escalada artificial, donde se recurre a las herramientas propias de la escalada para el ascenso.

ESCALADA EXTERIOR

Este tipo de escalada se practica en paredes que tienen agarres y apoyos formados por accidentes naturales de la roca, donde el escalador se puede sostener.

ESCALADA INTERIOR

Es aquella donde el avance se hace principalmente introduciendo pies y manos y atascándolos o encuñándolos para avanzar. Todo el cuerpo o parte de él se introduce a grietas de diferentes tamaños para ascender por ellas.

ESCALADA LIBRE

Se utilizan solamente manos, pies o alguna parte del cuerpo para poder subir la pared. Puede usarse anclajes con el objetivo de seguridad.

ESCALADA MIXTA

Nos referimos cuando la pared rocosa tiene condiciones de alta montaña, o cuando podemos encontrar hielo y roca simultáneamente. Por eso se utilizan elementos técnicos y equipos especiales para su desempeño, tanto de escalada en roca como de escalada en hielo.

ESCALADA SUPERLIBRE

Es una variedad de la escalada libre, que se diferencia de las otras por no usar ningún tipo de instrumento de protección.

ESCALADA NATURAL

En esta escalada se intenta usar la mínima cantidad de instrumentos que dañen la roca.

EQUIPO

Aunque cada tipo de escalada requiere de un equipo específico, el material básico para escalar es el que sigue:

LA CUERDA

Las cuerdas de escalada se fabrican en perlón (Poliamida) y su estructura se divide en dos partes perfectamente diferenciadas: la camisa o parte externa y el alma o parte interna). Fundamentalmente existen las cuerdas simples de 10-11,5 mm de diámetro y las cuerdas para usar en doble de 8-10 mm de diámetro, que solo deben utilizarse de esta manera, y presentan ventajas en terrenos alpinos. Gracias a su resistencia y elasticidad, las cuerdas no se rompen en fuertes caídas, salvo cuando golpean contra bordes agudos de la roca o se deslizan por ellos.

ARNÉS

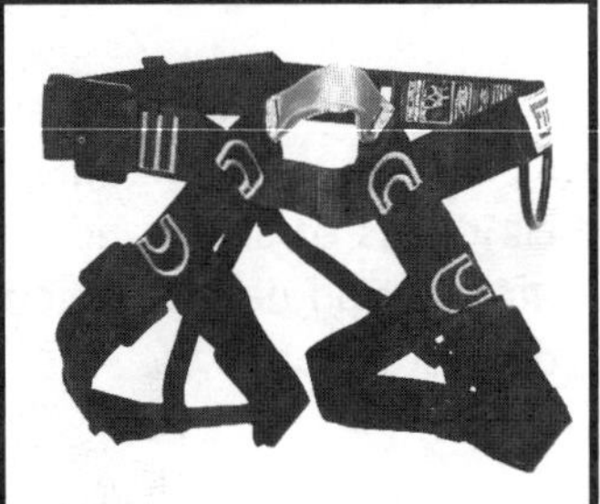

Existen dos tipos fundamentales de arnés de cintura: El de tipo simple, sin cierre y bastante ligero que debe cerrarse mientras no se está encordado con un trozo corto de cinta plana y el arnés con cierre incluido, que queda listo para su utilización una vez cerrado y pasado hacia atrás.

Además de estos tipos de arnés existen también los arneses con dos bucles altos para el encordamiento situados lateralmente, así como varios tipos de arneses completos (arnés de pecho y cintura). Los arnés de pecho presentan también dos modelos: de forma el clásico, y en forma de ocho, que más recomendable por su menor peso y mayor comodidad.

CASCO

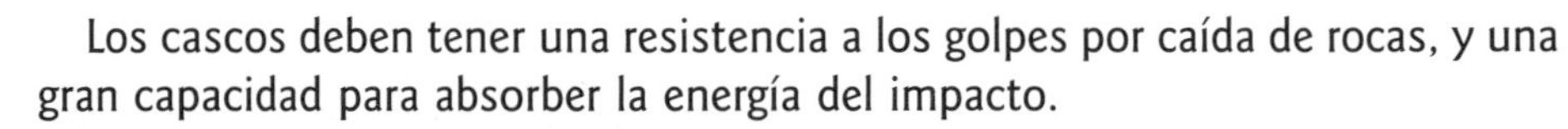

Los cascos deben tener una resistencia a los golpes por caída de rocas, y una gran capacidad para absorber la energía del impacto.

Tanto el barboquejo como las cintas de la nuca, deben garantizar que el casco no resbalará sobre la cara o hacia atrás en caso de caída o movimiento brusco.

CALZADO

Para la escalada se emplean, en general, suelas de goma muy blandas cocida sin relieve. Las suelas con relieve sólo se utilizan en montaña, cuando hay que superar superficies resbaladizas, o para adaptarle los crampones.

El calzado de escalada que actualmente se encuentra puede dividirse en tres grandes grupos con varios tipos intermedios:

- *Bailarinas*: se sujetan al pie por medio de una banda elástica, tienen suelas muy finas y se prestan especialmente a la escalada en adherencia.
- *Zapatos blandos o semirígidos*: Son bastante polivalentes, por lo que se

recomienda para varios tipos de roca. Se ajustan generalmente con cordones, aunque pueden venir reforzados también con una banda elástica, tienen suelas flexibles que pueden doblarse con facilidad tanto en sentido longitudinal como transversal.

- *Zapatos rígidos*: Son especialmente adecuados para mantenerse sobre regletas y apoyos pequeños. Tienen suelas que a la altura de los dedos, pueden doblarse ligeramente en sentido longitudinal y apenas en sentido transversal, pero se desgastan con relativa rapidez en el canto interior a la altura de los dedos. En el momento en que la suela se despega, se les pueden reemplazar, aunque a costo de una ligera pérdida de precisión.

MOSQUETONES

Los mosquetones sirven en primer lugar para pasar la cuerda por los seguros intermedios. Deben tener una resistencia a la rotura de 20 Kn y una resistencia mínima (abiertos y en dirección transversal) de 6 Kn.

Además de los mosquetones de uso habitual, encontramos algunos de formas especiales:

Los *mosquetones con cierre de seguridad* se diferencian de los mosquetones normales en que el cierre se puede asegurar en su posición de cerrado.

Los *mosquetones con cierre oblicuo* presentan la ventaja de dejar el cierre encajado en estado de máxima apertura, facilitando el mosquetonaje de seguros alejados.

Los *mosquetones ovales* presentan la desventaja de tener una menor resistencia respecto a las formas de D, debido a la mayor distancia existente entre el punto en el que se aplica la fuerza y el lateral del mosquetón.

Los *mosquetones revirados*, evitan que la cuerda se salga, por lo que es aconsejable disponer de un par de ellos para determinadas situaciones, pero normalmente no ofrecen ninguna ventaja.

Los *mosquetones con el cierre curvado*, son muy recomendables ya que su diseño facilita la entrada de la cuerda en el mosquetón, no obstante su principal desventaja radica en el hecho de que si se mosquetea incorrectamente, facilita la salida de la cuerda.

CINTAS EXPRESS

Son pequeños anillos de cinta, cosidos o anudados, que unen dos mosquetones. Se utilizan generalmente para pasar la cuerda por los puntos de seguro intermedios con la finalidad de disminuir el rozamiento de la cuerda, y con ello, el esfuerzo que realiza el primero para tirar de esta.

Las cintas express ideales son aquellas relativamente delgadas y confeccionadas en un material de alta resistencia, o bien aquellas que presentan unos estrechamientos en las zonas de la cinta en contacto con los mosquetones. Igualmente deben ser bastante cortas (10 a 15 cm.).

CORDINOS

Los cordinos con un diámetro de 4 a 8 mm están normalizados deben tener una resistencia a la rotura de 320, 500, 720, 980 o 1281 Kp.

Los cordinos son especialmente necesarios para los aficionados a la escalada en arenisca (anillos, puentes de roca, etc...), así como para los aficionadaos a la escalada artificial.

EL OCHO

Es un mecanismo dinámico de bloqueo fabricado en aluminio y en forma de ocho, especialmente diseñado para el descenso.

FISUREROS

Los fisureros sirven como seguros intermedios y se pueden utilizar, en caso de necesidad, como cintas express.

Presentan muchas formas, entre las que encontramos: el fisurero simple (bicoin), de forma ligeramente trapezoidal y el fisurero hexéntrico, de forma de hexágono irregular.

EQUIPO PARA ESCALAR EN HIELO

- Grampones automáticos
- Bastones
- 2 Piquetas (piolet y martillo)
- Botas plásticas
- Polainas
- Casco de escalada
- Gafas contra luz ultravioleta
- 6 Mosquetones con seguro
- 30 Mosquetones simples
- Cintas tubulares
- Cuerdas
- Tornillos de hielo
- Cordín grueso

EQUIPO PARA ESCALAR EN ROCA

- Pies de gato (zapatillas de escalada)
- Arnés de escalada
- Casco de escalada
- Mosquetones con seguro
- Mosquetones leva curva y recta
- Cintas tubulares de 20 a 80 cm.
- Cintas tubulares de 1.2 metros
- Juego de frieds o camalot (empotradores para la roca)
- Juego de stopper
- Sacastopper
- Juego de clavos
- Martillo común
- Cuerda de escalada 10.5 mm.
- Cordín

Deportes de Aventura

ESPELEOLOGÍA DEPORTIVA

La Espeleología es la parte de la geología, que se encarga del estudio del origen y formación de las cavernas al igual que de la exploración y estudio de su entorno tanto dentro (endokarst), como fuera (exokarst) de las mismas.
Debido a la complejidad que representa, la espeleología es una actividad que requiere de una técnica y del aporte de diferentes disciplinas;
distintas áreas del conocimiento se encargan de los estudios hídricos, morfológicos, topográficos, climáticos, y de los fenómenos propios de las simas y las cavernas.
A su vez, la espeleología también aporta importantes datos para estudios paleontológicos, antropológicos, arqueológicos, etc. Estos conocimientos, derivados de la ciencia tradicional, en conjunto con la espeleología, forman disciplinas científicas relativamente nuevas, como por ejemplo: la espeleobiología (estudio de la vida cavernícola), espeleopaleontología (estudio de los rastros del pasado), espeleohidrología (estudio de los mantos freáticos), espeleometría (medición de las condiciones en las cavernas), espeleotopografía (medición y cartografía de cavernas), etc.
Si bien el origen de la espeleología se fundamenta en la ciencia, con el "boom" de los deportes de aventura, esta ciencia paulatinamente se ha ido transformando o, más bien, ha ido compartiendo sus actividades con el deporte, dando como resultado la denominada espeleología deportiva, cuya práctica lleva a los aficionados al maravilloso mundo subterráneo, introduciéndolos en los aspectos científicos de la ciencia espeleológica.

HISTORIA

Lo que se conoce hoy como espeleología moderna, comenzó a desarrollarse a mediados del siglo XIX, en Francia, gracias a entusiastas que como Norbert Casteret y Edouard-Alfred Martel, iniciaron las técnicas de exploración de cavernas, con el único fin de descubrir los misterios del mundo subterráneo. El nombre de espeleología lo aportó Emìle Rivère, en 1890, quien acuñó el término a partir de las palabras griegas *espelaion* que significa Caverna y *logos* que significa tratado.

Esta actividad se extendió rápidamente por Europa, cobrando mucha fuerza a partir de 1960, fecha en la que se creó la F.E.E. y la FF.TT.EE. y se comenzaron a organizar congresos internacionales. No obstante entre la década de 1960 y 1970, la motivación por la exploración subterránea estaba fundamentada principalmente en investigaciones científicas. Debido a la gran dificultad para ingresar a los grandes abismos, se comenzaron a utilizar y adaptar técnicas originalmente desarrolladas para el alpinismo, dando lugar así a la modalidad deportiva de esta disciplina; posteriormente, el afán de aventura motivó una modalidad netamente deportiva. Durante mucho tiempo se estuvo descendiendo barrancos de poca dificultad, de cauces amplios y pequeños saltos de agua, pero con la aparición de nuevas técnicas en la escalada y la espeleología, se perfeccionaron dichas técnicas deportivas para acceder a zonas cada vez más complicadas, o para salir de ellas.

MODALIDADES

DESCENSO DE CAÑONES O BARRANCOS

Esta actividad que mezcla técnicas de espeleología y de montaña, consiste en descender a lo largo de cortes naturales en la montaña formados por la erosión del agua, salvando sus desniveles.

Normalmente los cañones se recorren en el sentido de la corriente y las progresiones en muchos de sus tramos se pueden realizar a pie, pero en donde se encuentran verticales se deben realizar rappel, destrepes, saltos y oposición, además se pueden encontrar sitios donde hay necesariamente que nadar, deslizarse o sumergirse bajo las aguas de los toboganes.

ESPELEOBUCEO

Se trata de un campo especializado de la espeleología que combina las técnicas de buceo con las de la espeleología deportiva, realizada para la exploración de cavidades marítimas, sifones, y pasos inundados de las cavidades.

Las progresiones en esta práctica son muy lentas, ya que se deben transportar los equipos, además, de requerir de una técnica especial para no levantar los residuos del fondo, lo que reduciría a cero la visibilidad (de por sí escasa).

FORMACIÓN DE CAVIDADES

Del mismo modo en que existen varios tipos de cavidades, éstas corresponden a diferentes maneras de formación. Algunas se forman debido a la incidencia de las olas del mar a lo largo de una costa rocosa; otras deben su formación a los flujos piroclásticos de los volcanes; otras a los movimientos de las placas terrestres, las cuales sufren movimientos por cambios de la estructura del terreno dejando grietas que al cubrirse forman cavidades subterráneas. Sin embargo, la mayoría de las cavernas y las más grandes, se forman en piedra caliza producto del agua subterránea.

las cavidades en la tierra se forman a partir de agua y rocas.

Aunque este último proceso de formación de cavidades es relativamente fácil de explicar, éste tarda miles de años. *Veamos*: las cavidades en la tierra se forman a partir de agua y rocas. El proceso comienza al caer la lluvia que, al entrar en contacto con la atmósfera se mezcla con el anhídrido carbónico, formando ácido carbónico; este ácido, atraviesa el suelo y la piedra caliza debajo de él penetrando en pequeñas grietas y ampliándolas por disolución, ya que el ácido carbónico a su paso por el terreno de piedra caliza forma bicarbonato de calcio. Con el tiempo el agua va horadando, excavando, y puliendo la tierra; las grietas al ampliarse, van formando pasajes cada vez más anchos, dependiendo de la rapidez con la que la piedra caliza se disuelva. Una vez los torrentes han hecho su trabajo, dan paso a las gotas para la génesis de los espeleotemas que se encuentran bajo tierra.

Debido a que la composición química de la piedra caliza varía, las cuevas tendrán una trayectoria sinuosa, siendo horizontales en los lugares con mayor resistencia a la disolución y verticales en los lugares de piedra caliza más pura.

BÚSQUEDA DE CUEVAS

Aunque hay cuevas muy conocidas que son relativamente fáciles de encontrar, hallar nuevas cuevas requiere de una serie de condiciones previas. Cuando se explora una cavidad por primera vez se debe:

1. Localizar las coordenadas exactas o aproximadas de la zona a explorar.
2. Recoger la mayor cantidad de información posible sobre la zona (mapas geológicos, fotografías aéreas, mapas topográficos, hidrológicos, etc), que dan una idea aproximada de las características del lugar.
3. Hacer un pequeño croquis de la cavidad, que se pulirá más adelante con el levantamiento de la topografía.
4. Una vez en el terreno, se procede a localizar la boca de las cuevas, que en muchas ocasiones pueden estar obstruidas por bloques, piedras, tierra, barro, etc. y que es necesario limpiar.
5. Elaborar un mapa de la caverna, para así aportar datos como la extensión, profundidad y situación de la cueva. Para tomar medidas, entonces se debe contar con una brújula, clinómetro, cinta métrica, trípodes, niveles y material para anotar los datos.

6. Durante la exploración subterránea se encuentran estrecheces, ensanchamientos, meandros, laminadores, resaltes, pozos y gateras, por lo que se debe de tomar nota de los datos topográficos, composición de las rocas, fauna cavernícola, dirección y desnivel de la cavidad, concreciones (espeleotemas: columnas, gours, estalactitas, etc.), etc.

MATERIAL NECESARIO

El material necesario para una incursión básica en una cavidad debe contar con materiales que faciliten la labor y ofrezcan una adecuada seguridad a los practicantes.

A pesar de que determinadas condiciones, propias de la caverna, obligan a los espeleólogos a adoptar uno u otro material (ropa, alimentación, equipo de pernócta, embarcaiones, etc.), los principales elementos que componen este material son:

- Casco protector, provisto de una lámpara en la parte frontal;
- Indumentaria compuesta normalmente de una sola pieza (Mono interior que brinda calor y mono exterior diseñado para la protección del espeleólogo).
- Guantes y Rodilleras
- Botas para montaña y para agua. Los accesos a las cuevas suelen ser accidentados, por ello se requiere de un buen calzado para la aproximación, (como las botas de trekking).
- Mochila confortable.
- Por lo menos tres fuentes de luz, de las cuales al menos una debe ser eléctrica;
- Atalaje, compuesto por un conjunto de cinturones que permiten sujetar las cuerdas al deportista. El arnés de espeleología tiene el punto de anclaje desplazado hacia abajo, para poder utilizar eficazmente el bloqueador de pecho. Se utiliza junto con un arnés de pecho, ya que sino y debido a su punto de anclaje más bajo que los utilizados para escalada, podría resultar muy inestable y peligroso. Disponen además de protecciones para reducir la abrasión a la que están sometidas sus cintas a lo largo de las cavidades.
- Escaleras de cable;
- Bolsas para material diverso;
- Cuerdas;
- Botes neumáticos;
- Material de inmersión
- Cabos de anclaje, que se utilizan como medida de protección y aseguramiento en el paso de fraccionamientos, desviadores, rapel guiado, empalmes, tirolinas, pasamanos, péndulos, etc.
- Polea;
- Una cuerda auxiliar de 15 m. y de no menos de 9mm. de diámetro;
- Linterna de repuesto;

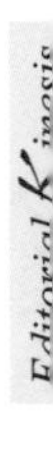

- Cantimplora con agua y algo de comida;
- Morral provisto con un pequeño botiquín;
- Una manta térmica de buena calidad;
- Un bidón estanco para proteger el material delicado, como cámaras fotográficas, o para no mojar la ropa;
- Quien instala debe llevar una juego completo de instalación, con maza, llave del 13, burilador, spits, chapas surtidas, cintas, clavos y todos aquellos elementos necesarios para instalación;
- Para simas, cuevas mixtas, y cavidades con agua, se necesita un material específico que consta de: un arnés de pecho y otro de cintura; puño con estribo, Croll, Baga de anclaje, stop, ocho, Dressler, Rack, todos ellos asegurados por el Shunt.

RECOMENDACIONES PREVIAS

La espeleología deportiva, debido a que es un deporte de mucho riesgo, es una actividad que exige mucha experiencia, prudencia y preparación física, técnica y psicológica. Por ello, se deben seguir ciertas normas:

- Para iniciarse es importante dirigirse a clubs federados, empresas especializadas o compañías de guías de barrancos que acrediten experiencia.
- Tener una clara conciencia ecológica. Dejar la caverna totalmente limpia y si se realiza algún descubrimiento importante, dar aviso inmediato a las autoridades científicas correspondientes.
- Es imprescindible saber nadar, ya que hay pasos en los que se requiere nadar.
- Es imprescindible un traje de neopreno, debido a las bajas temperaturas del agua, así como una cuerda de gran longitud, unas zapatillas especiales y un casco.
- Esta actividad no se debe realizar si están previstas tormentas, si se tiene la certeza que lloverá o en época de deshielo en barrancos superiores que reciban el agua de la nieve.
- Se debe estar muy bien preparado, conocer los itinerarios de acceso, posibles escapes, material necesario, dificultades, longitud del recorrido y épocas recomendadas para efectuar el descenso.
- Nunca se debe iniciar el descenso de barrancos en solitario y sin tener una información previa de su situación actual, y de las condiciones climatológicas. Es importante además, comunicar a las autoridades correspondientes la trayectoria prevista y el tiempo estimado que llevará realizarla.
- Es necesario contar con el material que se acomode a las necesidades técnicas.
- Es imprescindible llevar al menos tres fuentes de luz, y de éstas, por lo menos una debe ser eléctrica.

Existen varios tipos de cuevas, desde las cuevas horizontales hasta las profundas simas, todos ellas requieren distintos niveles de preparación y experiencia.

Cueva

- Caverna o cavidad. Cavidad subterránea predominantemente horizontal. Dentro de ella se encuentran salas, laminadores, galerías, pozos, ríos subterráneos y otras formaciones como estalactitas, estalagmitas, columnas, excéntricas, etc.

Sima

- Cavidad de tipo vertical que suelen ser pozos de distintas profundidades.

Cueva mixta

- Cueva con tramos horizontales y verticales.

Cueva fósil

- Cueva que se encuentra totalmente seca.

Cueva activa

- Cueva por la que transcurre un río, o un aporte hídrico significativo.

Fuente vauclasiana

- Surgencia ascendente de agua, que suele apreciarse más claramente en los heissels.

Trop-plein

- Aporte de caudal por sobrecarga. En el techo de algunas cavidades se observa que es perfectamente liso, y aparece una especie de surco. Esto indica que en un tiempo remoto el nivel del agua estaba a esa altura, y el surco es consecuencia de ese trop-plein.

Surgencia

- Fuentes o manantiales. Es la salida de agua al exterior, procedente de las rocas y extrapolándolo, procedente del interior de una cueva o acuífero. Pueden ser permanentes, periódicas o intermitentes.

Pérdidas

- Punto de un río subterráneo por donde desaparece su cauce, yendo su aporte al interior de la tierra.

Resurgencias

- Parte del río subterráneo donde reaparece.

MONTAÑISMO

Aunque ascender a las grandes cimas del mundo es el propósito de todo montañista, actualmente, este deporte que no representa la competición en los términos de otros deportes, engloba toda una serie de actividades que se diferencian en gran medida unas de otras.

TIPOS DE MONTAÑISMO

La amplia difusión de las actividades al aire libre han favorecido la difusión del montañismo como deporte y como turismo de montaña, inspirando una gran variedad de actividades que se practican con diferentes características. Se distingue primeramente el "montañismo estival" del "montañismo invernal". El montañismo se diferencia también, según las características de la montaña, en escalada sobre roca y sobre hielo.

El primer tipo de montañismo consiste en superar zonas peligrosas, a causas de las condiciones de la roca y presenta las dificultades inherentes a la diferente naturaleza de la roca sobre la cual es necesario moverse, escogiendo bien el punto donde apoyar el pie y asirse.

La escalada sobre hielo se practica con el auxilio de clavijas para hielo y de un piolet y requiere de sus practicantes conocimiento de la resistencia de la nieve, capacidad de resistir en equilibrio bastante inestable, y la posibilidad de determinar la corriente de los glaciares para descubrir más fácilmente la presencia de grietas

El montañismo sobre recorridos de extrema dificultad, sin guía, pero con el auxilio de todos los instrumentos y equipos, se conoce con el nombre de técnica artificial, que puede practicarse en estilo alpino, una forma de ascenso en la que se tiene en cuenta la manera en que se asciende y no la técnica usada, ya que se realiza en poco tiempo y con la menor cantidad de equipo posible.

El estilo expedición, se desarrolla a través de campamentos intermedios, pues es la modalidad empleada para acceder a las cumbres más altas.

HISTORIA

Las primeras referencias de la práctica del montañismo provienen de la Grecia antigua, sin embargo el montañismo moderno se remonta a fines del siglo XVIII, cuando geógrafos y geólogos iniciaron la exploración científica de los Alpes, por lo que en muchas ocasiones se hace referencia al alpinismo.

Poco a poco este interés científico se transformó en afición, y así el primero en practicar el montañismo como deporte fue el médico francés Michel Gabriel Paccard, quien en 1786 escaló los 4807 m del Monte Blanco, en busca del premio ofrecido por el naturalista suizo Horace Bénedict de Saussure. Un año más tarde, este mismo monte sería escalado en una expedición científica, por el propio de Saussure. A partir de ese momento la escalada a montañas se volvió una práctica más frecuente, por lo que se perfeccionaron las técnicas y los equipos.

En 1857 se creó en Londres la primera asociación de alpinistas del mundo, que llevó el nombre de Alpine Club al que pertenecía la aristocracia inglesa. Pronto esta iniciativa fue seguida en toda Europa.

Para 1860, todas las montañas de los Alpes habían sido escaladas, por lo que los nuevos retos de los montañistas se enfocaron en las cumbres de los Andes en Suramérica; otros picos en Norteamérica, África y la cordillera del Himalaya.

En 1897, fue coronada por primera vez la cima más alta de los Andes, el Aconcagua argentino de 6.960 metros.

A principios del siglo XX, muchas de las cumbres del Himalaya, ya habían sido conquistadas, hasta que en 1953 el neozelandés Edmund Hillary y el serpa nepalés Tenzing Norgay, consiguieron por primera vez escalar los 8848 metros del Everest en el Himalaya. En 1954 el K2 y sus 8610 metros del segundo pico más alto del mundo fue conquistado por Achile Compagnoni y Lino Lacedelli.

El nacimiento de la escalada se dio a partir de 1960, cuando los montañistas empezaron a buscar nuevas rutas de ascenso de las montañas ya escaladas, buscando pendientes más difíciles o de cualidades particulares. Paralelamente al interés de subir a los picos del mundo, muchos aficionados a ello encontraban paredes rocosas que debían ser sobrepasadas para encontrar un camino que les permitiera ascender.

En un principio, la escalada se desarrolló en la montaña, pero en la última década las paredes artificiales han cobrado auge por la comodidad de poder ser instaladas en cualquier lugar, surgiendo así la escalada deportiva.

En 1989 se organizó el primer campeonato mundial de escalada.

Los aventureros que buscaban fuertes emociones, normalmente encontradas en regiones distantes y de difícil acceso, a las cuales solo se llegaba después de largas caminatas en terrenos accidentados, dieron paso al moderno concepto de trekking, como una actividad que posibilita un mayor contacto con la naturaleza, sin la necesidad de requerir para ello días de excursión.

EQUIPO BÁSICO

ARNÉS

Sistema de anillas, cuerdas o ambas que se coloca en el cuerpo o la cadera de un escalador. Al arnés se ata la cuerda y es esto lo que recibe el mayor impacto en caso de una caída ya que distribuye el peso adecuadamente.

BOTAS

Calzado especial para montañistas. Existen diferentes clases: botas para alta montaña, generalmente de plástico especial y de suela rígida para poder escalar en hielo; botas para caminatas o tenis de acercamiento.

CABLE

Alambre de acero de la cual penden algunas partes del equipo de escalada, como los stoppers.

CRAMPONES

Herramienta metálica que se coloca en la planta de las botas. Generalmente tiene doce puntas que se hunden en la nieve o hielo; de ellas, dos son las llamadas frontales que se clavan en el hielo cuando se escala en paredes, permitiendo avanzar sobre ellas o trepar por los ventisqueros.

CUERDA

Fabricada en nylon, está formada por dos partes: el *alma o* la parte interior de la cuerda, que da soporte y fuerza a la cuerda y el *forro*, que protege el alma. La combinación entre ambas da la capacidad de resistencia y absorción de impacto de una determinada cuerda.

Existen dos variedades: *La cuerda dinámica*, diseñada para absorber una gran parte del impacto generado en una caída, por lo que es un poco elástica y tiene una longitud aproximada de 50 metros; es utilizada principalmente por escaladores. *La cuerda estática*, no puede absorber el impacto, por lo que tiene poca elasticidad; su longitud varía desde 20 metros hasta más 500 metros; es usada generalmente por espeleólogos.

GOGLES

Lentes oscuros con protección a los rayos ultravioleta que se usan en alta montaña.

MOCHILA

Son anatómicas para crearle al montañista una mayor comodidad; su tela es impermeable y antidesgarro, y existen de distintas capacidades.

Mochila de ataque: Mochila pequeña, en la cual se pone lo indispensable para realizar el asalto a una cima.

MOSQUETÓN

Herramienta principal construida de duraluminio. Su forma clásica es ovalada y con un pestillo, el cual se abre en uno de los lados; Sirve para unir anclajes, cuerdas, personas, arneses, etc. Está formado por cuerpo y puerta.

Existen dos tipos de mosquetón: el *clásico*, que se utiliza para la mayoría de las maniobras durante la escalada y el *mosquetón con seguro*, que presenta una rosca y una tuerca que impiden la apertura de la puerta una vez cerrado el seguro.

PIOLET

Es la principal herramienta de un montañista. Sus partes son: *regatón* o parte inferior constituida por una punta metálica, *mango* y *cabeza*. La cabeza consta de

una *pica* o la parte anterior de la cabeza del piolet, que se utiliza para escalar en hielo o frenar una caída; una *hachuela* o parte posterior del piolet, que tiene la función de cavar rápidamente en la nieve o el hielo y una *cruz* o parte donde se encuentran la hachuela, la pica y el mango, además de un *ojillo* u orificio en la parte central de la cruz del piolet.

STOPPERS

Protecciones que tienen forma de cuña simple. Se utilizan en grietas de diferentes tamaños.

TORNILLOS PARA HIELO

Es una protección metálica que se hunde en la nieve muy dura o en el hielo a base de enroscarlo.

TENIS DE ACERCAMIENTO

Pueden ser conocidos como tenis de trekking. Es un calzado ligero y fuerte con todas las características más deseables y necesarias de una bota, como dureza y resistencia, y las de un tenis deportivo, que proporcionan ligereza y comodidad.

TENIS DE ESCALADA

Es un calzado especial diseñado específicamente para escalar paredes. Están recubiertos de hule, tienen una suela lisa y son completamente antiderrapantes, ligeros y flexibles.

VESTUARIO

Las prendas de vestir son escogidas teniendo en cuenta principalmente la altitud y las condiciones climáticas del lugar a donde se desee accesar. No obstante se recomienda que estas prendas sean flexibles y resistentes.

EQUIPO PARA ALTA MONTAÑA

Debido a que la alta montaña, es de gran exigencia, la lista de equipamiento básico es un tanto extensa, pero imprescindible para todo lo que este deporte exige.

- Botas dobles de cuero o plástico, provistas de plantillas de goma espuma de celdillas cerradas. Éstas durante las noches deben desmontarse para que se sequen, y ser introducidas, junto con la bota interior, dentro de la bolsa de dormir.
- Botas de Trekking para el acercamiento a los campamentos bases.
- Zapatillas de descanso.
- Medias gruesas.
- Barrera de vapor (opcional).
- Ropa interior capilene o similar.
- Camisa gruesa
- Buzo polar.
- Campera Polar.

- Chaleco de duvet.
- Pantalón polar o similar.
- Guantes de Capilene.
- Mitones de lana o guantes de abrigo.
- Cubre guantes impermeables.
- Gorro para sol.
- Gorro de abrigo con cubre orejas.
- Pasamontañas capilene.

- Pasamontañas polar.
- Pantalón y anorak cortavientos.
- Polainas.
- Lentes para sol.
- Bastones para caminar.
- Bolsa de duvet o fibra sintética para temperaturas extremas.
- Colchoneta de insolate. Los colchones aislantes de goma espuma de celdillas cerradas son imprescindibles para las frías noches en la altura, pues reducen notablemente la pérdida de calor por conducción.
- Carpa de alta montaña de muy buena calidad y resistente a los fuertes vientos.
- Utensilios de cocina y vajilla. Las cocinas de cartuchos descartables de gas son las más prácticas y confiables, su uso es cómodo y no requiere de demasiada manipulación para encenderlas y apagarlas; además, el transporte del combustible está exento de riesgos de filtraciones; no despiden olor.
- Es aconsejable rodear la cocina, durante el uso, con una lámina de papel metalizado para que concentre el calor. Esta lámina es muy liviana y el ahorro de tiempo y combustible es notable.
- Botiquín personal.
- Cocina a gas o bencina.
- Linterna frontal y las correspondientes baterías.
- Cremas con protección UV.
- Mochila.
- Saco de nylon tipo trekking.
- Piqueta, grampones, reloj, altímetro, termómetro, largavistas, etc.
- Alimentacion: En lo que se refiere a la alimentación, durante las marchas de aproximación a los campamentos bases, y permanencias en estos, se recomienda una alimentación en base frutas y hortalizas frescas, leche, huevos, y carnes.

En altura, se deberá considerar el contenido calórico de la alimentación, para compensar la pérdida ocasionada como consecuencia de los esfuerzos realizados. Se debe ingerir diariamente, no menos de 3 litros de liquidos y reforzar la alimentación con suplementos vitamínicos.

Deportes de Aventura

ORIENTACIÓN

La Orientación es una modalidad deportiva de contacto con la naturaleza en la que se realiza competiciones atléticas a campo traviesa, contrarreloj y sin itinerario prefijado, donde se hace una rápida elección de ruta entre las numerosas posibilidades, siendo capaz de seguir una ruta marcada, ya que se tiene la obligación de pasar por unos controles señalados en el mapa, y cuyo objetivo es realizar en el menor tiempo posible un recorrido marcado en el plano y sobre el terreno por puntos de control.

La carrera se realiza desde la salida hasta la meta visitando los puntos de control en el orden indicado sobre el plano, de manera individual y con la brújula como único instrumento válido de ayuda. Todos los competidores cuentan con una tarjeta de control, que suele llevarse en un sobre de plástico junto con el mapa; ésta es el instrumento que demuestra que cada competidor ha localizado cada punto de control y el tiempo que tarda en realizar el recorrido completo.

Editorial Kinesis

HISTORIA

Las carreras de orientación tienen su origen en los países escandinavos, cuando a finales del siglo XIX, se organizaron allí competiciones militares de orientación que consistían en pasar mensajes a través de los bosques helados. Desde allí se extendió al resto de Europa. Durante los primeros años de la orientación como deporte se utilizaron mapas topográficos rusos a escalas reducidas.

Lo corriente en las décadas de 1930-1940 fueron los puntos de control grandes y claros (largas pendientes y pantanos bien definidos, bordes de lagos y estanques).

A partir del año 1947 se realizaron en Finlandia mapas bases a escala 1:20000, gracias a los cuales las posibilidades del trazado mejoraron, y el número de puntos de control aumentó.

A finales de la década de 1960 se dio una revolución en el trazado de recorridos, con la aparición de los primeros mapas de orientación y los primeros mapas bases realizados expresamente para la orientación.

ORIENTACIÓN A PIE

Consiste en realizar un recorrido por la naturaleza, con la obligación de pasar por unos controles señalizados con una baliza que lleva una pinza marcadora, con la ayuda exclusivamente de la brújula y el mapa.

Dentro de la modalidad tradicional de a pie, se realizan también pruebas de orientación nocturna, que se caracterizan por tener que realizarse en la oscuridad, con la única ayuda suplementaria de un frontal o linterna. El terreno en que se realiza la orientación nocturna debe ser sin grandes cortados, fácil de recorrer, sin alambrados y otros elementos que puedan resultar peligrosos para los orientadores, que tienen bien disminuida su visibilidad. En cuanto a las balizas, estas deben disponer de un dispositivo reflectante, que las haga visibles al recibir la luz de la linterna o el frontal.

ORIENTACIÓN EN ESQUÍES

Esta es la modalidad más antigua de orientación, en el que el orientador, que es un esquiador, debe elegir la mejor ruta para llegar a la baliza y mantenerse en ella.

La principal característica de esta modalidad es que se realiza en un terreno que cuenta con una amplia red de caminos, senderos y puntos en los que se ha marcado la huella, y que el esquiador puede seguir los trazados, crear su propio rastro a través de los campos y de bosques o correr sin esquíes (aunque siempre debe llevar consigo su material de esquí).

Dentro del Ski-O se celebran carreras de distancia larga, corta y de relevos.

- *Carrera de distancia larga*: Se llevan a cabo sobre distancias entre los 20-25 km, con puntos de control variable y una red de caminos sin demasiada densidad.
- *Carrera de distancia corta*: Se llevan a cabo sobre distancias entre los 8-11km, con puntos cortos y multitud de posibilidades en la elección de ruta. Uno de los aspectos importantes es la capacidad de interpretar y leer el mapa, sin detenerse en los distintos tipos de huella.

ORIENTACIÓN EN BICICLETA

En la orientación en bicicleta se emplean principalmente las carreteras y caminos de distinto tipo, los senderos y los límites de bosque y cultivos, colocando las balizas, al igual que en el Ski-O, en plenos caminos o senderos. Este terreno puede tener grandes desniveles e incluso senderos de accesibilidad lenta y/o complicada.

En esta modalidad se realizan pruebas de forma individual en carrera rápida, normal o larga y carreras de relevos o por equipos.

Las carreras rápidas suelen durar en términos generales, entre 15-30 minutos, las normales entre 30-90 minutos y las largas entre 60-180 minutos; en tanto que los relevos duran entre 15-30 minutos/posta.

- *La carrera rápida*, que cuenta con muchos puntos de control y dura en términos generales entre 15-30 minutos, debe tener puntos en los que el ritmo del ciclista y la orientación sean variables y en donde la capacidad de orientarse rápidamente en una densa red de senderos y caminos sea el principal fuerte del ciclista orientador.
- *Las carreras normales*, necesitan, puntos con grandes desniveles y zonas con multitud de posibilidades en la elección de ruta, debiendo formar parte de ellas las que ofrecen distintos tipos de accesibilidad que permitan llegar a la baliza en el menor tiempo posible.
- *Las carreras largas*, en donde los puntos pueden llegar a tener varios kilómetros de distancia, se apoyan principalmente en la elección de ruta.

RELEVOS

En los relevos, que normalmente se realizan entre equipos de tres corredores, se emplea un sistema de desordenamiento de las balizas y recorridos, que impide que unos sigan a los otros, ya que la salida se hace en forma masiva; de esta forma al finalizar la carrera todos los equipos han realizado exactamente el mismo recorrido.

EQUIPAMIENTO

El equipo básico en la orientación es el mapa y la brújula, ya que la carta topográfica sirve para planificar la ruta, y la brújula para seguir los rumbos que se necesitan sobre el terreno. Estos dos elementos aportan todos los datos necesarios durante la marcha: distancias, altitudes, ríos, caminos, etc.

MAPA DE ORIENTACIÓN

El mapa es una de las piezas claves en la orientación, ya que dependiendo de su correcta interpretación se puede realizar una buena carrera o no.

Debido a esa importancia, el mapa de orientación suele ser hecho a una escala de 1:15000 ó 1:10000 e incluyen de forma precisa gran cantidad de datos como cortados, árboles aislados, características de la vegetación, rocas, agujeros etc.

Estas cartas son muy detalladas, permitiendo conocer varias características de una zona, presentando el terreno, la ubicación de los ríos y arroyos, pueblos, bosques, y otros rasgos geográficos. Ellas muestran la configuración de un terreno por medio de líneas de contorno o curvas de desnivel, que muestran las peculiaridades de la zona por medio de símbolos topográficos. Algunos símbolos son convencionales internacionalmente mientras que otros varían de país en país.

Para orientarse con un mapa, se debe estudiar atentamente el lugar donde uno se encuentra; luego de escoger algunas características relevantes como un pico, una casa, una vía de tren, etc. se tratan de identificar en el mapa. Una vez identificados, se gira el mapa hasta que la situación de los accidentes elegidos corresponda a la realidad que se está viendo.

A	B	C	D	E	F	G	H
categoría H21			longitud 8600			desnivel 310	
1	35	↙					
2	36						
3	37		∪		3×5		
4	38		V		2×2		
5	41	←					
6	42	↑					
7	50			X	/		
8	52						
9	55		∕	X			
10	56		X				
			350				

SIMBOLOGÍA

Para localizar el control, no sólo se tiene la información del mapa, además el orientador cuenta con una simbología especial que le brinda información especial de la localización de cada control y que además define el elemento donde está situado.

El punto de control se refiere a un lugar específico y no se indica en el mapa; en el terreno éste se señala con una bandera roja, fácilmente visible y marcada con un número o letra que coincide con el correspondiente del mapa para la localidad específica.

Normalmente la simbología viene de la siguiente forma:

Aquí el orientador encuentra toda la información que necesita para localizar el control una vez ha llegado al lugar indicado en el mapa. La parte superior brinda información sobre la categoría, distancia en línea recta entre controles y desnivel ideal; la parte inferior indica la distancia entre el último control y la meta. Igualmente cada apartado tiene su significado, así:

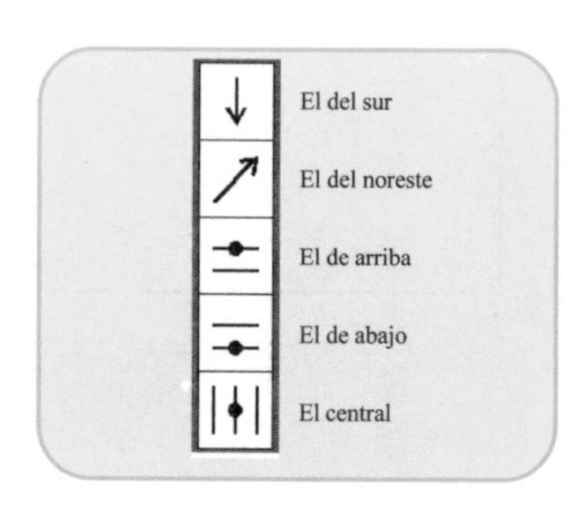

- El apartado A especifica el orden de los controles, tal como aparece en el mapa;
- El apartado B especifica el número propio que tiene el control;
- El apartado C indica cual de los elementos característicos es el que interesa.

- El apartado D da información sobre las características del terreno:
  - D1. Formas del terreno
  - D2. Rocas y piedras
  - D3. Elementos con agua
  - D4. Vegetación
  - D5. Elementos construidos
  - D6. Otros elementos

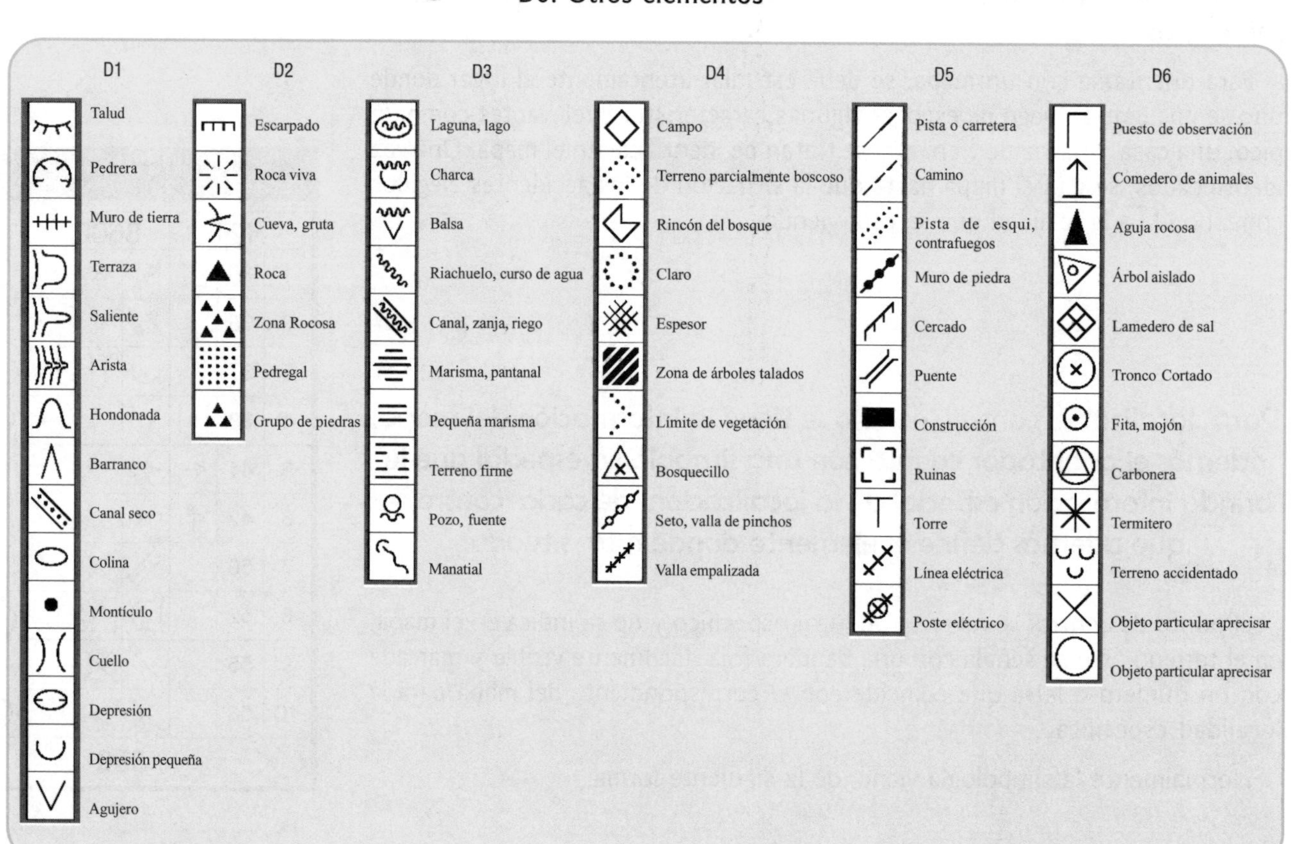

- El apartado E ofrece más detalles complementarios
- El apartado F da idea de las dimensiones del elemento (altura o anchura).
- El apartado G brinda información sobre la posición del control respecto al elemento.
- El apartado H ofrece otras informaciones que pueden ser útiles al orientador.

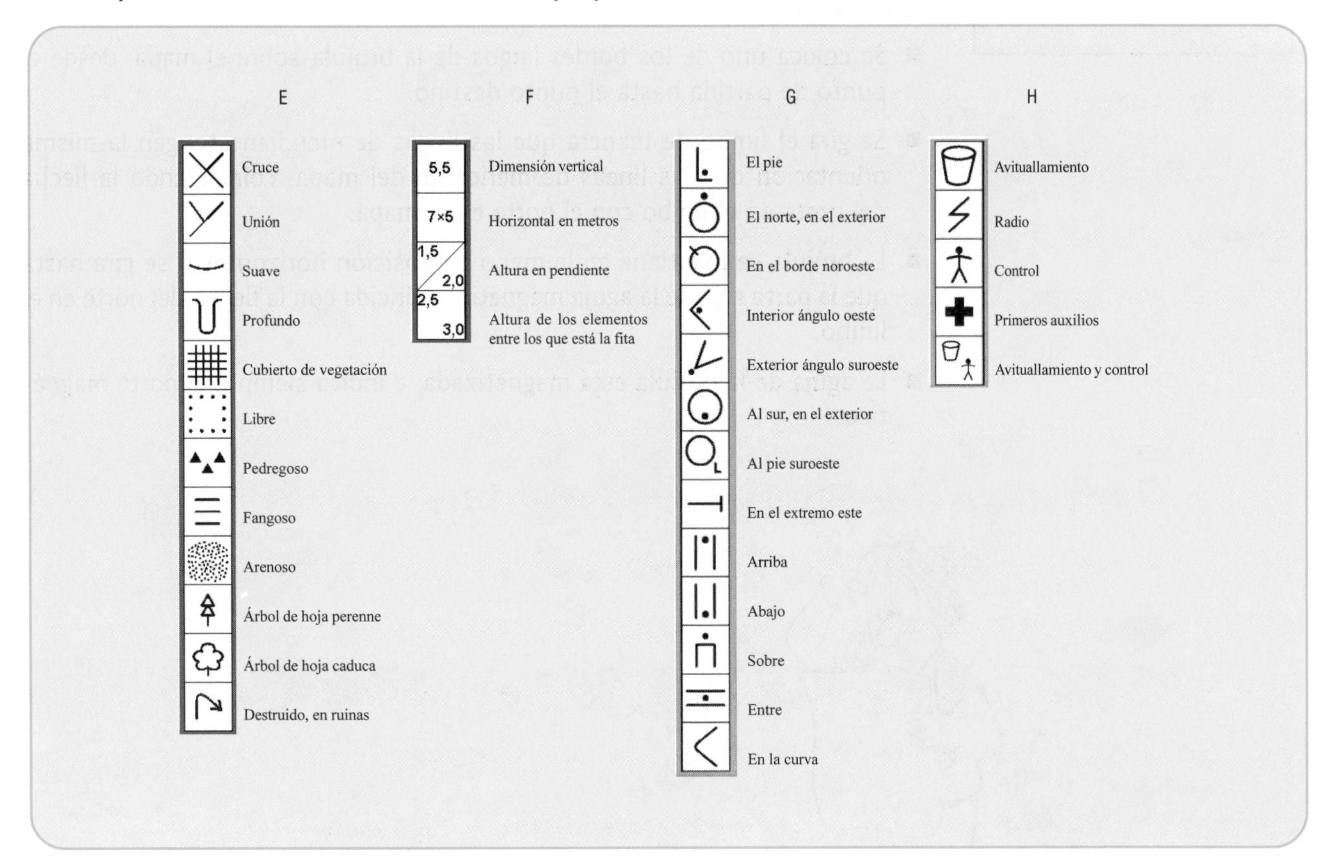

BRÚJULA

La brújula es el instrumento utilizado generalmente para determinar direcciones y medir ángulos. Su funcionamiento básico es el de una aguja imantada, sumergida en un baño de aceite o agua, que siempre mira al Norte magnético. Esta aguja se halla suspendida dentro de una esfera graduada y dividida en 360°, llamada estilo, y todo esto está colocado en una caja llamada limbo, en el que en su fondo se encuentra dibujada la rosa de los vientos.

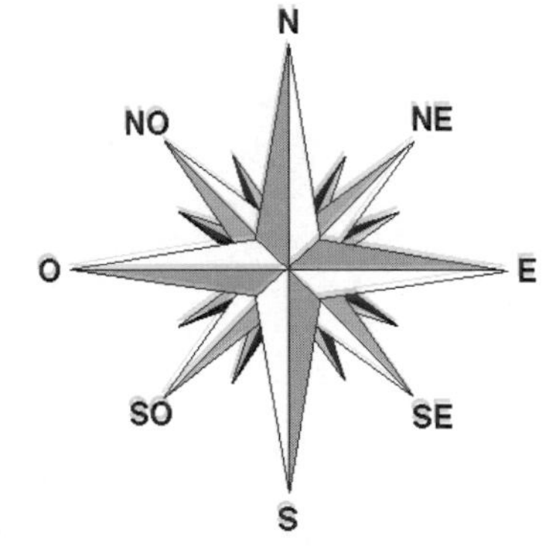

Los puntos principales de la brújula son los puntos cardinales que son: Norte, Sur, Este y Oeste y sus intermedios, llamados puntos laterales o intercardinales, que son los que se encuentran entre los puntos cardinales, (entre el Norte (N) y Este (E) está el Noreste (NE)), y los que están entre estos son los puntos colaterales. Así las mismas pautas se repiten 32 puntos en total.

USO DE LA BRÚJULA

Siempre que se tome un rumbo se debe recordar: orientar correctamente la brújula sobre el mapa, con la flecha de dirección hacia el punto de destino y orientar la flecha del norte en el limbo hacia el norte del mapa.

Para hacer un correcto uso de la brújula se deben seguir los pasos que a continuación se enuncian:

- Se coloca uno de los bordes largos de la brújula sobre el mapa, desde el punto de partida hasta el punto destino.
- Se gira el limbo de manera que las líneas de meridiano tengan la misma orientación que las líneas de meridiano del mapa, coincidiendo la flecha del norte en el limbo con el norte en el mapa.
- La brújula se mantiene en la mano en posición horizontal, y se gira hasta que la parte roja de la aguja magnética coincida con la flecha del norte en el limbo.
- La aguja de la brújula está magnetizada, e indica siempre el norte magnético.

Deportes de Aventura

PARACAIDISMO

El paracaídas, es un aparato que permite descender a tierra desde una plataforma aérea a una velocidad que posibilita un aterrizaje sin daños, su creación se atribuye a Leonardo da Vinci, quien además es el autor de las primeras investigaciones documentadas sobre el tema.

HISTORIA

Quizá los primeros en idear un paracaídas fueron los chinos, quienes construyeron una especie de paraguas para realizar saltos desde torres especiales.

En 1502 Leonardo da Vinci, con la firme idea de ayudar a las personas que estuvieran en un edificio alto que se estuviera incendiando, ideó un retardador de caída en forma de pirámide, de base cuadrada, que se unía a un hombre mediante cuatro cinchas. En 1616, Faustino de Veranzio publicó en su libro llamado "*Machinae Nova*", un dibujo llamado "*Homo Volans*", que mostraba a un hombre saltando de una torre con un paracaídas rectangular, con cuatro líneas sujetas al cuerpo en forma de arnés (muy similar al que se usa actualmente en Paracaidismo Deportivo).

En 1779, el físico francés Sebastián le Normand realizó una serie de estudios con paracaídas, efectuando lanzamientos con animales. La palabra paracaídas se empezó a usar a partir de estos estudios, gracias a que le Normand bautizó al modelo de sus experimentos "*parachute*", palabra que etimológicamente proviene del latín "*para*" que significa amparar, proteger, parar; y del francés "*chute*" que significa caída.

En 1785, Jean Pierre Blanchard, diseñó y construyó el primer paracaídas con cúpula de seda que se podía empacar.

En 1797, André Jacques Garnerin realizó el primer salto de exhibición, desde su globo sobre París con un modelo de Paracaídas construido de seda de 32 paneles cosidos en forma de cono y en 1798, su esposa Genevieve Labrose fue la primer mujer en realizar esta hazaña.

El físico Joseph Jérôme Lefrançois de Lalande, sugirió que se efectuara una apertura al paracaídas de Garnerin en la parte superior y centro de la superficie, con el fin de evitar su constante oscilación que mareaba al paracaidista.

El primer salto efectuado desde un avión en vuelo, lo realizó el capitán del ejército de los Estados Unidos Albert Berry en 1912.

La modalidad de salto libre inició con la primera caída libre, un salto efectuado con apertura retardada en 1914.

No obstante y a pesar de todos estos intentos en solitario, el paracaidismo solo empezó su evolución hasta la primera guerra mundial, debido a la necesidad de los ejércitos de contar con una forma rápida para descargar hombres y materiales en los campos de batalla.

Luego de la Guerra los saltos con paracaídas proliferaron, usándose en diferentes actividades como para llegar a zonas inhóspitas para lanzar médicos en lugares donde eran necesitados con urgencia.

El primer lanzamiento deportivo tuvo lugar en Moscú, en la década de 1930, cuando varios paracaidistas saltaron con el fin de aproximarse a un blanco prefijado. Sin embargo, esta practica no alcanzó popularidad hasta la década de 1950, cuando algunos entusiastas franceses empezaron a saltar por entretención. A partir de esta década se comenzaron a diseñar nuevos paracaídas, más fáciles de conducir.

En 1951 se realizó el primer campeonato de paracaidismo en Yugoslavia.

EL PARACAIDAS

El paracaídas clásico se compone de tres elementos esenciales:

- La campana, que asegura la retención de la caída;
- Los cordones, que sostienen al paracaidista;
- El atalaje, que sujeta el paracaidista.

TIPOS

Los paracaídas de acuerdo con su constitución pueden clasificarse así:

Paracaídas redondo

Este paracaídas tradicional, sólo lo usan actualmente en el ejercito. Desciende verticalmente a gran velocidad y no se le puede dirigir.

Paracaídas rectangular:

Constituido por dos alas rectangulares de siete a nueve celdas, que al abrirse quedan superpuestas.

Paracaídas de bandas

Formado por tiras que partiendo del borde de ataque van a fijarse en la parte opuesta del diámetro, después de contornear la chimenea. Estos paracaídas se emplean sobre todo como paracaídas freno o para la recuperación de cohetes.

Paracaídas cortado

Formado por una campana en la que falta uno de los paneles. Este modelo facilita las tomas de tierra de precisión en los concursos.

Paracaídas de toberas

Con una pequeña velocidad de descenso, que puede alcanzar una velocidad horizontal de cinco metros por segundo o una velocidad de frenado de dos metros por segundo. Las toberas están formadas por orificios calibrados cuya abertura puede regularse. Este paracaídas se emplea también como paracaídas ascensional.

COMPETICIONES

En paracaidismo deportivo existen actualmente dos categorías básicas, con el paracaídas cerrado, conocido como caída libre y con el paracaídas abierto. En estas dos modalidades se encuentran cinco categorías clásicas:

TRABAJO RELATIVO

4 u 8 paracaidistas en caída libre forman figuras en el aire, subiendo o bajando sólo con respecto a otro participante.

En la categoría de 4 participantes la altura de salida es de 2950 m y el tiempo de trabajo es de 35 seg. Para la categoría de 8 participantes la altura de salida es de 3500 metros y el tiempo de trabajo de 50 seg.

- *Trabajo relativo de formación de toldo*: Cada equipo desarrolla una formación o secuencia de formaciones durante el descenso con el paracaídas abierto. En una competencia se califica la rapidez para agruparse o para realizar varias alineaciones en un solo salto.

PRUEBAS DE FORMACIÓN

Varios paracaidistas realizan formaciones o secuencia de formaciones mediante agarres reglamentarios.

- *Vuelo en formación*: En caída libre, varios participantes realizan trabajo relativo, maniobrando en el aire para formar diferentes figuras preestablecidas con la mayor exactitud en el menor tiempo posible.

PRUEBAS DE PRECISIÓN

Es una competición en la que los paracaidistas individualmente o por equipos saltando desde una altura de 1200 m. intentan aterrizar sobre o lo más cerca posible del centro de un blanco de 20 metros de radio, realizándose la clasificación de acuerdo al número de aterrizajes consecutivos acertados más la distancia del siguiente salto que no cae en el disco. El ganador se determina de acuerdo con el menor puntaje acumulado.

PRUEBAS DE VUELO LIBRE

Se trata de realizar una serie de maniobras individuales en caída libre, cuya principal inspiración sea la imaginación del participante. Los saltos y vuelos se realizan desde diferentes posiciones: de cabeza, sentado o girando.

- *Estilo Libre*: Se realizan maniobras artísticas, algunas de las cuales son obligatorias, con la coreografía creada por el participante.
- *Surf Aéreo*: El equipo está compuesto por dos paracaidistas, uno de ellos surfea durante la caída libre en una tabla especialmente diseñada; el segundo va grabando las actuaciones de su compañero en una cámara instalada en él. Mientras el skysurfer ejecuta diferentes maniobras, el encargado de filmar también va haciendo distintas maniobras para captar tomas más espectaculares.

La valoración se emite de acuerdo con la perspectiva de la filmación, para ello se observa la cinta en cuanto los concursantes aterrizan. Al igual que en una competencia de estilo libre, se considera el control en los movimientos durante unos 50 seg. a partir de la salida del avión.

- *Vuelo de cabeza*: Modalidad que también se realiza como parte del trabajo relativo.

ESTILO CLÁSICO

El paracaidista debe realizar figuras predeterminadas en un tiempo establecido.

EQUIPO DE VUELO

Básicamente, el equipo de saltos se compone además del propio paracaídas, de los siguientes elementos:

- Mono de saltos con calzado apropiado
- Casco
- Guantes
- Navaja (para ser usada en caso de que se enreden las cuerdas)
- Gafas
- Altímetro visual y audible de altura mínima

Deportes de Aventura

RAFTING

El rafting es un deporte de equipo, donde los tripulantes remando sobre una balsa neumática (rafts), orientan su peso de manera coordinada para recorrer los rápidos y mantenerse a flote. La cantidad de tripulantes que sube a cada barca varía de seis a ocho según el tamaño de la balsa. La dirección de los movimientos está a cargo del guía, quien conoce al detalle cada parte del río.

IMPLEMENTOS NECESARIOS

BALSA O RAFT

Las balsas para rafting son embarcaciones inflables especialmente diseñadas para navegar en ríos caudalosos y rápidos. Su tamaño varía entre 3,5 y 5,5 m., cuentan con un piso autoevacuante que elimina el agua.

REMOS

Hay remos cortos para propulsar la balsa en estilo paddle (uno por tripulante) y dos remos largos, llamados también «oars» o remos centrales, utilizados por los guías.

CHALECO

El chaleco hecho en tela resistente es imprescindible en cualquier río, fácil o difícil. Debe ajustarse al cuerpo de forma cómoda y segura, para que no se suelte.

Tiene que tener un sistema de seguros o broches fáciles de abrir; los que se atan con cintas y nudos no son confiables.

CASCO´

Es imprescindible, cualquiera sea la dificultad del río, ya que cumple la función de proteger la cabeza contra las rocas del lecho del curso de agua.

ESCALA INTERNACIONAL DE GRADO DE DIFICULTAD DE LOS RÍOS

Los ríos en donde se practica rafting, se clasifican según el grado de dificultad de I a 6 grados, siendo uno el riesgo más bajo:

- Clase I: *Fácil*. Corriente lenta, olas pequeñas, fácil de guiar, y con riesgo de caídas bajo.
- Clase II: *Novato*. Rápidos suaves y algo de oleaje, apto para toda la familia. Corrientes más rápidas, canales amplios, maniobras ocasionales, olas irregulares.
- Clase III: *Intermedio*. Río con rápidos más fuertes, olas moderadas e irregulares, numerosas obstrucciones y algunas pendientes escalonadas. También es apto para la familia pero con más precaución.
- Clase IV: *Avanzado*. Corrientes rápidas, fuertes y muy irre-

gulares con rocas obstruyendo el camino. En algunas partes la pendiente es muy pronunciada y se requiere resolver maniobras rápidamente y bajo presión.

- Clase V: *Experto*. Corrientes muy rápidas, irregulares o muy largas. Son complejas debido a la cantidad de peligros que hay que evitar; se requiere excelente dominio de todos los elementos del rafting, seguridad y rescate.
- Clase VI: *Kamikaze*. Ríos absolutamente peligrosos, en el límite con los criterios de navegabilidad.

Deportes de Aventura

BUCEO DEPORTIVO

El buceo deportivo es una modalidad que consiste en entrar en el agua y permanecer bajo la superficie con el propósito de trabajar o explorar sus profundidades. Puede practicarse de manera autónoma, en la que el buzo se desplaza libremente en el agua, o no autónoma, con la necesidad de permanecer conectado a un equipo de aire que se encuentra en la superficie y usar una escafandra.

En todas las modalidades deportivas, la modalidad autónoma es la más frecuente, donde se alcanza una profundidad máxima de 30 metros, mientras que la modalidad no autónoma, se hace con fines comerciales o científicos, en la que el buzo aunque limitado por la manguera en sus desplazamientos, puede permanecer mayor tiempo bajo el agua.

Dentro de la modalidad autónoma se halla el buceo a pulmón o apnea, que consiste en aguantar la respiración sin ningún aparato de ayuda y salir a la superficie para volver a tomar aire; el snorkeling, en el que se respira sin alejarse de la superficie a través de un tubo snorkel de 30 cm. de longitud; finalmente, está el buceo con aparatos, donde el equipamiento determina la reserva de aire y en consecuencia el tiempo bajo el agua.

Editorial Kinesis

HISTORIA

Quizás las primeras técnicas de inmersión de la exploración submarina, se dieron desde la prehistoria , cuando los pueblos ribereños se internaban en el del mar en buscedas de su alimentación habitual

Desde la prehistoria se tiene evidencia de que los pueblos ribereños buscaban en el interior del mar moluscos y crustáceos que formaban parte de su alimentación habitual; quizá así se dio inicio a las primeras técnicas de inmersión de la exploración submarina.

Las grandes civilizaciones, entre los que se cuentan cretenses, fenicios, griegos y romanos usaron buceadores entrenados para sus acciones bélicas.

Se sabe que la pesca submarina se practicaba en el oriente africano y asiático, hace más de 1500 años, mujeres orientales que eran llamadas *"Amas"*, se sumergían en el mar en busca de perlas, ostras y algas, con una especie de gafas y piedras como lastre.

En 1866, el francés Rouquayrol patentó el primer regulador de aire instalado en equipo abierto.

En 1920, el alemán Carlien, fabricó inspirado en la cola de los peces, las primeras aletas de caucho. Este nuevo invento reemplazó los incómodos zapatos de plomo que usaban hasta el momento los buzos pesados.

En la década de 1930, se crearon gran parte de los elementos que forman el equipo actual del buceador, particularmente, la escafandra tal como la conocemos actualmente, cerada por Le Prieur en 1933.

En 1936 aparecieron en Francia las gafas binoculares Fernez, que sólo se podían usar en superficie pues la presión las aplastaba y hacía imposible la inmersión,

Para resolver el problema de la máscara que se aplastaba debido a la presión, se encontraron diferentes soluciones, como la máscara del Dr. Diemond, que tenía acoplado un tubo de goma que venía a la boca para que una vez que se empezaba a descender soplar aire al interior de la máscara a través de ese tubo, evitando lo que se llamaría después, fenómeno de ventosa.

Luego el doctor Pulvenis acopló a una mascarilla de cristal único, dos esferas de goma huecas, una a cada lado, que al bajar equilibraban la presión con el aire que contenían. Hasta que el francés Taillez, cambió de estilo, fabricando unas gafas que incluían la nariz, con lo que se eliminaba el aplastamiento.

En 1937, el alemán Siebe registró la primera escafandra cerrada realmente eficaz para el trabajo submarino, a la que se le suministraba aire desde la superficie a través de un tubo largo, con el que el buceador seguía unido a la superficie.

Durante la segunda guerra mundial los ejércitos de Francia e Italia utilizaron buceadores libres como buceadores de combate, ya que a la época no existía el regulador ni el aqualung. Estos "soldados" estaban entrenados para trasladarse bajo la superficie del mar aguantando la respiración largas distancias y así colocar las minas o explosivos a los buques adversarios ubicados en el mar, marcando así el inicio de lo que sería después la práctica del buceo libre. No obstante todos estos datos, la historia de la competencia de la inmersión moderna comenzó en 1949 cuando el capitán de la aeronáutica, Raimondo Bucher, nacido en Hungría y nacionalizado italiano, descendió 30 m. en el mar con una sola bocanada de aire en sus pulmones, frente a las costas de Nápoles acompañado solamente de un equipo ligero de goma (careta. snorkel y aletas) y utilizando un pesado fusil de pesca submarina como lastre.

En 1944, el ingeniero Emile Gagnan y Jacques-Yves Cousteau, desarrollaron el primer regulador de demanda eficiente y seguro que cortó la unión del buceador con la superficie y le permitió moverse en las profundidades con total libertad.

En 1946 se fundó la Asociación de Pesca Submarina (APS) de Barcelona, el club más antiguo del mundo dedicado a la pesca submarina.

En 1950 se organizaron los primeros campeonatos de pesca submarina en Tánger y en 1951 se reglamentó la pesca nadando.

En 1956 llegó el neopreno traído de los Estados Unidos por Beuchat.

En 1959 se creó en Mónaco la Confederación Mundial de Actividades Subacuáticas (CMAS) y durante la década de 1960, el buceo logró grandes avances, gracias a los adelantos logrados en los estudios fisiológicos y las subsecuentes técnicas que se desarrollaron permitiendo al buceador respirar mezclas gaseosas y alcanzar hasta 400 metros de profundidad.

Desde entonces, las novedades más importantes han sido el chaleco hidrostático, que permite regular la flotabilidad del buceador a voluntad, y el ordenador de buceo, de gran utilidad para planificar inmersiones sin descompresión y para realizar ésta.

TIPOS DE BUCEO

Una primera clasificación del buceo puede distinguir entre la inmersión vinculada con la superficie o modalidad no autónoma, en la que se hallan el tradicional buzo de equipo pesado con escafandra y el buzo hiperbárico, que con un riguroso entrenamiento alcanzan profundidades de hasta 600 metros.

Dentro de la modalidad autónoma se encuentra el buceo en apnea o a pulmón libre y el buceo con equipos autónomos cuyo uso es tanto deportivo como profesional.

El buzo de apnea, que debido a su limitada reserva de aire rara vez supera los 10 metros de profundidad, realiza sus inmersiones solo con un equipo básico que consiste en aletas, visor o luneta, snorkel y cinturón de lastre.

El buceo con equipo autónomo posibilita al buceador una mayor profundidad, alcanzando hasta 30 metros de profundidad con un tiempo variable de permanencia según la profundidad y el tipo de actividad que se realice.

Dentro del grupo de actividades del buceo deportivo se encuentra la exploración, buceo espeleológico, pesca submarina, fotografía subacuática, etc.

EQUIPAMIENTO

Actualmente todo el equipamiento de buceo brinda suficiente comodidad y la confiabilidad necesaria por ser a prueba de fallos.

Los trajes están compuestos por pantalones, botas, guantes y capucha, que además de su función térmica, protegen al buceador de cortes o raspaduras con animales o plantas urticantes.

Hoy en día hay tres clases de trajes: los de tipo húmedo, que permiten que circule algo de agua y mantienen el calor corporal; los semi húmedos, donde una vez que el agua ingresa al traje no sale y conserva la temperatura del cuerpo, y finalmente los equipos inflables o secos, totalmente impermeables.

CHALECO

Otro elemento de suma importancia es el chaleco de flotabilidad, que permite que el buzo permanezca suspendido en la superficie con una flotabilidad positiva o pueda sumergirse en una posición estable de flotabilidad neutra, aún cargado de sobrepeso por los objetos que lleve, lo que se logra graduando a voluntad el aire del chaleco.

CINTURÓN DE LASTRE

Para nadar cómodamente es necesario tener una flotabilidad neutra. Esto se logra con el lastre, una especie de cinturón que neutraliza con su peso la flotabilidad positiva. El lastre lleva una hebilla de soltado rápido, que permite deshacerse de él con facilidad ante cualquier emergencia. Su peso se calcula sobre un 8 a 15 por ciento del peso corporal y de ello depende que el buzo alcance un nado parejo. Para calcular el lastre se aconseja al buzo que retenga aire inhalado y desinfle el chaleco. Con el lastre puesto, el buzo debería flotar a la altura de los ojos, y una vez que exhale el aire tendría que experimentar un descenso. Si se hunde está sobrelastrado; si puede permanecer en un posición estable a cualquier profundidad el proceso es exitoso.

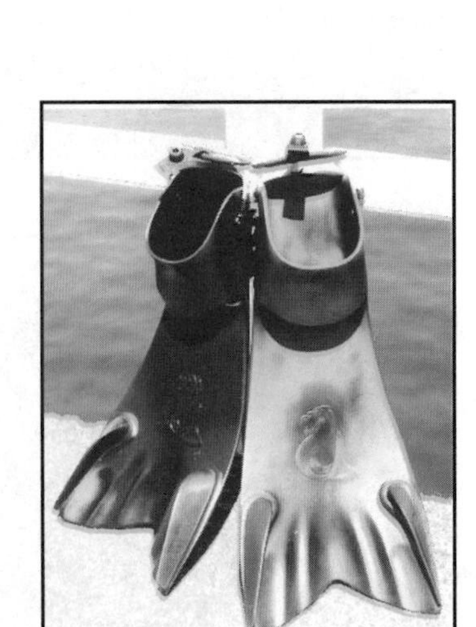

El lastre tiene que adecuarse al tipo de agua en que se bucea. Si es salada, el peso del lastre es mayor al que se emplea en agua dulce.

ALETAS

Las aletas constituyen el motor de propulsión del buceador, cuya función es la de procurar que éste pueda desplazarse con mayor comodidad y eficacia, ya que proveen mas fuerza y propulsión a las piernas, dejando libres las manos para realizar otros trabajos.

Hay muchos modelos, de diferentes formas y compuestos, como plástico y grafito. En general se las puede dividir en dos tipos: la de pie completo, tipo zapato, que se fabrica en tamaños diferentes, y las de correa fija pequeña, mediana, grande o extragrande, que se puede usar en varias modalidades.

VISOR O LUNETA

Ligado a toda la vestimenta en general, el visor posibilita una nítida visibilidad, puesto que crea delante de los ojos un espacio de aire para mantener bajo la superficie del agua las mismas condiciones que fuera de ésta. Debe tener un vidrio inastillable y templado, y ajustar de forma perfecta a la cara, incluyendo a la nariz, para poder exhalar en su interior evitando el efecto de succión.

SISTEMA DE AIRE ARTIFICIAL

Para practicar el buceo autónomo a grandes profundidades y lograr permanecer sumergido durante mucho tiempo lejos de la superficie, se requiere un equipo que facilite aire artificial. El más usado en la actualidad es el de circuito abierto, que expulsa al agua el aire exhalado por el buzo y forma burbujas. Otra opción es el equipo de circuito semicerrado que expulsa parte de los gases y recicla otra parte, para que puedan respirarse nuevamente. Finalmente está el equipo de circuito cerrado, donde todos los gases expulsados por el buzo son reciclados.

REGULADOR

Uno de los elementos fundamentales de todo el equipamiento es el regulador, que provee al buzo del aire extraído del tanque a presión ambiental. Está compuesto por tres etapas: una primera etapa en la que se reduce la presión de aire a un nivel intermedio para pasar a una segunda etapa que la reduce a la presión ambiental adecuada para respirar. Además, en la primera etapa hay varias salidas. Una de ellas es de baja presión, donde a través de una manguera se alimenta al chaleco, para poder regular la flotabilidad neutra. Otra va al manómetro, que permite controlar el aire y la reserva que hay del mismo.

Una segunda etapa opcional, sirve para auxiliar a un compañero o para reemplazar (en caso de rotura) a la que se usa comúnmente.

BOYA

La boya es un requisito exigido por las normas legales que regulan la actividad deportiva de la pesca submarina, no sólo en competiciones sino en cualquier ocasión. Constituye un elemento de seguridad de primer orden, ya que indica a las embarcaciones la presencia de un submarinista en su proximidad.

Deportes de Aventura

SENDERISMO

La palabra Trekking que traduce senderismo, proviene del vocablo «trek» que tiene su origen en la lengua africaner, y que significa emigrar, pasó a ser ampliamente empleada a principios del siglo XIX por los primeros trabajadores holandeses que colonizaron Sudáfrica. Esta palabra se utilizaba haciendo alusión al sufrimiento y resistencia física, en una época en que la única forma de moverse de un punto a otro era caminando.

Cuando los británicos llegaron a Sudáfrica, adoptaron la palabra, pasando ésta a designar las largas y difíciles caminatas realizadas por los exploradores al interior del Continente, especialmente en la búsqueda de nuevos lugares. Actualmente el término trekking también se usa en español para designar la práctica de características turísticas, recreativas y deportivas que consiste en realizar caminatas al aire libre, en directo contacto con la naturaleza, por geografías diversas, alternando paisajes con terrenos de diversas características de desnivel y formación (terrenos abruptos, resbaladizos, suelo inclinado, bajadas, etc.).

Los sitios más aptos para esta actividad son las áreas que presenten gran variedad de ambientes, terrenos, y climas: desde lugares concurridos y con buena infraestructura hasta lugares agrestes e inexplorados.

El senderismo se diferencia del montañismo, en que ésta no tiene como objetivo alcanzar una cumbre, sino caminar por la montaña, adentrándose en ella para disfrutar de la naturaleza.

Las principales ventajas de la práctica del senderismo son:

- La caminata en lugares naturales como parques, bosques o montañas es un estupendo ejercicio que beneficia el cuerpo y libera la mente. Respirar aire puro, permite oxigenar cuerpo y mente.
- Una marcha o escalada moderada rápida mejora la capacidad cardiovascular sin imponer esfuerzos demasiados violentos al corazón.
- Es una buena terapia frente al estrés y las preocupaciones de la vida moderna, que se adapta a todos los niveles y edades.
- Es una actividad muy completa para todo el organismo, ideal para comunicarse directamente con la Naturaleza.

EQUIPO

Para practicar trekking basta con contar con un par de zapatos adecuados, ropa idónea para el lugar, un sombrero o gorro con visera y una mochila para llevar los implementos básicos como mapa, brújula, agua, fósforos, botiquín, linterna y comida.

RECOMENDACIONES

Las múltiples ventajas del trekking no deben hacer perder de vista la necesidad de estar preparado, algunas de las recomendaciones que se hacen a los que practican en trekking son:

- Antes de comenzar a hacer trekking hay que considerar algunas variables como: estado físico, tipo de terreno, duración de la caminata, necesidades de agua, alimento y condiciones climáticas imperantes.
- Conocer las rutas, distancias y estimar los tiempos para realizarlas.
- Empezar poco a poco eligiendo caminos que estén demarcados y de recorrido corto.

- Mantener un ritmo constante y relajado de caminata, de acuerdo a las propias capacidades. Mantener un ritmo uniforme durante un tiempo prolongado es más efectivo y saludable.
- No cargar el morral con cosas innecesarias.
- Usar ropa idónea para el lugar y época del año. Llevarla puesta en capas de tal manera que pueda ser quitada o puesta adecuándose a la temperatura y nivel de actividad.
- Usar un calzado apropiado que permita el desplazamiento entre piedras y desniveles, refuerce los tobillos, que los dedos no toquen la punta y que la suela se adhiera fácilmente el terreno.
- Usar un sombrero y protector solar
- Usar un bastón, que bien puede servir de ayuda en las bajadas, para frenar en las subidas o resistir la inclinación del terreno.
- Llevar alimento y agua suficiente para el trayecto.
- Descansar 5 minutos cada hora.
- Prestar atención a señales y características del terreno que pueden ser usadas como puntos de referencia.

Considerando que el trekking es una actividad fundamentalmente ecológica resultan importantes las siguientes recomendaciones:

Cuidar la naturaleza.
No arrojar basura.
Hacer fuego sólo en los lugares específicamente destinados para ello.
No recoger especímenes de flora y fauna
En lo posible caminar por los lugares señalados para ello.
No rayar, pintar o marcar piedras y árboles.

Deportes de Aventura

VUELO LIBRE

HISTORIA

A Otto Lillienthal, quien para finales del siglo XIX realizó con éxito más de un centenar de vuelos, se le considera como el pionero entre quienes se lanzaron colina abajo sustentados por una primitiva ala. No obstante los verdaderos orígenes de los deportes de vuelo libre se confunden con la invención de los primeros aviones a motor, pues fueron estos los que permitieron desarrollar planeadores ligeros capaces de elevarse eficientemente sin un motor.

En los inicios del siglo XX, los hermanos Wright, lograron alzar el vuelo con un biplano que lanzaron en las dunas de arena en Carolina del Norte; posteriormente acoplaron un motor a este biplano, hecho que se considera como el inicio de la aviación.

En 1922, el trabajo del holandés Plazt, sobre una vela no rígida con control aerodinámico sobre superficies de tela, constituye quizá la primera referencia documentada que se tiene sobre un planeador flexible, ligero y funcional.

Durante la década de 1940, el ingeniero norteamericano Francis Rogallo, considerado el verdadero inventor del ala delta, se interesó en formas de vuelo poco convencionales, investigando sobre un ala flexible de configuración bicónica, probando y desarrollando modelos diferentes a los que incorporó algún tipo de estructura. Ya para 1950 había patentado numerosas variantes de cometas.

Las actividades de vuelo libre son las realizadas mediante el uso de un planeador capaz de ser transportado y despegado a pie, empleando solamente la energía y las piernas del piloto que lo conduce.

En 1962, el australiano John Dickinson, interesado por los diseños de Rogallo, construyó el "*Ski Wing*" una máquina armada mediante una estructura de tubos; entre los que se destacaban una barra transversal que iba de un ala a otra, y tres tubos en forma de triángulo que permitían al piloto situarse en su interior y ejercer control sobre la aeronave en vuelo.

En 1963 tres esquiadores acuáticos australianos, John Dickenson, Bill Moyes y Bill Bennett, que realizaban números acuáticos con cometas, las cambiaron por alas "Rogallo", comprobando que se podían liberar del remolcador y maniobrar por el aire.

En 1968 la NASA desarrolló los paracaídas cuadrados con celdas infladas por el viento al descender a cierta velocidad, basándose en la idea de Rogallo y con la idea de recuperar las cápsulas espaciales que entraban a la atmósfera.

En 1969, Bill Bennet se estableció en Norteamérica y empezó a enseñar el

vuelo en cometa, implantando el sistema de control australiano con un trapecio triangular y un asiento.

Para 1973 los hermanos Wills, crearon la Wills Wing, una empresa que se dedicó a fabricar alas delta. En ese mismo año, el californiano David Kilbourne realizó el primer vuelo de permanencia de más de una hora demostrando el potencial de este tipo de alas.

En 1978, tres paracaidistas (Jean Claude Betemps, André Bohn y Gerard Bosson), especializados en saltos de exhibición, tuvieron la idea de que se podía saltar en paracaídas sin necesidad de utilizar un avión; para demostrar su "loca" idea corrieron a lo largo de una ladera de los Alpes franceses, mientras los paracaídas que arrastraban iban desplegándose para posteriormente tomar tierra en el valle 3000 metros debajo de su partida.

En 1977 se disputó el primer campeonato del mundo masculino y en 1987 se aceptó la participación femenina. En los inicios de 1980, se creó el Club Choucas al que ingresaron los primeros paracaidistas de pendiente.

En 1986 apareció el primer modelo comercial de parapente que se fabricó en serie. Con este modelo, muy parecido a un paracaídas al que se llamó Maxi, empezó la evolución de este deporte, ya que pronto aparecieron modelos de mayor planeo y velocidad.

La actividad subsiguiente derivó en dos modalidades deportivas organizadas bajo la FAI (Federación Aeronáutica Internacional) que cuentan con pruebas como tiempo de vuelo, distancia recorrida y altura alcanzada.

PARAPENTE

El parapente o paracaídas de pendiente es un planeador ultraligero flexible, hecho solamente a partir de tela y cuerdas, sin ninguna estructura rígida, cuyo vuelo obedece a las fuerzas «aerodinámicas» fruto del movimiento del ala del parapente en el aire. El ala flexible está construida en una tela especial antidesgarros, que se une al piloto (quien va sentado en un arnés), a través de numerosos hilos.

Las alas flexibles utilizan el viento relativo a su avance para inflarse a través de unas bocas en la parte frontal (borde de ataque); las costillas interiores le dan su forma aerodinámica que por un diferencial de presiones debido al paso del viento en las capas externas crean la sustentación.

Las cuerdas se dividen en:

- *Cuerdas de suspensión*, que cumplen funciones estructurales y de sostén dándole al parapente su tradicional forma acampanada.
- *Cuerdas de mando*, que permiten al piloto acelerar, girar, frenar o aterrizar.

ALA DELTISMO

El ala delta o cometa tripulada, tal y como lo define la FAI, es un planeador desmontable con una estructura rígida primaria, cuyo sistema de control se puede maniobrar bien por desplazamiento de peso del piloto, bien mediante superficies aerodinámicas móviles en al menos dos de sus ejes.

La estructura básica se fabrica en aluminio o fibra de carbono y la vela o tela se construye con tejidos de materiales plásticos muy resistentes al deterioro y se monta sobre la estructura; su forma final se logra introduciendo los sables (tubos finos de aluminio, curvados de acuerdo con el perfil aerodinámico) en sus correspondientes fundas durante cada operación de montaje del ala; su envergadura mide en promedio 10,5m; su peso oscila entre los 17 y los 30 kilos y debe ser capaz de despegar y aterrizar en condiciones de seguridad con una velocidad de viento en contra igual o menor a 1 m/seg.

El ala delta, a diferencia del parapente al ser una estructura rígida, está dotada de mayor velocidad y capacidad de planeo, por ello puede recorrer mayores distancias y soportar con más estabilidad las turbulencias.

Se distinguen dos categorías, según el tipo de alas que se utilicen en los vuelos:

- *Clase 1 (alas flexibles)*: construidas en material flexible sobre las que el piloto ejerce control únicamente mediante el desplazamiento de su peso. Están permitidos controles secundarios de regulación y ajuste, siempre y cuando operen de forma simétrica sobre los dos planos. Este tipo de alas conserva la configuración inicial de «tubo y tela» que las hace muy parecidas a una vela de un barco.
- *Clase 2 (alas rígidas)*: construidas con una estructura rígida primaria que cuenta con superficies aerodinámicas móviles como medio esencial de control alrededor de cualquier eje. Su estructura, más elaborada, les confiere mayor rigidez y un mayor volumen.

Se recomienda además equiparse con:
- Una radio (obligatoria en competición).
- Botas con protección para el tobillo.
- Vestimenta y equipamiento adecuado: ropa abrigada (mono de vuelo), guantes y gafas.
- Altivariómetro (aparato que indica si se sube o se pierde altura y a qué velocidad) y brújula.

EQUIPO NECESARIO

El equipo de uso obligatorio en las disciplinas de Ala Delta y Parapente es:

- Arnés.
- Casco.
- Paracaídas de emergencia.
- Doble cuelgue de seguridad (ala delta).

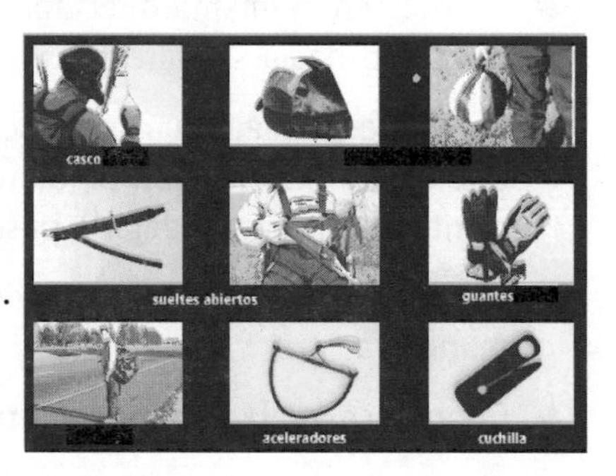

RECOMENDACIONES DE VUELO

- Sobrevolar cualquier obstáculo (líneas eléctricas, casa, árboles, etc.) a una altura mínima de 50 m.
- No volar sólo. En caso de ir a volar solo, advertir previamente del vuelo al club o escuela de la zona, con el lugar de despegue y el recorrido a efectuar.
- No despegar si el viento supera el 75% de la velocidad máxima del Ala Delta o parapente
- No despegar si el viento se desvía más de 45° de la dirección de despegue.
- No volar fuera de los límites de carga alar recomendados por el fabricante.
- No volar en aerología turbulenta.
- No despegar con viento de cola.
- No sobrevolar zonas de despegue a menos de 50 m. si hay otras alas montadas.

PROHIBICIONES

Se prohíbe volar:

- Dentro del área de seguridad de aeropuertos, aeródromos, pasillos aéreos y zonas restringidas y prohibidas de vuelo.
- Si existe prohibición expresa de los propietarios del despegue, de aterrizaje o de las autoridades.
- De noche: media hora después de ponerse el sol hasta media hora antes de salir.
- Si la zona de aterrizaje está cubierta de niebla.
- En el interior de las nubes.
- Sobrevolar aglomeraciones de personas o poblaciones.

NORMAS DE TRÁFICO AÉREO

- El cruce en la misma dirección y sentido contrario, se efectúa desviándose cada uno hacia su derecha.
- Quien tiene la ladera a su derecha tiene preferencia. El ala delta o parapente que deja la ladera a su izquierda debe apartarse a su derecha con la suficiente antelación y dejarle paso.
- No adelantar a otro por los lados a su misma altura y dentro de su área de maniobra.
- Cuando se vuela a diferente altura, tiene preferencia el que vuela más bajo.

- Dentro de una térmica, marca el sentido de giro el piloto que hubiera entrado primero, a no ser que se haya marcado un sentido de giro en la zona.
- Al incorporarse a una térmica se entra a girar en el mismo sentido que las Alas que ya hay en su interior, sin interferir en sus trayectorias. Si es necesario se espera fuera de la térmica hasta que las Alas que estaban girando ganen altura y luego se entrará en la térmica.
- En caso de trayectorias laterales convergentes, tiene preferencia la aeronave más lenta o de menos margen de maniobra. El orden de preferencia entre aeronaves es: globo, paracaídas, parapente, ala delta, paramotor, planeador, aviones a motor.

ZONAS DE VUELO

Las zonas de vuelo deben resultar adecuadas para la práctica habitual del vuelo libre por sus características de accesibilidad y aerología, así deben presentar unas características mínimas entre las que se cuentan:

- Disponer de unas condiciones aerológicas aptas para el vuelo libre.
- Disponer de una zona de despegue fácilmente accesible.
- Disponer de una zona de aterrizaje amplia y sin obstáculos.
- Disponer de los permisos oportunos.
- Disponer de un plan de rescate y evacuación de heridos.

DEPORTES DE COMBATE

PARTE 5

Incluimos dentro de la categoría de deportes de combate aquellos deportes de oposición directa entre dos adversarios que se enfrentan en una lucha dentro de un espacio común cuya meta es lograr superioridad sobre el cuerpo del adversario.

BOXEO

El boxeo es un deporte de combate, en el que los púgiles haciendo uso únicamente de sus manos (enguantadas) golpean a su oponente en la parte superior de cuerpo, la cara y los costados de la cabeza, para obtener puntos por ello.
Cada combate se decide por la cantidad de puntos obtenidos en cada asalto o, por la caída de alguno de los contrincantes.

HISTORIA

Hablar acerca del origen del boxeo es realmente muy difícil, pues se sabe que desde tiempos muy remotos se realizaban combates entre hombres para establecer dominio. Se han encontrado vestigios arqueológicos en Etiopía, que bien podrían ubicar el nacimiento del boxeo como deporte 8.000 años a.C. Otros testimonios se encuentran en la isla Cretense de Knossos, en donde al parecer 1.500 años a.C. se conocía una forma rudimentaria de este deporte.

Sin embargo, el boxeo adquiere su connotación de disciplina deportiva, en el año 668 a.C. cuando el pugilato o *pygmaquia* se incluyó en los Juegos Olímpicos de la antigua Grecia, como una de las disciplinas más llamativas en la que los pugilistas, protegidos con bandas de cuero combatían con rudeza contra su rival. En estas olimpiadas el púgil que se alzó con la victoria fue Onomasto de Esmirna, quien será recordado como el primer campeón oficial de la historia del boxeo.

En época del imperio Romano, el boxeo heredado de los griegos formaba también parte de los juegos circenses desarrollados por éstos, sin embargo, los púgiles romanos, generalmente esclavos obligados a pelear hasta la muerte, no se cubrían los puños, sino que usaban una especie de guantes largos, cubiertos de botones puntiagudos de hierro o bronce a los que denominaban *cestus*; de esta forma el combate se tornaba en un enfrentamiento verdaderamente sangriento.

Con la cristianización del imperio, el boxeo, en buena parte debido a su

extrema rudeza, deja de existir como deporte y como espectáculo público. Durante la Edad Media, la espada predominó sobre los puños, aunque esta actividad continuó presentándose sobre todo en las clases bajas.

Se podría decir que el boxeo como deporte resurge a principios del siglo XVIII, en Inglaterra, en donde se popularizó debido a las grandes sumas de dinero que circulaban bien fuera por organizar, participar, presenciar, o apostar en un combate.

En 1743 aparecieron los primeros reglamentos, gracias a la gestión del inglés Jack Brouhton, a quien también se le considera como el precursor de los guantes de boxeo.

En 1891, las reglas aparecidas casi 150 años atrás, fueron revisadas por el marqués de Queensberry, quien con ligeras variaciones estableció el reglamento que aún perdura en la actualidad; los principales cambios realizados al primer reglamento fueron la utilización de guantes, el límite de 3 minutos por asalto y las normas para juzgar los combates.

En la era olímpica moderna este deporte se incluyó a partir de la Olimpiada de San Luis 1904 en las siguientes especialidades: peso mosca (51 Kg.), peso gallo (54 Kg.), peso pluma (57 Kg.), peso ligero (51 Kg.), peso welter (67 Kg.), peso medio (75 Kg.), y peso pesado (91 Kg.). Luego se admitieron otras especialidades así: La especialidad de peso semipesado (81 Kg.) en Amberes 1920, peso welter ligero (63,5 Kg.) y peso welter pesado (71 Kg.) en Helsinki 1952, peso minimosca (48 Kg.) en México 1968, y la especialidad de peso superpesado (más de 91 Kg.) en los juegos de los Ángeles 1984.

A la cita olímpica sólo acuden boxeadores amateurs, debido a la falta de unificación al interior de este deporte de categorías y clasificación de los boxeadores.

En 1909 el National Sporting Club de Londres, oficializó las categorías con respecto al peso de los boxeadores.

En los juegos de Barcelona 1992, se instaló el sistema de puntuación automatizada, como una urgente medida de poner fin a los conflictos que en repetidas ocasiones se presentaron debido a las decisiones arbitrales y que tuvo su punto crítico en los incidentes presentados en las olimpiadas de Seúl 1988. La otra gran modificación olímpica se hizo en los juegos de Sydney 2000 al disputarse 5 asaltos de 2 minutos cada uno.

ORGANISMOS DEL BOXEO

En cada país hay un organismo que controla este deporte, normalmente cada país está afiliado a una o varias de las asociaciones internacionales que reconocen los combates por el título mundial.

CATEGORÍAS

Los competidores se dividen por pesos; los púgiles son pesados y examinados médicamente el día de la pelea.

En la actualidad existen 17 categorías en el boxeo profesional y 12 categorías amateur.

Categoría	Límite de peso profesional	Límite de peso amateur
Superpesado		más de 91 Kg.
Pesado	más de 86,183 kg	91 Kg.
Crucero	86,183 kg	
Semipesado	79,389 kg	81 Kg.
Supermedio	76,204 kg	
Medianos		71 Kg.
Medio	72,575 kg	75 Kg.
Superwelter	69,853 kg	
Welter	66,678 kg	67 Kg.
Welter ligero	63,503 kg	63,5 Kg.
Ligero	61,235 kg	60 Kg.
Superpluma	58,967 kg	
Pluma	57,153 kg	57 Kg.
Supergallo	55,338 kg	
Gallo	53,524 kg	54 Kg.
Supermosca	52,163 kg	
Mosca	50,802 kg	51 Kg.
Minimosca	48,988 kg	48 Kg.

Las asociaciones más importantes son el Consejo Mundial de Boxeo (WBC), fundada en 1963; la Asociación Mundial de Boxeo (WBA), fundada en 1962; y la Federación Internacional de Boxeo (IBF), fundada en 1983; y otras de menor rango, encabezadas por la Organización Mundial de Boxeo (WBO), fundada en 1988, considerada el cuarto organismo en prestigio.

REGLAMENTACIÓN

INSTALACIONES Y EQUIPAMIENTO

CUADRILÁTERO

El cuadrilátero es un área cuadrada elevada del suelo y encerrada por cuerdas sostenidas por postes acolchados colocados en cada una de las esquinas. Para combates amateurs el cuadrilátero mide entre 3,65-6,09 m^2., en tanto que donde se realizan peleas profesionales mide 4.87 m^2.

El suelo está cubierto por una lona sobre una capa de fieltro, goma o una sustancia similar de 1.27 a 1.90 cm. de espesor, quese extiende como mínimo 50 cm. más allá de la vertical de las cuerdas.

En las esquinas correspondientes de cada pugil debe haber un recipiente con resina para que las suelas no resbalen, así como también botellas con agua para hidratación y un botiquín.

En los combates amateurs debe haber tres cuerdas situadas a 39.87 centímetros, 80.01 centímetros y 1.29 metros de altura sobre la lona.

GUANTES

Los guantes que son acojinados, de cuero, van atados con cordones, y su peso se ajusta a la categoría del boxeador, de la siguiente manera:

- Profesionales: Entre 143-171 gramos para boxeadores hasta 67 Kg.; entre 171-200 gramos para boxeadores entre 67 Kg. y pesos pesados; 200 gramos para categorías pesadas.
- Aficionados: desde 228 gramos para todas las categorías.

Dentro de los guantes, las manos van vendadas con cintas de tela. Este vendaje no debe cubrir los nudillos y el esparadrapo no está permitido, salvo una tira de 7.62 por 2.54 centímetros que asegure el extremo del vendaje en cada muñeca.

PROTECTORES

De uso obligatorio son:

- La coquilla, que sostenido por un suspensorio elástico, se utiliza para proteger los genitales del boxeador.
- El protector de dientes, protege de posibles accidentes la boca del boxeador; está diseñado con un plástico especial que al ser puesto en agua caliente, se reblandece, lo que hace que se adapte a la forma de la boca del boxeador.
- Protector de cabeza, solo para aficionados.

JUECES

Los combates tanto de profesionales como de aficionados las califican un grupo de jueces así:

- Un *árbitro*: Responsable de controlar el combate dentro del cuadrilátero e imponer las sanciones, según sea el caso. Al finalizar el encuentro, reúne a los dos púgiles y levanta la mano del vencedor.
- *Jueces*: 5 para los aficionados y 3 para profesionales, quienes situados uno en cada lateral del ring otorgan los puntos a cada contendiente.
- Un *cronometrista*: Se encarga de hacer sonar la campana al principio y al final de cada asalto.

INICIO DEL ENCUENTRO

Antes de iniciarse un combate, el árbitro reúne a los boxeadores para impartirles y/o recordarles las reglas; luego los púgiles estrechan sus manos, van a sus esquinas y se inicia el combate.

DURACIÓN DEL ENCUENTRO

Los boxeadores se enfrentan en varios asaltos o rounds de tres minutos cada uno, con un minuto de descanso entre ellos. En encuentros de aficionados, en categorías senior e intermedia se disputan 3 rounds de 3 minutos; el encuentro de novatos tiene una duración de 3 asaltos de 2 minutos cada uno y los encuentros olímpicos 5 asaltos de 2 minutos. Las peleas profesionales se disputan en 12 asaltos de 3 minutos, con un descanso de un minuto entre ellos.

PUNTUACIÓN

Los combates pueden acabar de diferentes maneras:

- Por *KO (knock-out)*, cuando el boxeador es derribado y no se levanta antes de que el árbitro haya contado hasta diez. En este caso el boxeador que queda en pie, se dirige hacia una esquina neutral mientras el árbitro cuenta; esta cuenta se suspende si el púgil derribado se levanta.
- Por *KO técnico*, cuando el árbitro considera que uno de los púgiles no está en condiciones de seguir combatiendo.
- Por *descalificación*, que se produce por repetidas incorrecciones en la pelea por parte de uno de los boxeadores.
- Por *abandono*, pedido por el boxeador o decidido por su entrenador que arroja una toalla sobre la lona.
- Por *puntos*, teniendo en cuenta las decisiones de los jueces punteando en cada asalto a los boxeadores según la precisión en los golpes, dominio del combate, deportividad etc.

VALORACIÓN POR PUNTOS

Cuando un combate llega al límite de asaltos, se determina el vencedor por los puntos que cada uno de los combatientes haya alcanzado; para ello, cada asalto otorga un número fijo de puntos.

En el boxeo aficionado:

Al ganador del asalto se le otorgan 20 puntos mientras su oponente se califica proporcionalmente; los puntos auxiliares, tres de los cuales suman un punto, se utilizan para calificar los golpes. Estos puntos auxiliares se otorgan por:

- Defensa
- El área legal de los golpes al cuerpo del oponente
- Ataque
- Iniciativa durante el encuentro
- Estilo.

La puntuación profesional se realiza de la siguiente manera:

Al comenzar cada round cada uno de los púgiles cuenta con 10 puntos iniciales y al finalizar el mismo, el juez valora:

- Los golpes aplicados que llegan sin ser parados o desviados.
- La mayor potencia y precisión de los mismos.
- La mejor técnica de sus acciones.
- La defensa del púgil.
- Su mayor dominio técnico y estratégico.
- La mayor capacidad ofensiva.
- El mejor estado físico.

Al darse a conocer un veredicto en estos combates se suele decir el nombre del juez y la puntuación concedida por éste. Cuando las tres decisiones de los jueces coinciden, se dictamina inmediatamente el vencedor.

En el caso de tres veredictos diferentes (uno da vencedor a A, otro a B y otro puntuación empatada), el resultado es "combate nulo".

Lo mismo ocurre en el caso de dos puntuaciones de empate y otra dando vencedor a uno de los dos, es decir el resultado final vendría determinado por la mayoría de jueces dando un vencedor o un empate. *Nunca por la suma de las puntuaciones.*

Cuando los combatientes quedan empatados en puntos se declara ganador al que ha llevado la iniciativa o al que ha mostrado un estilo mejor.

Si un combate persiste en el empate se concede la victoria al púgil que mostró la mejor defensa.

FALTAS

Las acciones siguientes están prohibidas por los reglamentos amateur y profesional, el infractor se sanciona con la pérdida de puntuación o, en caso de persistir en ellas la descalificación.

- Golpear por debajo del cinturón.
- Golpear en la parte posterior de la cabeza, el cuello o en la zona de los riñones.
- Golpear en la cabeza, hombro, codo, antebrazo o con cualquier parte de la mano enguantada, que no sea la de los nudillos.
- Agarrar al contrario.
- Realizar demasiados contactos corporales.
- No separarse del abrazo cuando el árbitro lo ordena.
- Golpear durante la separación.
- Golpear deliberadamente cuando el contrincante está cayendo o ha caído.
- Golpear después de finalizado el asalto
- Sujetarse a las cuerdas con una o ambas manos para defenderse o atacar.

ESGRIMA

La esgrima es un deporte de combate, en el que usando tres tipos de armas (florete, espada y sable), con sus estilos propios en cuanto a técnica y reglamento, consiste en registrar durante un asalto toques en la superficie válida del contrario. Para ello cada esgrimista, maneja el tiempo, la velocidad y el sentido de la distancia, junto a una técnica depurada, separando y deteniendo los golpes del contrario y tratando de tocar a su rival.

Las especialidades masculinas son Espada, Sable y Florete (individual y por equipos); y las femeninas, Espada y Florete (individual y por equipos).

Debido a la complejidad de las acciones y la rapidez de éstas, los "toques" en un combate, se determinan mediante un dispositivo eléctrico que registra los "toques" indicando cuál de los dos oponentes ha sido "tocado".

HISTORIA

La historia de la esgrima se puede remontar a los tiempos de la aparición de las espadas

La historia de la esgrima se puede remontar a los tiempos de la aparición de las espadas, en la que los guerreros se entrenaban con ellas para el tiempo de guerra. Sin embargo, el inicio de la esgrima como deporte, tiene su origen en la Edad Media cuando la espada se utilizaba como un arma defensiva usada en las justas de los caballeros.

Hacia el siglo XV, cuando se extendieron las armas de fuego por Europa, se publicaron en España, las primeras normas del arte de esgrimir la espada. Y así en la medida en que, éstas fueron desplazando a la espada como arma de ataque y defensa, la espada fue ingresando como una actividad meramente deportiva.

En el siglo XVIII se inventó en Francia el florete, y surgieron distintos estilos de defensa y ataque, así como un vocabulario especial de esgrima.

En el siglo XIX fueron prohibidos los duelos, y se comenzó a enseñar la esgrima con fines meramente deportivos, empezándose a usar los tiradores, el guante, el protector de pecho y la máscara de malla metálica.

Las modalidades de sable y florete en la rama masculina, fueron incluidos como deportes olímpicos desde los primeros Juegos de la Era Moderna en Atenas; añadiéndose la espada en los juegos de París 1900; A partir de los juegos de Londres 1908, se incorporaron las competiciones por equipos.

En 1913 se fundó la Federación Internacional de Esgrima (F.I.E) y en 1937 empezaron los campeonatos del mundo. Een 1924, durante los juegos de París, la rama femenina se incorporó a los Juegos Olímpicos.

En la esgrima actual se usan tres tipos de armas hechas en acero templado: el florete, el sable y la espada.

PARTES DE LAS ARMAS

Los tres tipos de armas, florete, espada y sable, están constituidas de forma que normalmente no pueden herir al tirador ni a su adversario y están compuestas de las siguientes partes:

- Una hoja de acero flexible, terminada en su extremo delantero por un botón y en su extremo trasero por la espiga incluida en la empuñadura.
- Una empuñadura, en la que se fija la espiga y que permite a la mano del tirador asir el arma. Puede estar compuesta de una o varias piezas; en este último caso, se compone de mango (lo que la mano sujeta normalmente) y pomo (parte trasera de la empuñadura que fija el mango sobre la espiga).
- Una cazoleta metálica, fijada -la parte convexa hacia delante- entre la hoja y la empuñadura, y que sirve para proteger la mano que sujeta el arma. La cazoleta puede contener un almohadillado para amortiguar los golpes; además contiene una toma de corriente para adaptar el pasante.

FLORETE

El área válida de toque de los esgrimistas está cubierta por un chaquetín de tela metálica.

El Florete, es un arma de embestida ligera y flexible de sección cuadrangular de entre 90-110 cm. de largo, con un peso aproximado de 450 gramos; que se usa para conseguir toques embistiendo con la punta roma, que debe llegar al dorso del contrario; la hoja es rectangular en sección transversal y cuenta con un sensor colocado en la punta, que marca un "tocado" cuando la presión que se ejerce sobre el rival es superior a 500 g. A partir del momento en que el juez indica "Adelante", los esgrimistas tienen seis minutos para registrar los cincos toques que son necesarios para ganar un asalto. Si el tiempo se termina y ninguno de los dos ha tocado a su oponente cinco veces, el encuentro se decide a favor del competidor que haya conseguido el mayor un número de toques. Si el marcador está empatado, los competidores continúan hasta que alguno registre un toque válido, y así gane el asalto.

ESPADA

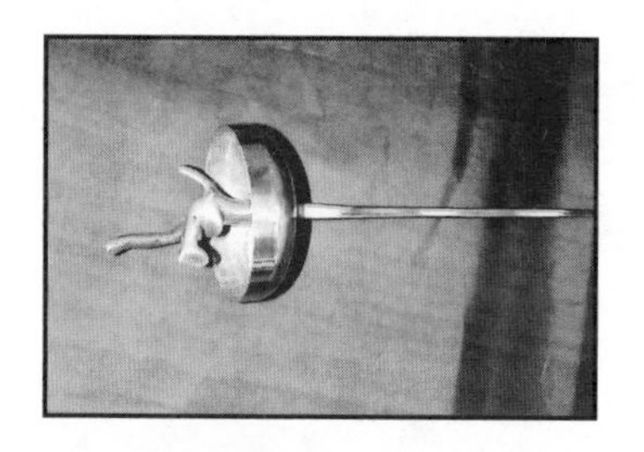

La Espada es un arma de embestida de sección triangular, que se diferencia del florete en que es de una construcción más rígida, tiene un peso de 750 g.; cuenta con una cazoleta mas ancha y profunda y una campana o protección de mano más grande; y el área de tocado es mas amplia (cuerpo, ropa y equipo completo del tirador), aunque como en el florete, los toques sólo se registran si llegan con la punta del arma.

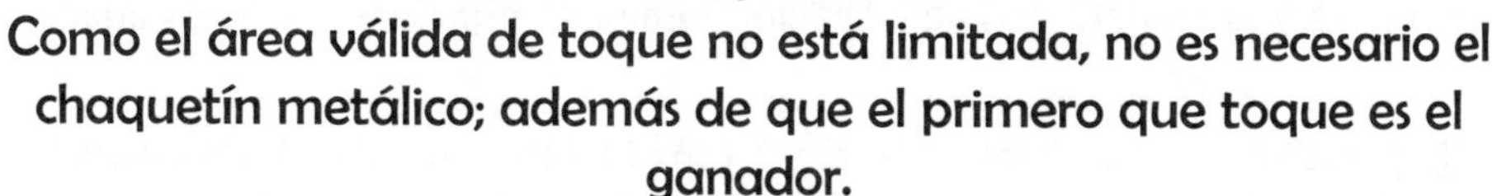

Como el área válida de toque no está limitada, no es necesario el chaquetín metálico; además de que el primero que toque es el ganador.

SABLE

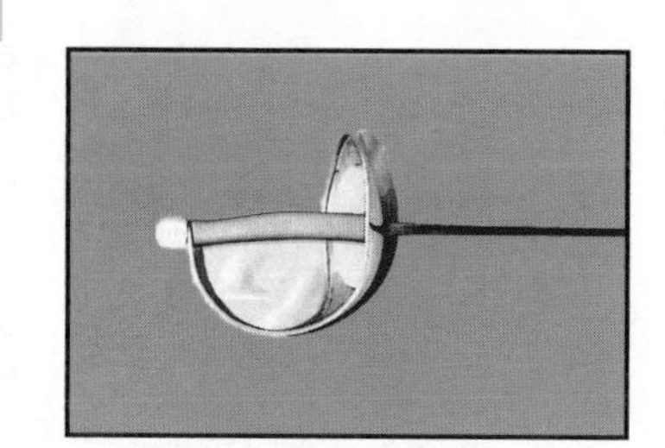

El Sable es la única arma con punta y corte. Con una longitud de 90 centímetros y un peso aproximado de 450 gramos, tiene un protector en forma de hueco, que se curva bajo la mano, y una hoja muy flexible de forma triangular en forma de T en sección transversal. Los tocados o puntos se pueden conseguir embistiendo con la punta o, con los dos filos de la hoja, siendo el área de blanco sólo desde la cintura hacia arriba.

INSTALACIONES E IMPLEMENTOS

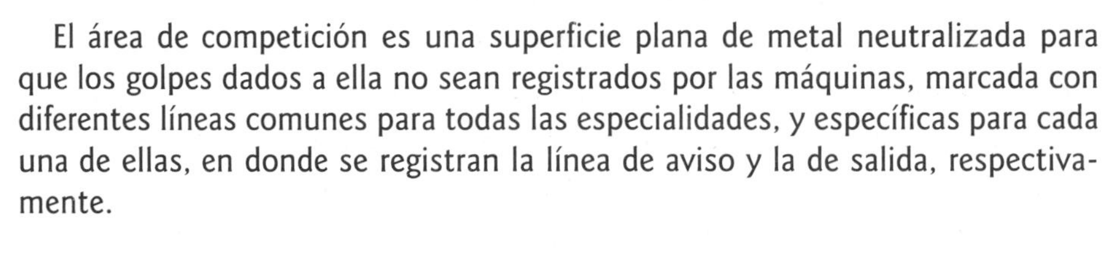

El área de competición es una superficie plana de metal neutralizada para que los golpes dados a ella no sean registrados por las máquinas, marcada con diferentes líneas comunes para todas las especialidades, y específicas para cada una de ellas, en donde se registran la línea de aviso y la de salida, respectivamente.

PISTA

Las pruebas, en las tres armas (florete, espada y sable) se realizan sobre la misma pista de madera goma o corcho, que constituye una superficie plana y horizontal, de 1,50 a 2 metros de ancho y 14 metros de largo. Cada esgrimista, situado a 2 metros de la línea del centro, cuenta con una longitud total de 5 metros, para romper sin franquear el límite posterior con los dos pies.

Sobre la pista se trazan de forma bien visible, cinco líneas perpendiculares a la longitud de la misma, que son:

- Una *línea en el centro*: se traza como línea discontinua sobre toda la anchura de la pista.
- 2 *líneas de puesta en guardia*: trazadas a lo ancho de toda la pista a dos metros a cada lado de la línea del centro.
- 2 *líneas de límite posterior:* trazadas a lo ancho de toda la pista, a una distancia de siete metros de la línea del centro. Los dos últimos metros precedentes a estas líneas, deben ser claramente distintos, de manera que los competidores puedan darse cuenta fácilmente de su posición en la pista.

APARATOS DE SEÑALIZACIÓN

Los aparatos de señalización usados son los que unen con hilos a los esgrimistas y al aparato,con señalización luminosa principal y señales auxiliares.

El aparato consta de cuatro lámparas (dos blancas, una roja y una verde) y una señal auditiva. Cada uno de los esgrimistas están conectados a una luz blanca y a una de color.

La conexión a las lámparas se hace mediante un cordón eléctrico, que se extiende desde la mano armada, pasando por debajo del chaleco que cubre la superficie valida del tirador; uno de los extremos del cordón se conecta con un enchufe situado debajo de la cazoleta y el otro, a un carrete con el marcador.

La punta de arresto o punta del arma, contiene un resorte que a una presión determinada, se deprime y pone en marcha el aparato de señalización, encendiendo la luz (blanca para toques fuera de la superficie de contacto y, de color para los toques válidos) y haciendo sonar la señal sonora.

CONDICIONES

- Un tocado dado sobre la pista conductora o sobre las partes metálicas del arma no debe ser registrado y no debe impedir el registro de un tocado dado simultáneamente por el adversario. En florete, un tocado dado sobre las partes del arma puede ser señalizado si la parte no aislada del arma del tirador está en contacto con su chaquetilla eléctrica.
- El aparato no puede llevar un dispositivo que permita a quienquiera que sea, salvo al encargado, interrumpir el funcionamiento durante el combate.
- Los tocados son registrados por señales luminosas. Las luces de señalización están situadas arriba del aparato, a fin de ser visibles tanto por el árbitro y los tiradores, como por el encargado del aparato. Por su emplazamiento, deben indicar claramente de que lado ha sido dado el tocado.
- Las señales, una vez encendidas, deben quedar fijas hasta el rearmado del aparato sin ninguna tendencia a apagarse o parpadear, a consecuencia de tocados posteriores.
- Las señales luminosas están acompañadas de señales acústicas.
- Los botones de manejo deben encontrarse arriba o en la parte frontal del aparato.
- La pista conductora debe neutralizar los tocados dados en el suelo
- Si el cronómetro no está incorporado en el aparato, éste debe tener un sistema para la conexión del cronómetro exterior.

JUECES

Todo match de esgrima está dirigido por:

- Un *árbitro*, quien tiene la responsabilidad de dirigir todo el match, sancionando las faltas y otorgando los tocados, con la ayuda de un aparato de control automático de tocados.
- Dos *asesores*, que colocados a lado y lado del árbitro, lo asisten en sus funciones, vigilando: la utilización de la mano o del brazo no armado, la sustitución de superficies válidas, los tocados dados en el suelo en espada, la inversión de la línea de los hombros en florete y las salidas laterales y traseras de la pista.
- Un *cronometrador*, que controla el tiempo real de cada asalto, deteniendo el cronómetro cada vez que el árbitro ordene a los competidores "Alto".
- Un *anotador*, quien lleva el control del marcador.

Editorial Kinesis

COMPETIDORES

VESTIMENTA DE LOS COMPETIDORES

La vestimenta de los esgrimistas que debe asegurar el máximo de protección permitiendo una amplia libertad de movimientos, está compuesta de una materia suficientemente sólida, y no presenta ninguna superficie lisa susceptible de hacer deslizar la punta de arresto, el botón o el golpe del adversario.

Los trajes hechos completamente de tela resistente a 800 newton, pueden ser de diferentes colores, pero el tronco debe ser obligatoriamente de color blanco.

- Chaquetilla: En todas las armas, la parte inferior de la chaquetilla debe recubrir el pantalón sobre una altura de al menos 10 cm, estando el esgrimista en la posición de "en guardia".

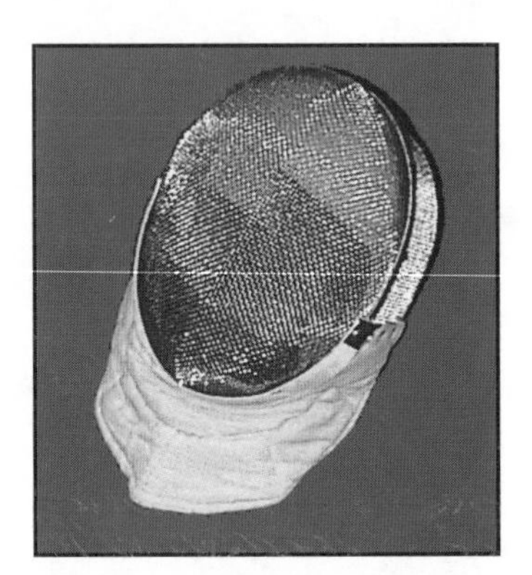

La chaquetilla debe obligatoriamente tener una manga interior que forre la manga hasta la articulación del brazo y el flanco hasta la región de la axila.

En la modalidad de espada, el tirador tiene la obligación de llevar una chaquetilla reglamentaria que cubra toda la superficie del tronco.

El equipamiento de las mujeres debe tener, además, en la chaquetilla, un protector de pecho de metal o cualquier otro material rígido.

En la especialidad de florete, se usa sobre el torso una coraza tejida con hilo metálico.

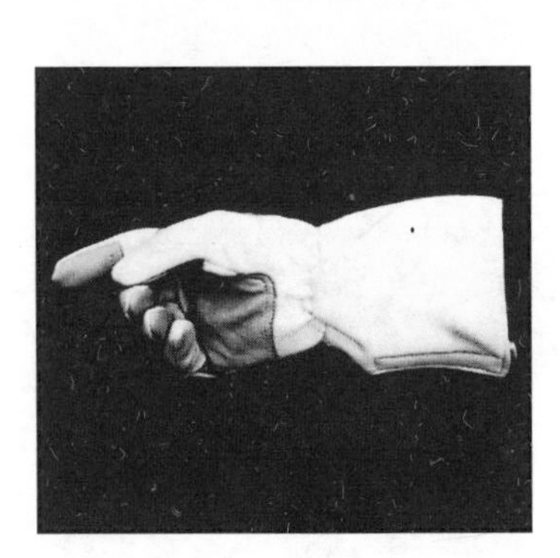

- *Pantalón*: El pantalón debe estar atado y fijado debajo de las rodillas. Junto con el pantalón, es obligatorio llevar un par de medias, que cubran completamente la pierna justo debajo del pantalón.
- *Guante*: En todas las armas, el manguito del guante debe, en todos los casos, recubrir completamente la mitad del antebrazo armado del tirador para evitar que la hoja del adversario pueda entrar en la manga de la chaquetilla.
- *Careta*: La careta que lleva una fijación de seguridad trasera, debe estar formada de enrejado de 2,1 mm. de espacio como máximo y la barbada de la careta debe estar realizada con un tejido resistente a 1600 Newton.

DURACIÓN DEL COMBATE

El combate amistoso entre dos esgrimidores (o tiradores), se llama asalto, cuando se tiene en cuenta el resultado de este combate (competición) se le llama "match".

El conjunto de los matches entre tiradores de dos equipos diferentes se llama "encuentro".

Una prueba es el conjunto de los matches (pruebas individuales) o de los encuentros (pruebas por equipos) necesarios para designar al vencedor de la competición.

La duración del combate efectivo es:

- *En poules*: 5 tocados, en máximo 4 minutos
- *En eliminación directa*: 15 tocados, en máximo 9 minutos, divididos en 3 períodos de 3 minutos con un minuto de pausa entre los dos primeros períodos.
- *Por equipos*: 4 minutos para cada relevo.

INICIO, DETENCIÓN Y REANUDACIÓN DEL COMBATE

El tirador llamado en primer lugar debe colocarse a la derecha del árbitro, salvo en el caso de un match entre un diestro y un zurdo, si el llamado en primer lugar es el zurdo.

El árbitro debe colocarse a cada uno de los dos combatientes de tal manera que el pie adelantado quede a 2 m. de la línea del centro de la pista.

La puesta en guardia al comienzo y las nuevas puestas en guardia se hacen siempre en el centro del ancho de la pista.

En el momento de la puesta en guardia, en el transcurso del combate, la distancia entre los tiradores debe ser tal, que en la posición de en guardia, brazo extendido, hoja en línea, las puntas no puedan estar en contacto.

Después de cada tocado dado como válido, los tiradores vuelven a ponerse en guardia en el centro de la pista. Si el tocado no ha sido admitido, vuelven a ponerse en guardia en el sitio que ocupaban en el momento de interrumpirse el combate.

La puesta en guardia al comienzo de cada período y del minuto suplementario eventual debe hacerse en el centro de la pista.

La nueva puesta en guardia, con la distancia establecida, no puede tener como consecuencia el colocar mas allá de la línea trasera, al combatiente que se encontraba mas acá de la misma en el momento de la suspensión del match.

Si este tiene ya un pie mas allá de la línea trasera, permanece en su sitio.

La nueva puesta en guardia, con la distancia establecida, por salida lateral, puede colocar al combatiente que ha cometido la falta mas allá de la línea trasera y por ello recibir un tocado.

La guardia es adoptada por los tiradores a la voz de "En guardia " dada por el árbitro. Acto seguido el árbitro pregunta "¿Listos? ". Tras la contestación afirmativa o en ausencia de contestación negativa, da la señal de combate: " Adelante".

Los tiradores deben ponerse en guardia correctamente y conservar una completa inmovilidad hasta la orden de "Adelante" del árbitro.

En florete y sable la guardia no puede ser realizada en la posición en línea.

El final del combate se determina con la voz del juez de "Alto". Después de la voz de "Alto", el tirador no puede iniciar ninguna nueva acción; únicamente el golpe lanzado se dará como válido.

Si uno de los tiradores se para antes de la voz de "Alto" y si es tocado, el toque es válido.

La voz de "Alto" se da también cuando:

- El juego de los tiradores es peligroso, confuso o contrario al Reglamento.
- Uno de los tiradores ha sido desarmado.
- Uno de los tiradores se sale completamente de la pista.
- Uno de los tiradores al romper se acerca al público o al árbitro.

PENALIZACIONES

Después de una advertencia, se someten a penalización las siguientes infracciones:

- Cruzar las líneas laterales o de salida a la pista.

  - Cuando un tirador traspasa con los dos pies uno de los límites de la pista, el árbitro debe dar inmediatamente la voz de "Alto" y anular todo lo que haya sucedido después del traspaso de dicho límite, a excepción del tocado recibido por el tirador que haya franqueado el límite, incluso después de haberlo hecho, siempre y cuando se trate de un tocado inmediato.

  - Cuando uno de los tiradores sale de la pista, solo puede ser contabilizado el golpe dado en estas condiciones por el tirador que queda sobre ella, aun cuando haya golpe doble.

  - Cuando un tirador traspasa completamente, con los dos pies, el límite posterior de la pista, es declarado tocado.

  - Si un tirador franquea con un solo pie el límite lateral de la pista, no sufre penalización, pero el árbitro da inmediatamente la voz de " Alto " y vuelve a poner a los tiradores en guardia en la pista.

  - El tirador que traspasa con los dos pies uno de los límites laterales es penalizado. Al ponerse nuevamente en guardia, su adversario avanzará un metro con relación al lugar que ocupaba en el momento de la acción, debiendo retroceder el tirador penalizado para guardar la distancia necesaria. El tirador que por aplicación de esta penalización se encuentre con los dos pies fuera del límite posterior, es declarado tocado.

- Iniciar un tocado antes de la orden del juez de ¡Adelante!

A la voz de "Alto" el terreno ganado queda adquirido hasta que se haya concedido un tocado. Para la nueva puesta en guardia, cada competidor debe retroceder una distancia igual para retomar la distancia de puesta en guardia.

- Tener un equipo que no está autorizado.
- Hacer uso irregular de la mano en el ataque.
- Realizar un cuerpo a cuerpo voluntariamente para evitar un tocado, o empujar al adversario. Hay cuerpo a cuerpo cuando los dos adversarios están en contacto.
- Hacer uso de la mano y el brazo no armados, tanto para realizar una acción ofensiva como defensiva.

Está prohibido, durante el combate entre las voces de "Adelante" y "Alto":

- Apoyar o arrastrar la punta del arma sobre la pista eléctrica.
- En todo momento, enderezar el arma sobre la pista.
- A lo largo del combate, desplazar el hombro del brazo no armado por delante del hombro del brazo armado.
- Poner una parte no aislada de su arma en contacto con su chaquetilla eléctrica con la intención de bloquear el aparato, y evitar de este modo ser tocado.

FRASE DE ARMAS

Todo ataque, o acción ofensiva inicial, ejecutada correctamente, debe ser parada o esquivada completamente y la frase de armas debe ser continuada. Para juzgar la corrección de un ataque, hay que considerar que:

- El ataque simple, directo o indirecto, está ejecutado correctamente, cuando al extender el brazo, la punta que amenaza una superficie válida, precede a la puesta en marcha del fondo o de la flecha.
- El ataque compuesto está correctamente ejecutado, cuando extendiendo el brazo en la presentación de la primera finta, la punta amenaza una superficie válida sin encoger el brazo durante la ejecución de los movimientos sucesivos al ataque y la puesta en marcha del fondo o de la flecha.
- El ataque por marchar-fondo o marchar flecha, está ejecutado correctamente, cuando la extensión del brazo precede al final de la marcha y a la salida del fondo o la flecha.
- La acción, simple o compuesta, la marcha o las fintas ejecutadas con el brazo recogido, no cuentan como un ataque sino como una preparación, exponiéndose a la puesta en marcha de la acción ofensiva o defensiva ofensiva adversa.

Para juzgar la prioridad de un ataque en el análisis de la frase de armas, hay que observar que:

- Si el ataque parte cuando el adversario no está en posición "punta en línea", puede ser ejecutado por un golpe recto, o por un pase o por un "coupé", o bien ser precedido de un batimiento o de fintas eficaces que obliguen al adversario a realizar una parada.
- Si el ataque parte cuando el adversario está en posición "punta en línea", el atacante debe apartar previamente el arma de su adversario.
- Si, buscando el hierro adverso para apartarlo, el atacante no encuentra el hierro (libramiento), la prioridad pasa al adversario.
- El paso adelante es una preparación y sobre esta preparación tiene prioridad cualquier ataque simple.
- La parada da derecho a la respuesta, la respuesta simple puede ser directa o indirecta, pero para anular toda acción subsiguiente del atacante, debe ser ejecutada inmediatamente, sin indecisión o tiempo de arresto.
- En un ataque compuesto, si el adversario encuentra el hierro en una de las fintas, tiene derecho a la respuesta.
- En los ataques compuestos, el adversario tiene derecho a arrestar, pero para que sea válido, el arresto debe preceder al final del ataque en un tiempo de esgrima, es decir, que el arresto debe tocar antes de que el atacante haya iniciado el último movimiento del final del ataque.

JUICIO DE LOS TOCADOS

FLORETE

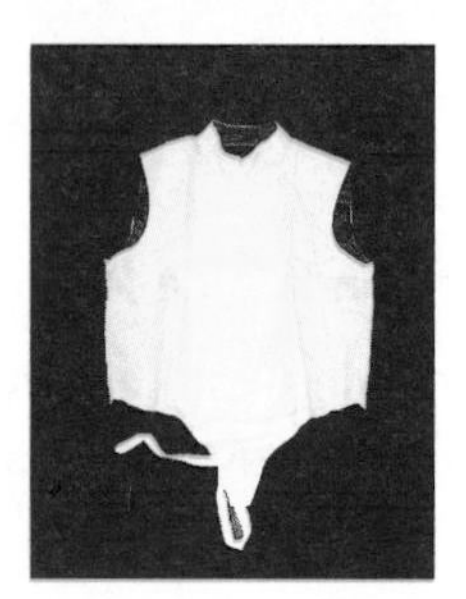

En el florete que es un arma de estocada solamente, la acción ofensiva se ejerce solamente con la punta y sólo cuentan los tocados dados únicamente en el tronco, terminando, hacia arriba, en la parte superior del cuello; en el costado hasta 6 cm. por encima del saliente de las clavículas; y hacia abajo, en una línea que pasa horizontalmente por la espalda, por los vértices de las caderas, alcanzando desde ahí en línea recta el punto de unión de las ingles.

ESPADA

La espada es un arma de estocada solamente, que ejerce su acción ofensiva únicamente con la punta y la superficie válida de toque comprende todo el cuerpo del tirador, incluidos indumentaria y equipamiento.

SABLE

El sable es un arma de estocada, de filo y de contrafilo, donde todos los golpes dados con el corte, con el plano o con el lomo de la hoja se cuentan como tocado.
La superficie válida comprende toda la parte del cuerpo situada por encima de la línea horizontal que pasa por los vértices de los ángulos formados por los muslos y el tronco del tirador en la posición de "en guardia".

SANCIONES

Existen diferentes categorías de sanciones que se aplican a los diferentes tipos de faltas:

SANCIONES DE COMBATE

Se aplican a faltas de combate, y son:

- Pérdida de terreno: El tirador que ha salido lateralmente de la pista con los dos pies es sancionado con una pérdida de terreno de un metro.

- *Negativa de homologación de un tocado realmente dado*: Incluso habiendo realmente tocado a su adversario en superficie válida, un tirador puede ver rechazado este tocado, ya sea por no haber sido dado durante el tiempo reservado al combate, porque estaba fuera de los límites de la pista, por defectos en el equipo eléctrico, o por realizarse el tocado con violencia.
- *Atribución de un tocado no recibido efectivamente*: Un tirador puede ser penalizado con un tocado que no haya recibido efectivamente, ya sea por traspasar el límite posterior de la pista, o a causa de una falta que haya impedido tirar al adversario (flecha con atropello, cuerpo a cuerpo intencionado en florete y en sable, intervención de la mano no armada, etc.)
- *Exclusión de la prueba*: El tirador que al combatir cometa ciertos actos de violencia o de venganza contra su adversario, así como el que no defiende lealmente su suerte o se beneficia de un acuerdo fraudulento con su adversario, puede ser excluido de la prueba.

SANCIONES DISCIPLINARIAS

Se aplican a faltas cometidas contra el orden, la disciplina o el espíritu deportivo, y que son:

- *Atribución de un tocado no recibido efectivamente.*
- *Exclusión de la prueba*: La exclusión de una prueba puede igualmente ser impuesta por una falta disciplinaria (no presentarse en la pista, armas no reglamentarias, comportamiento censurable hacia un juez, etc.).
- *Exclusión del torneo*: Un tirador excluido de un torneo no está ya autorizado para participar en ninguna otra prueba del mismo torneo, ya sea en la misma arma o en otra.
- *Expulsión del lugar de la prueba*: Todos los participantes o asistentes no tiradores (entrenadores, cuidadores, técnicos, acompañantes, oficiales, espectadores) pueden ser sancionados con una expulsión cuya consecuencia es la de prohibirles el acceso al lugar en que se celebra la prueba o el torneo mientras dure.
- *Descalificación*: La descalificación de un tirador (por ejemplo, por no responder a las condiciones requeridas de edad, de calidad u otras condiciones de la prueba) no entraña forzosamente su suspensión o su exclusión si ha obrado de buena fe; no obstante, podría formularse una petición de sanción suplementaria contra dicho tirador por intención fraudulenta.
- *Amonestación*: En el caso que no se justificara una sanción disciplinaria mas severa, el tirador u oficial puede ser sancionado con una amonestación.
- *Suspensión temporal*: Un tirador suspendido no puede tomar parte en ninguna prueba oficial de la F.I.E. durante el tiempo de suspensión.
- *Exclusión*: La exclusión tiene las mismas consecuencias que la suspensión, pero de modo definitivo.

TARJETAS

Existen tres clases de sanciones aplicables en los distintos casos. Todas ellas son acumulables y válidas para el match a excepción de las manifestadas por una Tarjeta negra, que significa una exclusión.

Las sanciones son las siguientes:

- *Advertencia* (tarjeta amarilla), con la cual el árbitro señala al tirador que comete la falta. Una nueva falta de su parte, lleva consigo un tocado de penalización.
- *Tocado de penalización* (tarjeta roja) con la cual el árbitro señala al tirador que comete la falta. Un tocado es añadido al tanteo de su adversario y lleva consigo, si se trata del último tocado, la pérdida del match. Además, después de toda tarjeta roja no puede haber mas que otra tarjeta roja o una tarjeta negra según la naturaleza de la nueva falta.

- *Exclusión de la prueba o del torneo* según el caso (tirador), o la expulsión del lugar de competición (toda persona que perturbe el orden), manifestada con una tarjeta negra con la cual el árbitro señala a la persona que comete la falta.

Deportes de Combate

LUCHA

Deporte de combate, exclusivamente masculino, que consiste en un enfrentamiento cuerpo a cuerpo, cuyo objetivo final es derribar al adversario, haciéndole tocar el tapiz con ambos hombros, acción que se denomina «tocado»; sin embargo, la victoria, puede lograrse por abandono, descalificación, superioridad de puntos, y otras situaciones técnicas.

Existen dos modalidades: la lucha grecorromana, y la lucha libre, diferenciadas en que el estilo grecorromano no permite coger al adversario por debajo de la cadera, hacerle la zancadilla ni utilizar activamente las piernas en la ejecución de acciones de lucha, sólo permite sujetar al contrario de la cabeza a la cintura; mientras que la libre permite atacar también en las piernas.

Cada una de las dos especialidades, se divide en categorías en función del peso máximo de los luchadores así: 54 kg., 58 kg., 63 kg., 69 kg., 76 kg., 85 kg., 97 kg. y 130 kg.

Editorial Kinesis

La historia señala que, la lucha a mano desnuda, como deporte, precedió al combate armado, quizá como una transformación de los rituales de antiguas civilizaciones. En la antigua Grecia, este deporte ya formaba parte de sus juegos, aunque también existen indicios de su práctica en el antiguo Egipto, China, Islandia, América del Sur y Asia.

En los juegos olímpicos de la antigüedad existían dos modalidades, la lucha vertical, en la que los contendientes trataban de derribarse mutuamente, proclamándose vencedor aquel que primero lo consiguiera por tres veces; y, la lucha horizontal, que se iniciaba de pie y se continuaba en el suelo cuando uno o ambos contendientes perdían el equilibrio, proclamándose vencedor el luchador que colocara de espaldas sobre el suelo a su adversario por tres ocasiones. Cuando ambos tipos de luchas se popularizaron, se estableció la segunda como modalidad específica y la primera como especialidad dentro de las competiciones conjuntas del pentatlón.

Tal era la espectacularidad de la lucha, y la atracción que los romanos sentían por ésta, que en época del imperio romano, se promovió la lucha entre hombres y de hombres contra bestias como parte de la diversión que se le ofrecía al pueblo. Fue así como en el último cuarto del siglo II a.C., la lucha griega generó la grecorromana, a partir de la tecnificación de los movimientos para dominar al adversario.

Este deporte, olímpico desde la primera versión de los juegos olímpicos modernos, desapareció del programa en los juegos de París 1900; sin embargo, para los juegos de San Luis 1904, los estadounidenses, propiciaron su retorno, sólo que en la modalidad libre.

En los Juegos Olímpicos de Londres 1908 se incluyeron por primera vez los dos estilos (libre y grecorromana), pero para los juegos de Estocolmo 1912, la lucha libre se vería suprimida debido a lo impreciso de sus reglas. A partir de esta problemática surgió entonces la Federación Internacional de Lucha, que reglamentó la especialidad. Una vez más los dos estilos de lucha aparecieron en el programa olímpico a partir de Amberes 1920 y hasta el día de hoy.

REGLAMENTACIÓN

Las dos especialidades se desarrollan sobre un tapiz o lona de hule, cuadrado de 12 metros de lado, en cuyo interior se traza un círculo de 9 metros de diámetro, al que se le llama área de combate, que es precisamente donde tiene lugar el enfrentamiento.

AREA DE COMPETICIÓN

Alrededor del área de combate, se traza una banda de un metro de ancho, que se denomina «zona de pasividad»; la pasividad se presenta cuando un luchador rehúsa al combate, para lo cual ingresa a esta zona, acción calificada como falta de espíritu competitivo, sujeta a una advertencia. Las dos esquinas diagonales marcadas en rojo y azul, corresponden a cada uno de los luchadores.

Alrededor del colchón o cuadrado de 12 metros se ubica la zona de protección, que mide de 2 a 5 metros de ancho.

Para mejorar la visibilidad, la lona se puede elevar hasta un metro por encima del suelo, en este caso debe haber un espacio a nivel con la zona de pasividad, de por lo menos 2 metros de ancho.

VESTIMENTA DE LOS COMPETIDORES

Butarga, se denomina la malla de una sola pieza ajustada al cuerpo, que usan los luchadores; se sostiene por tirantes sobre los hombros y se extiende hasta la mitad de cada muslo. Los competidores, sin importar su nacionalidad, usan una butarga en color rojo y el otro azul.

Las zapatillas que usan son de media bota (con altura por encima de los tobillos) de cuero y con suela de material antiderrapante, para que permita al luchador una adecuada sujeción al tamiz de combate.

Los competidores no pueden aplicar en sus cuerpos sustancias grasosas o pegajosas y tampoco pueden llegar excesivamente sudados al área de la competencia.

En algunos torneos internacionales los contendientes utilizan cascos de protección u orejeras, siempre bajo autorización médica, pero nunca en los Juegos Olímpicos.

JUECES

Una lucha la supervisan tres jueces:

- Un *presidente de combate*, es el jefe oficial del encuentro y quien señala las decisiones, levantando un indicativo del color del luchador a que corresponda.
- Un *árbitro*, vestido de blanco, lleva un distintivo azul en la muñeca dere-

cha y otro rojo en la izquierda, mediante los cuales señala los puntos o acciones que va acumulando cada competidor. Es el encargado de iniciar, interrumpir y finalizar el combate; amonestar a los luchadores e indicar la puntuación y las caídas.

- Un *juez*, que se encarga de levantar el brazo correspondiente al color del luchador para indicar los puntos y entregar la hoja de los resultados al presidente.
- Un *controlador de lona*, quien controla el tiempo del combate.

INICIO DEL COMBATE

Ambos luchadores salen de sus equinas hacia el centro del área de combate, reciben las instrucciones del árbitro, se estrechan las manos y a una señal inician el combate desde la posición de pie, tratando de tomarse para efectuar el derribo, en tanto que los jueces anotan puntos por cada acción de ataque y defensa. La segunda parte del encuentro, se inicia, en caso de que no se halla realizado el derribo, con el luchador que gana el sorteo a la ofensiva, de rodillas al lado de su contrincante, con una mano alrededor de la cintura y la otra en la parte posterior del codo; las piernas no deben tocar las de su oponente hasta tanto el árbitro dé la señal.

PUNTUACIÓN

Un combate se gana por toque de espalda, es decir, cuando los dos hombros de uno de los luchadores toca el suelo o colchón, por un segundo de tiempo controlado, o por puntos, cuando la lucha ha llegado a su límite de tiempo, pero con un marcador superior a dos puntos y al sumar un mínimo de tres puntos técnicos.

Si un luchador suma 10 puntos más que su oponente, la lucha puede ser detenida.

Existen dos tipos de puntos:

- *Puntos técnicos o de acción.*
- *Puntos positivos o de clasificación.*

- Los puntos técnicos o de acción, se conceden por la consecución de acciones o llaves correctas durante el combate, bajo el siguiente sistema:

1 punto por: derribar al adversario sin que su espalda toque la lona; cambiar de una posición inferior a una superior, manteniendo el control; aplicar una llave correcta sin lograr que el adversario toque la lona con los hombros o la cabeza.

2 puntos por: poner al rival en una caída rodante; cuando el adversario rueda de lado a lado y forma puente usando los codos y los hombros.

DURACIÓN DEL ENCUENTRO

Cada encuentro se celebra en dos tiempos de 3 minutos cada uno, con 30 segundos de descanso entre ellos.

De presentarse un empate o si ninguno de los contendientes va arriba en el marcador por menos de tres puntos, se agregan 3 minutos más de competencia. En caso de persistir el empate, los jueces deciden el ganador basándose en los momentos de pasividad acumulados por cada luchador y las acciones técnicas efectivas de ambos.

3 puntos por: tomar al oponente desde la posición de pie y llevarlo a una posición de peligro.

5 puntos por: un lanzamiento amplio seguido de una posición de peligro.

- Los puntos positivos o de clasificación, se conceden después del combate y van sobre la papeleta, de acuerdo con el modo en que el combate se ha decidido; éstos se utilizan para determinar la posición del luchador en su grupo.

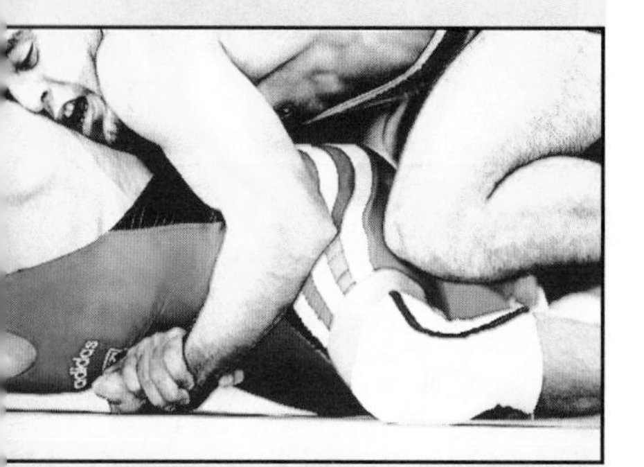

CAÍDA

Para que el árbitro dictamine una caída, los dos hombros del luchador que cae deben estar en contacto con la lona, bajo el control del oponente.

ACCIONES EN EL COMBATE

LUCHA EN EL SUELO

Una lucha continúa aún cuando uno de los dos contrincantes cae; en este caso el luchador en el suelo puede contraatacar y levantarse, manteniendo las rodillas y manos separadas al menos 20 cm.; puede también cambiar de posición, pero únicamente cuando el árbitro le dé la señal (después de que el luchador erguido coloca las manos sobre sus hombros).

El luchador que derriba a su oponente, debe permanecer en una acción activa, de lo contrario, ambos competidores vuelven a la posición de pie.

REINICIO DE LA LUCHA

Cuando los dos luchadores salen del círculo rojo, el árbitro detiene el combate y reinicia el enfrentamiento en el centro del área de combate. El combate se reanuda de las siguientes formas:

- En posición de pie, cuando no ha existido puesta en peligro por parte de ninguno de los contendientes.
- Con un luchador agazapado o en cuatro apoyos sobre el colchón, cuando ha ocurrido puesta en peligro y con su adversario de pie por encima de él, dispuesto a sacarle provecho a la acción tan pronto como el árbitro dé la señal de reinicio del combate.
- Agarre de clinch, cuando después del primer tiempo persiste un empate a cero puntos y el árbitro decide, por medio de sorteo, qué luchador sujetará al otro para proseguir la lucha de una manera más emotiva.

POSICIÓN DE PELIGRO

Se considera que un luchador se encuentra en posición de peligro, cuando:

- Sobrepasa un ángulo de 90° con la espalda dirigida a la lona.
- Resiste con la parte superior del cuerpo para evitar la caída.
- Se apoya en los codos para mantener los hombros elevados.
- Se apoya sobre un hombro y mantiene el otro a 90° sobre la vertical.

PENALIZACIONES

En ambos estilos está prohibido golpear, morder, estrangular, aplicar tomas dolorosas antirreglamentarias, así como torsiones y retorcimientos que puedan desencadenar en dislocaciones o daños mayores.

En la lucha grecorromana solo pueden usarse los brazos. Está prohibido:

- Tomar al oponente por debajo de las caderas.
- Utilizar las piernas para empujar y alejar al adversario.
- Hacer una toma, apretar o levantar al contrario con las piernas.

Cada vez que una infracción a los normas se comete, el árbitro advierte al luchador, hasta que en la tercera oportunidad es descalificado por acumulación de faltas. Sin embargo, cuando una primera falta es de consecuencia se produce una descalificación inmediata.

Entre las penalizaciones que se aplican en ambos estilos de lucha se encuentran las siguientes acciones:

- No combatir de una manera activa.
- Tocar la cara del oponente entre las cejas y la boca.
- Dar intencionalmente cabezazos.
- Golpear el estómago del oponente con la rodilla o el codo.
- Agarrar la garganta, el cabello, las orejas, los genitales o la butarga.
- Aplicar tijeras al cuerpo o a la cabeza.
- Forzar el brazo del oponente sobre su espalda a más de 90º.
- Levantar al oponente desde la posición de puente y lanzarlo a la lona.

DEPORTES DE CONJUNTO

PARTE 6

Llamamos deportes de conjunto, a todos aquellos cuya práctica exige de la participación, interacción y cooperación de un grupo de deportistas que constituyen un equipo. Este tipo de deportes se subdivide frecuentemente con base en los parámetros del espacio ocupado por los jugadores y la forma de participación sobre el elemento de juego. Es así como unos deportes son realizados con la participación de compañeros y adversarios en un espacio común en el que las acciones con respecto al objeto de juego son simultáneas, otros se realizan con la participación de compañeros y adversarios pero en un espacio separado de juego con acciones respecto al objeto alternadas, y la última categoría la constituyen los deportes que poseen un espacio común en el que la intervención sobre el objeto de juego se hace de forma alterna.

BALONCESTO

El baloncesto es un juego deportivo que se practica entre dos equipos de 5 jugadores cada uno, en un período de tiempo preestablecido y durante el cual ambos equipos pretenden introducir un balón (jugado siempre con las manos) en el interior de una cesta que defiende al adversario. Gana el equipo que logre obtener más puntos al finalizar el tiempo reglamentario.

HISTORIA

El 17 de diciembre de 1891, el profesor canadiense James Naismith creó un nuevo deporte en el colegio de la Young Men Christian Association (Asociación Cristiana de Jóvenes) de Sprinfield en Massachussets, adaptando las reglas de otros deportes como el fútbol, a unas dimensiones reducidas y en un campo cerrado, como respuesta a la necesidad imperiosa que tenían sus alumnos de practicar durante el invierno un deporte que admitiera varios jugadores, ya que los deportes populares del momento como el béisbol y el fútbol requerían de amplios espacios al aire libre y el tenis, que si podía ser jugado al interior de las instalaciones no admite gran número de participantes.

Para ello consagró gran parte de su tiempo al estudio de los juegos existentes, analizando minuciosamente todos los deportes practicados hasta el momento, tomando de cada uno de ellos lo que le parecía más atrayente, sus condiciones especiales y también observando las condiciones atléticas de sus estudiantes. Fue así como modificando su idea inicial creó el deporte conocido en la actualidad como Basketball (baloncesto), al decidir que el juego fuera realizado con las manos y que su objetivo fuera el de introducir una pelota dentro de un cesto, de donde se deriva su nombre.

A partir de la publicación del primer reglamento en 1892 el baloncesto empezó a experimentar cambios, hasta convertirse en uno de los deportes más practicados en el mundo.

En 1893 el baloncesto llegó a México, el primer país extranjero en conocer este nuevo deporte.

Francia fue el primer país europeo que adoptó el baloncesto en 1893, dependiendo de la Federación Francesa de Atletismo hasta la aparición de la Federación Francesa de Baloncesto en 1932.

En 1920 se presentó en Ámsterdam como deporte de exhibición en los juegos olímpicos incluyéndose como deporte olímpico desde 1936 en la modalidad masculina y en 1972 para la femenina.

Una vez admitida la participación de jugadores profesionales en las competiciones olímpicas, en los juegos olímpicos de Barcelona en 1992, acaparó la atención el "Dream Team", un equipo conformado por los mejores jugadores profesionales de los Estados Unidos, entre los que se contaba el fenomenal Michael Jordan.

REGLAMENTACIÓN

TERRENO E IMPLEMENTOS DE JUEGO

CAMPO DE JUEGO

El terreno en el que se juega el baloncesto es una superficie plana y dura, bajo techo o al aire libre, y libre de obstáculos cuyas medidas oscilan entre los 24-28 m. de lado (líneas laterales) por 13-15 m. de ancho (líneas finales). La superficie de juego debe distar al menos 2 metros de cualquier obstáculo, incluyendo los integrantes de los banquillos de los equipos, y en caso de que el terreno esté cubierto, la altura mínima del techo debe ser de 7 m.

Desde el punto central de cada línea lateral y paralelamente a las líneas de fondo, se traza la *línea central*, que se prolonga 15 cm por la parte exterior de cada línea lateral y que divide el terreno en dos campos iguales: la zona de ataque y la de defensa.

El *círculo central*, con 1,80 m. de radio se traza en el centro de la línea central.

Áreas restringidas:

Las áreas restringidas son los espacios marcados en el terreno de juego limitados por las líneas de fondo, las líneas de tiros libres y las líneas que parten de las líneas de fondo, tienen sus bordes exteriores a 3 m de los centros de las mismas y terminan en el borde exterior de las líneas de tiros libres.

Las *líneas de tiros libres* con una longitud de 3,60 m., se trazan paralelas a cada línea de fondo, a 5,80 m del borde interior de estas y con su centro sobre la línea imaginaria que une el centro de las dos líneas de fondo.

Los *pasillos de tiro libre* son las áreas restringidas ampliadas en el terreno de juego por semicírculos con un radio de 1,80 m y el centro situado en el punto medio de las líneas de tiros libres. Se trazan semicírculos similares con una línea discontinua en el interior de las áreas restringidas.

Zona de canasta de tres puntos

La zona de canasta de tres puntos de un equipo es todo el terreno de juego excepto el área próxima a la canasta de sus adversarios que limita e incluye las dos líneas paralelas que parten de la línea de fondo a 6,25 m. del punto del suelo situado justamente debajo del centro exacto de la canasta de los adversarios y un semicírculo de 6,25 m. de radio hasta su borde exterior con centro en el punto citado anteriormente.

Zonas de los bancos de los equipos

Las zonas de los bancos de los equipos se marcan fuera del terreno de juego en el mismo lado que la mesa de anotadores. Cada zona está limitada por una línea que parte de la línea de fondo de al menos 2 m. de longitud y por otra línea de al menos 2 m. de longitud trazada a 5 m. de la línea central y en ángulo recto con la línea lateral.

TABLEROS

Constituyen unos rectángulos de superficie plana y material rígido y transparente, con líneas blancas, cuyas dimensiones son: 1,80 m. de ancho, 1,05 m. de alto con su borde inferior a 2.90 m. del suelo. Estos tableros se montan firmemente en cada extremo del terreno de juego en ángulo recto con el suelo, paralelos a las líneas de fondo y ubicados como mínimo a 1 m. de la línea final

Los soportes del tablero están anclados al suelo para evitar que se desplacen. La parte frontal de la estructura del soporte se encuentra a una distancia mínima de 2 m. del borde exterior de la línea de fondo.

Canastas

Comprenden los aros y las redes. Los aros con un diámetro interno de 45 cm., son de acero macizo y están adheridos a los tableros en ángulo recto con su borde superior ubicado horizontalmente a 3.05 m. del suelo.

Las redes, miden entre 40-45 cm de longitud, están colgadas de los aros y fabricadas de tal forma que frenen momentáneamente el balón cuando éste pase a través de ellas.

BALÓN

Esférico recubierto con cuero, caucho o material sintético, tiene una circunferencia de 75-78 cm. y un peso entre los 567-650 gramos.

Se infla con una presión de aire tal, que cuando se deje caer sobre la superficie del terreno de juego desde una altura aproximada de 1,80 m., rebote hasta una altura aproximada entre 1,20 m. y 1,40 m.

SUSTITUCIÓN DE JUGADORES

Los jugadores pueden ser sustituidos cuantas veces desee el entrenador. Cuando se vaya a realizar un cambio, el jugador que va a entrar en el juego pide la sustitución al anotador, quien se la otorga cuando el balón esté muerto.

Un jugador que ha sido sustituido y un sustituto que se ha convertido en jugador, no pueden volver a incorporarse al partido ni abandonarlo, respectivamente, hasta que el balón vuelva a estar muerto otra vez, después que haya transcurrido una fase del partido con el reloj en marcha.

JUECES

El cuerpo arbitral está compuesto por *un árbitro principal* y un *árbitro auxiliar* que son asistidos por los oficiales de mesa.

Los árbitros tienen la autoridad para tomar decisiones sobre las infracciones de las reglas cometidas, tanto en el interior como en el exterior del terreno de juego. Esta autoridad tiene efecto cuando lleguen al terreno de juego y concluye con el final del tiempo de juego con la aprobación y firma del acta del partido por el árbitro principal al final del mismo.

Los oficiales de mesa son el *anotador*, el *ayudante de anotador*, el *cronometrador* y el *operador de 24 segundos*.

El anotador lleva el registro en el acta oficial del partido, el ayudante del anotador maneja el marcador y ayuda al anotador; el cronometrador provisto de un reloj de partido y un cronómetro lleva el registro del tiempo de juego y del tiempo de detención; el operador de 24 segundos inicia la cuenta de 24 seg. tan pronto como un jugador obtiene el control de un balón vivo en el terreno de juego y detiene la cuenta cuando el mismo equipo pierde el control del balón.

EQUIPOS

Un equipo se compone de no más de diez jugadores numerados del 4 al 15, un entrenador y, un asistente de entrenador. Durante el encuentro debe haber en el terreno de juego *5 jugadores* de cada equipo que podrán ser sustituidos.

El capitán (quien puede actuar como entrenador, si no hay entrenador o si el entrenador no puede continuar ejerciendo sus responsabilidades y no hay ningún ayudante de entrenador inscrito en el acta del partido) es un jugador que representa a su equipo en el terreno de juego. Puede dirigirse a los árbitros, durante el partido, para obtener información, haciéndolo de manera respetuosa y sólo cuando el balón esté muerto y el reloj del partido detenido.

Cuando el capitán abandone el terreno de juego por cualquier razón válida el entrenador debe informar a uno de los árbitros del número del jugador que lo sustituye como capitán en el terreno de juego durante su ausencia.

DURACIÓN DEL ENCUENTRO

Un partido se compone de *4 períodos de 10 minutos*, con intervalos de 2 minutos y entre el primer y segundo período, entre el tercer y cuarto período y antes de cada período extra. El intervalo en la mitad del partido, es decir, entre el segundo y tercer período es de 15 minutos.

Si al final del tiempo de juego del cuarto período, el encuentro acaba en empate, el partido continúa con un período extra de 5 minutos o con cuántos períodos extras sean necesarios para romper el empate. En todos los períodos extra los equipos siguen jugando hacia las mismas canastas que en el tercer y cuarto período.

SALTO ENTRE DOS

Se produce un salto entre dos cuando:

- Empieza un período de tiempo, estos saltos se realizan desde el círculo central.
- El árbitro sanciona un balón retenido (uno o más jugadores de equipos oponentes, tienen puesta una o las dos manos firmemente sobre el balón, de manera que ninguno de ellos puede obtener la posesión del mismo), o una doble falta que dé como resultado un salto entre dos, este se produce en el círculo más cercano entre los dos jugadores implicados.

En estas situaciones, el árbitro lanza el balón entre los dos jugadores adversarios, que se encuentran de pie, con los pies dentro del semicírculo más próximo a su canasta, con un pie cercano a la línea central del círculo. El árbitro lanza el balón verticalmente entre los saltadores hasta una altura mayor que la que pueda alcanzar cualquiera de ellos saltando. El balón debe ser palmeado con la(s) mano(s) por uno o ambos saltadores después de que ha alcanzado el punto más alto de su trayectoria y ninguno de los saltadores puede coger el balón ni tocarlo más de dos veces hasta que haya sido tocado por uno de los otros jugadores, o toque el suelo, la canasta o el tablero.

El resto de los jugadores no puede tener ninguna parte de su cuerpo en contacto con la línea que delimita el círculo ni por encima de ella antes de que se haya palmeado el balón.

INICIO DEL PARTIDO

Para todos los partidos, el equipo local tiene la opción de elegir la canasta y el banquilllo de equipo. Los equipos intercambian las canastas en el tercer periodo.

Para poder iniciar el juego los dos equipos deben estar en el terreno de juego con cinco jugadores cada uno; dos de ellos deben situarse dentro del círculo central para realizar un salto entre dos. El encuentro empieza oficialmente cuando el árbitro entra en el círculo central con el balón para efectuar el salto.

PUNTUACIÓN

Se convierte un cesto cuando un balón vivo entra en la canasta por arriba y permanece en ella o la atraviesa.

El cesto se concede al equipo que ataca la canasta a la que se lanza el balón siendo sus valores:

- Un punto para el tiro libre.
- 2 puntos para el cesto realizado desde la zona de tiro de dos puntos del terreno de juego.
- 3 puntos para el cesto realizado desde la zona de tiro de tres puntos del terreno de juego.

ACCIONES DE JUEGO Y VIOLACIONES

Una violación es una infracción de las reglas, que se penaliza concediendo el balón a los adversarios para un saque desde el punto más próximo a aquél en el que se cometió la infracción, excepto directamente bajo el tablero.

REGLA DE LOS TRES SEGUNDOS

Un jugador no debe permanecer en el área restringida de sus adversarios durante más de 3 segundos consecutivos mientras su equipo tenga el control de un balón vivo en el terreno de juego y el reloj está en marcha.

JUGADOR ESTRECHAMENTE MARCADO

Un jugador que sostiene un balón vivo en el terreno de juego, está estrechamente marcado cuando un contrario está en una posición de defensa activa, a una distancia no superior a un metro. Este jugador debe pasar, lanzar, o botar el balón en menos de 5 segundos.

REGLA DE LOS OCHO SEGUNDOS

Cuando un jugador obtiene el control de un balón vivo en su campo de defensa, su equipo debe hacer que el balón pase a su campo de ataque antes de 8 segundos.

JUGADOR FUERA DEL TERRENO DE JUEGO Y BALÓN FUERA DEL TERRENO DE JUEGO

Un jugador se halla fuera del terreno de juego cuando cualquier parte de su cuerpo está en contacto con el suelo o con cualquier objeto, distinto de un jugador, que esté sobre las líneas de demarcación, encima de ellas o fuera de las mismas.

El balón se halla fuera del terreno de juego cuándo toca:

- Un jugador u otra persona que se halle fuera del terreno de juego.
- El suelo o cualquier objeto que esté sobre, encima o fuera de la línea de demarcación.
- Los soportes del tablero, la parte posterior de los tableros o cualquier objeto situado encima o detrás de los tableros.

El responsable de que el balón salga fuera del terreno de juego es el último jugador en tocarlo antes de que salga fuera del terreno de juego, aunque el balón haya salido fuera del terreno de juego por haber tocado algo que no sea un jugador.

REGATE

Un regate comienza cuando un jugador, habiendo obtenido control de un balón vivo en el terreno de juego, lo lanza, palmea, rueda o lo bota en el terreno de juego y lo vuelve a tocar antes de que toque a otro jugador. Se completa en el momento en que el jugador toca el balón simultáneamente con ambas manos o permite que descanse en una de sus manos o en las dos.

Durante un regate el balón puede ser lanzado al aire, a condición que el balón toque el suelo antes que el jugador lo toque otra vez con las manos. No existe ningún límite al número de pasos que se puedan dar mientras el balón no esté en contacto con su mano.

No se debe realizar un segundo regate después de haber concluido el primero, a menos que haya perdido el control vivo en el terreno de juego debido a:

- Un lanzamiento a canasta.
- Un palmeo de un oponente
- Un pase o una pérdida del balón en que el balón haya tocado o haya sido tocado por otro jugador.

AVANCE ILEGAL

Es el movimiento ilegal de uno o ambos pies en cualquier dirección mientras se sostiene un balón vivo en el terreno de juego.

Un jugador que coja el balón mientras tiene los dos pies en el suelo puede utilizar cualquiera de ellos como pie de pivote. En el momento en que levante un pie el otro pasará a ser el pie de pivote.

Al comenzar un regate no se puede levantar ninguno de los dos pies antes de que el balón salga de la(s) mano(s) del jugador.

Editorial Kinesis

REGLA DE LOS VEINTICUATRO SEGUNDOS

Cuando un jugador obtiene el control de un balón vivo en el terreno de juego, su equipo debe realizar un lanzamiento a canasta antes de 24 segundos.

Para que se considere un lanzamiento a canasta, se deben cumplir las siguientes condiciones:

- El balón debe salir de la(s) mano(s) del jugador en el tiro a canasta antes de que suene el dispositivo de 24 segundos, y
- Después que el balón haya dejado la(s) mano(s) del jugador que lanza a canasta, el balón debe tocar el aro, antes que suene la señal del dispositivo de 24 segundos.

BALÓN DEVUELTO A LA PISTA TRASERA

Un jugador que se halle en su campo de ataque cuyo equipo tenga el control de un balón vivo no puede hacer que el balón vuelva a su campo de defensa.

El balón pasa a la pista trasera de un equipo cuando:

- Toca el campo de defensa del equipo.
- Toca a un jugador o un árbitro que tiene parte de su cuerpo en contacto con la pista trasera.

FALTAS Y SANCIONES

Una falta es una infracción de las reglas que implica el contacto personal con un adversario y/o una conducta antideportiva.

FALTA PERSONAL

Es una falta de jugador que implica el contacto ilegal con un adversario, esté el balón vivo o muerto.

Un jugador no debe agarrar, bloquear, empujar, cargar ni poner zancadilla a un adversario, no debe impedir el avance de un adversario extendiendo la mano, el brazo, el codo, el hombro, la cadera, la pierna, la rodilla o el pie, ni doblar su cuerpo en una posición «anormal», ni debe incurrir en juego brusco o violento.

En todos los casos se anota una falta personal al infractor, además:

- Si la falta se comete contra un jugador que no está en acción de tiro: Se reanuda el juego mediante un saque del equipo no infractor desde un punto del exterior del terreno de juego lo más próximo posible al lugar en que se cometió la infracción.
- Si la falta se comete contra un jugador que está en acción de tiro: Si el lanzamiento se convierte, es válido y se concede un tiro libre.

Si el lanzamiento a canasta de dos puntos no se convierte se concederán 2 tiros libres.

Si el lanzamiento a canasta de tres puntos no se convierte se concederán 3 tiros libres.

FALTA ANTIDEPORTIVA

Es una falta personal cometida por un jugador que, a juicio del árbitro, no realiza un intento legítimo de jugar el balón dentro del espíritu y la intención de las reglas.

En la penalización se le anota una falta antideportiva al infractor y se le conceden tiros libres a los oponentes, seguido de posesión de balón en la línea central.

El número de tiros libres concedido será el siguiente:

- Si se comete la falta contra un jugador que no esté en acción de tiro, dos (2) tiros libres.
- Si se comete la falta contra un jugador que está en acción de tiro, el cesto si se consigue, será válido y se concederá un tiro libre adicional.
- Si se comete la falta contra un jugador en acción de tiro que no consigue encestar, se concederán 2 o 3 tiros libres, según el lugar desde el que se realizó el lanzamiento.

DOBLE FALTA

Es una situación en la que dos jugadores adversarios cometen faltas por contacto, el uno contra el otro, aproximadamente al mismo tiempo.

En la penalización se anota una falta personal a cada jugador infractor. No se concede ningún tiro libre.

El juego se reanuda de la manera siguiente:

- Si se consigue un cesto válido al mismo tiempo, el balón se concede a los adversarios del equipo que haya conseguido el cesto, desde la línea de fondo.
- Si un equipo tuviera el control del balón o tuviera derecho al balón, el balón se concede a este equipo para un saque desde el punto exterior al terreno de juego más próximo al lugar en que se cometió la infracción.
- Si ninguno de los dos equipos tuviera el control del balón o no tuvieran derecho al balón, el partido se reanuda con un salto entre dos en el círculo más cercano al lugar donde se cometió la infracción.

FALTA DESCALIFICANTE

Cualquier infracción flagrantemente antideportiva de un jugador, sustituto, entrenador, ayudante de entrenador o acompañante de equipo es una falta descalificante.

También es descalificado un entrenador cuando:

- Se le han anotado 2 faltas técnicas, como consecuencia de su conducta personal antideportiva.
- Se le han anotado 3 faltas técnicas, acumuladas como consecuencia de conductas antideportivas del ayudante del entrenador, de cualquier sustituto o acompañante del equipo que se halle en el banco del equipo o por una combinación de 3 faltas técnicas, una de las cuales le haya sido anotada al propio entrenador.

En la Penalización se le anota una falta descalificante al infractor, es descalificado y deberá dirigirse al vestuario del equipo, donde permanecerá el resto del partido o, si lo prefiere, abandonará la instalación. Se concede(n) tiro(s) libre(s) al equipo no infractor, seguidos de la posesión del balón en la línea central.

FALTA TÉCNICA DE UN JUGADOR

La falta técnica de un jugador es aquella que no implica contacto con un jugador adversario. Se comete una falta técnica cuando un jugador hace caso omiso de las advertencias de los árbitros o utiliza tácticas como:

- Tocar o dirigirse irrespetuosamente a un árbitro, comisario, oficial de mesa, o a los adversarios.
- Utilizar lenguaje o gestos que puedan ofender o incitar a los espectadores.

- Provocar a un adversario o impedir su visión agitando las manos cerca de sus ojos.
- Retrasar el juego evitando que el saque se realice con rapidez.
- No levantar correctamente la mano después de habérselo solicitado un árbitro, tras habérsele señalado una falta.
- Cambiar de número sin informar al anotador y al árbitro.
- Salir del terreno de juego sin autorización.
- Colgarse del aro de manera que éste soporte todo el peso del jugador.

En la penalización se anota una falta técnica al infractor y se concede un tiro libre a los adversarios, seguido de posesión de balón en la línea central.

FALTA TÉCNICA DE ENTRENADORES Y SUSTITUTOS

El entrenador, el ayudante de entrenador, los sustitutos y acompañantes de equipo, no deben dirigirse, ni tocar irrespetuosamente a los árbitros, comisario, oficiales de mesa ni a los adversarios.

Para la penalización se anota una falta técnica al entrenador y se conceden 2 tiros libres a los adversarios, seguidos de la posesión del balón, en la línea central.

Cada árbitro tiene autoridad para señalar faltas de manera independiente en cualquier momento del partido, esté el balón vivo o muerto.

Se puede señalar cualquier número de faltas a un equipo o a los dos. Independientemente de la penalización, se anotará una falta en el acta al infractor por cada falta.

CINCO FALTAS POR JUGADOR

El jugador que haya cometido 5 faltas, tanto personales como técnicas, es informado debiendo abandonar el partido inmediatamente. Las faltas cometidas por jugadores que hayan cometido anteriormente su 5ª falta, se le cargarán al entrenador.

FALTAS DE EQUIPO

Un equipo se encuentra en una situación de penalización de faltas de equipo, cuando se hayan cometido 4 faltas de equipo en un período, como resultado de las faltas técnicas o personales cargadas a cualquier jugador de ese equipo.

Todas las faltas de los componentes de un equipo cometidas durante un intervalo de juego forman parte del período o períodos extras siguientes.

Todas las faltas de los componentes de un equipo cometidas durante un período extra, forman parte del cuarto período.

Cuando un equipo se encuentra en una situación de penalización de faltas de equipo, todas las faltas personales siguientes de sus jugadores, cometidas sobre un jugador que no esté en acción de tiro, se penalizan con 2 tiros libres.

TIROS LIBRES

Un tiro libre es una oportunidad concedida a un jugador para que consiga un punto sin oposición, desde una posición situada detrás de la línea de tiros libres y dentro del semicírculo.

En el último o único tiro libre, si después de que el balón haya tocado el aro, es tocado legalmente por un jugador atacante o defensor, antes que entre en la canasta, esa acción modifica su estado y lo convierte en un tiro de 2 puntos.

Un máximo de 5 jugadores (3 defensores y 2 atacantes, de modo alternativo) pueden ocupar las posiciones en los pasillos de tiros libres, que se considera que tienen un metro de profundidad. La primera posición del pasillo a cada lado del área restringida, sólo puede ser ocupada por los adversarios del lanzador de los tiros libres.

Todos los jugadores que no se hallen en las posiciones del pasillo de tiros libres permanecen por detrás de la prolongación de la línea de tiros libres y de la línea de lanzamientos de tres puntos hasta el momento en que el balón toque el aro o concluyan los tiros libres.

Deportes de Conjunto

BALONMANO

El balonmano es un deporte de equipo que al ofrecer múltiples combinaciones y requerir de un veloz juego ofensivo, exige de sus jugadores fuerza controlada, equilibrio y coordinación en todos sus movimientos. Se juega entre dos equipos de siete jugadores cada uno (incluyendo el guardameta), en el que, manejando el balón con las manos, se tiene como objetivo introducir la pelota dentro de una portería, defendida por el contrario y así lograr el mayor número de goles.

HISTORIA

El Balonmano es un deporte de reciente creación, aunque hay expertos que señalan que sus orígenes se remontan a la antigüedad. Así, en la antigua Grecia ya se practicaba un juego de pelota con la mano, conocido como el «*Juego de Ucrania*», en el que se utilizaba una pelota del tamaño de una manzana y en el que sus participantes debían procurar que no tocara el suelo.

A finales del siglo XIX, el profesor de gimnástica, Konrad Koch (1849-1911), creó el «*Raffballspied*», que con características muy parecidas al actual balonmano utilizó como complemento para entrenar y preparar a los gimnastas. Para la misma época, se practicaba en las escuelas de Checoslovaquia un juego muy parecido, al que se denominaba «*Hazena*», promovido por el maestro de Praga A. Kristol, y cuyo primer reglamento, muy similar al reglamento del fútbol, con la diferencia de que aquel se jugaba con las manos, apareció en 1905.

El maestro de educación física de Berlín Karl Schelenz, introdujo y popularizó el juego del balonmano con once jugadores. Además elaboró su reglamento y dio las bases teóricas y prácticas referentes a su técnica y táctica.

En 1898, el profesor de gimnasia Danés Holger Nielsen, introdujo en el instituto en el que trabajaba, un juego nuevo con un balón pequeño, al que se llamó «*Haandbol*», que consistía en que siete jugadores intentaban meter goles en una portería contraria, de una manera semejante al fútbol, pero manejando el balón con las manos. Este juego se hizo muy popular en Dinamarca y en otros países escandinavos, en especial en Suecia, donde se desarrollaron numerosas salas para su práctica.

Sin embargo, y a pesar de los antecedentes, la creación del balonmano moderno se le atribuye al profesor de educación física alemán Max Heiser, quien inspirado en deportes que ya existían como el *raffbold*, el *vokerball* y el *koreball* ideó un nuevo deporte para ocupar los ratos libres de los trabajadores de la Siemens, al que llamó *Torball*.

El *Torball* se jugaba en un terreno de 40 x 20 metros, y una portería de 2,50 x 2 metros, con una zona de 4 metros; se utilizó una pelota medicinal o una de fútbol, con la que no se podía correr mas de tres segundos, tampoco se permitía luchar por la posesión del balón. Este deporte aunque llegó a tener un buen número de practicantes cayó en el olvido, hasta que en 1915, el profesor alemán Carl Schelenz, modificando las anteriores normas introdujo el dribling y la lucha por la posesión del balón, aumentó las dimensiones de la portería, desplazó la zona que la rodea a 11 metros y estableció el número de jugadores en 11 por equipo, todo esto le dio más dinamismo y espectacularidad a lo que se llamó handbol, que ya para 1920 era un deporte muy popular en todo Alemania y era conocido de igual forma en Europa.

Editorial Kinesis

Este nuevo deporte se difundió rápidamente por los países del norte de Europa, ya para 1925 se había jugado el primer partido internacional de carácter amistoso, en categoría masculina, entre Alemania y Austria.

En sus inicios y hasta 1928 el handbol quedó inscrito en la Federación Internacional de Atletismo Amateur; para 1926 esta federación nombró una comisión para hacer una revisión al reglamento y en 1927 se solicitó su inclusión en el programa olímpico.

Para los años treinta, el balonmano ya era popular en Alemania, Dinamarca y Suecia, Noruega, Finlandia, Suiza, Austria, Bélgica, Holanda y Japón, y, en 1935, se celebró el primer encuentro amistoso de Balonmano a 7, entre Suecia y Dinamarca.

En 1936, con la Federación Internacional de Balonmano Amateur (FIHA) ya conformada, el balonmano debutó en los juegos olímpicos de Berlín, con la participación de 6 países.

Con motivo de la celebración del primer aniversario de la FIHA, se programó el primer campeonato del Mundo, evento en el que participaron 10 países.

En 1938 se organizó en Alemania, el Primer Campeonato del Mundo en las dos modalidades a 11 y a 7.

Una vez finalizada la guerra, en julio de 1946, el sueco Gosta Bjorck propuso la disolución de la FIHA y la creación de la IHF. La nueva Federación Internacional de Balonmano apoyó el balonmano de siete jugadores y programó para 1947 el primer curso internacional de arbitraje.

En 1948 se realizó en Hungría el primer campeonato del mundial femenino, este campeonato que se realizó con la modalidad de 11 jugadoras, contó con la participación de 4 equipos.

Hasta principios de 1950 los campeonatos de balonmano a 11 jugadores estaban muy difundidos, pero a partir del mundial de 1954, la modalidad de siete jugadores fue ganando terreno.

En1955 la IHF solicitó al Comité Olímpico Internacional su inclusión como disciplina olímpica, en la modalidad de Balonmano a 7. En 1957 se celebró en Yugoslavia el Primer Campeonato del Mundo femenino en la modalidad de a 7.

Paralelamente a la evolución del balonmano masculino con siete jugadores, el femenino se implantó en varios países. Ya en 1964 para el quinto campeonato mundial masculino realizado en Budapest, se contó con la participación de 23 equipos que, por primera vez buscaban la clasificación en sus propios continentes.

En la década de 1960 disminuyó la popularidad del balonmano con once participantes; el último campeonato mundial en la modalidad de 11, en categoría masculina se realizó en Austria en 1966.

En 1968, en el Congreso Internacional celebrado en Ámsterdam, se estableció la obligatoriedad de que el Balonmano fuera practicado en terrenos de 40 por 20 metros, siendo estas las medidas actuales.

Después de 36 años de ausencia, se permitió nuevamente la inclusión del balonmano, pero esta vez con siete jugadores, en los juegos olímpicos de Munich 1972. Esta era la segunda competición olímpica a la que se asistía, la primera, en 1936 con once jugadores. Cuatro más tarde, en los juegos de Montreal, se incluyó la rama femenina.

El Balonmano es un deporte de reciente creación, aunque hay expertos que señalan que sus orígenes se remontan a la antigüedad.

REGLAMENTACIÓN

TERRENO E IMPLEMENTOS DE JUEGO

El terreno de juego es un rectángulo de 40m. de largo y 20m. de ancho, que está formado por dos áreas de portería y un área de juego. Las líneas exteriores más largas se llaman líneas de banda y las más cortas, líneas de portería.

El terreno de juego está rodeado por una zona de seguridad de 1 m. de ancho por el exterior de las líneas de banda y de 2 m. detrás de las líneas de portería.

PORTERÍAS

Las porterías firmemente fijas al suelo y provistas de redes, sujetas de tal forma que el balón que penetra en ellas no pueda salir rebotado inmediatamente al exterior, están situadas en el centro de cada línea de portería. Sus medidas interiores son de 2m. de alto x 3m. de ancho.

Las tres caras de los postes, visibles desde el terreno de juego están pintadas con dos colores alternativos que contrasten claramente con el fondo del campo.

BALÓN

El balón esférico, hecho de cuero o material sintético usado en un partido masculino mide de 58 a 60 cm. de circunferencia y tiene un peso de 425 a 475 gr. Para mujeres la circunferencia del balón es de 54 a 56cm. y el peso de 325 a 400 gr.

Área de portería

Formada por:

- La línea del área de portería (una línea recta de 3m. de largo, paralela a la portería y a 6m. de ésta)
- Dos cuartos de círculo unidos en sus extremos a la línea de portería, cada uno con un radio de 6m. medidos desde la esquina interna posterior de los postes de la portería.

Línea de golpe franco

Es una línea discontinua trazada 3 metros hacia fuera de la línea del área de portería y paralela a ésta.

Línea de 7 m.

Paralela a la línea de portería, a una distancia de 7 m., se traza una línea de 1 m. de longitud, frente al centro de la portería.

Líneas de cambio

Cada una de las dos líneas de cambio se delimitan a una distancia de 4,5 m. de la línea central por una línea paralela a ésta que se extiende 15 cm. hacia adentro y afuera del terreno de juego.

JUECES

El partido es dirigido por *dos árbitros* con igual autoridad, cuya responsabilidad es asegurar que se observen las reglas de juego señalando las infracciones. Ellos son asistidos por un cronometrador y un anotador.

El *anotador* a cargo del acta del partido, indica en ella los datos necesarios (goles, amonestaciones, exclusiones, descalificaciones y expulsiones).

El *cronometrador* controla la duración del juego, indica cuando hay una interrupción del tiempo de juego. Ambos vigilan la entrada de los jugadores sustitutos y de los que han sido excluidos.

EQUIPOS

Un equipo se compone de 12 jugadores numerados del 1 al 20. En el terreno de juego y al mismo tiempo sólo debe haber un máximo de *7 jugadores*, de los cuales uno es el portero, quien lleva una vestimenta que lo distingue de la de su equipo.

SUSTITUCIÓN DE JUGADORES

Durante el partido los suplentes pueden entrar en cualquier momento y de manera repetida, sin avisar al anotador-cronometrador, siempre que los jugadores a los que sustituyen hayan abandonado el terreno de juego. Los jugadores deben siempre entrar y salir del terreno de juego a través de la línea de cambio de su propio equipo.

Toda salida o entrada del terreno de juego de forma incorrecta se castiga como cambio antirreglamentario, y se sanciona con golpe franco para los contrarios ejecutado desde el lugar en donde el jugador infractor franqueó la línea de banda. Además, el jugador infractor se excluye del juego durante 2 minutos.

INICIO DEL PARTIDO

Mediante un sorteo se determina la posesión del balón, así como el derecho a elegir campo.

El partido comienza con el toque de silbato del árbitro central que señala el saque de centro realizado por el equipo que gana el sorteo y ha elegido saque.

SAQUE DE CENTRO

Se realiza desde el centro del terreno, en cualquier dirección y con un plazo de 3 segundos después del toque del silbato. Los jugadores de ambos equipos se encuentran al menos a 3 metros del jugador que ejecuta el saque. El jugador que ejecuta el saque debe tener un pie sobre la línea central hasta que el balón

DURACIÓN DEL ENCUENTRO

La duración del partido de balonmano es de *dos tiempos de 30 minutos* con 10 minutos de descanso.

Si un partido queda empatado al final del tiempo normal de juego y es necesario determinar un ganador, se juega una prórroga después de 5 minutos de descanso. Las prórrogas consisten en 2 tiempos de 5 minutos cada uno. Los equipos cambian de campo en el tiempo intermedio, pero no hay descanso.

TIEMPO MUERTO

Cada equipo tiene derecho a solicitar un tiempo muerto de equipo de un minuto de duración en cada parte del tiempo normal de juego (se excluyen las prórrogas). Este tiempo se solicita mediante una tarjeta verde.

Editorial Kinesis

haya salido de su mano y sus compañeros no pueden franquear la línea central hasta que el balón haya salido de la mano del lanzador.

En caso de que un compañero del lanzador rebase la línea central, después del toque de silbato, pero antes de que el balón haya salido de la mano del lanzador, se señala un golpe franco a favor del equipo contrario.

Las situaciones en las que se realiza el saque de centro son:

- Después del descanso, ejecutado por el equipo que no lo realizó al principio del partido.
- En caso de prórrogas, la elección de campo o de saque de centro se vuelve a sortear.
- Después de cada gol, ejecutado por el equipo que ha recibido el gol.

Para el saque de centro del inicio del partido y de cada período de tiempo, los jugadores deben encontrarse en su propio campo; sin embargo, después de la consecución de un gol, pueden ubicarse en ambas partes del terreno de juego.

PUNTUACIÓN

Se consigue un gol cuando el balón rebasa totalmente la línea interior de la portería y sin que ninguna falta acabe de ser cometida por el lanzador o sus compañeros.

Cuando un defensor comete una falta que no impide que el balón entre en la portería, el gol se considera válido.

Un gol marcado por un equipo en su propia portería es siempre un gol válido en favor del equipo contrario.

ACCIONES DE JUEGO Y VIOLACIONES

EL JUEGO DEL BALÓN

Se permite:

- Lanzar, coger, detener, empujar o golpear el balón usando las manos (abiertas o cerradas), brazos, cabeza, tronco, muslos y rodillas.
- Tener el balón durante tres segundos como máximo tanto en las manos, como si se encuentra en el suelo.
- Dar tres pasos como máximo, con el balón en las manos.
- Tanto parado como en carrera lanzar una vez el balón al suelo y recogerlo con una mano o ambas manos o botar el balón en el suelo de forma continuada con una mano, así como hacerlo rodar de una forma continuada con una mano, y recogerlo con una o ambas manos.
- Desde que el jugador controla el balón con una o ambas manos, debe jugarlo después de tres pasos como máximo y dentro de los tres segundos siguientes. Se considera que el balón es botado o lanzado al suelo cuando el jugador lo toca con cualquier parte de su cuerpo dirigiéndolo al suelo.
- Pasar el balón de una mano a otra sin perder el contacto con él.
- Continuar jugando el balón estando de rodillas, sentado o tumbado.

Se prohíbe:

- Tocar el balón más de una vez sin que haya tocado entre tanto el suelo, otro jugador o la portería.
- Tocar el balón con los pies o piernas por debajo de la rodilla, excepto cuando el balón ha sido lanzado al jugador por un contrario.
- Lanzar intencionadamente el balón por encima de las líneas de banda o de la propia línea exterior de portería. Se exceptúa al portero, dentro de su propia área de portería, cuando no controla el balón y lo dirige por encima de la línea exterior de portería (saque de portería).
- Conservar el balón en posesión de su propio equipo, sin que se pueda observar una acción de ataque o una tentativa de lanzamiento.

Un jugador que actúa como portero puede, después de cambiar su vestimenta, actuar en el terreno de juego como jugador de campo. Igualmente un jugador de campo puede jugar como portero en cualquier momento.

Dentro del área de portería, se permite al portero:

- Tocar el balón con cualquier parte del cuerpo siempre que lo haga con intención defensiva.
- Desplazarse con el balón sin restricción alguna.
- Abandonar el área sin estar en posesión del balón y tomar parte en el juego dentro del área de juego; cuando hace esto, el portero queda sometido a las mismas reglas que rigen para los jugadores de campo dentro del área de juego.
- Abandonar el área de portería con el balón y continuar jugándolo si no lo ha controlado plenamente.
- Se considera que el portero se encuentra fuera del área de portería desde el momento que cualquier parte de su cuerpo toca el suelo fuera de la línea del área de portería.

Se prohíbe al portero:

- Poner en peligro al adversario en cualquier acción defensiva.
- Lanzar intencionadamente el balón ya controlado detrás de la línea exterior de portería, después de haberlo controlado.
- Salir del área de portería con el balón controlado.
- Tocar el balón fuera del área de portería, después de un saque de portería, si no ha sido tocado mientras tanto por otro jugador.
- Tocar el balón que está parado o rodando en el suelo fuera del área de portería, estando el portero dentro de la misma.
- Introducir el balón dentro del área de portería que esté parado o rodando en el suelo fuera de dicha área.
- Entrar con el balón en su propia área de portería procedente del terreno de juego.
- Tocar con el pie o la pierna por debajo de la rodilla el balón que se halla detenido en el área de portería o que se dirige al área de juego.
- Franquear la línea de limitación del portero (línea de 4 metros) o su prolongación imaginaria hacia cada lado antes de que el balón abandone la mano del lanzador cuando se ejecuta un lanzamiento de 7 metros.

La entrada en el área de portería por un jugador de campo, se sanciona con:

- Un golpe franco, si un jugador de campo penetra en ella con el balón.
- Un golpe franco, si un jugador de campo penetra en el área de portería sin balón, pero consigue así alguna ventaja.
- Un lanzamiento de 7 m. si un jugador del equipo defensor penetra en el área de portería obteniendo una ventaja sobre el jugador atacante que está en posesión del balón.

No se sanciona la entrada en el área de portería cuando:

- Un jugador después de haber jugado el balón, penetra en el área de portería, con la condición que ello no suponga una desventaja para los contrarios.

EL PORTERO

EL ÁREA DE PORTERÍA

Sólo el portero tiene derecho a entrar en el área de portería. Esta área, que incluye la línea del área de portería, se considera invadida cuando un jugador de campo la toca con cualquier parte del cuerpo. Se prohíbe a los jugadores de campo tocar el balón que se encuentre dentro del área de portería, en contacto con el suelo, parado o en movimiento, o en poder del portero. El balón que se encuentra en el aire encima del área de portería puede jugarse libremente.

Editorial Kinesis

- Un jugador sin balón viola el área de portería sin obtener ninguna ventaja.
- Un defensor penetra en el área de portería durante o después de una intervención defensiva sin perjuicio para el contrario.

El lanzamiento intencionado del balón hacia la propia área de portería se sanciona así:

- Gol, si el balón entra en la portería.
- Lanzamiento de 7 m. si el portero toca el balón sin que se produzca gol.
- Golpe franco, si el balón queda sobre el área de portería o franquea la línea exterior de portería.

El juego prosigue si el balón atraviesa el área de portería sin ser tocado por el portero.

SAQUE DE BANDA

El saque de banda se ordena cuando el balón franquea totalmente la línea de banda o cuando el balón toca en última instancia a un jugador de campo del equipo defensor, traspasando la línea exterior de portería.

Este saque se ejecuta sin toque de silbato del árbitro, por parte del equipo contrario al jugador que tocó el balón por última vez, antes de que éste franquease la línea. Se realiza desde el lugar donde el balón rebasó la línea de banda o, si el balón rebasó la línea exterior de portería, desde la intersección de la línea de banda y la línea exterior de portería en el lado que el balón la rebasó.

El lanzador mantiene un pie sobre la línea de banda hasta que el balón salga de su mano. No se permite al jugador colocar el balón en el suelo y volverlo a coger, ni botarlo y volverlo a coger él mismo. Durante la ejecución de un saque de banda, los jugadores contrarios no pueden encontrarse a menos de 3 metros del lanzador, aunque se les permite, sin embargo, permanecer inmediatamente fuera de su línea del área de portería, incluso si la distancia entre ellos y el lanzador es menos de 3 metros.

SAQUE DE PORTERÍA

Se ordena un saque de portería cuando el balón sobrepasa la línea exterior de portería. Este saque se realiza sin toque de silbato del árbitro, desde el área de portería por encima de la línea del área de portería y se considera ejecutado cuando el balón lanzado por el portero ha sobrepasado la línea de portería.

El portero no puede tocar de nuevo el balón después de un saque de portería, hasta que éste no haya tocado a otro jugador.

GOLPE FRANCO

El golpe franco se ejecuta sin toque de silbato del árbitro y, en principio, desde el lugar en el que se cometió la infracción. Si este lugar está situado entre las líneas de área de portería y de golpe franco del equipo que ha cometido la infracción, el golpe franco se ejecuta desde el lugar más próximo inmediatamente fuera de la línea de golpe franco.

Una vez que el jugador atacante está en el lugar correcto para el lanzamiento, con el balón en la mano, no puede dejarlo en el suelo y volverlo a coger, o botarlo y volverlo a coger. Los jugadores del equipo atacante no deben tocar ni franquear la línea de golpe franco, hasta que éste haya sido ejecutado; los jugadores contrarios deben mantenerse a una distancia mínima de 3 metros del lanzador. Se les permite, sin embargo, permanecer inmediatamente fuera de su línea del área de portería, si el golpe franco se está ejecutando desde su línea de golpe franco.

Se sanciona un golpe franco en caso de:

- Cambio incorrecto o entrada en el terreno antirreglamentaria.
- Infracciones del portero.
- Infracciones de los jugadores de campo en el área de portería.
- Infracciones al jugar el balón.
- Lanzar el balón intencionadamente fuera de la línea exterior de portería o de la línea de banda.
- Juego pasivo.
- Infracciones relativas al "Comportamiento con el contrario".
- Infracciones con relación al saque de centro.
- Infracciones con relación al saque de banda.
- Infracciones con relación al saque de portería.
- Infracciones con relación al golpe franco.
- Infracciones con relación al lanzamiento de 7 metros.
- Infracciones con relación al saque de árbitro.
- Ejecución antirreglamentaria de los lanzamientos.
- Actitud antideportiva.
- Agresión.

LANZAMIENTO DE LOS 7 METROS

Cuando se ordena un lanzamiento de 7 metros, éste debe ser efectuado directamente hacia la portería y dentro de los tres segundos siguientes al toque de silbato del árbitro central.

El jugador que ejecuta el lanzamiento no debe tocar ni franquear la línea de 7 metros antes de que el balón haya salido de su mano; el balón sólo puede jugarse de nuevo después de la ejecución de un lanzamiento de 7 metros, hasta que éste haya tocado al portero o a la portería.

A ningún jugador que no sea el lanzador se le permite encontrarse entre las líneas de golpe franco y del área de portería mientras se ejecuta un lanzamiento de 7 metros.

Los jugadores del equipo defensor deben mantenerse a 3 m. como mínimo de la línea de 7 metros mientras se ejecuta el lanzamiento. Si un jugador defensor toca o rebasa la línea de golpe franco o se acerca a menos de 3 m. de la línea de 7 m., antes de que el balón haya salido de la mano del lanzador, se decreta gol, si el balón entra en la portería o repetición del lanzamiento en todos los demás casos.

El lanzamiento de 7 metros es repetido, a no ser que se consiga gol, si el portero franquea su línea de limitación (la línea de 4 metros), antes de que el balón haya salido de la mano del lanzador.

Se sanciona un lanzamiento de 7 metros cuando:

- Una clara ocasión de conseguir gol es frustrada en cualquier parte del terreno de juego, incluso si ésta es cometida por un oficial de equipo.
- Un portero entra en su área de portería con el balón, o lo introduce en el área de portería estando él dentro.
- Un jugador de campo entra en su propia área de portería para obtener una ventaja sobre un jugador atacante que tiene la posesión del balón.
- Un jugador de campo lanza intencionadamente el balón al propio portero, dentro de su propia área de portería y éste toca el balón.
- Hay una señal injustificada de fin de partido en el momento de una clara ocasión de conseguir gol.
- Una clara ocasión de conseguir gol es frustrada por la intervención de una persona no autorizada a encontrarse en el terreno de juego.

LEY DE VENTAJA

Ya que los goles conseguidos en un partido deciden el resultado final, no se decreta un golpe franco o lanzamiento de 7 metros si con ello el equipo atacante se perjudica. Consecuentemente, el árbitro debe esperar para ver si cualquier posible situación de ventaja (tales como superioridad numérica o espacial) sucede y da la oportunidad de lanzar a portería.

Este retraso en la intervención del árbitro es necesario porque la noción de ventaja adquiere prioridad. Si no se consigue gol o el árbitro hace sonar su silbato demasiado pronto, debe señalarse golpe franco o lanzamiento de 7 metros.

SAQUE DE ÁRBITRO

Este saque se ejecuta desde el centro del terreno de juego, con todos los jugadores, a excepción de un jugador por equipo, a menos a 3 m. de distancia del árbitro. Los jugadores que disputan el balón deben situarse al costado del árbitro, cada uno del lado de su propia portería. El árbitro central lanza el balón verticalmente después de un toque de silbato, siendo jugado el balón después que éste alcanza su punto más alto.

Se ordena saque de árbitro cuando:

- Hay infracciones simultáneas en el terreno de juego por parte de jugadores de ambos equipos.
- El balón toca el techo o algún objeto fijo por encima del terreno de juego.
- Se interrumpe el juego sin que exista infracción y ningún equipo posee el balón.

Ejecución de los lanzamientos

Cuando se realizan el saque de centro, de banda, un golpe franco o un lanzamiento de 7 metros, una parte de un pie del lanzador debe tocar constantemente el suelo. El otro pie puede ser levantado y puesto en el suelo repetidamente.

Un lanzamiento se considera ejecutado cuando el balón ha salido de la mano del lanzador. El balón no puede ser pasado de mano a mano, o tocado por un compañero del lanzador cuando se está ejecutando el lanzamiento.

Se puede conseguir un gol directamente por medio de cualquier saque o lanzamiento, excepto el saque de árbitro.

El jugador contrario que retrasa la ejecución de un lanzamiento, colocándose demasiado cerca del lanzador o de cualquier otra forma irregular, debe ser amonestado y en caso de reincidencia es sancionado con exclusión.

FALTAS Y SANCIONES

Se permite:

- Utilizar los brazos y las manos para bloquear o apoderarse del balón.
- Alejar el balón del contrario con la mano abierta y desde cualquier lado.
- Bloquear el camino al contrario con el tronco, aunque no esté en posesión del balón.
- Contactar con el contrario usando el tronco, estando de frente a él y con los brazos doblados, y mantener este contacto, con el propósito de controlar y seguir al oponente.

Se prohíbe:

- Agarrar o golpear el balón que se encuentra en las manos de un contrario.
- Bloquear o dificultar al contrario con los brazos, manos o piernas.
- Retener, agarrar, empujar, correr o lanzarse sobre un contrario.
- Impedir, obstruir o poner en peligro al contrario (con o sin el balón), de cualquier otra forma que resulte antirreglamentaria.

Se considera falta en ataque cuando un jugador atacante corre o se lanza sobre un defensor. Para aplicar esta regla, en el momento que se produce el contacto, el defensor debe estar ya frente al atacante y tener una correcta postura defensiva, sin moverse hacia adelante.

Las infracciones en el comportamiento con el contrario, se penalizan con golpe franco o lanzamiento de 7 metros a favor del equipo contrario.

En caso de infracciones en el comportamiento con el contrario en las que las acciones están principal o exclusivamente dirigidas hacia el jugador y no hacia el balón, se decretan sanciones disciplinarias progresivamente. Las sanciones progresivas también se aplican en caso de actitud antideportiva.

La exclusión es siempre por dos minutos de tiempo juego; la tercera exclusión del mismo jugador lleva siempre consigo la descalificación.

SANCIONES DISCIPLINARIAS

AMONESTACIÓN

Se sanciona con amonestación:

- Aquellas infracciones relativas al "Comportamiento con el contrario" que deban ser sancionadas progresivamente.
- Infracciones cuando los contrarios están ejecutando un lanzamiento.
- Actitud antideportiva de los jugadores o de los oficiales de equipo.
- En esta sanción el árbitro comunica la amonestación al jugador u oficial infractor y al anotador-cronometrador mostrando una tarjeta amarilla.

EXCLUSIÓN

Se sanciona con exclusión (2 minutos) a causa de:

- Un cambio incorrecto o entrada antirreglamentaria en el terreno de juego.
- Repetidas infracciones relativas al "Comportamiento con el contrario", de tal forma que tengan que ser sancionadas progresivamente.
- Una actitud antideportiva repetida por parte de un jugador en el terreno de juego, o fuera del terreno de juego durante un tiempo muerto de equipo.
- No dejar el balón en el suelo cuando se toma una decisión contra el equipo en posesión del balón.
- Repetidas infracciones cuando el contrario ejecuta un lanzamiento.
- Una descalificación de un jugador o de un oficial.

En esta sanción el árbitro indica claramente la exclusión al jugador infractor y al anotador-cronometrador mediante el gesto reglamentario (levantando un brazo con dos dedos extendidos). Durante el tiempo de exclusión el jugador excluido no puede participar en el juego y no se permite al equipo sustituirle en el terreno de juego. Si el tiempo de exclusión de un jugador no ha terminado

DESCALIFICACIÓN

Se sanciona con descalificación:

- Si un jugador no autorizado a participar entra en el terreno de juego.
- Por infracciones graves relativas al "Comportamiento con el contrario".
- Por actitud antideportiva repetida por un oficial, o por un jugador que se encuentra fuera del terreno de juego.
- Por actitud antideportiva grave de un jugador o de un oficial.
- Debido a una tercera exclusión de un mismo jugador.
- Por una agresión por parte de un oficial.

La descalificación de un jugador durante el tiempo de juego va acompañada siempre de una exclusión y será siempre para el resto del partido. Una descalificación reduce el número de jugadores que se permiten al equipo, sin embargo se permite al equipo, incrementar el número de jugadores en el terreno de juego después de finalizar la exclusión (2 minutos).

El árbitro indica la descalificación al jugador infractor mostrando una tarjeta roja.

EXPULSIÓN

Se sanciona con expulsión una agresión durante la duración del tiempo de juego, también en el exterior del terreno de juego. Se considera como agresión una intervención física deliberada y particularmente violenta realizada sobre el cuerpo de otra persona (jugador, oficial o espectador).

La expulsión se aplica siempre para el resto del partido. El jugador expulsado no puede ser sustituido y debe abandonar inmediatamente el terreno de juego y la zona de cambio.

Si el portero es excluido, descalificado o expulsado, otro jugador debe ocupar su puesto.

SANCIÓN PROGRESIVA

La sanción progresiva significa que no es suficiente penalizar una infracción particular hacia el contrario con un golpe franco o un lanzamiento de 7 metros solamente, porque la infracción va más allá que aquéllas que normalmente ocurren en la lucha por el balón.

Las "acciones" dirigidas principalmente o exclusivamente al oponente y no al balón deben ser sancionadas progresivamente; básicamente incluye infracciones dirigidas al cuerpo del contrario, tales como retener, agarrar, empujar, lanzarse sobre, zancadillear o golpear al contrario.

Cada infracción que cumpla la definición para sanción progresiva debe ser castigada, comenzando por una amonestación y continuando por sanciones progresivas.

BEISBOL

El béisbol es un juego deportivo de pelota que se disputa entre dos equipos de nueve jugadores, que se alternan en un terreno en forma de diamante, del juego defensivo al juego ofensivo, cuyo objetivo es obtener el mayor número de carreras que el adversario.
Los equipos alternan a la defensa y al ataque en períodos denominados entradas. Un partido consta de 9 entradas y cada entrada se divide en dos partes, en las que cada equipo tiene la oportunidad de atacar.
Si un partido no tiene un vencedor al cabo de las nueve entradas, se juegan tantas entradas completas complementarias como sea necesario hasta que uno de los equipos tenga por lo menos una carrera de diferencia sobre su adversario.

El juego comienza cuando el pitcher, del equipo defensor pone en juego la pelota, que debe ser golpeada por el bateador del equipo atacante y enviada hacia el interior del terreno lo más lejos posible con el fin de tener tiempo de correr las cuatro bases para completar una carrera o al menos una parte de esa distancia, sin ser eliminado. Por su parte el equipo a la defensiva intenta detener los desplazamientos de la ofensiva haciendo que la pelota llegue a las bases antes que sus oponentes.

Se considera que un equipo está al ataque hasta que son eliminados tres de sus bateadores y/o corredores, en este caso los equipos intercambian sus papeles, totalizándose el número de carreras anotadas por el equipo al ataque.

HISTORIA

En el año 1751 los colonizadores británicos introdujeron en los Estados Unidos el *rounders* y el *cricket*, estos dos juegos considerados los predecesores del béisbol, gozaban de gran popularidad entre los niños y jóvenes, principalmente en Boston y Nueva York, por lo que fue en estas dos ciudades en donde se dio un desarrollo paralelo que permitió la evolución hacia un nuevo deporte.

En Boston, el béisbol evolucionó desde la vieja forma del rounders, jugado en Nueva Inglaterra y que consistía en batear una pelota lanzada y realizar un recorrido de ida y vuelta, sin ser golpeado por la pelota, tocando dos estacas enterradas en el campo de juego colocadas detrás del lanzador y del bateador. Un jugador conocido como el "alimentador" lanzaba con la mano abajo y lentamente la pelota, para asegurarse de que el "golpeador" le pegara; el "golpeador" a su vez debía lanzar la pelota tan lejos como pudiera y luego tenía que correr a un tronco de árbol cercano o a una estaca, regresando antes que el "alimentador" o el "explotador" pudiera recogerla y lanzarla para pegarle. A este juego lo llamaron Town ball, al que a medida que se unía gente a su práctica, simplemente le iban añadiendo estacas, alrededor de las que el golpeador debía correr antes de lograr regresar a su casa (home).

Mientras tanto en Nueva York, los antiguos entusiastas del cricket fueron desarrollando su juego al que denominaron "el juego de New York" en una dirección más o menos similar, pero en lugar de colocar estacas se colocaron cuatro piedras planas a manera de estaciones. Más tarde y debido a las aparatosas caídas que las piedras ocasionaban a los jugadores, éstas se reemplazaron por sacos de arena; posteriormente los sacos de arena se amarraron con una pequeña soga a una estaca encajada en el terreno para evitar que los jugadores los desplazaran de su ubicación inicial.

El terreno de juego diseñado por los neoyorquinos para disputar los encuentros, constaba de cuatro bases, por las que debía pasar el corredor para anotar una carrera; la cuarta base se ubicaba hacia la parte izquierda de la caja de bateo (lo que actualmente se conoce como home plate). Los equipos estaban conformados por doce jugadores: el tirador, el receptor y un asistente; cuatro jugadores regulares del cuadro y uno flotante; tres jardineros regulares y uno flotante.

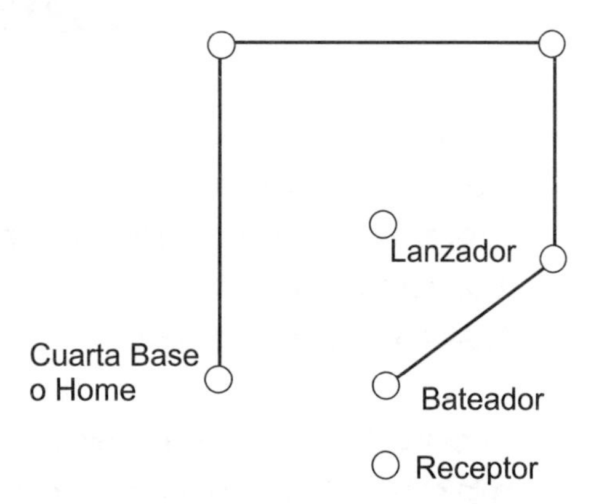

El primer club organizado de béisbol fue formado en 1842 por un grupo de jóvenes en la ciudad de Nueva York, encabezado por Alexander Cartwright, que llamó a su club Knickerbocker Base Ball Club. Los Knickerbockers desarrollaron un conjunto de veinte reglas, publicadas por primera vez en 1845, que se convirtieron en la base del béisbol moderno. En ese mismo año, Cartwrigth diseñó el primer diamante de béisbol, tal y como se conoce hoy día.

Un año después se disputó en Hoboken (Nueva Jersey) el primer partido entre los equipos de Nueva York y el club Knickerbocker. De acuerdo a las nuevas reglas, un equipo lo formaban nueve hombres; la pelota que era hecha de hule duro y sólido, debía ser lanzada y no tirada en dirección al bate; el turno al bate era llamado "mano" y un recorrido por todas las bases "as", declarándose vencedor el equipo que primero completara 21 "ases".

A partir de este primer encuentro, el estilo de juego de los Knickerbockers se extendió rápidamente; durante la década de 1850 se fundaron clubes de béisbol por toda la ciudad de Nueva York, y en tanto que el juego ganaba popularidad las reglas sufrieron poco a poco diversas modificaciones, perdiéndose paulatinamente el estilo del cricket que lo originó.

Durante la guerra civil de Estados Unidos (1861-1865), el nuevo juego conquistó igual a norteños y sureños, por lo que al finalizar de la guerra, el New York Game era muy popular en todo el país. Poco después, las reglas, los implementos y la técnica fueron mejorando constantemente y se le cambió el nombre al de béisbol.

En 1869 comenzó a jugar el primer equipo de béisbol profesional, el Cincinnati Red Stockings, a partir de ahí se empezaron a formar más clubes profesionales en ciudades del noroeste y medio oeste de Estados Unidos. Para 1876, ocho clubes de béisbol formaban la National League.

En 1901, inició su primera temporada la American League, fundada por Ban Johnson, a partir de una organización de ligas menores de la Western League. Para 1903 los campeones de cada liga se enfrentaron en las primeras World Series.

Esta idea aumentó la asistencia a los partidos, llegando a ser uno de los eventos anuales deportivos más importantes de los Estados Unidos. No obstante, el béisbol enfrentó, en las World Series de 1919, uno de sus peores momentos, cuando después de que los Cincinnati Reds derrotaron a los Chicago White Sox, se comprobó que siete jugadores de Chicago fueron sobornados por apostadores profesionales.

A partir de este escándalo la imagen del béisbol quedó seriamente afectada, hasta que las nuevas reglas y el desarrollo de una bola nueva con un centro de corcho más vivo permitieron que aumentara el número de home runs bateados, conviertiendo el béisbol en un juego más emocionante.

En 1939, se abrió en Cooperstown (Nueva York), el Salón de la Fama y Museo Nacional de Béisbol para exponer la historia y los recuerdos del béisbol y honrar a los mejores jugadores.

En los Juegos Olímpicos, el béisbol como deporte de exhibición, ha sido jugado en los juegos de San Luis 1904, Estocolmo 1912, Berlín 1936, Helsinki 1952, Melbourne 1956, Tokio 1964, Los Ángeles 1984 y Seúl 1988, hasta que en 1986 el Comité Olímpico Internacional autorizó el ingreso del béisbol como deporte oficial en Juegos Olímpicos, a partir de los juegos de Barcelona 1992, siendo Cuba, el primer campeón olímpico.

LAS GRANDES LIGAS NORTEAMERICANAS

El béisbol, constituye el primer deporte de los Estados Unidos, profesional desde hace 50 años y se divide entre la National League (NL) y American League (AL). Cada una con 14 equipos agrupadas en tres divisiones: la Eastern Division, la Central Division y la Western Division, representando el mayor nivel de béisbol de competición en Norteamérica ya que en ellas hay equipos de Estados Unidos y Canadá

La temporada de las grandes ligas de béisbol dura desde abril hasta octubre y contiene la temporada regular, los playoffs, que son las eliminatorias para decidir el campeón de una liga y los World Series o series mundiales.

Durante la temporada regular, los equipos juegan 162 partidos de liga, siendo el equipo con más victorias en cada división y el equipo con mejores resultados (wild-card team), a los que le corresponde el derecho a jugar los play offs.

En cada liga se juega un play off separado, en el que participan los tres ganadores de división y el wild-card team. Estos equipos se enfrentan en una serie de partidos, para permitir a aquéllos que ganen más partidos, pasar a la siguiente ronda de playoffs.

La serie final de play offs determina qué equipo gana el campeonato de su liga (pennant). Los ganadores de los campeonatos de la NL y la AL se enfrentan en las World Series y el ganador recibe el título de campeón del mundo de las grandes ligas.

REGLAMENTACIÓN

TERRENO DE JUEGO

El campo de béisbol en forma de diamante, se compone de un campo exterior (outfield) y otro interior (infield). Estos dos campos, incluyendo las líneas de borde, se consideran territorio “fair”, siendo todas las demás áreas territorio de “foul”.

El campo interior es un cuadrado de 27,43 m. de lado, en cuyos ángulos se ubican las bases; un ángulo en una de las esquinas, marcado por una pieza de goma con forma de pentágono irregular, es el home plate o meta. En las otras tres esquinas, en dirección contraria a las agujas del reloj desde la meta, se encuentran la primera, segunda y tercera bases, cada una marcada con una almohadilla y separadas a 27,43 metros las unas de las otras. La distancia en línea recta del home plate a la segunda base y de la primera a la tercera base es de 38,80 m.

Las líneas de base se extienden desde la meta hacia la primera y la tercera base, con prolongaciones llamadas líneas de falta, que llegan alargándose hasta el borde exterior del outfield y dividen el terreno de falta y el fair. Las líneas de base se extienden también desde la primera a la segunda y la tercera base, marcando el pasillo de un corredor.

PLATAFORMA DEL LANZADOR (PITCHER PLATE)

La plataforma del lanzador, un trozo de terreno levemente elevado, es un rectángulo de 3 metros por 75 cm., elevado 25,4 cm. por encima del home plate, que se encuentra cerca del centro del campo interno entre la meta y la segunda base. En lo más alto del montículo se clava paralela al cajón del bateador, una banda de goma rectangular de 66 cm. por 15.2 cm. a una distancia de 18,44 m de la punta trasera del home plate.

META (HOME PLATE)

El home plate lo constituye una goma blanda en forma pentagonal, cuyas medidas en uno de sus lados es de 43.2 cm., los dos lados adyacentes de 21,6 cm. y los dos lados restantes de 30.48 cm. y puesta de tal forma que el ángulo que termina en punta esté colocada sobre la intersección de las líneas que van desde el home plate hasta la primera y la tercera base, con el lado de 43.2 cm. frente al plato del lanzador y los dos de 30,48 cm. coincidiendo con las líneas de primera y terceras bases respectivamente.

BASES

La primer, segunda y tercera bases las constituyen almohadillas de lona rellenas con material suave de 7,6 a12,7 cm. de lado y fijadas al suelo en forma segura. Tanto la primer como la tercera base reposan totalmente dentro del "infield". La almohadilla de segunda base se centra sobre la segunda base.

CAMPO EXTERIOR

El campo exterior es el área que está más allá del infield, constituido por la extensión de las líneas formadas entre home y primera y home y tercera.

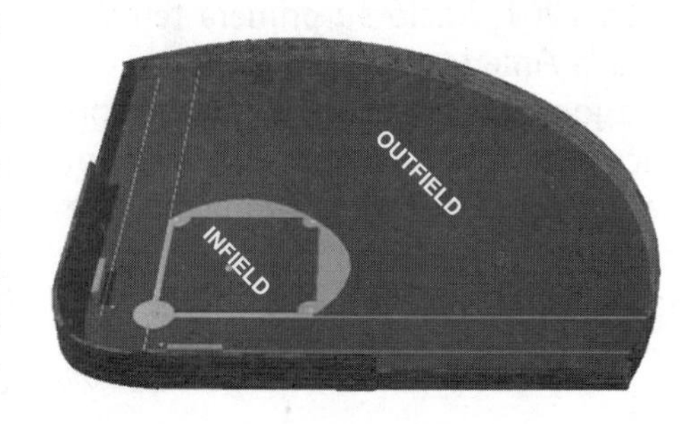

ZONAS LIBRES

La distancia desde el home plate hasta la cerca más próxima, gradería u otra obstrucción en territorio fair debe ser como mínimo de 71.68 m. Una distancia de mínimo 91,52 m. a lo largo de las líneas de foul, y de 121.92 m. desde el 'home´ hasta el jardín central. La distancia desde el home plate, hasta la baranda trasera (back stop), y desde las líneas de las bases hasta la cerca, gradería u otra obstrucción que se encuentre en territorio de foul, debe ser de 18,29 m. como mínimo.

BANCOS PARA LOS JUGADORES

Con capacidad mínima de un asiento para cada uno de los jugadores deben tener techo y estar cerrados en la parte posterior y en los extremos.

BATE

Es un implemento cilíndrico, de una sola pieza de madera o metal con un acabado liso, con una longitud máxima de 1,07 metros y un diámetro máximo, en su posición de mayor grosor, de 7 cm.

Con el fin de mejorar las condiciones de agarre, el mango del bate puede cubrirse no más de 45,7 cm. a partir de su extremo, con cualquier material.

IMPLEMENTOS DE JUEGO

PELOTA

La pelota es una esfera formada por un cordel tejido alrededor de un pequeño núcleo de corcho, goma o material similar, cubierta con dos tiras de cuero de caballo o de res de color blanco, unidas firmemente mediante costuras. Pesa entre 140-142 gramos y su circunferencia mide entre 22,9-23.5 cm.

GUANTES

Cada jugador del campo o fielder, distinto del primera base y del receptor, usa un guante de cuero. Este guante mide como máximo 30,5 cm. desde la punta de cualquiera de los cuatro dedos pasando por el bolsillo de la pelota, hasta el borde inferior o talón del guante y 19,7 cm. de ancho, medido desde la costura en la base del primer dedo, a lo largo de la base de los otros dedos, hasta el borde externo del dedo meñique del guante.

El espacio o área entre el pulgar y el primer dedo llamada horquilla, puede rellenarse con malla o tira de cuero. La malla puede ser hecha de dos tiras o también se puede hacer con una serie de túneles o paneles de cuero, o trenzas de cuero.

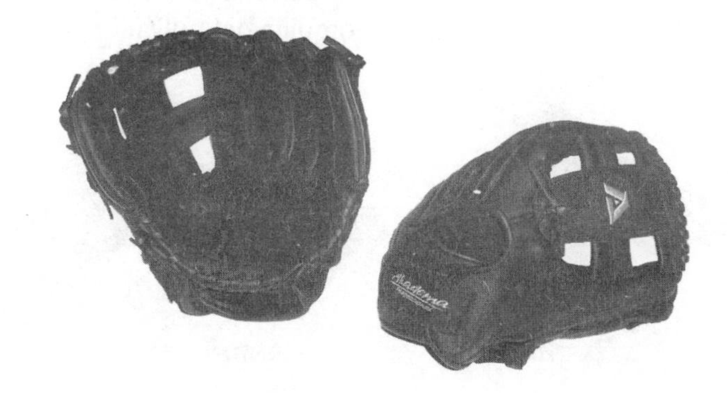

Mascota

Mascotín

Casco

Careta

MASCOTA

El receptor o catcher usa una mascota de cuero con una circunferencia máxima de 96,5 cm. y de 39 cm. desde su parte superior hasta la inferior. Estas medidas incluyen las trenzas, cordones y cualquier banda de cuero que se adhiera al borde externo de la mascota. El espacio entre la zona del pulgar y la sección de los dedos de la mascota no excede los 15,2 cm. en la parte superior, ni los 10,2 cm. en la base de la horquilla del pulgar. La malla puede ser de trenza o cordones a través de túneles de cuero, o un pedazo de cuero que puede ser una extensión de la palma de la mascota, conectada a ella con trenzas.

MASCOTÍN

El jugador de la primera base utiliza un guante de cuero o un mascotín de no más de 30,4 cm. de longitud de arriba hacia abajo, ni más de 20,3 cm. de ancho a través de la palma, medida desde la base de la horquilla del pulgar hasta su borde exterior. El espacio entre la sección del pulgar y la sección de los dedos no excede de 10,2 cm. en la parte superior, ni los 8,9 cm. en la base de la horquilla del pulgar. El mascotín se construye de forma que este espacio quede plenamente fijo y que no se pueda agrandar, extender, anchar, ni profundizar. La malla del mascotín mide no más de 12,7 cm. desde su parte superior hasta la base de la horquilla del pulgar.

CASCOS (HELMETS)

Todo jugador mientras esté al bate debe utilizar algún tipo de casco protector.

Todo receptor debe utilizar un caso protector de receptor ('catcher's protective helmet´), mientras esté en su posición.

OTROS ELEMENTOS

- Zapatos de tacos: Los zapatos para jugar béisbol se llaman "spikes".
- Cascos protectores para los bateadores y el receptor
- Guantilla de bateo: protegen las manos de ampollas o callos producidos por el roce con el bate. En los bates de madera, proporciona una mejor agarre.
- Equipo del receptor o catcher: los catchers llevan un equipo especial de protección que incluye un casco, una máscara con protector de garganta, un peto protector almohadillado para el pecho, canilleras que cubren toda la pierna un guante especial llamado "mascota".

Peto

Guantilla

Canilleras

Spikes

Un juego de béisbol es dirigido por un árbitro principal, tres árbitros de base y un anotador oficial, siendo los responsables de que el juego se desarrolle en concordancia con las reglas y que se mantenga la disciplina y el orden en el campo de juego durante el partido.

El árbitro principal (umpire in chief) se ubica detrás del receptor, usa equipo protector y se encarga de:

- Asumir la dirección y ser responsable, del correcto desarrollo del juego.
- Cantar y llevar la cuenta de las bolas y strikes.
- Cantar y decretar las pelotas fair y foul excepto aquellas que comúnmente están a cargo de los árbitros auxiliares.
- Hacer todas las decisiones con respecto al bateador.
- Decidir cuando un juego debe ser confiscado (forfeit).
- Si se ha fijado un límite de tiempo, debe anunciarlo antes de iniciarse el juego.
- Informar al anotador oficial, la alineación (orden de bateo) y cualquier otro cambio en ella, al serle solicitado.
- Anunciar las reglas especiales de terreno a su discreción.

Los árbitros auxiliares toman la posición en el terreno de juego que a su juicio sea la mejor, para dar decisiones en las bases. Sus deberes son:

- Efectuar todas las decisiones en las bases excepto aquellas que estén reservadas específicamente al árbitro principal. (Juzgan si un corredor alcanza la base con seguridad "safe").

- Tener autoridad concurrente con el árbitro principal en lo que se refiere a cantar tiempo, balk, lanzamientos ilegales, y deterioro de la pelota ocasionado por cualquier jugada.
- Ayudar al árbitro principal en todo para hacer cumplir, con excepción de la declaratoria de confiscación (forfeit).

Si en un juego diferentes árbitros toman diferentes decisiones, el árbitro principal convoca a consulta a todos los árbitros auxiliares sin la presencia de los managers o jugadores. Después de la consulta el árbitro principal es quien determina cuál es la decisión que prevalece, basándose en el árbitro que se encontraba en la mejor ubicación y en la decisión más correcta.

El anotador oficial observa el juego desde una posición cómoda en el palco de la prensa, es el encargado de llevar el puntaje y los detalles estadísticos.

- Después de cada juego, debe preparar un informe, en una planilla especial, indicando la fecha del juego, lugar nombres de los equipos contrincantes y los árbitros, la anotación completa del juego y todos los registros de cada jugador individual.
- Debe informar inmediatamente al árbitro, cuando el equipo y la defensiva se retire erróneamente de sus posiciones en el campo antes de completar tres outs.
- Si el juego es protestado o suspendido, toma nota de la situación exacta en el momento de la protesta o suspensión, incluyendo la anotación (score), el número de outs, la posición de cada corredor si los hubiere, y el conteo de bolas y strikes del bateador de turno, ya que el juego debe reanudarse con la situación exacta existente justo antes de la jugada protestada.

EQUIPOS

Un equipo de béisbol está conformado por 9 jugadores, de los cuales, cada uno es responsable de una posición particular.

El equipo al ataque comienza con un sólo jugador, el bateador, uno detrás de otro, de acuerdo con un orden especificado previamente. Ubica dos coachs, uno cercano a la primera base y otro cercano a la tercera base, dentro de la caja de coach, con el uniforme de su equipo y durante su lapso al bate.

El equipo a la defensiva (fildeadores) se ubica repartido en todo el terreno de fair (a excepción del recepctor), listos a hacer la defensa del bateo. El lanzador o pitcher, que pone la bola en juego lanzándola hacia el home plate o meta, se ubica con la pelota en la plataforma de lanzamiento; el receptor o catcher, que recibe la bola y la devuelve al lanzador a menos que el bateador logre golpearla antes y, defiende la meta cuando un corredor trata de anotar una carrera, ocupa el lugar detrás del bateador, con ambos pies dentro de las líneas de su caja hasta tanto la pelota salga de la mano del lanzador.

De los cuatro jugadores de campo interior o infielders, tres se reparten en la primera, segunda y tercera base y el cuarto a quien se le llama short stop se ubica entre la segunda y tercera base; todos ellos son responsables de atrapar la bola cuando es bateada al campo interno o infield y de eliminar a los corredores cuando intentan avanzar alrededor del diamante.

Los tres jugadores del campo exterior o outfielders son los jardineros derecho centro e izquierdo y se ubican según esa distribución en los sitios estratégicos del campo exterior, son los responsables de atrapar las bolas golpeadas hacia el outfield.

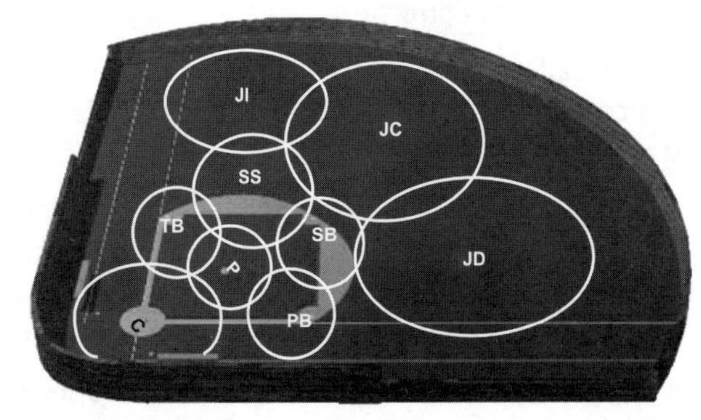

SUSTITUCIÓN DE JUGADORES

Durante el juego, pueden ser sustituidos uno o más jugadores en cualquier momento en que la pelota se encuentre muerta, siguiendo algunas indicaciones:

- Una vez que un jugador ha sido sustituido no puede reingresar.
- El jugador suplente bateará en el lugar correspondiente a la del jugador a quien reemplaza, en el orden de bateo (line up) de su equipo.
- Cuando uno o más jugadores suplentes del equipo de la defensiva entran al juego al mismo tiempo, pueden ocupar cualquier posición en el campo; el manager debe indicar al árbitro principal, antes de que dichos jugadores tomen su posición en la defensiva, el turno que les tocará en el orden de bateo, para que el árbitro principal se lo notifique al anotador oficial.
- Un lanzador puede ser cambiado a jugar otra posición a la defensiva, sólo una vez en un mismo inning; el lanzador no puede asumir otra posición distinta a la del pitcher más de una vez en el mismo inning.
- Un jugador que aparezca en el orden de bateo (line-up) de su equipo no puede sustituir a un corredor.
- El lanzador que esté en el orden de bateo que se le entrega al árbitro principal, debe lanzarle al primer bateador o cualquier bateador sustituto hasta tanto dicho bateador sea puesto 'out' o llegue a la primera base, a menos que el lanzador sufra una lesión, que a juicio del árbitro principal lo incapacite para lanzar.
- El manager debe notificar inmediatamente al árbitro principal cualquier situación, y le informa el lugar que va ocupar en la alineación; después de haber sido notificado, inmediatamente anuncia, cada sustitución efectuada.

PUNTUACIÓN

Los partidos se dividen en nueve entradas, una entrada concluye cuando ambos equipos han ocupado por turno la posición ofensiva y la defensiva, al final de cada turno a la ofensiva se contabilizan las carreras anotadas por el equipo antes de tener tres outs. El encuentro lo gana quien totalice el mayor número de carreras; en caso de empate se juega una entrada adicional o extra inning.

Una carrera se anota, cada vez que un corredor de bases avance legalmente y pise (toque) en orden la primera, segunda, tercera base y el home plate, antes de que tres hombres hayan sido puestos out para terminar el inning. No se anota carrera si el corredor avanza al home plate durante una jugada en la cual se realiza un tercer out por parte de:

- El corredor bateador antes de llegar a primera base
- Cualquier corredor que sea out forzado
- Un corredor que lo preceda que sea declarado out por no haber pisado alguna de las bases.

INICIO DEL JUEGO

Cinco minutos antes de que el juego comience el árbitro principal debe recibir el orden al bateo de cada equipo, por duplicado; después de cerciorarse de que los originales y copias son idénticas, conserva el original y entrega la copia al director técnico contrario.

Tan pronto como los dos equipos entregan su alineación, los jugadores del equipo local ocupan sus posiciones a la defensiva, el primer bateador del equipo atacante ocupa su posición en el cajón del bateador, y el árbitro principal da la voz de "*play*" para iniciar el juego.

Después de que el árbitro llame a juego "*play*", la bola estará viva y en juego, y permanecerá como tal hasta que por alguna causa legal o cuando el árbitro decrete "*time*" (tiempo) se suspenda momentáneamente el partido, y la pelota quede muerta. Mientras la pelota esté muerta, no se puede declarar out a ningún jugador, ni correr las bases, ni anotar carreras.

ACCIONES DE JUEGO Y VIOLACIONES

El equipo defensor se distribuye en el campo de juego de la siguiente manera: el receptor se ubica detrás de home; a su derecha y cuidando la primera base, el primera base; a la derecha de éste, el segunda base; entre la segunda base y la tercera base, el short stop; a la derecha de éste, el tercera base. El lanzador se ubica en el centro del cuadro dentro de una área reservada para él. Los jardineros, se distribuyen en derecho, ubicado en el sector detrás de la primera base; central, detrás de la segunda base e izquierdo, detrás de la tercera base.

Los nueve atacantes se turnan el bate en un orden definido previamente, solo tienen derecho a serlo una vez han contactado la pelota legalmente con el bate y hasta que tres de sus compañeros sean eliminados. Al ser eliminados, se termina la mitad de la entrada que corresponde a ese equipo, y se intercambian los papeles.

STRIKE

El lanzamiento se considera strike cuando:

- La pelota pasa dentro de la zona de strike y el bateador no la golpea.
- La pelota va por fuera de la zona de strike y el bateador trata de golpearla pero falla.
- El bateador golpea la bola y ésta cae más allá de la línea de foul, si los jugadores a la defensiva no cogen la pelota antes de que esta caiga y si el bateador tiene menos de 2 strikes en su cuenta

BOLA

Se considera bola cuando:

- La pelota pasa por fuera de la zona de strike y el bateador no intenta golpearla
- El lanzador envía la pelota teniendo sus pies por fuera de la goma de lanzamiento

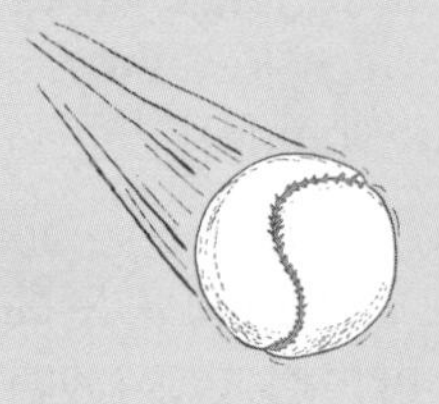

El juego defensivo es dirigido por el lanzador, cuya función es enviar la pelota al receptor procurando que el bateador no pueda golpearla. Para que el lanzamiento sea considerado válido, el lanzador debe mantener un pie dentro de la plataforma hasta que la pelota haya salido de sus manos; la pelota debe pasar por encima del plato de home (home plate), a una altura no inferior al de la rodilla y no superior al del hombro del bateador, a esta zona se le conoce como zona de strike.

En caso de que la bola no sea bateada el árbitro principal emite su concepto acerca del lanzamiento y la bola vuelve al lanzador, éste no está obligado a volverla a lanzar inmediatamente hacia su catcher, puesto que los corredores pueden empezar a correr antes de que el lanzador tire la pelota, si esto sucede tiene derecho a intentar su eliminación enviando la pelota a la base correspondiente siempre y cuando haga ver claramente su intención adelantándose un paso fuera de su montículo. Una vez el lanzador pisa su plataforma no puede engañar al bateador ni a los corredores simulando que va a enviar la pelota hacia el bateador para mandarla luego a las bases; la sanción a este engaño consiste en hacer avanzar libremente a los corredores una base.

LANZAMIENTOS LEGALES

Existen dos posiciones legales de lanzamiento (pitching positions), la posición de impulsarse (Windup Position) y la posición de preparado (Set position), pudiéndose utilizar cualquiera de ellas en cualquier momento.

Los lanzadores toman las señas de sus receptores mientras están sobre la goma del pitcher. Los lanzadores pueden despegarse de la goma después de recibir las señas pero no pueden pisarla de nuevo en forma rápida y lanzar. Cuando el lanzador se despega de la goma, debe dejar caer las manos sobre sus costados.

POSICIÓN DE IMPULSARSE (WINDUP POSITION)

El lanzador se coloca de frente al bateador, con su pie pivote totalmente sobre, o enfrente y en contacto con la caja del plato de lanzar (pitcher's plate), y con el otro pie libre. Desde esta posición, cualquier movimiento natural asociado con lanzar la pelota al bateador, lo obliga a efectuar el lanzamiento sin interrupción ni alteración. No puede levantar ninguno de sus pies del terreno excepto que en el momento de hacer el lanzamiento al bateador, puede dar un paso hacia atrás y un paso hacia adelante con su pie libre.

Cuando un lanzador sostiene la pelota con ambas manos enfrente de su cuerpo, con su pie pivote enteramente haciendo contacto, con la caja, y su otro pie libre, se considera que está en posición de impulsarse.

El lanzador puede tener un pie, no el pie pivote, fuera de la caja y a cualquier distancia que él desee detrás de una línea de atrás del plato de lanzar pero no a cada lado de dicho plato. El lanzador puede con su pie libre tomar un paso hacia adelante y un paso hacia atrás, pero bajo ninguna circunstancia, puede hacerlo hacia los costados, es decir hacia los lados de primera y tercera base, de la goma de lanzar.

Desde esta posición puede:

- Enviar (lanzar) la pelota al bateador.
- Girar y lanzar a alguna base en un intento de sorprender y poner out a un corredor.
- Despegarse de la caja de lanzar (si lo hace debe dejar caer las manos a sus costados). En el momento de despegarse de la caja de lanzar (abandonar el contacto) el lanzador debe sacar su pie pivote primero y nunca sacar primero su pie libre.

POSICIÓN DE PREPARADO (SET POSITION)

Dicha posición la indica el lanzador cuando se para de frente al bateador con su pie pivote completo sobre o enfrente y en contacto con el plato de

lanzar, pero no fuera del final de él y con su otro pie enfrente del plato de lanzar (pitcher's plate) sosteniendo la pelota con ambas manos frente a su cuerpo y llegando a una parada completa.

Desde esta posición de preparado, puede lanzar la pelota al bateador, a una base o dar un paso hacia atrás con su pie pivote.

Antes de asumir la posición de preparado, el lanzador puede optar por cualquier movimiento preliminar, tal como la denominada posición natural (stretch), sin embargo si lo hace, debe asumir de nuevo la posición de preparado antes de lanzarle al bateador. Después de que tome esta posición, cualquier movimiento natural relacionado con lanzar la pelota al bateador, lo obliga a efectuar el lanzamiento sin interrupciones o alteraciones.

El lanzador se prepara para asumir la set position con una mano a su lado, luego toma dicha posición, sin interrupción y con un movimiento continuo. Todo el ancho de su pie debe estar en contacto y sobre la caja de lanzamiento. Después que se estira debe sostener la pelota con ambas manos enfrente de su cuerpo y llegar a una parada completa.

En cualquier momento, durante los movimientos preliminares del lanzador y hasta tanto, su movimiento natural de lanzar lo obligue a efectuar el lanzamiento, puede tirar la pelota a cualquier base siempre y cuando al hacerlo dé un paso hacia la misma, antes de hacer el tiro.

- Un tiro rápido (snap throw) seguido de un paso directo hacia la base es un "balk".
- Si el lanzador hace un lanzamiento ilegal sin corredores en base, se canta una bola, a menos que éste alcance la primera base por un error.
- Si una pelota se desliza de la mano del lanzador y atraviesa la línea de foul, se canta bola, en cualquier otro caso no habría lanzamiento. Si hay corredores en base esto es un "balk".
- Si el lanzador quita su pie pivote del contacto con el plato de lanzar (pitcher's plate) dando un paso atrás, se convierte por tal

acción en un infielder, y si hace un mal tiro desde esa posición, dicho tiro se considerará igual que un tiro de cualquier otro infielder.

- El lanzador mientras está fuera de la caja puede lanzar a cualquier base.

El lanzador no debe:

- Llevar su mano de lanzar a su boca o labios, mientras se encuentre dentro del círculo que abarca el plato de lanzar. Por esta violación, se canta inmediatamente una bola.
- Aplicar sustancias extrañas a la pelota, escupir sobre ella, sus manos o su guante; frotar la pelota con su guante, su persona o su vestimenta; deteriorar la pelota en cualquier forma. Por estas violaciones el árbitro canta el lanzamiento "bola", y amonesta al lanzador.
- Lanzar intencionalmente contra el bateador.

Cuando las bases están desocupadas, el lanzador debe enviar la pelota al bateador dentro de un lapso de 20 segundos a partir de haber recibido la pelota. Cada vez que el lanzador retarde el juego, el árbitro debe cantar "bola".

BALK

Si hay un corredor o corredores en base, será "balk" cuando:

- Estando el lanzador en su posición y en contacto con el plato, realice cualquier movimiento que esté naturalmente asociado a su forma de lanzar, y deje de enviar el lanzamiento.
- Si un lanzador mueve su pie libre por detrás del borde de la caja de lanzar, está obligado a efectuar el lanzamiento al bateador excepto en el caso de un tiro a la segunda base con el objeto de sorprender al corredor allí ubicado.
- El lanzador, estando en contacto con el plato, simula que va a efectuar un tiro a la primera base, y no lo hace.
- El lanzador, estando en contacto con el plato, deja de dar un paso directamente hacia una base antes de lanzar hacia ella. Se requiere que el lanzador (pitcher) mientras está en contacto con la caja de lanzar dé un paso hacia la base antes de lanzar la pelota hacia ella.
- El lanzador, mientras hace contacto con la caja, lanza, o simula un tiro a una base que esté desocupada, excepto cuando está realizando una jugada.
- El lanzador hace un lanzamiento ilegal.
- El lanzador le hace un lanzamiento al bateador sin estar mirándolo
- El lanzador realiza cualquier movimiento que esté asociado naturalmente a su modo de lanzar, sin estar en contacto con la caja de lanzar.
- El lanzador demora innecesariamente el juego.
- El lanzador, sin tener la pelota en su poder, se para sobre la caja de lanzar o con ambos pies a cada lado de ésta (a horcajadas), o estando fuera de la caja, simula efectuar un lanzamiento.
- El lanzador, después de ponerse en una posición legal para lanzar, retira una mano de la pelota de otra forma que no sea realmente para hacer su lanzamiento o tirar a una base.
- El lanzador, mientras está tocando el plato de lanzar, deja caer la pelota al suelo, sea en forma intencional o accidental.
- El lanzador, mientras está dando una base por bolas intencional, hace un lanzamiento, sin que el receptor (catcher) se encuentre dentro de la caja del receptor (catcher's box).
- El lanzador hace lanzamientos desde su posición de preparado (set position) sin haber hecho la parada.

Cuando la pelota le es enviada al bateador, éste debe estar con los dos pies dentro del cajón de bateo; tan pronto el bateador golpea legalmente la bola se convierte en corredor, suelta el bate y empieza a correr hacia la primera base. Cuando envía la pelota fuera del campo de juego (homerun) puede dar la vuelta completa (él y los corredores que se encuentren en las bases) al campo interior pasando y tocando en orden cada una de las bases.

EL BATEADOR

El bateador no puede abandonar su posición en la caja de bateo, después que el lanzador se haya situado en posición fija (set position) o que haya iniciado su movimiento para lanzar (wind up).

Si el pitcher lanza la pelota el árbitro deberá cantar "Bola" o "Strike" según sea el caso.

El bateador que salga de la caja de bateadores lo hace a su propio riesgo de que le sea enviado un lanzamiento en strike cantado por el árbitro a menos que le haya solicitado tiempo al árbitro y éste se lo haya concedido.

Si el bateador se niega a tomar su posición dentro de la caja de bateo durante su turno al bate, el árbitro principal ordena al pitcher ejecutar el lanzamiento, y canta "Strike" en cada lanzamiento.

El bateador es out (eliminado) cuando:

- Falla en golpear tres lanzamientos o completa tres strikes.
- La pelota cae legalmente en el campo y un jugador a la defensiva la envía a la primera base antes de que el bateador la alcance.
- Su batazo de aire (fly) sea fair o foul (y que no sea un foul tip) es legalmente atrapado por un fildeador.
- El catcher ejecuta una atrapada legal en un tercer strike. (la pelota entra y es retenida dentro de la mascota del receptor antes de que haya tocado el suelo).
- Cuando el receptor no atrapa un tercer strike, cuando la primera base se encuentra ocupada antes de que haya dos (2) outs.
- Toca de foul, en un tercer strike.
- Se decreta un Infield Fly.
- Le tira a un tercer strike y la pelota toca cualquier parte de su cuerpo.
- Una pelota bateada de fair, lo toca antes de tocar a un fildeador.
- Después de haber conectado un batazo o un toque de bola, su bate le pega nuevamente a la pelota en territorio fair. La pelota queda muerta y los corredores no avanzan.
- Después de golpear o tocar de foul desvía intencionalmente la trayectoria de la pelota, en cualquier forma, mientras corre hacia la primera base, la pelota queda muerta y los corredores no pueden avanzar.
- Después del tercer strike o después que golpea la pelota hacia territorio fair, el bateador es tocado con la pelota, o esta llega a la primera base con anterioridad al bateador.

Cada jugador del equipo a la ofensiva se convierte en bateador en el orden y lugar en que aparece su nombre en la alineación (lineup) de su equipo. El bateador completa legalmente su turno al bate cuando es puesto out, o cuando se convierte en corredor de bases. El primer bateador de cada uno de los innings, después del primer inning, es el jugador cuyo nombre ocupa el lugar siguiente del último jugador que haya completado legalmente su turno al bate en el inning anterior.

El bateador se convierte en corredor cuando:

- Batea hacia territorio fair;
- El tercer out cantado por el árbitro no es atrapado por el receptor, siempre y cuando la primera base no esté ocupada o la primera está ocupada pero hay dos out.

- Mientras corre la última mitad de la distancia entre el home y la primera base, y la pelota está siendo fildeada hacia la primera base, corre fuera (a la derecha) de la línea de 91.4 cm, o hacia adentro (a la izquierda) de la línea de foul y al hacerlo interfiere de alguna manera con el fieldeador que esté recibiendo el lanzamiento en la primera base.
- Con dos outs, un corredor en tercera base y dos strikes del bateador, el corredor intenta robar el home al producirse un lanzamiento legal y la pelota toca al corredor en la zona de strike del bateador. En esta situación el árbitro canta el tercer strike, el bateador es out y la carrera no es válida; cuando hubiese menos de dos outs, el árbitro canta el tercer strike, la bola queda muerta y la carrera sí es válida.

Un bateador es out por una acción ilegal, cuando:

- Golpea la pelota con uno o ambos pies sobre el suelo fuera de la zona de la caja de bateo.
- Se pasa de una caja de bateo a otra (de zurda a derecha o viceversa) mientras el lanzador se encuentre en su posición de lanzar.
- Interfiere con el receptor cuando éste se encuentra en acción de fildear o lanzar la pelota, saliéndose de la caja de bateo o efectuando cualquier otro movimiento que estorbe la jugada del receptor en home.
- Utilice o intente utilizar un bate alterado en forma tal que se mejore el factor de distancia o que origine una propulsión inesperada de la pelota.
- No cumpla con batear en el turno que le corresponda, y se haga una apelación al respecto (por parte del equipo a la defensa). Sin embargo, el bateador correcto legal puede ocupar su sitio en la caja de bateo en cualquier momento antes de que el bateador incorrecto (ilegal) consuma su turno y se convierta en corredor o sea puesto out, asignándosele al bateador correcto el conteo existente de bolas y strikes.

El bateador se convierte en corredor, con derecho a la primera base sin riesgo de ser puesto out, cuando:

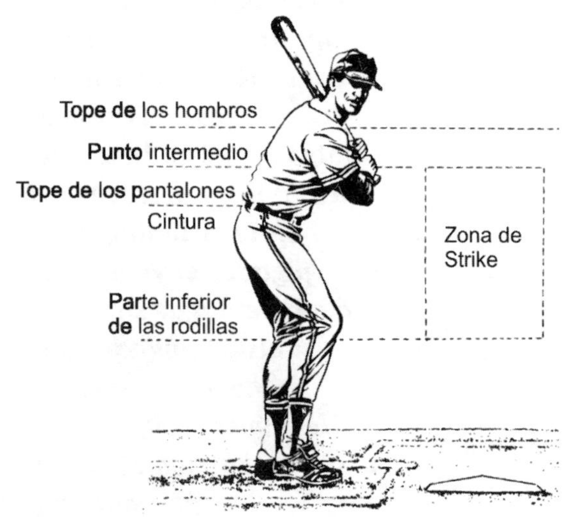

- El árbitro canta cuatro bolas.
- Es tocado por un lanzamiento del pitcher, que no haya intentado batear, a menos que la pelota esté en la zona de strike cuando toca al bateador; o el bateador no hace intento alguno para evitar ser golpeado por la pelota.
- El receptor o cualquier otro jugador a la defensiva lo interfiere.
- Una pelota bateada de fair toca a un árbitro o a un corredor de bases, antes de tocar a un fildeador.

El receptor o catcher se ubica agachado, sentado sobre sus muslos y atento a cualquier jugada que se produzca detrás de la plataforma de home, dentro del "cajón del receptor", que es un rectángulo marcado en el suelo detrás del bateador.

EL CATCHER

Posición del receptor

La posición del catcher requiere de dos posiciones: una para dar las señas pidiéndole al pitcher el tipo de lanzamiento y la otra para marcarle al lanzador preparado para recibir los lanzamientos.

Las señales que proporciona el catcher se hacen con el fin de ponerse de acuerdo con el pitcher acerca del tipo de lanzamiento que se debe realizar al bateador que se encuentra sobre la caja de bateo.

Una vez que el pitcher recibe las señas para el tipo de lanzamiento que debe realizar, el receptor se sitúa en la posición de marcarle al lanzador, colocando la mascota como punto de referencia.

El receptor calcula la separación detrás del bateador, extendiendo la mano de la mascota hacia el codo del bateador de manera que el guante quede a 10-12 cm de distancia del mismo y ubica la mano enguantada como blanco al pitcher, colocando la punta de los dedos hacia arriba, ligeramente inclinados hacia adelante y el pulgar hacia adentro; la mano descubierta se coloca en una posición semicerrada al lado de la mascota. En ciertas circunstancias puede esperar la bola con la rodilla derecha sobre el terreno, especialmente cuando no hay corredores en base.

Recepción de la pelota

Todos los lanzamientos se reciben lo más cerca posible de home, mediante la extensión de los brazos; cuando la pelota penetra dentro de la mascota, los codos permiten un movimiento de retroceso hacia la línea media del cuerpo dejando que ésta empuje hacia atrás y reduciendo la acción del golpe mediante un giro de la muñeca de manera que el guante quede paralelo al terreno con el trenzado hacia arriba.

Los strikes no ofrecen mayor dificultad al receptor, ya que no tiene necesidad de mover los pies para recibir la pelota.

En la recepción de lanzamientos que el árbitro canta como "bolas", el receptor debe concentrarse en recepcionar la pelota y con el menor número de movimientos jugar a las bases (en caso de encontrarse llenas).

Cuando el bateador hace contacto con la bola, el catcher se despoja de la careta, empujándola hacia atrás con la mano libre; cuando el catcher atrapa la bola, la mano descubierta rodea el guante por delante para poder tomar la bola inmediatamente y lanzarla, con el menor número de desplazamientos, lo más rápido posible hacia el pitcher o la base elegida.

El catcher es considerado el auxiliar del lanzador puesto que de él y de su trabajo combinado con el pitcher depende en gran medida el éxito de los lanzamientos y su labor defensiva. Su función principal consiste en indicar al pitcher el tipo de lanzamiento que considere más conveniente y recibir los lanzamientos que el bateador no consiga golpear; aunque al tener frente a sí todo el campo de juego, se le encarga también la misión de dirigir las acciones defensivas del equipo.

CORREDORES

Al avanzar, un corredor debe tocar en orden la primera, la segunda y la tercera base y el home. Si fuera obligado a regresar, debe retocarlas en orden inverso, a menos que la pelota quede muerta. En tal caso, el corredor regresa directamente a su base original.

Una base no puede estar ocupada por dos corredores. En el caso de que estando viva la pelota, dos jugadores lleguen a estar en la misma base, el segundo corredor (el de atrás) es out, si es tocado con la pelota, y el primer corredor (el de adelante) es el que tiene derecho a la base.

Cuando el bateador consigue un golpe válido, el corredor que se encuentra en la primera base está obligado a desplazarse hasta la segunda (juego forzado). En el caso de que al bateador se le permita avanzar libremente a la primera base, el corredor que ocupe ésta la deja libre y avanza también libremente. Sin embargo, cuando el bateador no batea válidamente, el corredor vuelve a la base de donde provenía.

El corredor no está obligado a esperar a que el bateador golpee la pelota para pasar de una base a otra (robo de base), puede hacerlo bien antes de que el pitcher envíe la pelota o en el mismo momento en que la envía. Un corredor puede abandonar la base en fly interceptado, solo después de que la bola es tocada por un jugador defensor; si ya ha abandonado la base debe regresar a tocarla antes de avanzar, pero si la bola regresa a la base antes que él, es puesto out.

Un corredor adquiere el derecho a una base que se encuentra desocupada, cuando la toca antes de ser out, o esté forzado a dejarla vacante para que sea ocupada por otro corredor que tenga el derecho de ocupar dicha base. Si un corredor adquiere legalmente el derecho a una base, y el lanzador ocupa su posición de lanzar, el corredor no puede regresar a una base previamente ocupada.

Cada corredor, que no sea el bateador, puede avanzar una base sin el riesgo de ser puesto out cuando:

- Se declara un Balk.
- El avance del bateador, sin riesgo de ser puesto out, obligue (force) a un corredor a dejar la base que ocupa, o cuando el bateador conecta una pelota de fair y ésta toca a otro corredor o un árbitro, antes de haber sido tocada por un fildeador o haya pasado a un fildeador, si tal corredor está obligado a avanzar.
- El fildeador o el catcher, después de haber realizado una atrapada legal, se cae dentro de una tribuna o dentro del dugout.
- Mientras un corredor esté tratando de robarse una base, el bateador es interferido por el catcher u otro fildeador.

Cuando un corredor tiene derecho a una base sin riesgo de ser puesto out, y deja de tocar dicha base antes de intentar avanzar a la siguiente, pierde el derecho legal de no ser puesto out, y puede ser puesto out ya sea tocando con la pelota la referida base o tocando con la pelota al corredor antes de que éste regrese a la base que dejó de tocar.

Cada corredor incluyendo al bateador-corredor, puede avanzar, sin riesgo de ser puesto out:

- *Hasta home*: Si una pelota bateada de fair sale en vuelo fuera del campo de juego y los corredores tocan legalmente todas las bases.

- *Tres bases:* Si un fildeador toca una pelota en fair con su gorra, máscara, con cualquier parte de su uniforme o lanza su guante en forma deliberada a la pelota y la toca en territorio fair. La pelota sigue en juego y el bateador puede avanzar hacia el home, a su propio riesgo.
- *Dos bases*: Si una pelota fair rebota o es desviada, metiéndose en las tribunas fuera de las líneas de foul de primera o tercera bases; o si pasa a través o por debajo de una cerca del campo, de la pizarra de anotaciones, setos de plantas o enredaderas de la cerca; o si se queda incrustada en tales cercas, pizarras, setos o enredaderas.
- *Dos bases*: Cuando, no habiendo espectadores dentro del campo de juego, un infielder realiza un lanzamiento descontrolado (wild throw) y la pelota lanzada se mete en las tribunas, o dentro de un banco, o sobre o por debajo de una cerca del terreno, o sobre la parte inclinada de la malla protectora. En este caso el árbitro, al conceder las bases, debe regirse por la posición de los corredores en el momento en que la bola fue lanzada por el pitcher (lanzador), en todos los demás casos el árbitro se rige por la posición de los corredores en el momento de realizarse el tiro descontrolado.
- *Una base*: Si una pelota lanzada al bateador, o lanzada por el pitcher desde su posición en el plato de pitcheo hacia una base, para tratar de atrapar a un corredor, se mete dentro de la tribuna o dogout, o sobre o a través de una cerca del terreno o el backstop.
- *Una base*: Si el bateador se convierte en corredor debido a un "wild pitch" que da el derecho a que los corredores avancen una base.

- *Cuando ocurre una obstrucción*: Si se está realizando una jugada con el jugador obstruido, o si el bateador-corredor es obstruido antes de que éste toque la primera base, la pelota queda muerta y todos los corredores avanzan, hasta las bases que habrían alcanzando, a juicio del árbitro, de no haberse producido la obstrucción.

Al corredor que haya sido obstruido se le otorgará por lo menos una base más allá de la base que había tocado legalmente antes de producirse la obstrucción. Cualquier corredor precedente que esté forzado a avanzar por razón de la penalidad por obstrucción, también avanzará sin riesgo de ser puesto out.

Cualquier corredor de bases es out cuando:

- Al correr se sale más de 91,4 cm. de la línea directa entre bases para evitar ser tocado a menos de que lo haga para no interferir con un fildeador que trate de fildear una pelota que ha sido bateada.
- Un jugador del equipo a la defensa con la pelota en la mano, toca la base hacia la cual se dirige un corredor antes de que éste llegue o que retroceda a la base de donde partió.
- Después de que un elevado (fly ball) es atrapado, deja de retorcar su base original, antes de que él o su base original sea tocada con la pelota.
- Con la pelota en juego, mientras avanza y regresa a una base, deja de tocar cada base en orden, antes que él o la base que haya fallado, sea tocado con la pelota.
- Toca involuntariamente la pelota.
- Es tocado por la pelota golpeada por el bateador.
- Una pelota alta cae en la base que abandonó antes de que tenga tiempo de regresar a ella.
- Después de llegar a la primera base, abandona la línea de bases y se dirige a su dugout en la creencia de que no hay más jugada. Aun cuando se declara el out, la pelota permanece en juego en lo que respecta a cualquier otro corredor.
- Cuando un bateador se convierte en corredor, debido a un tercer strike no atrapado, y comienza a dirigirse a su banco, puede avan-

zar hasta la primera base en cualquier momento antes de entrar al dugout. Para ponerlo out, la defensa debe tocarlo con la pelota o enviar la pelota hasta la primera antes de que llegue el corredor.

- Cuando deliberadamente interfiere con una pelota lanzada o molesta a un fildeador que intenta hacer jugada con la pelota bateada.
- Es sorprendido fuera de base (y tocando con la pelota) mientras la pelota está viva.
- El corredor deja de retocar su base después que haya sido atrapada una pelota legalmente en fair o foul, y el fildeador toca (con la pelota) al corredor o a la almohadilla.
- Deja de alcanzar la próxima base antes de que un fildeador lo toque a él o a dicha base, cuando el corredor haya sido obligado (forzado) a avanzar por razón de que el bateador se haya convertido en bateador-corredor. Sin embargo, en el caso de que un corredor posterior haya sido puesto out forzado, la condición de "force" del corredor que va adelante queda anulada y por consiguiente debe ser tocado con la pelota para ser puesto out.
- Es golpeado por una pelota fair en territorio fair antes de que la pelota haya tocado o pasado a un infielder. La pelota queda muerta y nadie puede anotar en carrera, ni pueden avanzar los corredores, excepto aquellos corredores que hubieran estado obligados a avanzar.
- Trata de anotar en una jugada en la cual el bateador interfiere la jugada en el home plate antes de que hayan dos outs. Cuando hay dos outs la interferencia hace que el bateador sea out y por tanto no hay anotación de carrera.
- Pasa a otro corredor que va precediendo antes de que dicho corredor haya sido puesto out.
- Después de haber adquirido posesión legal de una base, se devuelve con el propósito de confundir a la defensa o para burlarse del juego.
- Deja de retornar inmediatamente a la primera base después de haberse deslizado o corrido sobrepasándose de ella. Si intenta correr hacia la segunda base puede ser puesto out tocándolo con la pelota.
- Al deslizarse o correr por el home plate, deja de tocarlo y no hace intento alguno por regresar a hacerlo.

Si el bateador golpea la bola, los fielders tienen la oportunidad de eliminarlo cuando:

- Un fielder atrapa la bola bateada antes de que ésta toque el suelo, en terreno bueno o malo.
- Un fielder, con la bola en su poder, toca al corredor o la base a la que se dirige antes de que él logre alcanzarla.

Los jardineros, con el objeto de alcanzar su objetivo (la eliminación de los corredores), atrapan la bola bateada y se la lanzan al jugador que cubre la base que representa un verdadero peligro, para que éste toque, bien al jugador o la almohadilla con la pelota en su poder, antes que el corredor llegue a la base. Si el bateador llega antes a la base, todavía existen oportunidades para eliminar otros corredores y evitar una carrera.

Cuando los jugadores de campo consiguen eliminar dos corredores en la misma jugada se produce un doble play y si se eliminan a tres es un triple play.

PRIMERA BASE

El primera base así como los demás jugadores de cuadro deben tener conocimiento de las características del bateador para saber la manera cómo van a jugar.

Antes de producirse el lanzamiento, el primera base se ubica mirando al bateador, separado de su base aproximadamente unos 4 metros en dirección a segunda y a dos metros aproximados de la línea que une estas bases.

Como en la mayoría de los casos el bateo se produce lejos de su zona de influencia, el primera se desplaza inmediatamente hacia el borde interno de su base, colocando en la almohadilla el pie opuesto a la mano que recibe y el otro pie en dirección al compañero del que va a recibir la asistencia.

SEGUNDA BASE

El segunda base en conjunto con el short stop son los jugadores encargados de cubrir un gran espacio dentro del terreno de juego. Este jugador se ubica mirando al aproximadamente a 4 metros de la base en dirección a primera y a 3 metros de la línea que une las bases.

Para poner out a un corredor que va de primera a segunda pueden entrar el segunda base o el short-stop de acuerdo al bateador y al lanzamiento, para ello se sitúan por encima de la base colocando un pie a cada lado de la base, de manera que se encuentre flexionado el cuerpo para tocar al corredor con la mano enguantada hacia el suelo delante de la base, pues, muy seguramente el corredor realizará un deslizamiento.

LA DEFENSA

Fildear es la acción mediante la cual los jugadores de campo atrapan la bola después de que ésta ha sido bateada. Para realizar la defensa, el equipo al que corresponda tiene sus nueve jugadores ubicados en el terreno y distribuidos según sus funciones:

-Lanzador (pitcher)
-Receptor (catcher)
-Primera base
-Segunda base
-Tercera base
-Parador corto (Short stop)
-Exterior o jardinero izquierdo (left field)
-Exterior o jardinero centro (center field)
-Exterior o jardinero derecho (right field)

TERCERA BASE

La posición normal de un jugador de tercera base es por lo regular, separado unos 3 metros aproximadamente de la línea que une las bases y a 2 - 3 metros atrás de la base en dirección hacia la segunda base.

El tercera base se desplaza por los batazos que salen delante de su posición entre la goma del lanzador y la línea de foul.

SHORT-STOP (Parador en corto)

Debido a que la mayor parte de los batazos se producen hacia la zona que cubre el short stop, este jugador se convierte en fundamental en todas las acciones defensivas. Entre sus responsabilidades se cuentan:

- Fildear batazos difíciles hacia delante a un costado del pitcher.
- Cortar batazos de hit hacia la segunda y tercera base.
- Fildear batazos con poco poder que apenas salen del cuadro.

En términos generales este jugador se ubica de frente al bateador en un lugar equidistante entre segunda y tercera base, aproximadamente a 5 metros de la línea que une estas dos bases. Sin embargo, esta posición se ve constantemente modificada de acuerdo a las situaciones específicas que se vayan presentando en el juego.

JUGADAS DEFENSIVAS DEL PITCHER

Una vez el lanzador completa el lanzamiento se convierte en un fildeador más de la defensiva, fortaleciendo la defensa del short stop y del segunda base, quienes pueden así proteger un área mayor hacia sus extremos derecho e izquierdo respectivamente.

JUGADAS DEFENSIVAS DEL CATCHER

Como regla general en todas las jugadas donde se requiera tocar al corredor, y siempre que sea posible, el receptor debe dejar que el tiro llegue a él en lugar de salir a buscarlo; por lo tanto, permanece agachado bloqueando la pelota y si el tiro llega con suficiente tiempo, se evita el contacto con el corredor, realizando simplemente un pivote hacia atrás para dejarlo pasar en el momento de tocarlo.

JARDINERO IZQUIERDO

Ubicado aproximadamente a 10 metros de la línea de falta hacia el lado izquierdo del campo exterior, es el encargado de realizar las recepciones de la pelotas bateadas hacia su zona y en los casos en que la pelota se proyecta hacia el tercera base o hacia el short stop, acercarse rápidamente para interceptar la pelota, en el supuesto que a éstos se les escape su control.

JARDINERO CENTRAL

El jardinero central se ubica en un área que está delimitada por una línea imaginaria que parte de home y que pasa por unos metros hacia la izquierda de la segunda base. Su principal función además de recepcionar las pelotas enviadas hacia su dominio, radica en cubrir la segunda base por detrás en toda jugada que se dirija hacia dicha base.

JARDINERO DERECHO

El jardinero derecho se ubica detrás de la línea que une primera con segunda hacia el centro del campo. Además de recepcionar las pelotas enviadas hacia su dominio, debe cubrir por detrás la primera base en toda jugada que se dirija hacia ella.

FÚTBOL AMERICANO

El fútbol americano es un juego de mucho contacto en el que once jugadores con un número ilimitado de suplentes y una indumentaria que les brinda suficiente protección (casco con rejilla, hombreras articuladas y protectores para caderas, muslos y brazos), intentan anotar sobre la portería contraria, bien sea llevando el balón ovalado (más pequeño que el utilizado en el rugby) hasta la zona de anotación contraria o, bien haciéndolo pasar entre los postes por encima del travesaño mediante un puntapié.

HISTORIA

Aunque para la época en que nació el rugby moderno ya se conocían otros juegos en los que intervenían las manos, como por ejemplo el "*camp*" que se jugaba en el siglo XV, el *hurling* de Irlanda y el *Jethart Ba'* de Escocia. Este nuevo juego fue oficialmente creado cuando, durante un partido de fútbol en 1823, en el Public School de la ciudad de Rugby (Inglaterra), el estudiante Williams Webb Ellis, haciendo caso omiso de las reglas del fútbol de entonces, tomó la pelota con las manos y empezó a correr con ella hasta introducirla en la meta contraria. Esta acción, constituyó con el tiempo, un innovador deporte del que se redactaron sus primeras reglas en 1846.

Jugar el balón con las manos estimuló el derribo del poseedor del balón, llegando a tener esta acción una importancia suprema, incluso por encima del uso pie. Esta nueva forma de ver el football rugby provocó conflictos con otros colegios que llevaban el balón sólo con los pies, hasta que en 1863, se reunieron los diferentes representantes de los colegios, para intentar unificar las normas. Como no se llegó a ningún acuerdo, se produjo la separación entre lo que se conoce actualmente como rugby y soccer (fútbol).

Ya que uno de los hechos importantes de la separación fue el juego con la mano, en 1850 el rugby suplantó el balón redondo por el ovalado que se conoce hoy día.

A mediados del Siglo XIX, el rugby fue llevado a EE.UU., donde se había popularizado el fútbol soccer, por lo que de la mezcla de estos dos, surgió otro deporte al que se le llamó Fútbol Americano. En 1870 los jugadores del equipo de la Universidad de Harvard redactaron las primeras reglas, reduciendo los jugadores a 11.

A mediados del Siglo XIX, el rugby fue llevado a EE.UU., donde se había popularizado el fútbol soccer, por lo que de la mezcla de estos dos, surgió otro deporte al que se le llamó Fútbol Americano

En 1874 se jugó el primer partido oficial.

En 1920 se crearon los equipos profesionales, con lo que este deporte se convirtió en quizá el más popular de los deportes estadounidenses, donde cada año los dos mejores equipos de la temporada disputan el súper tazón, uno de los acontecimientos deportivos más importantes de este país. En ese mismo año se creó la American Professional Football Association (APFA).

En 1922 la APFA adoptó el nombre de National Football League (NFL), el cual se mantiene en la actualidad.

En 1933 la NFL modificó el reglamento haciendo válido un pase adelantado que fuese enviado desde cualquier área detrás de la yarda en que inicia la jugada (línea de scrimmage).También se agruparon los equipos en las divisiones de Este y Oeste, para que los campeones de cada división disputaran anualmente el campeonato de la liga. Ese formato se mantuvo vigente hasta 1969.

En 1963 en Canton (Ohio) fue inaugurado el Salón de la Fama de la Liga Nacional de Fútbol (NFL) y en 1966 se unificó la Liga Americana de Fútbol y la Liga Nacional de Fútbol (NFL).

REGLAMENTACIÓN

TERRENO DE JUEGO

El campo de juego es un área rectangular de 300 pies entre las líneas de gol y 160 pies en lo ancho del campo.

El terreno está dividido entre las líneas finales por líneas paralelas separadas cada 5 yardas, estas líneas ayudan a determinar la longitud del avance y la línea por ganar.

Las dos líneas interiores (hash marks) se ubican a 60 pies de las líneas laterales y se marcan a una yarda de intervalo. Todas las jugadas deben iniciarse entre o sobre las líneas interiores o "hash marks".

Las marcas de las 9 yardas están localizadas a 9 yardas de las líneas laterales.

El área de 10 yardas que va desde la línea de gol hasta la línea final se conoce como zona final y es donde se localiza el poste de gol. Este poste, tiene una abertura de 18 pies 6 pulgadas, unida por una barra transversal que está a 10 pies del suelo.

JUECES

Equipados con una gorra blanca, un pito y un banderín, a cada juez se le asigna responsabilidades individuales, aunque todos están encargados de señalar las faltas.

- *Árbitro principal:* Es quien tiene la supervisión principal sobre el juego, y todas sus decisiones son definitivas.
- *Segundo árbitro*: Tiene responsabilidad sobre los equipos y las líneas de escaramuza.
- *Juez de línea*: Responsable de los fuera de lugar, la zona neutral, la línea de escaramuza y el control de su zona sobre uno de los lados del terreno de juego.
- *Juez de campo*: responsable de los puntapiés desde la línea de escaramuza, los pases adelantados que cruzan la línea defensiva final.
- *Jueces laterales y de zaga*: Actuando sobre el mismo lado del juez de línea, controlan el número de jugadores de la defensa y los jugadores habilitados para recibir un pase en su lado del campo.
- Jurado de línea: Actuando sobre el lado contrario del juez del línea es el responsable del control del tiempo, el registro de suspensiones temporales, del marcador, los movimientos ilegales por detrás de la línea de escaramuza, los cambios ilegales y el cubrimiento ilegal de jugadores dentro de su lado de actuación.

BALÓN

El balón de forma ovalada tiene una longitud entre 28-29 cm, con un peso de 397-425 g., una circunferencia mayor de 71-72 cm y una menor de 54 cm.

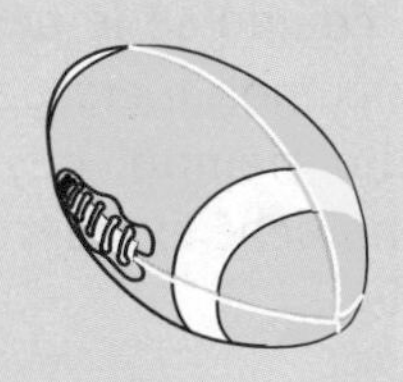

DURACIÓN DEL ENCUENTRO

El tiempo total de un juego efectivo es de 60 minutos divididos en *cuatro periodos de 15 minutos* cada uno, con un intermedio de un minuto entre el primero y segundo cuarto y entre el tercero y cuarto. El período de descanso entre el segundo y tercer cuarto (primer y segundo tiempos) es de 20 minutos.

A cada equipo se le permiten 3 tiempos fuera por cada medio tiempo, cuya duración no debe exceder 1 min. 30 seg.

En caso de quedar empatado un juego, se juega un período suplementario de 15 minutos, resultando vencedor el equipo que primero consiga una anotación.

EQUIPOS

Un equipo lo conforman un máximo de 40 jugadores, de los cuales 11 se encuentran en el campo de juego.

A cada jugador se le asigna un número de acuerdo a su posición según las formaciones ofensivas así:

80-99 Extremos,

70-79 Tackles,

60-69 Guardias,

50-59 Centros,

1-49 Quarterback y backs.

Cada jugador debe llevar como protección:

- Un casco de plástico con una rejilla irrompible moldeada en plástico y bordes redondeados.
- Un protector bucal
- Hombreras, pectorales y rodilleras, cubiertos por camiseta y fundas de los pantalones.
- Protectores para costillas, riñones, genitales, muslos y canilleras

SUSTITUCIÓN DE JUGADORES

El número de sustituciones realizadas durante un encuentro es ilimitado, debiendo realizarse éstas únicamente cuando el balón no está en juego.

INICIO DEL PARTIDO

Después de sorteada la opción del saque y escogencia de lado, el juego se inicia sobre o entre las líneas de intersección con un saque de tiro libre desde la línea de 35 yardas. Para ello, un jugador del equipo al que corresponde sostiene el balón para que un compañero lo patee. Sus compañeros deben estar detrás de la pelota y los oponentes mínimo a 10 yardas.

Una vez efectuado el saque, el balón debe llegar a la línea del contrario a menos que en su trayecto sea tocada por un contrario.

Después del intermedio entre el primero y segundo cuartos, y también entre el tercero y cuarto cuartos, los equipos deben defender líneas de gol opuestas. El balón deberá ser recolocado en la mitad opuesta del campo en el punto exacto correspondiente al lugar en donde se encontraba al fin del cuarto anterior. La posesión de la bola, el número del down, y la distancia por avanzar deben permanecer sin ser cambiadas.

PUNTUACIÓN

Al igual que en el rugby el balón debe llevarse hasta la zona de anotación contraria, o hacerlo pasar mediante un puntapié entre los postes por encima del travesaño. Cada acción equivale a diferentes puntos de acuerdo a las acciones realizadas así:

- *Touchdown* (Anotación): Equivale a 6 puntos y se otorga cuando un jugador llevando el balón cruza la línea de meta.
- *Gol de campo*: Equivale a 3 puntos y se otorga cuando un jugador patea el balón y lo hace pasar entre los postes por encima del travesaño del arco contrario, sin que antes toque el suelo o a otro compañero de equipo.

- *Safety* (puntos concedidos al oponente): Equivale a 2 puntos y se otorga cuando un equipo envía el balón a su propia zona final, quedando muerto mientras está en su poder; si lo pone fuera de juego detrás de su propia línea de meta; o, si el equipo en posesión comete falta detrás de su línea de meta.
- *Punto extra por Touchdown.* (carrera o pase): Equivale a 2 puntos y es una oportunidad que se le otorga al equipo que efectúo una Anotación (touchdown) para poder adicionar a su marcador uno o dos puntos extras.

El intento de punto extra consiste en una jugada de scrimmage desde la yarda tres de los oponentes. Se adicionan dos puntos si una jugada legal de pase o carrera llevan el balón en o más allá de la línea de gol de los oponentes.

Si el equipo defensivo logra ganar la posesión del balón durante el transcurso de esta jugada, puede anotar dos puntos regresando la bola a todo lo largo del campo hasta la línea de gol del equipo contrario para obtener una anotación (touchdown) de dos puntos.

Después de un punto extra, la bola debe ser puesta en juego por medio de una patada libre.

- *Punto extra por Gol de Campo o Safety*: Equivale a 1 punto y se otorga después de un touchdown cuando el equipo que hizo la anotación intenta marcar un punto adicional desde la línea de escaramuza, entre las líneas de intersección, mínimo a 2 yardas de la línea de meta. Esta anotación puede ser hecha pateando el balón, corriendo con él o mediante un pase.

ACCIONES DE JUEGO Y VIOLACIONES

El balón avanza su posición mediante el avance de un corredor que lo lleva o mediante pases entre compañeros. Cada equipo tiene cuatro intentos (downs) para avanzar 10 yardas hacia la línea de meta; si lo logra es recompensado con una nueva serie de cuatro downs, pero si no, debe entregar el balón al equipo contrario en el punto en donde quedó.

PASES

- Un corredor puede hacer un pase hacia atrás en cualquier momento.
- Durante un avance un compañero puede recibir el pase o recuperar el balón después de que éste toca el piso.
- Si un oponente atrapa el balón entre pases, puede avanzar con él; pero si lo recupera después de que éste ha tocado el piso, gana posesión sobre él pero no puede avanzar.
- Un equipo en posesión del balón puede hacer un pase adelantado durante cada jugada desde una escaramuza, siempre que el pasador esté detrás de su línea. Cualquier otro pase adelantado es ilegal, no obstante los oponentes están habilitados a recibirlo, siempre y cuando sean los jugadores que se encuentran en los extremos de la línea de escaramuza, igualmente, cuando un oponente toca el balón los integrantes del equipo que hace el pase quedan inmediatamente habilitados para recibirlo.
- Cualquier pase adelantado queda muerto si sale del terreno, toca el piso o, toca un poste o travesaño.

Snap

En este pase hacia atrás, los demás jugadores deben estar quietos fuera de la zona neutral, mientras que el que realiza el snap no puede deslizar sus manos por el balón, ni mover los pies ni levantar una mano antes de realizar la acción.

PATADAS

Patadas libres (Kickoffs)

La patada de salida (kickoff), es la patada libre más común. Esta se realiza con ambos equipos ubicados detrás de su respectiva línea de restricción hasta tanto el balón sea pateado. Para el equipo pateador, la línea de restricción es la línea de la yarda 35, y la línea de restricción para el equipo receptor se encuentra 10 yardas adelante (usualmente la línea de la yarda 45 del equipo oponente).

En un Safety, el balón se pone en juego mediante una patada libre con la línea de la yarda 20, como línea de restricción para el equipo pateador y para el equipo receptor la línea de restricción es la línea de la yarda 30, ó 10 yardas mas allá de la línea de restricción del equipo pateador.

Las condiciones para realizar esta patada son:

- El balón se coloca en la línea de restricción del equipo pateador, con todos los jugadores, excepto el pateador y sostenedor, atrás del balón hasta que sea pateado. A cada lado del pateador debe haber un mínimo de cuatro jugadores

- El pateador no puede ser bloqueado hasta que haya avanzado 5 yardas. Los jugadores del equipo pateador no pueden tampoco bloquear a un oponente hasta que la bola haya recorrido 10 yardas o un jugador del equipo receptor haya tocado el balón.
- El equipo receptor debe mantener sus jugadores atrás de su línea de restricción.
- Cuando una patada libre sale fuera del campo por las bandas laterales sin haber sido tocado por el equipo receptor, el equipo receptor puede elegir, entre las siguientes opciones: tener posesión del balón en el punto donde éste abandonó el campo, aceptar un castigo de 5 yardas contra el equipo pateador y repetir la patada (desde la línea de la yarda 30 si la patada fue hecha de la línea de la yarda 35) o, tener posesión del balón 30 yardas adelante de la línea de restricción del equipo pateador.

Patadas de scrimmage

- Al iniciarse la jugada, siete delanteros de cada equipo se ubican cara a cara paralelos a la línea de gol, unos intentando taclear al portador del balón y los otros defendiendo. Atrás de los defensas se ubica el mariscal de campo. Los demás jugadores se ubican mínimo a 1 yarda detrás de la línea de escaramuza.
- Las patadas de scrimmage, ya sea de despeje, en patadas de lugar o patadas de bote pronto, deben ser efectuadas atrás de la línea de scrimmage.
- Si una patada de scrimmage se mantiene detrás de la línea de

scrimmage, ya sea porque la bola es bloqueada por un oponente o por alguna otra razón, cualquier jugador de cualquier equipo puede avanzar el balón. Pero una vez que el balón cruce más halla de la zona neutral ningún jugador del equipo pateador puede tocar o recuperar el balón antes de que sea tocado por un oponente.
- Si el equipo pateador toca primero el balón, la posesión del balón está garantizada para el equipo receptor en el punto donde ésta fue tocada ilegalmente.
- Una patada de scrimmage que toca el suelo en la zona final del equipo receptor antes de haber sido tocada por algún jugador de este equipo es declarada muerta inmediatamente y se considera como touchback.

RECEPCIÓN LIBRE (FAIR CATCH)

Esta acción le da al jugador que realiza una señal de recepción libre (fair catch), el derecho de hacer un intento de cachar el balón sin ser interferido, sin ser bloqueado o tacleado después de haberla cachado. Las normas para realizar una recepción libre son:

- La señal de recepción libre (fair catch), se hace con la mano extendida claramente sobre la cabeza con un movimiento de lado a lado más de una vez.
- El jugador que efectúa la señal de fair catch no puede después de que atrapa el balón correr con ella.
- Cuando se realiza un fair catch, se declara muerto el balón en el punto donde es cogido.

- El receptor que efectúo una señal de cachada libre comete una falta de 5 yardas si después de atrapar el balón da más de dos pasos con él.
- Si un jugador del equipo pateador tacklea o bloquea al oponente que efectuó una señal de atrapada libre, éste comete un castigo de 15 yardas.
- El jugador que efectúa la señal de cachada libre no tiene la obligación de efectuar la cachada, pero no puede bloquear a un oponente en la jugada.

FUERA DE LUGAR

Cualquier jugador diferente al que hace el snap está en fuera de lugar si cualquier parte de su cuerpo está más allá de la línea de escaramuza o de la línea de tiro libre cuando el balón se pone en juego.

FUERA DE JUEGO

Un jugador con o sin el balón en posesión se encuentra fuera del campo si toca la línea del límite del campo o cualquier cosa que se encuentre en o más allá de esta línea, excepto a un oficial o cualquier otro jugador. Un balón que no está en posesión de un jugador es declarado fuera de juego si toca a un jugador o a cualquier otra cosa que se encuentre fuera del campo.

Ningún jugador puede ser tacleado o golpeado fuera del campo con o sin posesión el balón. Cuando el balón sale fuera del terreno de juego:

- Se concede al equipo contrario una escaramuza en las líneas de intersección, cuando el balón queda fuera de juego al patearlo (excepto en un tiro libre).
- Se patea antes de un penalti de 5 yardas o se toma en la línea de 35 yardas (según elección del equipo receptor), cuando el balón sale de juego por entre las líneas de meta y sin que toque a un contrario al hacer el saque inicial.
- Se reanuda con una escaramuza, cuando el balón sale de juego después de hacerse un pase adelantado.
- Se concede un snap al equipo defensor, desde su línea de 20 yardas entre las líneas de intersección cuando el balón es pasado, pateado o dejado caer detrás de las líneas de meta.

BLOQUEO

El bloqueo se lleva a cabo para obstruir a un oponente con los siguientes requisitos:

- Las manos deben ser mantenidas cerradas entre los codos de forma que no salgan del cuerpo. No obstante los brazos pueden extenderse para empujar.
- Un bloqueador puede empujar de frente, pero no presionar, colgarse o encerrar a su oponente.
- Se puede bloquear en cualquier momento, pero sin interferir un pase, una atrapada válida, un pateador o un pasador.
- No se puede bloquear por debajo de las rodillas a un jugador habilitado para recibir un pase largo.

Los actos prohibidos calificados como faltas personales son:

- Hacer uso ilegal de las manos utilizando el cuerpo para mover o quitar a un oponente del curso de la jugada. (Las manos deben estar siempre adelante de los codos, dentro de la estructura del cuerpo, y abajo de los hombros del bloqueador y del oponente).
- Usar las manos o brazos para hacer bloqueo entrelazado.
- Golpear a un oponente con la rodilla.
- Golpear a un oponente en la cabeza (incluida la mascara), cuello, cara o cualquier parte del cuerpo, con el antebrazo extendido, codo, manos entrelazadas, palma, talón, dorso o filo de la mano abierta, puño
- Enganchar a un oponente.
- Golpear a un oponente con el pie o cualquier parte de la pierna abajo de la rodilla
- Tropezar o golpear por la espalda (clipping) a un oponente (exceptuando cuando el golpeo por la espalda es permitido dentro de un área específica y muy limitada en la línea de scrimmage.
- Zancadillear (Excepción: Contra el corredor).
- Apilarse, dejarse caer, o lanzarse con el cuerpo a un oponente después que la bola se ha declarado muerta
- Taclear o golpear al corredor cuando se encuentra claramente fuera del campo.
- Bloquear abajo de la cintura en cualquier jugada en la cual ocurra un cambio de posesión o durante las patadas. (El corredor con el balón sí puede ser bloqueado abajo de la cintura).
- Torcer o jalar la máscara protectora, o cualquier abertura del casco, por un oponente.
- Usar la máscara o el casco para golpear a un oponente.
- Golpear al pasador cuando es obvio que el pase ha sido lanzado.
- Taclear o golpear fuertemente a un receptor cuando un pase adelantado no es cachable o golpear fuertemente a un oponente que se encuentra obviamente fuera de la jugada.

- Hacer contacto inmediato contra el centrador en una formación de patada de scrimmage. (debe transcurrir un segundo después de que el balón es centrado para que el centrador pueda ser bloqueado o golpeado).
- Actuar con rudeza contra el pateador o el sostenedor. El contacto contra el pateador o el sostenedor se permite solamente para el jugador que toca o bloquea una patada de despeje o una patada de lugar.

Aquellas faltas que interfieren con el orden, la continuidad y la administración en o durante un juego, se sancionan con un castigo de 15 yardas, y una posible descalificación (expulsión), por:

- Interferir con el avance del balón o un jugador por un substituto o cualquier persona que entre al campo ilegalmente.
- Usar un lenguaje insultante en contra de oficiales o jugadores.
- Ocultar la bola entre la ropa o sustituirla por cualquier cosa.
- No regresar la bola inmediatamente después de una anotación o en cualquier otra ocasión.
- Retar (amenazar, escupir, pisar, etc.) o burlarse de un oponente.
- Retardar, o prolongar el juego con cualquier acción exagerada con el objetivo de llamar o atraer la atención por parte de un jugador.
- Incitar a los espectadores o a los oponentes.
- Quitarse el casco fuera del área del equipo (banca).
- Simular substituciones o reemplazos que puedan confundir al oponente.
- Si un jugador comete dos castigos de conducta antideportiva en el mismo juego deberá ser descalificado (expulsado).

Deportes de Conjunto

FÚTBOL SOCCER

El fútbol soccer es un deporte practicado entre dos equipos de once jugadores, cuya finalidad es hacer pasar un balón de cuero por una portería que defiende cada uno de los bandos. El balón debe ser impulsado conforme a determinadas reglas, de las que se resalta la prohibición de que el balón sea tocado con las manos, a excepción del jugador que guarda la portería de cada equipo.

HISTORIA

La historia del fútbol, un deporte mundial por excelencia, presenta muchas de las imprecisiones propias de todos los hechos humanos antiguos.

El origen de este deporte, tal como se le conoce en la actualidad, por lo menos en sus rasgos más genéricos, se le atribuye a la Gran Bretaña; sin embargo, no sería justo señalar el pasado del fútbol con la exclusiva referencia de su nacimiento inglés, ya que se conoce la existencia de numerosos juegos practicados en diferentes épocas y lugares del globo terrestre, que bien se pueden considerar como precursor de este fantástico deporte.

En Oriente, 2,500 años a.C. los Chinos practicaban un juego que enfrentaba a dos equipos muy numerosos disputándose con manos y pies un balón, en el que se empleaban unas porterías trenzadas de unos 6 metros de altura, con un agujero en el centro a través del cual debía introducirse la pelota. Mil años antes de Cristo, en Japón se practicó un juego parecido denominado *Kemari* que consistía en que cientos de jugadores trasladaban a patadas de un extremo de un pueblo a otro, una pelota de cuero rellena.

En África, se sitúa la práctica de un juego llamado *Koura*, muy parecido a los anteriormente descritos.

En Occidente, se encuentran vestigios del fútbol en la cultura griega, quienes como parte del entrenamiento de los soldados practicaban un juego denominado "*Sfoeris Machis*" o "*Esfezomaquia*".

Los romanos jugaron el "*Haspartum*", juego que consistía en que dos bandos con número ilimitado de jugadores, empujaban con la mano o con el pie una vejiga llena de arena hasta conseguir traspasar una línea marcada en el campo contrario.

En América, importantes civilizaciones desarrollaron juegos de pelota, que gozaban de gran popularidad aún en el momento de que llegaron los conquistadores europeos.

En América, importantes civilizaciones desarrollaron juegos de pelota, que gozaban aún de gran popularidad en el momento de que llegaron los conquistadores europeos. En Estados Unidos y Canadá, las tribus Algonquira y Mikmaks colocaban una pelota en una meta mediante el uso de los pies.

Los Mayas practicaron un juego que consistía en que dos bandos luchaban por obtener un tanto, haciendo pasar la pelota por un aro sujeto a un muro, en el que estaba totalmente prohibido el uso de las manos.

En el siglo X los franceses practicaban "*La Soule*", que consistía en empujar con el pie un balón de cuero relleno hasta una pared límite para lograr un punto.

En Italia, se practicó un juego de invierno al que llamaron "*Calcio*" y que es de todos los juegos anteriores el que más guarda semejanza con el fútbol actual. Era jugado en un campo que media 131x50 metros, con una puerta que al traspasarla se anotaba una "*cacia*" o tanto; la pelota podía ser golpeada indistintamente con el pie o con la mano, pero se castigaba como falta cuando el balón se elevaba por encima de la cabeza de los jugadores a causa de una jugada hecha con la mano.

En Inglaterra, cuna del fútbol que hoy conocemos, se practicó alrededor del siglo VIII un juego de pelota con

una vejiga recubierta hinchada de aire. Las manos solo podían usarse para retener el balón, pues éste debía ser golpeado únicamente con los pies. Inicialmente la meta se situaba en un árbol plantado en la plaza mayor de la aldea, luego se le ubicó en la misma entrada de la población.

En todas estas manifestaciones de "fútbol primitivo", predominaba la violencia por el solo el hecho de apoderarse del balón, razón por la cual durante la edad media fueron prohibidos drásticamente junto con otras muchas manifestaciones culturales y deportivas.

En 1710, ya a punto de desaparecer el antiguo juego inglés, se infiltró en colegios y universidades, siendo los estudiantes de la ciudad de Rugby los que en 1823 dieron forma a las competiciones prohibiendo el uso de las manos. En 1863 se promulgó en la Universidad de Cambridge un nuevo reglamento mucho mas claro que el anterior, sin embargo poco después se produjo el cisma del fútbol por parte de los partidarios del uso de las manos.

El fútbol a pesar de su división progresó rápidamente, los británicos perfeccionaron su técnica y táctica y lo exportaron al continente europeo y a todas sus colonias repartidas alrededor de todo el mundo. En 1904 se constituyó en París la Federación Internacional del Fútbol Asociación (F.I.F.A.), en los juegos de Londres de 1908 se incorporó a los juegos olímpicos en la rama masculina, mientras la femenina lo hizo en los juegos de Atlanta 1996.

A partir del primer campeonato mundial, celebrado en Uruguay en 1930, este certamen se ha llevado a cabo cada cuatro años, congregando a su alrededor la atención del mundo entero.

A pesar de que las reglas por las que se rige el fútbol son universales, este juego adopta en cada país un estilo propio, resultado de las cualidades y condiciones raciales y de las diferentes concepciones de los técnicos que dirigen la práctica de este deporte.

En cuanto a la evolución técnico-táctica, en un principio nacieron dos grandes escuelas, a partir de las cuales y con el correr de los tiempos dieron origen a otros estilos distintos.

La escocesa o sistema de avance lento y la escuela inglesa o del pase largo, que ganaron sus adeptos según la influencia de sus divulgaciones. Por el sistema de avance lento o del pase corto y en triángulo se inclinaron Alemania, Austria, Hungría, Checoslovaquia, Polonia y la generalidad de los países suramericanos. Mientras que el sistema de avance en el menor tiempo posible y menos pases o del pase largo fue seguido por España, Gales, Irlanda, Italia, Francia, Suecia, Noruega, Portugal, Dinamarca, Bélgica, Holanda y Suiza, entre otros.

REGLAMENTACIÓN

TERRENO DE JUEGO

El terreno de juego es un rectángulo cuya longitud máxima mide 90 m. en las líneas de meta x 120 m. en las líneas de banda, marcadas con líneas de 12 cm de ancho que pertenecen a las zonas que demarcan.
El terreno se encuentra dividido en dos mitades por una línea media, en el centro de ésta se marca un punto alrededor del cual se traza un círculo con un radio de 9,15 m.

ÁREA DE META

La constituyen dos líneas perpendiculares a la línea de meta que se ubican a ambos extremos del terreno de juego, a 5,5 m desde la parte interior de cada poste de meta, extendiéndose hacia adentro del terreno de juego y uniéndose con una línea paralela a la línea de meta.

ÁREA PENAL

Situada en ambos extremos del terreno de juego, se demarcara mediante dos líneas perpendiculares a la línea de meta, a 16,5 m desde la parte interior de cada poste de meta. y hacia adentro del terreno de juego, uniéndose con una línea paralela a la línea de meta. En cada área penal se marca un punto penal a 11 m de distancia desde el punto medio de la línea entre los postes, equidistante a los mismos. Al exterior de cada área penal, se traza un semicírculo con un radio de 9,15 m desde cada punto penal.

BANDERINES

En cada esquina se coloca un poste no puntiagudo con un banderín, cuya altura mínima es de 1,5 m. En el Área de Esquina se traza un cuadrante con un radio de 1 m desde cada banderín de esquina en el interior del terreno de juego.

PORTERÍAS

Ubicadas en el centro de cada línea de meta, consisten de dos postes verticales, anclados firmemente en el suelo y equidistantes de los banderines de esquina y unidos en la parte superior por una barra horizontal o travesaño. La distancia entre los postes es de 7,32 m y la distancia del borde inferior del travesaño al suelo de 2,44m.

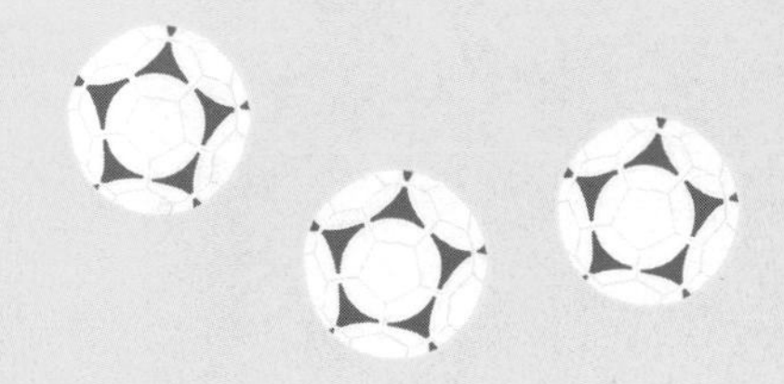

EL BALÓN

El balón esférico, hecho de cuero u otro material adecuado, tiene una circunferencia entre 86-70 cm. y un peso de 410 a 450 g;

JUECES

Cada partido es controlado por *un árbitro* y *dos árbitros asistentes*. El árbitro tiene la autoridad total para hacer cumplir las reglas del juego. Entre sus deberes se cuentan:

- Hacer cumplir las reglas de juego y controlar el partido en cooperación con los árbitros asistentes.
- Actuar como cronometrador y tomar nota de los incidentes en el partido, interrumpiendo, suspendiendo o finalizando el partido, cuando lo juzgue oportuno.
- Juzgar si un jugador está sólo levemente lesionado o por el contrario tiene una lesión grave.
- Tomar medidas disciplinarias contra jugadores o funcionarios que cometen faltas que merecen una amonestación o una expulsión.
- Actuar conforme a las indicaciones de sus árbitros asistentes en relación con incidentes que no ha podido observar.

Los árbitros asistentes tienen la misión de indicar (a reserva de lo que decida el árbitro):

- Si el balón ha traspasado en su totalidad los límites del terreno de juego.
- A qué equipo corresponde efectuar los saques de esquina, de meta o de banda.
- Cuándo se sanciona a un jugador por estar en posición de fuera de juego.
- Cuándo se solicita una sustitución.
- Cuándo ocurre alguna falta u otro incidente fuera del campo visual del árbitro.

EQUIPOS

El partido es jugado por dos equipos formados por un máximo de *11 jugadores* cada uno, de los cuales uno es el guardameta, vestido con colores que lo diferencien de los demás jugadores, y los árbitros.

SUSTITUCIONES

En las competiciones oficiales se realizan un máximo de tres sustituciones.

Para reemplazar a un jugador por un sustituto, deben observarse las siguientes condiciones:

- El árbitro debe ser informado de la sustitución propuesta antes de que ésta se realice
- El sustituto no puede entrar en el terreno de juego hasta que el jugador al que reemplazará, haya abandonado el terreno y recibido la señal del árbitro.
- El sustituto entra en el terreno de juego únicamente por la línea media y durante una interrupción del juego.
- Una sustitución queda consumada cuando el sustituto entra en el terreno de juego, desde ese momento, el sustituto se convierte en jugador, y el jugador al que sustituyó deja de ser jugador.
- Un jugador que ha sido reemplazado no puede participar mas en el partido.

En caso de cambio del guardameta, cualquiera de los jugadores puede cambiar su puesto con el guardameta, siempre que:

- El árbitro haya sido previamente informado.
- El cambio se efectúe durante una interrupción del juego.

DURACIÓN DEL ENCUENTRO

Un partido se juega en *dos tiempos de 45 minutos* cada uno con un intervalo entre ellos que no debe exceder los 15 minutos.

Recuperación de tiempo perdido: Cada período debe ser prolongado para recuperar todo tiempo perdido ocasionado por:

- Sustituciones.
- Evaluación y transporte de los jugadores lesionados.
- Pérdida de tiempo.
- En caso de que se tenga que lanzar o repetir un tiro penal, la duración del período en cuestión será extendido hasta que se haya consumado el tiro penal.

INICIO DEL ENCUENTRO

Antes de iniciar el encuentro, el árbitro lanza una moneda y el equipo que gane el sorteo decide la dirección hacia la que atacará en el primer tiempo del partido. En tanto que el otro equipo efectúa el saque de salida para iniciar el partido.

En el segundo tiempo del partido, los equipos cambian de mitad de campo, atacando en la dirección opuesta. El equipo que ganó el sorteo realiza el saque de salida para iniciar el segundo tiempo.

PUNTUACIÓN

Se marca un gol cuando el balón traspasa totalmente la línea de meta entre los postes y por debajo del travesaño, siempre que el equipo en favor del cual se marcó el gol no haya contravenido previamente las reglas de juego. El equipo que marca el mayor número de goles durante un partido es el ganador. Si ambos equipos marcan el mismo número de goles o si no se marca ningún gol, el partido termina en empate.

ACCIONES DE JUEGO Y SANCIONES

SAQUE DE SALIDA

El saque de salida es una forma de iniciar o reanudar el juego, en el que se puede anotar un gol directamente, se realiza:

- Al comienzo del partido, del segundo tiempo o de cada tiempo suplementario.
- Tras haber marcado un gol

Para realizar este saque, todos los jugadores deben encontrarse en su propio campo; los jugadores del equipo contrario a aquel que efectúa el saque deben encontrarse como mínimo a 9,15 m. del balón hasta que sea jugado.

Con el balón inmóvil en el punto central, el árbitro da la señal. El balón entra en juego en el momento en que es pateado y se mueve hacia adelante, en tanto que el ejecutor no puede tocar el balón por segunda vez antes de que no sea jugado por otro jugador. En caso de que el ejecutor del saque toque el balón por segunda vez antes de que sea jugado por otro jugador, se concede un tiro libre indirecto al equipo adversario, que se lanza desde el lugar donde se cometió la falta.

BALÓN A TIERRA

El balón a tierra es una forma para reanudar el juego después de una interrupción temporal necesaria, cuando el balón está en juego, a causa de cualquier incidente no indicado en las reglas de juego.

El árbitro deja caer el balón en el lugar en donde se hallaba cuando fue interrumpido, considerándose reanudado una vez el balón toca el suelo.

El balón se vuelve a dejar caer cuando:

- Es jugado por un jugador antes de tocar el suelo.
- El balón sale del terreno de juego después de tocar el suelo, sin haber sido tocado por un jugador.

BALÓN FUERA DEL JUEGO

El balón está fuera del juego cuando:

- Traspasa completamente una línea de banda o de meta, ya sea por tierra o por aire.
- El juego es detenido por el árbitro.

POSICIÓN DE FUERA DE JUEGO

Un jugador está en posición de fuera de juego si se encuentra mas cerca de la línea de meta contraria que el balón y el penúltimo adversario. El hecho de estar en una posición de fuera de juego no constituye una infracción en sí. Únicamente un jugador en posición de fuera de juego es sancionado si en el momento en que el balón toca o es jugado por uno de sus compañeros, se encuentra, a juicio del árbitro, implicado en el juego activo:

- Interfiriendo en el juego o a un adversario.
- Tratando de sacar ventaja de dicha posición.

Un jugador no está en posición de fuera de juego sí:

- Se encuentra en su propia mitad de campo.
- Se encuentra a la misma altura que el penúltimo o los dos últimos adversarios.
- Recibe el balón directamente de un saque de meta, de banda o un saque de esquina.

Por cualquier falta de fuera de juego, el árbitro otorga un tiro libre indirecto al equipo adversario que es lanzado desde el lugar donde se cometió la falta.

SAQUE DE BANDA

El saque de banda es una forma de reanudar el juego y se concede cuando:

- El balón traspasa en su totalidad la línea de banda, ya sea por tierra o por aire.

No se puede anotar un gol directamente de un saque de banda.

Los encargados de realizar el saque de banda son los adversarios del jugador que tocó por último el balón, desde el punto por donde franqueó la línea de banda.

En el momento de lanzar el balón, el ejecutor debe estar de frente al terreno de juego, tener una parte de ambos pies sobre la línea de banda o al exterior de la misma, servirse de ambas manos para lanzar el balón de detrás y por encima de la cabeza, no pudiendo volver a jugar el balón hasta que éste no haya tocado a otro jugador.

Saque de banda es ejecutado por cualquier jugador, excepto el guardameta:

- Si el balón está en juego y el ejecutor del saque toca el balón por segunda vez antes de que éste haya tocado a otro jugador, se concede un tiro libre indirecto al equipo contrario desde el lugar donde se cometió la falta.
- Si el balón está en juego y el ejecutor del saque toca intencionadamente el balón con las manos antes de que éste haya tocado a otro jugador, se concede un tiro libre directo al equipo contrario desde el lugar donde se cometió la falta. Se concede un tiro penal si la falta se comete dentro del área penal del ejecutor.

Saque de banda lanzado por el guardameta:

- Si el balón está en juego y el guardameta toca por segunda vez el balón (excepto con sus manos) antes de que éste haya tocado a otro jugador, se concede un tiro libre indirecto al equipo contrario desde el lugar donde se cometió la falta.
- Si el balón está en juego y el guardameta toca intencionadamente el balón con la mano antes de que éste haya tocado a otro jugador, se concede un tiro libre directo al equipo contrario si la falta ocurrió fuera del área penal del guardameta, y el tiro se lanza desde el lugar donde se cometió la falta.
- Se concede un tiro libre indirecto al equipo contrario si la falta ocurrió dentro del área penal del guardameta, y el tiro se lanza desde el lugar donde se cometió la falta.

Si un adversario distrae o estorba en forma incorrecta al ejecutor del saque, es amonestado por conducta antideportiva, recibiendo tarjeta amarilla.

SAQUE DE META

El saque de meta es una forma de reanudar el juego, desde el que se puede anotar un gol directamente, pero solamente contra el equipo adversario. Se concede cuando el balón traspasa en su totalidad la línea de meta, ya sea por tierra o por aire, después de haber tocado por último a un jugador del equipo atacante, y que no se haya marcado un gol.

Para realizar este saque el balón es lanzado desde cualquier punto del área de meta por un jugador del equipo defensor; los adversarios deben permanecer fuera del área penal hasta que el balón esté en juego.

El ejecutor del saque no puede volver a jugar el balón hasta que éste no haya tocado a otro jugador; el balón se encontrará en juego una vez haya sido lanzado directamente fuera del área penal.

Si el balón no es lanzado directamente fuera del área penal, se repite el saque.

Saque de meta ejecutado por cualquier jugador, excepto el guardameta:

- Si el balón está en juego y el ejecutor del saque toca el balón por segunda vez (excepto con las manos) antes de que éste haya tocado a otro jugador, se concede un tiro libre indirecto al equipo contrario desde el lugar donde se cometió la falta.
- Si el balón está en juego y el ejecutor del saque toca intencionadamente el balón con las manos antes de que el esférico haya tocado a otro jugador, se concede un tiro libre directo al equipo contrario desde el lugar donde se cometió la falta.
- Se concede un tiro penal si la falta se cometió dentro del área penal del ejecutor.

Saque de meta lanzado por el guardameta:

- Si el balón está en juego y el guardameta toca por segunda vez el balón (excepto con sus manos) antes de que éste haya tocado a otro jugador, se concede un tiro libre indirecto al equipo contrario desde el lugar donde se cometió la falta.
- Si el balón está en juego y el guardameta toca intencionadamente el balón con la mano antes de que éste haya tocado a otro jugador, se concede un tiro libre directo al equipo contrario si la falta ocurrió fuera del área penal del guardameta, y el tiro se lanza desde el lugar donde se cometió la falta
- Se concede un tiro libre indirecto al equipo contrario si la falta ocurre dentro del área penal del guardameta, y el tiro se lanza desde el lugar donde se cometió la falta

SAQUE DE ESQUINA

Se concede un saque de esquina cuando el balón traspasa en su totalidad la línea de meta, ya sea por tierra o por aire, después de haber tocado por último a un jugador del equipo defensor, y que no se haya marcado un gol.

El saque de esquina es una forma de reanudar el juego, desde el que se puede anotar un gol directamente, pero solamente contra el equipo contrario.

Para el saque de esquina el balón se coloca en el interior del cuadrante del banderín de la esquina más cercana; los adversarios deben permanecer a un mínimo de 9,15 m del balón hasta que éste sea pateado y se ponga en movimiento; en tanto que el ejecutor del saque no puede jugar el balón por segunda vez hasta que no haya tocado a otro jugador.

En el saque de esquina ejecutado por cualquier jugador, excepto el guardameta:

- Si el balón está en juego y el ejecutor del saque toca el balón por segunda vez (excepto con las manos) antes de que éste haya tocado a otro jugador, se concede un tiro libre indirecto al equipo contrario desde el lugar donde se cometió la falta.
- Si el balón está en juego y el ejecutor del saque toca intencionadamente el

balón con las manos antes de que éste haya tocado a otro jugador, se concede un tiro libre directo al equipo contrario desde el lugar donde se cometió la falta.

- Se concede un tiro penal si la falta se cometió dentro del área penal del ejecutor

Saque de esquina lanzado por el guardameta:

- Si el balón está en juego y el guardameta toca por segunda vez el balón (excepto con sus manos) antes de que éste haya tocado a otro jugador, se concede un tiro libre indirecto al equipo contrario desde el lugar donde se cometió la falta.
- Si el balón está en juego y el guardameta toca intencionadamente el balón con la mano antes de que éste haya tocado a otro jugador, se concede un tiro libre directo al equipo contrario si la falta ocurrió fuera del área penal del guardameta, y el tiro se lanza desde el lugar donde se cometió la falta.
- Se concede un tiro libre indirecto al equipo contrario si la falta ocurrió dentro del área penal del guardameta, y el tiro se lanza desde el lugar donde se cometió la falta.

FALTAS

Las faltas y conducta antideportiva se sancionan así:

TIROS LIBRES

Los tiros libres son directos o indirectos. Tanto para los tiros libres directos como los indirectos, el balón debe estar inmóvil cuando se lanza el tiro y el ejecutor no puede volver a jugar el balón antes de que éste haya tocado a otro jugador.

TIRO LIBRE DIRECTO

Se concede un tiro libre al equipo adversario cuando un jugador comete una de las siguientes seis faltas de una manera que el árbitro considere temeraria, peligrosa o con uso de una fuerza excesiva:

- Dar o intentar dar una patada a un adversario.
- Poner o intentar poner una zancadilla a un adversario.
- Saltar sobre un adversario.
- Cargar contra un adversario.
- Golpear o intentar golpear a un adversario.
- Empujar a un adversario.

Asimismo se concede un tiro libre directo al equipo adversario cuando un jugador comete una de las siguientes cuatro faltas:

- En el momento de luchar por el balón, da una patada al adversario antes de tocar el balón.
- Sujetar a un adversario.
- Escupir a un adversario.
- Tocar el balón con las manos deliberadamente (exceptuando al guardameta dentro de su propia área penal)

El tiro libre directo se lanza desde el lugar donde se cometió la falta.

TIRO LIBRE INDIRECTO

Se concede un tiro libre indirecto al equipo adversario cuando un jugador comete, en opinión del árbitro, una de las siguientes tres faltas:

- Jugar de forma peligrosa.
- Obstaculizar el avance de un adversario.
- Impedir que el guardameta pueda sacar el balón con las manos.

Se concede asimismo un tiro libre indirecto al equipo adversario si un guardameta comete una de las siguientes cinco faltas dentro de su propia área penal:

- Dar más de cuatro pasos mientras retiene el balón en sus manos, antes de ponerlo en juego.
- Volver a tocar el balón con las manos después de haberlo puesto en juego y sin que cualquier otro jugador lo haya tocado.
- Tocar el balón con las manos después de que un jugador de su equipo se lo haya cedido con el pie.
- Tocar el balón con las manos después de haberlo recibido directamente de un saque de banda lanzado por un compañero.
- Perder tiempo.

El tiro libre indirecto se lanza desde el lugar donde se cometió la falta.

POSICIÓN EN EL TIRO LIBRE

Tiro libre dentro del área penal:

- *Tiro libre directo o indirecto en favor del equipo defensor:* Todos los adversarios deben encontrarse como mínimo a 9,15 m del balón y permanecer fuera del área penal hasta que el balón haya sido lanzado directamente mas allá del área penal. Un tiro libre concedido en el área de meta puede ser lanzado de cualquier punto de dicha área.
- *Tiro libre indirecto en favor del equipo atacante*: Todos los adversarios deben encontrarse como mínimo a 9,15 m del balón hasta que esté en juego, salvo si se encuentran ubicados sobre su propia línea de meta entre los postes de meta. Un tiro libre indirecto concedido en el área de meta se lanza desde la parte de la línea del área de meta, paralela a la línea de meta, mas cercana al lugar donde se cometió la falta.

Tiro libre fuera del área penal:

Todos los adversarios deben encontrarse como mínimo a 9,15 m del balón hasta que esté en juego. El tiro libre se lanza desde el lugar donde se cometió la falta.

- Si al ejecutar un tiro libre un adversario se encuentra más cerca del balón que la distancia reglamentaria, se repite el tiro.
- Si el equipo defensor lanza un tiro libre desde su propia área penal sin que el balón entre directamente en juego, se repite el tiro.

Tiro libre lanzado por cualquier jugador excepto el guardameta:

- Si el balón está en juego y el ejecutor del tiro toca por segunda vez el balón (excepto con sus manos) antes de que éste haya tocado a otro jugador, se concede un tiro libre indirecto al equipo contrario desde el lugar donde se cometió la falta.

- Si el balón está en juego y el ejecutor del tiro toca intencionadamente el balón con las manos antes de que éste haya tocado a otro jugador, se concede un tiro libre directo al equipo contrario desde el lugar donde se cometió la falta.
- Se concede un tiro penal si la falta se cometió dentro del área penal del ejecutor

Tiro libre lanzado por el guardameta:

- Si el balón está en juego y el guardameta toca por segunda vez el balón (excepto con sus manos) antes de que éste haya tocado a otro jugador, se concede un tiro libre indirecto al equipo contrario desde el lugar donde se cometió la falta.
- Si el balón está en juego y el guardameta toca intencionadamente el balón con la mano antes de que éste haya tocado a otro jugador, se concede un tiro libre directo al equipo contrario si la falta ocurrió fuera del área penal del guardameta, y el tiro se lanza desde el lugar donde se cometió la falta.
- Se concede un tiro libre indirecto al equipo contrario si la falta ocurrió dentro del área penal del guardameta, y el tiro se lanza desde el lugar donde se cometió la falta.

TIRO PENAL

Se concede un tiro penal cuando un jugador comete una de las diez faltas que se sancionan con tiro libre directo dentro de su propia área penal, independientemente de la posición del balón y siempre que el mismo esté en juego.

Se puede marcar un gol directamente de un tiro penal y se concede tiempo adicional para poder ejecutar un tiro penal al final de cada tiempo o al final de los periodos del tiempo suplementario.

En la ejecución del tiro penal, el balón se coloca en el punto penal. El guardameta defensor permanece sobre su propia línea de meta, frente al ejecutor del tiro, y entre los postes de la meta hasta que el balón esté en juego.

Los jugadores, excepto el ejecutor del tiro, se ubican en el terreno de juego, fuera del área penal y detrás del punto penal a mínimo 9,15 m del punto penal.

El ejecutor del tiro penal, debidamente identificado patea el balón hacia adelante, no pudiéndolo jugar hasta tanto no haya tocado a otro jugador. Se considera que el balón está en juego en el momento en que es pateado y se pone en movimiento.

Si el árbitro da la señal de ejecutar el tiro penal y, antes de que el balón esté en juego, ocurre una de las siguientes situaciones:

Cuando el ejecutor del tiro infringe las reglas de juego:

- Si el balón entra en la meta, se repite el tiro
- Si el balón no entra en la meta, no se repite el tiro

Cuando el guardameta infringe las reglas de juego:

- Si el balón entra en la meta, concede un gol.
- Si el balón no entra en la meta, se repite el tiro.

Cuando un compañero del ejecutor del tiro penetra en el área penal o se coloca delante del punto penal o a menos de 9,15 m. del mismo:

- Si el balón entra en la meta, se repite el tiro.
- Si el balón no entra en la meta, no se repite el tiro.

Cuando un compañero del guardameta penetra en el área penal o se coloca delante del punto penal o a menos de 9,15 m del mismo:

- El árbitro permite que continúe la jugada.

- Si el balón entra en la meta, se concede un gol.
- Si el balón no entra en la meta, se repite el tiro.

Cuando un jugador del equipo defensor y del equipo atacante infringen las reglas de juego, se repite el tiro

Si, después de que se haya lanzado un tiro penal:

- El ejecutor del tiro toca por segunda vez el balón (excepto con sus manos) antes de que el esférico haya tocado a otro jugador, se concede un tiro libre indirecto al equipo contrario desde el lugar donde se cometió la falta.
- El ejecutor toca intencionadamente el balón con las manos antes de que el esférico haya tocado a otro jugador, se concede un tiro libre directo al equipo contrario desde el lugar donde se cometió la falta.
- El balón es tocado por un cuerpo ajeno en el momento en que se mueve hacia adelante, se repite el tiro.
- El balón rebota al terreno de juego del guardameta, el travesaño o los postes, y es luego tocado por un cuerpo ajeno, el árbitro detiene el juego y luego lo reanuda con balón a tierra desde el lugar donde tocó al cuerpo ajeno.

SANCIONES DISCIPLINARIAS

Son faltas sancionables con una amonestación. El jugador es amonestado, recibiendo tarjeta amarilla cuando comete una de las siguientes siete faltas:

- Ser culpable de conducta antideportiva.
- Desaprobar con palabras o acciones.
- Infringir persistentemente las reglas de juego.
- Retardar la reanudación del juego.
- No respetar la distancia reglamentaria en un saque de esquina o tiro libre.
- Entrar o volver a entrar en el terreno de juego sin el permiso del árbitro.
- Abandonar deliberadamente el terreno de juego sin el permiso del árbitro.

FALTAS SANCIONABLES CON UNA EXPULSIÓN

Un jugador es expulsado, recibiendo tarjeta roja cuando comete una de las siguientes siete faltas:

- Ser culpable de juego brusco grave.
- Ser culpable de conducta violenta.
- Escupir a un adversario o a cualquier otra persona.
- Impedir con mano intencionada un gol o malograr una oportunidad manifiesta de marcar un gol (esto no vale para el guardameta dentro de su propia área penal).
- Malograr la oportunidad manifiesta de marcar un gol a un adversario que se dirige hacia la meta del jugador mediante una falta sancionable con tiro libre o penal.
- Emplear lenguaje ofensivo, grosero y obsceno.
- Recibir una segunda amonestación en el mismo partido.

Deportes de Conjunto

FÚTBOL SALA

El fútbol sala es un deporte practicado entre dos equipos de cinco jugadores cada uno, cuya finalidad es hacer pasar un balón de cuero por una portería que defiende cada uno de los bandos. El balón debe ser impulsado conforme a determinadas reglas, de las que se resalta la prohibición de que el balón sea tocado con las manos, a excepción del jugador que guarda la portería de cada equipo.

Contrario a lo que muchos creen, el fútbol sala no es fútbol soccer jugado en cancha pequeña, éste es un deporte diferente y muy rápido, que dista mucho del soccer en cuanto a técnica, táctica y preparación física.

El fútbol sala nació en Uruguay en 1930, bajo una idea del profesor Juan Carlos Ceriani quién utilizando reglas del waterpolo, baloncesto, balonmano y fútbol, redactó el reglamento de un nuevo deporte al que llamó «fútbol de salón». Del Uruguay, pasó a Chile, Brasil, Argentina, Perú y España para después desarrollarse en el resto del mundo.

En 1971 se creó la Federación Internacional de Fútbol Sala (FIFUSA), posteriormente se introdujo en Europa y Asia y, en 1985 se jugó por primera vez en España el primer campeonato mundial organizado por la FIFUSA. Actualmente tanto la Federación de Fútbol Sala como La FIFA (Federación Internacional de Fútbol) compiten por el control de este deporte, en el que ambas federaciones reclaman su derecho a organizar competiciones, por ello existen competiciones de fútbol sala organizadas tanto por la FIFUSA, como por la FIFA y la WEFA.

REGLAMENTACIÓN

TERRENO DE JUEGO

SUPERFICIE DE JUEGO

El fútbol sala se practica en un terreno rectangular de 40 metros en las líneas de banda x 20 metros en las líneas de meta. La variación máxima permitida de este terreno es de 2 metros.

Las líneas de banda se unen en su mitad con una línea central. El centro de la cancha se marca claramente con un punto alrededor del cual está el círculo central de 3 metros de radio.

Para seguridad de los jugadores se recomienda que haya una zona libre de obstáculos que debe rodear los límites exteriores del terreno de juego. En los partidos Internacionales los márgenes de seguridad deben ser como mínimo de 1 metro desde la línea de banda y 2 metros en las líneas de fondo.

En la banda de los banquillos 5 metros a cada lado de la línea central se trazan dos líneas de 80 cm. de largo (quedando 40 cm. al interior del terreno de juego y 40 cm. al exterior) que delimitan el espacio destinado a realizar las sustituciones de los jugadores de cada equipo. Las canchas de juego disponen, en sitio central e inaccesible a los espectadores, de una mesa y sillas donde ejerce sus funciones el Anotador Cronometrador, situada a una distancia de mínimo 1 m. de la línea lateral.

BALÓN

El balón tiene aproximadamente una circunferencia entre 61-64 cm y un peso entre 410-430 gr. al comienzo de cada partido. Un balón está en buenas condiciones si dejándolo caer desde una altura de 2 m., no rebota menos de 50 cm. ni más de 65 cm. en el primer bote y da de 3 a 4 botes.

PORTERÍAS

Las porterías que se ubican en el centro de cada línea de meta, tienen 2 metros de alto por 3 metros de ancho; La profundidad de la meta, es decir, del lado interno de ambos postes hacia el exterior de la superficie de juego, es de al menos 80 cm. en su parte superior y de 1 m. a nivel del suelo.

Su área está delimitada por tres trazos: el primero es una línea recta de 3 metros de longitud paralela a la portería a una distancia de 6 metros en cuyo centro se sitúa el punto de penalty. Usando la base de cada uno de los postes como centro y con un radio de 6 metros se trazan las dos curvas que acaban cerrando el área total de la portería. A una distancia de 12 metros del centro de cada línea de meta se marcan los puntos donde se lanzan los dobles penalties.

JUECES

Cada partido es controlado por dos árbitros quienes tienen la autoridad total para hacer cumplir las reglas de juego. Durante el partido, su facultad de sancionar se extiende a las infracciones cometidas durante la suspensión temporal del partido y cuando el balón esté fuera de juego.

Uno o dos jueces de mesa, se ubican en el exterior de la superficie de juego, a la altura de la línea de medio campo y en el mismo lado que la zona de sustituciones. Sus funciones consisten en llevar el registro del encuentro, medir el tiempo de juego por medio de un cronómetro y proporcionar cualquier información importante para el juego.

EQUIPOS

Un partido lo disputan dos equipos formados por *5 jugadores* cada uno, uno de los cuales es el guardameta. El número máximo de jugadores inscritos en acta puede ser de 12 jugadores, numerados del 1 al 15.

En el caso de que por cualquier circunstancia un equipo quedase reducido a 3 jugadores (incluido el guardameta), durante el transcurso del partido, el árbitro decretará suspendido el mismo.

SUSTITUCIÓN DE JUGADORES

Se permite un número ilimitado de sustituciones. Un jugador que ha sido reemplazado puede reingresar sustituyendo a otro jugador.

Una sustitución puede realizarse siempre, esté o no el balón en juego, observando las siguientes disposiciones:

- El jugador que sale de la superficie de juego lo debe hacer por la línea de banda en la zona de sustituciones de su propio equipo.
- El jugador que entra en la superficie de juego debe hacerlo por la misma línea de banda en la zona de sustituciones y únicamente cuando el jugador que sale traspasa completamente la línea de banda.
- El guardameta únicamente puede cambiar su puesto por el otro jugador-portero indicado en el acta antes del inicio del encuentro, o por un jugador de campo que se indique en el momento de realizar ia sustitución. Este deberá estar debidamente equipado, y no podrá realizar, a partir de este momento, funciones de jugador de campo.

DURACIÓN DEL ENCUENTRO

El tiempo de duración de un partido es de *dos tiempos* iguales *de 20 minutos* cronometrados cada uno, con un intervalo entre los dos períodos de no más de 15 min. La duración de cualquiera de los períodos deberá ser prorrogada para permitir la ejecución de una penalidad máxima, doble penalti o de un tiro libre sin barrera, una vez agotado el tiempo reglamentario.

Los equipos tienen derecho a solicitar un minuto de tiempo muerto en cada uno de los períodos de juego, concedido únicamente cuando el equipo solicitante se encuentre en posesión del balón.

INICIO DEL PARTIDO

Al iniciarse el juego se lanza una moneda y el equipo que gana el sorteo tiene el derecho de decidir la dirección en la que atacará durante el primer tiempo del partido; el otro equipo efectúa el saque de salida para iniciar el partido.

En el segundo tiempo del partido, los equipos cambian de mitad de campo, atacando en la dirección opuesta y el equipo al que correspondió el saque inicial lo hace.

SAQUE DE SALIDA

El saque de salida es una forma de iniciar o reanudar el juego: al comienzo del partido, tras haber marcado un gol, al comienzo del segundo tiempo del partido, y dado el caso, al comienzo de cada tiempo de la prórroga.

Para realizar el saque de salida, todos los jugadores se encuentran en su propio campo, con los jugadores del equipo contrario al que efectúa el saque ubicados al menos a 3 metros del balón hasta que sea jugado. A una señal de un árbitro, el juego comienza con un saque a balón parado, es decir, con un puntapié dado al balón colocado en el suelo, en el centro del terreno, en dirección al campo contrario. El ejecutor del saque no puede tocar el balón por segunda vez antes que sea tocado por otro jugador y se puede anotar un gol directamente de este saque.

PUNTUACIÓN

Se marca un gol cuando el balón traspasa totalmente la línea de meta entre los postes y por debajo del travesaño sin que haya sido llevado, lanzado o golpeado intencionadamente con la mano o el brazo de cualquier jugador del equipo atacante, incluido el portero y siempre que el equipo anotador no haya infringido previamente las reglas de juego.

El equipo que marque el mayor número de goles durante un partido es el ganador.

Si ambos equipos marcan el mismo número de goles o no marcan ninguno, el partido terminará en empate, aunque los reglamentos de una competición pueden estipular una prórroga u otro procedimiento para determinar el ganador de un partido para este caso.

ACCIONES DE JUEGO Y VIOLACIONES

BALÓN FUERA DE JUEGO

El balón se encuentra fuera del juego cuando:

- Traspasa completamente una línea de banda o de meta, ya sea por tierra o por aire; el juego es detenido por el árbitro;
- El balón golpea el techo (en este caso, el saque de banda se efectúa en el punto más cercano a la línea de banda o al lugar donde tocó el techo).

SAQUE DE BANDA

El saque de banda es una forma de reanudar el juego, cuando el balón atraviesa enteramente las líneas laterales, sea por el suelo o por el aire, su retorno a la cancha se hace mediante un lanzamiento con las manos desde el lugar exacto donde salió el balón, en cualquier dirección y por un jugador del equipo contrario, incluido el portero, a aquel que lo tocó por última vez.

El jugador que ejecuta el lanzamiento debe hacerlo de frente a la cancha y con una parte de cada pie apoyada en el suelo y desde el lado de afuera de la línea lateral. El lanzador tendrá que usar ambas manos y lanzar el balón desde detrás de su cabeza hacia delante, debiendo tener los pies situados perpendicularmente a la línea de banda. Una vez hecho el saque no puede volver a jugar el balón hasta tanto el balón no haya sido tocado por otro jugador, ni tampoco puede anotar un gol directamente de su saque.

INTERRUPCIONES TEMPORALES

El balón a tierra es una forma de reanudar el juego después de una interrupción temporal, siempre que el balón esté en juego y no haya sobrepasado las líneas de banda ni las de meta a causa de cualquier incidente no mencionado en las Reglas de Juego.

El árbitro deja caer el balón en el lugar donde se hallaba cuando se interrumpió el juego, excepto si el balón se encontraba en el interior del área penal, en cuyo caso se deja caer el balón en la línea del área penal, en el punto más cercano al lugar donde se encontraba el balón cuando se detuvo el juego. El juego se reanuda cuando el balón toca el suelo; ningún jugador puede jugar el balón antes de que este haya tocado el suelo. Si no fuera así, el árbitro repite el saque.

SAQUE DE ESQUINA

El saque de esquina es una forma de reanudar el juego cuando el balón traspasa enteramente la línea de fondo, excluida la parte comprendida entre los postes de meta y el travesaño y en las condiciones en que legalmente es conquistado un tanto, por el suelo o por alto después de haber sido tocado por última vez por un jugador del equipo defensor.

El lanzamiento de esquina lo realiza uno de los jugadores del equipo atacante, incluido el portero, usando ambas manos y haciendo pasar el balón por encima de su cabeza, trayéndolo de atrás, antes de ejecutar el lanzamiento. Parte de sus pies deben estar apoyados en el suelo, del lado de fuera de la cancha y con su frente vuelta hacia el vértice del ángulo formado por las líneas laterales y de fondo, en el punto en que se juntan. No es válido el gol resultante de un lanzamiento de esquina, a menos que el balón haya sido tocado por un jugador, exceptuando el portero.

SAQUE DE META

El saque de meta es una forma de reanudar el juego cuando el balón traspasa en su totalidad la línea de meta, excluyendo la parte comprendida entre el travesaño y los postes del marco, ya sea por tierra o por aire, después de haber tocado a un jugador adversario en último lugar.

En este caso el balón es lanzado por el guardameta del equipo defensor con la mano desde cualquier punto del área de penalti, mientras los adversarios permanecen fuera del área de meta hasta que el balón esté en juego.

FALTAS E INFRACCIONES

FALTAS TÉCNICAS

Se consideran faltas técnicas:

- Dar o intentar dar una patada a un adversario.
- Poner una zancadilla a un contrario, hacerlo caer o intentarlo, sea por medio de la pierna o agachándose delante o detrás de él.
- Saltar o tirarse sobre un adversario.
- Cargar violentamente o de forma peligrosa a un adversario.
- Cargar por detrás a un adversario que no hace obstrucción.
- Golpear o intentar golpear a un contrario o escupirlo.
- Sujetar a un contrario o impedirle la acción.
- Empujar a un contrario con las manos o los brazos.
- Cargar a un contrario con el hombro sin disputa de balón.
- Jugar el balón, es decir, llevarlo, golpearlo o lanzarlo con la mano o el brazo separados del cuerpo, o intencionadamente con el brazo o mano pegado al cuerpo, excepto cuando lo efectúe el guardameta dentro de su propia área de penalti.

Todas estas faltas se castigan con tiro libre y falta acumulativa, concedido al equipo contrario en el lugar donde fue cometida la infracción, excepto si se aplica la ley de la ventaja, en cuyo caso también se anota la correspondiente falta acumulativa cuando termine la jugada. Si se estima peligrosidad o voluntariedad, la falta llevará implícita la tarjeta amarilla o azul.

Si es un jugador del equipo defensor quien comete una de estas diez faltas dentro de su área de defensa de seis metros, será castigado con penalti.

También se considerarán faltas técnicas:

- Jugar de forma estimada peligrosa, por ejemplo, intentar quitar el balón de las manos al portero contrario; plantillazo, levantar el pie a la altura del busto, etc.
- Obstruir intencionadamente a un contrario, sin jugar el balón, esto es correr entre el mismo y el balón.
- Levantar los pies para chutar hacia atrás (bicicleta) o chutar el balón sin intención de jugarlo, alcanzando a un contrario o amenazando alcanzarle peligrosamente.
- Cargar al portero, salvo que éste se encuentre fuera de su área.

En estos casos se castiga con tiro libre y falta acumulativa, concedido al equipo contrario en el lugar donde fue cometida la infracción, excepto si se aplica la ley de la ventaja, en cuyo caso, también se anota la correspondiente falta acumulativa cuando termine la jugada. Si se estima peligrosidad o voluntariedad, la falta llevará implícita la tarjeta amarilla o azul.

Si la infracción se comete dentro del área, debe ejecutarse la falta sobre la línea de 6 m., en el punto de esta línea más cercano al lugar donde ocurrió la infracción.

FALTAS DISCIPLINARIAS

Son infracciones consideradas como faltas de disciplina para los jugadores:

- En la sustitución, entrar en el terreno antes de que salga el jugador sustituido o incorporarse al juego por un lugar indebido.
- Demostrar con palabras o actos, su disconformidad con las decisiones del árbitro.
- Infringir de forma persistente las reglas del juego.
- Ser culpable de conducta incorrecta.
- Cambiar su número de camiseta sin avisar al juez de mesa o a los árbitros.
- Dirigirse a los árbitros o juez de mesa. Sólo podrá dirigirse a éstos el capitán, de forma correcta y respetuosa.
- Demorarse más de cuatro segundos en los saques que se efectúen desde el centro del terreno de juego.
- Una vez interrumpido el juego sólo podrán tocar el balón los componentes del equipo que tiene que reanudar el partido, bajo las indicaciones arbitrales.

Son infracciones consideradas como faltas de disciplina para los técnicos y entrenadores:

- Entrar en la cancha de juego para dar instrucciones a sus jugadores o socorrerles en caso de accidentes, sin la autorización arbitral.
- Dirigirse irrespetuosamente a los árbitros, juez de mesa, adversarios o público. Sólo podrá dirigirse a los árbitros el Entrenador, de forma correcta y respetuosa.

Las infracciones consideradas como faltas de disciplina, son castigadas con falta acumulativa al equipo tarjeta de amonestación al jugador, técnico o entrenador, y en caso de ser reincidente, será decretada su descalificación definitiva del partido.

Si el partido se detiene para aplicar la sanción de amonestación, descalificación o expulsión, se reinicia con un bote neutral en el lugar más cercano donde se encontraba el balón en el momento de la suspensión, excepto si fuera dentro del área, ocasión en que hay que realizarlo fuera de la misma y en el lugar más cercano.

El jugador es descalificado del terreno de juego sí, en opinión de los árbitros:

- Es culpable de conducta violenta.
- Es culpable de juego brusco grave.
- Utiliza propósitos injuriosos o groseros.
- Reacciona con acciones o palabras a alguna agresión sufrida

Si el partido se interrumpe por motivo de descalificación o expulsión de un jugador, el juego se reinicia con la ejecución de un bote neutral en el lugar más cercano donde se encontraba el balón en el momento de la suspensión, excepto si fuera dentro del área, ocasión en que hay que realizarlos sobre la línea de 6 metros y en el lugar más cercano.

Son infracciones consideradas como faltas de disciplina para los Componentes del banquillo:

- Interrumpir el normal desarrollo del juego, con la finalidad de sacar provecho del lanzamiento. Esta falta se castiga con falta acumulativa, lanzamiento de doble penalti contra el equipo infractor y tarjeta azul al infractor.
- Dirigirse a los árbitros, juez de mesa, adversarios o público. Esta falta se castiga con falta acumulativa y tarjeta azul al infractor.

FALTAS ACUMULATIVAS

Son consideradas como faltas acumulativas, todas las faltas técnicas, y disciplinarias. Todas ellas son de anotación obligatoria en el acta del partido para los equipos.

Cada uno de los equipos puede, en cada uno de los períodos de juego, incurrir en 5 faltas acumulables con derecho a formación de barrera de jugadores.

Cuando ocurre la quinta falta acumulativa de un equipo, el juez de mesa avisa a los árbitros y coloca sobre su mesa, en el lado que defienda el equipo infractor, una señal indicativa.

A partir de la señalización de la sexta falta acumulativa de equipo, todas las faltas que se sancionan con tiro libre y que se produzcan a una distancia superior a 10 m. de la línea de fondo de la portería del infractor; excepto si se aplica la ley de la ventaja, se lanzan desde la línea de doble penalti, sin barrera. En estos lanzamientos, a excepción del portero del equipo infractor, y el lanzador, los jugadores tanto atacantes como defensores, deben permanecer en la superficie de juego, detrás de una línea imaginaria alineada con el balón, paralela a la línea de meta y fuera del área penal, a una distancia de cinco metros del balón y no podrán obstaculizar al jugador que ejecuta el tiro libre, debiendo permanecer fuera de la zona de carrera del mismo. Ningún jugador puede cruzar dicha línea imaginaria ni la zona de carrera del ejecutor, hasta que el balón sea golpeado y entre en movimiento. El lanzamiento debe ser un tiro hacia la portería del equipo infractor con intención de conseguir gol, sin que ningún otro jugador pueda tocar el balón, antes de que éste haya sido tocado por el portero o rechazado por la portería.

Si las faltas se producen a una distancia inferior a 10 metros, se reanuda el juego desde el punto en que se cometieron y sin barrera, pudiendo optar cualquier jugador del equipo lanzador por tirarla desde el punto donde se cometió la misma o desde el punto de doble penalti; en este caso se debe cumplir lo estipulado en el punto anterior. En ambos casos, a excepción del portero del equipo infractor, y el lanzador, los jugadores, tanto atacantes como defensores deben permanecer en la superficie de juego, detrás de una línea imaginaria alineada con el balón, paralela a la línea de meta y fuera del área penal, a una distancia de cinco metros del balón y sin obstaculizar al jugador que ejerce el tiro libre. Ningún jugador puede cruzar dicha línea imaginaria, ni la zona de carrera del ejecutante hasta que el balón sea golpeado y entre en movimiento. El lanzamiento debe ser un tiro hacia la portería del equipo infractor con intención de conseguir un gol, sin que ningún otro jugador pueda tocar el balón, antes de que éste hubiese sido tocado por el portero o rechazado por la portería.

PENALTI

Se concede un tiro de penalti contra el equipo que comete una de las faltas sancionables con un tiro libre directo dentro de su propia área penal mientras el balón está en juego.

Para la ejecución de un tiro penalti el balón se coloca en el punto de penalti; el guardameta defensor debe permanecer sobre su propia línea de meta, pudiendo desplazarse a través de ella (movimiento lateral) hasta que el balón esté en juego. Los jugadores, excepto el ejecutor del tiro, se ubican en la superficie de juego, fuera del área penal y detrás del punto penal, a 5 metros del punto de penalti en una línea imaginaria paralela a la línea de fondo.

HOCKEY

El hockey es un deporte que se practica con características diferentes, según el terreno en que se desarrolle, por lo que se distingue el hockey sobre hielo, el hockey sobre patines y el hockey sobre césped. El primero entra en competiciones dentro de los Juegos de invierno, y los otros dos requieren de pistas especiales preparadas para dichos enfrentamientos.

Deportes de Conjunto

HOCKEY SOBRE CÉSPED

El hockey sobre hierba es un deporte de equipo, en el que dos equipos de 11 jugadores cada uno, se enfrentan provistos individualmente de un stick o bastón curvado, con el que golpean la bola que ha de ser introducida reglamentariamente en la portería del equipo contrario, resultando vencedor el equipo que marque mayor número de tantos o goles.

HISTORIA

El origen exacto del hockey, como el de otros tantos deportes es todo un misterio, pues abundantes hallazgos desorientan cada vez más a los investigadores. Es así como numerosos grabados testifican, que se trata de uno de los deportes de equipo más antiguos que se conocen, con una importancia que atravesó siglos y una amplia variedad de culturas, como la egipcia, griega, persa y árabe entre otras. Prueba de ello lo constituyen los siguientes hallazgos.

En Egipto, dibujos con por lo menos 4.000 años de antigüedad, muestran a hombres jugando este deporte.

Un bajorrelieve inscrito en un muro de contención que protegía la ciudad de Atenas de la furia del mar, en el que figuran seis deportistas sosteniendo en sus manos un palo curvado, que fue construido por Temistocles en el año 478 a.C.

En América, tanto al norte como al sur, diferentes tribus practicaron un juego en el que mediante diferentes clases de palos (de hueso, con curvatura, etc.), se impulsaba una pelota (también hecha de diferentes materiales), hacia unas metas que consistían en dos postes clavados en cada extremidad del terreno, o simplemente hacia una línea marcada que hacía las veces de meta.

Los árabes, practicaron igualmente desde la antigüedad, un juego llamado *koura*, que se jugaba con una bola hecha de fibras de palmera atadas con esparto y un palo algo curvado en la extremidad opuesta al mango. Este juego fue introducido a la península ibérica durante los siglos de dominación Mora.

Sin embargo, la versión moderna del hockey sobre pasto con las características que presenta en la actualidad, evolucionó en Inglaterra (como tantos otros deportes) a mediados del Siglo XIX, aunque ya hacia el siglo XIII, existían en las vidrieras de las catedrales de Canterbury y Gloucaster figuras que representan a un jugador con un un stick en la mano, como un deporte probablemente derivado del hurley, un juego irlandés.

En el año 1875 la "The Men Hockey Association", con residencia en Londres, corrigió las reglas que regían el juego hasta el momento, reduciendo el terreno, la portería y el número de jugadores. Para entonces existía una gran cantidad de clubes de este deporte, siendo los más importantes el Blackheath, primer club masculino fundado en 1849; el Molesey, Wimbledom, Earling, Surbiton, Teddington, el Eliot Place School, de Blackhead y el Trinity College de Cambridge, constituyeron en enero de 1886 la Asociación de Hockey.

Posteriormente, el ejército británico introdujo el juego a lo largo de las colonias británicas, realizándose la primera competencia internacional en 1895. Desde su aceptación en 1908, en el programa olímpico, el hockey no tuvo continuidad sino a partir de los juegos de Amsterdam 1928, eso en la rama masculina, ya que la femenina hizo su aparición a partir de los Juegos de Moscú 1980.

La Federación Internacional de Hockey (FIH), que oficialmente comenzó a funcionar en París el 7 de enero de 1924 y que actualmente dirige y orienta mundialmente este deporte, celebró la primera copa del mundo en 1971 para hombres, y en 1974 para mujeres y en 1982 unificó los juegos masculinos y femeninos.

En 1976 se utilizó por primera vez en los Juegos Olímpicos de Montreal, el pasto artificial y desde entonces todos los partidos internacionales se juegan sobre esta superficie.

En 1978 se realizó por primera vez el Trofeo de Campeones en Lahore (Pakistán), donde compiten anualmente los seis mejores equipos masculinos y en 1987 comenzó a celebrarse para las campeonas de la rama femenina.

REGLAMENTACIÓN

TERRENO DE JUEGO

El campo de juego mide 91,40 m. en las líneas de banda por 55 m. en sus líneas de finales y está claramente marcado con líneas de color blanco de 7,5 cm de ancho. Se recomienda una zona libre alrededor del campo de por lo menos 4 m.

El campo se halla dividido en cuatro sectores, por una línea central y dos líneas trazadas a 22.90 m. de las líneas finales.

En cada línea de banda, se trazan líneas de 30 cm. de largo a 14,63 m. de la línea de fondo y paralelas a ella.

Sobre cada línea de fondo se marcan líneas de 30 cm. de largo: dos situadas a lado y lado de los postes de cada portería a 4,5 y 9,14 metros de distancia de éstos, para realizar desde allí los saques de esquina cortos; otra marca se traza a una distancia de 4,5 m. de la línea lateral respectiva, desde donde se efectúan los saques de esquina largos.

Las *líneas de gol* las constituyen las líneas de fondo comprendidas entre los dos postes de la portería.

El *punto de penal,* de 15 cm de diámetro, se traza frente y en el centro de cada portería, a una distancia de 6.4 m.

Las *áreas o círculos de tiro*, desde donde deben ser ejecutados los goles, son los espacios que se delimitan trazando paralela una línea de 3,66 m. de largo frente a cada portería a una distancia de 14,63 m. Estas líneas se continúan con un cuarto de círculo hasta encontrarse con las líneas de fondo.

En cada esquina del campo se ubica un *Banderín* de entre 1,20 - 1,50 m. de alto y no más de 30 cm. de largo y ancho.

En el centro de cada línea de fondo se coloca una *portería* formada por dos postes verticales equidistantes de 2,14 m. de alto unidos por un travesaño horizontal de 3,66 m.

En todos los partidos internacionales se riega con agua la superficie artificial a razón de que en la hierba mojada la pelota se adhiere mejor al terreno.

La PELOTA esférica, hecha de plástico sólido, tiene un peso que varía entre 156 - 163 gr. y una circunferencia entre 22,4 - 23.5 cm.

El STICK, con un peso que oscila entre los 340 y 794 gramos, se compone de una superficie plana y una parte curva.

La cara del stick, con la que se juega la bola, se halla solamente en el lado izquierdo del stick, y, comprende toda la parte plana y la parte del mango que está por encima de ella en toda su longitud. El revés del stick es la parte restante en toda su longitud.

La cabeza o pala es curvada, de madera y sin cavidades o aristas; la parte curva de la cabeza del stick mide 10 cm de longitud como máximo, medidos verticalmente desde la parte más baja de su cara plana y paralelamente al mango.

JUECES

Un encuentro de hockey es dirigido por *dos árbitros* y uno o dos *cronometristas*. Cada árbitro dirige el juego desde una mitad del campo, sin intercambiar sus posiciones.

EQUIPOS

Un equipo se compone de no más 16 jugadores, de los cuales 11 jugadores solamente (siendo uno de ellos, el portero) están en el terreno de juego al mismo tiempo.

El portero puede utilizar defensas con las piernas, cubrepiés, guantes, careta y protectores y es el único jugador al que se le permite jugar la bola con los pies o con su cuerpo dentro de su propia área.

SUSTITUCIÓN DE JUGADORES

No existe límite en el número de jugadores que pueden sustituirse al mismo tiempo ni en el número de veces que un jugador puede sustituir o ser sustituido. Una o varias sustituciones se conceden en cualquier momento, excepto después de la concesión o durante la ejecución de un tiro de esquina de penalidad cuando solamente puede sustituirse un portero-defensor lesionado o suspendido.

DURACIÓN DEL ENCUENTRO

Cada partido de hockey se juega en *dos tiempos de 35 minutos* cada uno, con un descanso de 10 minutos entre ellos. No se realizan descuentos de tiempo, ni se detiene el cronómetro a menos que se produzca una lesión o un penalty.

INICIO DEL PARTIDO

Después del sorteo en el que los equipos escogen entre la elección de saque o cancha; el equipo ganador del saque inicia el juego desde el centro del campo. Para ello, todos los jugadores a excepción del jugador que hace el pase deben estar dentro de su mitad de campo, por lo menos a 5 metros de la pelota; el jugador que realiza el saque, empuja o golpea la pelota mediante un golpe en cualquier dirección, a por lo menos 1 metro de distancia. Después de jugar la pelota, quien realizó el saque no puede volver a jugar la pelota ni se debe aproximar a ella a menos de la distancia de juego, hasta que no haya sido jugada por otro jugador.

De esta misma forma se reanuda el juego:

- En la segunda mitad del juego, solo que del saque se encarga el equipo contrario al que realizó el saque inicial.
- Después de anotado un gol, por parte de un jugador del equipo contra el cual se marcó el gol.

PUNTUACIÓN

Una anotación (gol) se produce cuando la pelota jugada legalmente por un atacante dentro del área o círculo de gol, cruza completamente la línea de portería entre los postes y por debajo del larguero.

También se concede un gol cuando un guardameta infringe la regla del Penalty-stroke para evitarlo.

ACCIONES DE JUEGO Y VIOLACIONES

PELOTA FUERA DEL CAMPO

Cuando la pelota traspasa completamente la línea de banda o la línea de fondo.

- Por la línea de banda: el juego lo reanuda un jugador del equipo contrario al infractor, desde la línea de banda por donde salió la pelota, sin estar enteramente obligado a estar dentro ni fuera de la línea de banda.
- Por la línea de fondo, cuando la pelota sale por acción de un atacante, se concede un saque de portería al equipo defensor, desde cualquier punto situado a 14,63 metros de la línea de fondo y en paralelo a la línea de banda.
- Por la línea de fondo: cuando la pelota sale por la acción de un defensa, el juego lo reanuda un jugador del equipo no infractor (atacante) desde la línea de fondo en un punto a no más de 5 m. de la bandera más cercana al punto donde la pelota cruzó la línea (tiro de esquina).

SAQUE NEUTRAL (BULLY)

El bully es una forma de reanudar el juego cuando cometen simultáneamente falta jugadores de los dos equipos, cuando la pelota queda alojada en las guardas del portero o entre las ropas de un jugador o de un árbitro o cuando se detiene el tiempo por una lesión u otra razón sin haberse cometido infracción.

La reanudación del juego en este caso se hace desde un punto elegido por el árbitro a no menos de 14,63 m de la línea de fondo. En el sitio elegido se coloca la pelota con un jugador de cada equipo, uno frente a otro y entre ellos la pelota, con su propia línea de fondo a su derecha; todos los demás jugadores se ubican a no menos de 5 m de la pelota hasta que ésta sea puesta en juego. A la señal los dos jugadores golpean ligeramente el suelo con sus sticks a la derecha de la pelota, luego la cara plana del stick de su oponente por encima de la pelota tres veces alternativamente, después de lo cual intentan jugar la pelota para ponerla en juego.

FALTAS

Los jugadores no deben:

Uso del stick y equipo de juego

- Jugar la pelota intencionadamente con el revés del stick.
- Tomar parte o interferir el juego a menos que tengan su stick en la mano.
- Jugar la pelota por encima del hombro con ninguna parte del stick.
- Levantar el stick por encima de la cabeza de otros jugadores.

- Levantar el stick de forma peligrosa intimidando o impidiendo a otros jugadores acercarse.
- Jugar la pelota peligrosamente o de tal modo que conduzca con probabilidad a juego peligroso.
- Pegar, enganchar, cargar, golpear, empujar o agarrar a otro jugador o su stick o indumentaria.
- Lanzar cualquier objeto o pieza del equipamiento al campo, contra la pelota, otro jugador o árbitro.

Uso del cuerpo, manos y pies

- Parar la pelota con la mano o cogerla.
- Golpear, impulsar, recoger, lanzar o acarrear la pelota intencionalmente con ninguna parte del cuerpo.
- Usar el pie o la pierna para apoyar el stick en una entrada.
- Entrar intencionalmente en la portería contraria o permanecer en la línea de gol de los oponentes.
- Correr intencionalmente detrás de cualquiera de las porterías.

Pelota elevada

- Elevar intencionalmente la pelota en un golpeo, excepto para un tiro a puerta.
- Elevar intencionalmente la pelota para que caiga directamente dentro del Área.
- Acercarse a menos de 5 m. de un jugador que recibe una pelota alta antes de que ésta sea jugada y esté en el suelo.
- Enviar una pelota alta contra otro jugador.

OBSTRUCCIÓN

En prácticamente todos los deportes, proteger la pelota con el cuerpo es una parte de la estrategia de juego. Sin embargo, en el hockey sobre hierba es una infracción, impedir a un oponente que pueda jugar la pelota con acciones tales como:

- Moverse o interponerse él mismo o su stick.
- Proteger la pelota con su stick o cualquier parte de su cuerpo.
- Interferir físicamente el stick o el cuerpo de un oponente.

PORTEROS

Los porteros, cuando la pelota está en su propia área, pueden usar su stick, defensas, protecciones y cualquier parte del cuerpo, incluyendo las manos, para parar la pelota; sin embargo no pueden:

- Impulsar la pelota, ni tenderse sobre ella.
- Jugar la pelota fuera de su propia área.

PENALIZACIONES

Se concede un castigo, cuando un jugador o equipo es claramente desfavorecido a causa de la infracción de su oponente, otorgándose:

TIRO LIBRE

Un tiro libre concede una oportunidad de pasar la pelota a un compañero de equipo sin acción defensiva de la otra parte. El equipo no infractor cobra en el lugar de la infracción, por:

- Una falta de un atacante en el área de los 23 m.
- Una infracción no intencionada de la defensa fuera de su área y dentro de su propia área de los 23 m.
- Cualquier infracción de un jugador entre las dos líneas de los 22.90 m.

Todas las situaciones de tiro libre, se realizan con pelota parada y con los jugadores de ambos equipos, excepto el jugador que lanza, a más de 5 m. de ella. En el cobro el lanzador empuja o golpea la pelota, sin que ningún otro jugador pueda jugarla antes de que ésta se haya desplazado por lo menos 1 m. Después de jugar la pelota, el lanzador no puede volverla a jugar o aproximarse a distancia de juego hasta que no haya sido jugada por otro jugador.

PENA MÁXIMA DE ESQUINA

El equipo atacante realiza una pena máxima de esquina o penalty-corner cuando la defensa contraria comete una falta dentro del círculo de tiro. Se cobra contra los defensas por:

- Una falta intencionada de la defensa dentro de su área de los 23 m pero fuera del área de tiro.
- Una falta intencionada de un defensor dentro del área que ni evite un gol ni prive a un atacante de la actual o probable posesión de la pelota.
- Una falta no intencionada del defensor dentro de su área que no evite la probable obtención de un gol.
- El juego intencionado de un defensor más allá de su línea de fondo.

El cobro de un tiro de esquina lo realiza un jugador atacante empujando o golpeando la pelota sin elevarla intencionadamente desde un punto sobre la línea de fondo y dentro del área, a una distancia de 9,14 m. del poste de la portería, del lado de la misma que el equipo prefiera; este jugador debe tener al menos un pie fuera del terreno de juego. Los jugadores restantes deben permanecer en el campo sin que sus pies, manos o sticks toquen el suelo dentro del área y a por lo menos 5 m de la pelota.

No más de 5 defensores, incluyendo al portero, pueden estar detrás de la línea de fondo con sus sticks, pies y manos sin tocar el suelo dentro del área, en tanto que los defensores restantes permanecen más allá de la línea central.

Hasta que la pelota no haya sido jugada ningún atacante (excepto el que realiza el cobro) puede entrar en el área, ni tampoco ningún defensor cruzar la línea de centro o la de fondo.

El jugador que realiza el cobro no puede marcar gol directamente (ni siquiera en el caso en que un defensor juegue la pelota hacia dentro de la portería) y no puede volver a jugar la pelota ni debe permanecer o acercarse a ella a una distancia que pueda jugarla, hasta que la pelota haya sido jugada por otro jugador; los otros jugadores no pueden lanzar un tiro a la portería hasta que la pelota sea parada o se pare por sí misma en el suelo fuera del área.

TIRO DE PENA MÁXIMA

Un tiro de pena máxima o Penalty-stroke lo lanza el equipo atacante cuando el equipo defensor comete una falta deliberada que evita la consecución de un gol. Se cobra contra los defensas en el círculo de tiro por:

- Una falta intencionada de un defensor dentro del área, para evitar un gol o privar a un atacante de la actual o probable posesión de la pelota.
- Una infracción involuntaria de un defensor en el área que evite la probable consecución de un gol.
- Persistentes salidas anticipadas de los defensores en el lanzamiento de un Penalty-córner.

Antes de empezar el lanzamiento, el jugador que lanza el Penalty-stroke se ubica frente a la portería, detrás de la línea de los 6,40 y detrás de la pelota; en tanto que, el resto de jugadores (menos el portero defensor) se ubican más allá de la línea 22,90 más cercana, en el terreno de juego. El portero defensor permanece de pie con los dos pies en la línea de portería, sin mover ninguno de los pies hasta que la pelota sea lanzada.

Después de la señal del árbitro, el atacante lanza o empuja la pelota con un golpe seco de muñeca (flick), o en cuchara (scoop), pudiendo elevar la pelota a cualquier altura; durante el lanzamiento, el jugador puede dar un paso adelante, sin embargo, el pie trasero no debe sobrepasar al delantero hasta que haya sido jugada la pelota. Al realizar el cobro, el jugador no puede hacer fintas y solo puede tocar la pelota una vez, no pudiendo aproximarse luego ni a ella, ni al portero.

Después de un penalty-stroke el juego se reanuda con un pase de centro, si se marca gol; o con un golpeo o empuje de la pelota por un defensor, a 14,63 m. en frente del centro de la línea de portería, cuando no se marca gol.

TARJETAS

Las faltas graves el árbitro las señala mediante tarjetas de diferentes colores:

- La *tarjeta verde* significa advertencia;
- La *amarilla*, provoca una expulsión por 5 minutos del juego, para los casos en que se repite la acción por la que se le advirtió al jugador.
- La *roja*, se aplica en casos de cometerse faltas muy graves y conlleva la expulsión definitiva del jugador.

Deportes de Conjunto

HOCKEY SOBRE PATINES

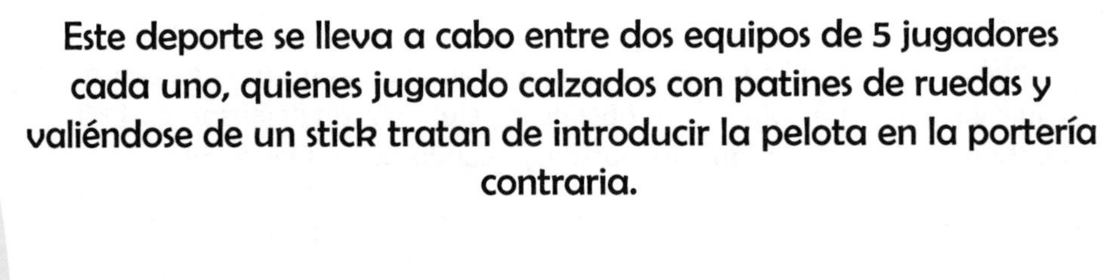

Este deporte se lleva a cabo entre dos equipos de 5 jugadores cada uno, quienes jugando calzados con patines de ruedas y valiéndose de un stick tratan de introducir la pelota en la portería contraria.

HISTORIA

El hockey sobre hielo con patines de cuchilla dio origen al hockey con patines de ruedas, denominado simplemente hockey sobre patines. Este deporte comenzó a practicarse a comienzos del siglo XX en el condado de Kent (Inglaterra), con unas normas muy semejantes a las del hockey sobre césped. En 1905 cuando se fundó la Amateur Hockey Association, se empezaron a disputar las primeras competiciones de hockey sobre ruedas. Poco a poco este nuevo deporte comenzó su difusión por el continente europeo, principalmente en Alemania, Suiza, Francia, hasta que en 1924 se creó la Federation International de Patinage a Roulettes (F.I.P.R.), que cubrió en ese entonces las especialidades de patinaje artístico, patinaje de velocidad o carreras y el hockey sobre ruedas. Esta federación organizó en 1926, en la localidad inglesa de Herne Bay, el primer campeonato europeo.

La primera edición oficial de un mundial se dio en Stuttgart (Alemania) en 1936, sin embargo, durante la segunda guerra mundial y aún unos años después, el hockey sobre ruedas se vio forzado a un receso, todo esto como consecuencia de la destrucción a la que fueron sometidas las pistas a causa del conflicto.

En 1947 se reanudó la máxima competición en esta especialidad, con la realización del mundial realizado en Lisboa (Portugal). A partir de este certamen, todas las naciones congregadas en la Federación Internacional, se dieron cita ininterrumpidamente cada año hasta 1956, cuando se decidió llevar a cabo los mundiales cada dos años, como viene ocurriendo hasta la fecha.

En sus inicios este naciente deporte se rigió por las normas del hockey sobre césped, pero con la constitución de la Federación Internacional en 1942, se dio inicio a la redacción de un reglamento propio.

TERRENO DE JUEGO

PISTA DE JUEGO (RINK)

El hockey sobre patines se practica sobre una pista de 20-22 x 40-44 metros, construida en madera, cemento o pulimentado y cerrada en sus cuatro lados por un cerco de tablas o listones de madera de 2 cm. como mínimo de espesor y 20 cm. de alto, sobre la cual se instala una valla de alambre de 1 m. de alto. Las esquinas de la pista que constituyen zonas de paso, tienen forma de un cuarto de círculo de 1 metro de radio.

La distancia entre la línea de gol y el fondo de la pista puede variar entre un mínimo de 2,7 metros y un máximo de 3,3 metros.

El área de penalti es un rectángulo dispuesto en sentido trasversal, que se traza equidistante a las líneas laterales y mide 12,15 x 5,40 metros; la línea más alejada de la portería constituye la linea de penalti, en el centro de la cual se marca el punto de penalti. El rectángulo lleva marcas en los cuatro ángulos, desde donde se lanzan los golpes francos.

A 5 metros de la línea de penalti, entre ella y la línea central se traza en forma punteada la línea límite de jugadores.

La zona de protección de los porteros, tiene la forma de una semicircunferencia, con un radio de 1,50 metros, a partir de la línea de gol, zona en la que ningún jugador del equipo atacante puede permanecer, excepto cuando tiene la pelota.

Las líneas antijuego, son dos líneas marcadas a una distancia de 22 metros de cada valla de fondo, que delimitan para cada equipo su zona de ataque (comprendida entra la línea de antijuego marcada en su parte de la pista y la valla de fondo situada en la parte de la pista del equipo contrario) y, la zona antijuego (comprendida entra la línea de antijuego marcada en su parte de la pista y la valla de fondo situada en su parte de la pista).

PORTERÍAS

La portería consiste en un recuadro rectangular de tubo de hierro que se ubica en el centro de cada línea de fondo, equidistante a las líneas laterales y con su línea posterior a una distancia de 2 metros del límite de la cancha. Las medidas de la portería por su parte interior son 1,05 m., de alto, 1,70 m. de ancho, 40 y 92 cm. de profundidad en su parte superior e inferior respectivamente. La red se suspende en el interior de la portería, de forma que impida que la bola una vez en el interior pueda salir.

IMPLEMENTOS DE JUEGO

STICK

La longitud del stick medido por el lado exterior de su curvatura varía de 90 a 115 cm, con un peso que no exceda los 500g.

PELOTA

La pelota de juego pesa 155 gr. y tiene una circunferencia de 23 cm.

PATINES

Los jugadores deben calzar botas con patines, cuyas ruedas tengan un diámetro de 3 cm. cada una, que deslicen normalmente; se permiten los frenos colocados en la punta de los patines o de las botas, siempre y cuando tengan un diámetro inferior a 5 cm., si son frenos circulares o, lados inferiores a 5 cm., si son frenos no circulares.

PROTECCIÓN DE LOS JUGADORES

Todos los jugadores, incluyendo los porteros, pueden usar equipo acolchado para su protección, pudiendo utilizar coderas, rodilleras y protecciones debajo de los calcetines y alrededor de las piernas, si no exceden los 5 cm. de espesor. A excepción del portero, ningún otro jugador podrá utilizar espinilleras exteriores, casco y careta; los demás jugadores, podrán si lo desean, llevar un casco de protección ligero, de cuero o plástico.

EQUIPOS

Un equipo se compone de 10 jugadores numerados del 1 al 10, de los cuales *5 están siempre en la pista de juego*. Este deporte requiere la obligatoriedad de que se cuente con un guardameta suplente, por lo que los equipos pueden constituirse con mínimo 6 jugadores: 4 jugadores de campo un guardameta titular numerado con el número 1 y un guardameta suplente, numerado con el número 10.

SUSTITUCIÓN DE JUGADORES

Cualquier jugador puede ser reemplazado en cualquier momento, excepto durante la ejecución de un golpe libre directo o de un penalti. Si ocurre una sustitución en estas situaciones, los árbitros interrumpen el partido, suspendiendo por 2 minutos tanto a los jugadores sustitutos como a los sustituidos.

El jugador sustituto, no puede entrar en la pista antes de que salga el jugador sustituido, debiendo realizarse todas las sustituciones por la puerta de acceso a la pista.

Los porteros, pueden ser reemplazados en una detención del juego, en este caso y tras su notificación, los árbitros conceden un tiempo de 30 segundos, para la sustitución del mismo.

JUECES

Un partido de hockey sobre patines es dirigido por *dos árbitros* cuya misión es velar por el correcto cumplimiento de las normas de juego. Su función es auxiliada por *dos cronometradores*, encargados de contar el tiempo de juego, e igualmente, de cronometrar las penalizaciones impuestas a los jugadores suspendidos y los descuentos de tiempo pedidos por los equipos.

INICIO DEL PARTIDO

El equipo encargado de efectuar el saque de salida en el inicio del partido, se designa por sorteo; en tanto que el equipo contrario lo hace en la segunda parte. En el inicio del partido, del segundo tiempo y cada vez que un equipo marque gol, la pelota se coloca en el centro del círculo de 3 metros, marcado en la línea de media pista, con todos los jugadores ubicados en su media pista a excepción de 2 de ellos (el jugador ejecutante y otro compañero de equipo) que se sitúan en el círculo central.

Después de la señal del árbitro, el jugador encargado de su ejecución lanza la pelota en cualquier dirección, pudiendo los jugadores adversarios tocar la pelota, si aquel duda o tarda en jugarla.

DURACIÓN DE UN ENCUENTRO

La duración de un juego es de *dos períodos de tiempo de 20 minutos* cada uno con un intervalo entre ellos de 10 minutos.

Si al finalizar del tiempo normal de un partido, los dos equipos están empatados y es necesario determinar el equipo vencedor, se procede de dos formas:

- Un tiempo extra de juego: Tras el término del tiempo efectivo reglamentario de juego, se concede un descanso de 3 minutos a los equipos, y después de elegir la media-pista y definir el equipo que ejecuta el saque de salida, se juegan 2 partes de 5 minutos cada una, sin descanso, pero con cambio de pista al término del primer tiempo de 5 minutos.
- Series de penaltis: Si el resultado del partido sigue empatado al término de esta prórroga, el equipo vencedor se decide en la ejecución de penaltis, realizando cada equipo alternadamente, una primera serie de 5 penaltis. Si una vez concluida la primera serie de penaltis persiste el empate, el vencedor del partido, se determina lanzando un penalti cada equipo de manera alternada, hasta que uno de los dos equipos marque un gol y el otro equipo falle. En las series de 1 penalti, un único jugador, podrá ejecutar todos los penaltis de su equipo.

PUNTUACIÓN

Se concede un gol, cada vez que mediante un tiro reglamentario efectuado desde cualquier parte de la pista, la pelota atraviesa completamente la línea señalizada entre los dos postes verticales de la portería (línea de portería).

ACCIONES DE JUEGO Y VIOLACIONES

USO DEL STICK

La pelota sólo puede ser movida o rematada con las partes planas del «stick», estando prohibido mover o rematar la pelota con el borde agudo del «stick».

Un jugador, mientras tenga la pelota o durante cualquier fase en que tome parte, no puede levantar ninguna parte de su stick por encima del nivel del propio hombro. Sin embargo, esta restricción no se aplica cuando un jugador «tira a gol», siempre que la elevación del stick no constituya peligro para cualquier jugador, sea este adversario o compañero de equipo.

Jugar la pelota con el «stick» de forma irregular, se considera conducta peligrosa, que es sancionada con un golpe libre indirecto, contra el equipo del jugador infractor.

JUGAR LA PELOTA

La pelota puede ser jugada con el stick y con los patines, pero nunca con la mano. A los jugadores se les permite parar y chutar la pelota con los patines en toda la pista, siempre y cuando la pelota esté en movimiento.

- Si un jugador detiene la pelota con la mano dentro del área de penalti de su campo de defensa, se señala un penalti.

PORTEROS

Al igual que los demás jugadores, el portero debe apoyarse en sus patines, aunque se beneficie de derechos especiales (mientras permanezca dentro de su área de penalti), ya que en el intento de defender un tiro o de evitar que su equipo sufra un gol, puede arrodillarse, sentarse, tumbarse o arrastrarse, pudiendo detener la pelota con cualquier parte de su cuerpo, aunque sea en contacto temporal con la pista.

Después de que el portero efectúa la defensa de su portería, debe levantarse o colocarse sobre los patines, sin estarle permitido:

- Retener la pelota con la mano
- Actuar intencionadamente de forma que la pelota deje de estar accesible (tumbarse encima de la pelota o retenerla entre las piernas).

Cualquier infracción del portero se sanciona con un penalti.

PELOTA FUERA DEL CAMPO

Cuando la pelota sale fuera de la pista, el juego se reanuda con la señalización de un libre indirecto contra el equipo del jugador infractor.

Cuando la pelota sale de la pista, como consecuencia de un rebote entre dos sticks o de una situación que implique la intervención de dos o más jugadores, si los árbitros dudan sobre la identidad del jugador infractor, el partido se reanuda con un saque neutral.

LEY DE VENTAJA

Todas las infracciones a las reglas del juego, se sancionan, excepto en los casos, en que los árbitros apliquen la ley de la ventaja, dejando proseguir el juego con el fin de que el infractor no sea beneficiado.

SAQUE NEUTRAL

Utilizado en los casos en que los árbitros interrumpen el partido, sin que se haya señalado alguna falta.

Para realizar este tipo de saque, dos jugadores (uno de cada equipo), se ubican uno frente al otro, de espaldas a su propio campo, teniendo los sticks apoyados en el suelo a una distancia de la pelota de 20 cm., en tanto que los demás jugadores se ubican a una distancia no inferior a 3 metros de donde se encuentre la pelota (este lugar se indica en función del lugar donde se encontraba la pelota en el momento de la interrupción).

ANTIJUEGO

Siempre que ambos equipos se entregan a un juego pasivo, sin tener como fin la obtención de goles, se considera que existe antijuego, en este caso los árbitros interrumpen el partido de inmediato, advirtiendo (tarjeta amarilla) a los dos capitanes de equipo y refiriendo que los respectivos equipos, deben retomar el espíritu de la competición. Luego el juego se reanuda con un balling.

Si los dos equipos no acatan la recomendación y reinciden en el anti-juego, los árbitros detienen el partido y suspenden (tarjeta azul) a cada uno de los capitanes de equipo por un período de 2 min., continuando el juego mediante un balling.

Si a pesar de esto, los dos equipos insisten en el anti-juego, hayan o no regresado a la pista los dos capitanes de equipo (después de cumplida la suspensión que sufrieron), los árbitros dan por terminado el partido.

Así ningún equipo puede retener o mantener la pelota, en su zona de anti-juego, más de 10 segundos, aunque un jugador o más del equipo contrario, estén en aquella zona. La violación de esta regla, es castigada con un golpe libre indirecto, marcado en el ángulo superior del área de penalti del equipo infractor.

Además, ningún jugador puede, en ninguna circunstancia, tirar la pelota hacia su zona de anti-juego, ya que lo contrario se sanciona con un golpe libre indirecto, marcado sobre la línea de antijuego, en el lugar en que haya sobrepasado la pelota.

Editorial Kinesis

FALTAS Y SANCIONES

En el hockey sobre patines, no está permitido el juego duro e incorrecto, siendo sancionada toda conducta irregular, prohibiéndose:

- Empujar a los adversarios contra la armazón de la portería o contra las vallas de la pista.
- Cargar o empujar a los adversarios o efectuar obstrucciones de forma intencionada.
- Enganchar o golpear con el «stick» a los jugadores adversarios o agarrarlos por una parte del cuerpo.
- Las peleas, los puñetazos, los puntapiés o cualquier otro tipo de agresiones.
- Obstruir intencionalmente a un adversario, impidiéndole el desplazamiento cuando lleve o no la pelota.

Excepto cuando haya lugar a la aplicación de la «Ley de la Ventaja», todas las faltas cometidas durante el partido son sancionadas por los árbitros, de acuerdo con las circunstancias, con la señalización de:

GOLPE LIBRE INDIRECTO

Un golpe libre indirecto, es un tiro o movimiento de la pelota, a un sólo toque, que es efectuado por un jugador, contra el equipo adversario, estando la pelota quieta y con los jugadores del equipo contrario colocados a, por lo menos 3 metros de distancia del lugar de la falta.

El lugar de la ejecución del golpe libre indirecto, se define en función del sitio donde ocurrió la falta:

- En el caso de faltas cometidas por el infractor en el interior del área de penalti del equipo contrario, el golpe libre indirecto correspondiente, se cobra en la esquina superior de esa misma área que esté más próxima del lugar de la falta.
- Faltas cometidas detrás de la línea de portería, el golpe libre indirecto, se cobra en la esquina inferior del área de penalti más próxima.
- Para cualquier otra falta, se efectúa en el mismo lugar en que fue cometida la falta.
- En las faltas cometidas junto a la valla o cuando la pelota es tirada fuera de la pista, se permite que la ejecución del libre indirecto, sea efectuado con la pelota colocada hasta 70 cm. de distancia de la valla.

En la ejecución del golpe libre indirecto, todos los jugadores del equipo sancionado se ubican a por lo menos una distancia de 3 metros, del punto donde se encuentra la pelota. En tanto que los jugadores del equipo que se beneficia de la falta pueden ubicarse en cualquier lugar de la pista, excepto en la zona de protección del portero contrario.

El jugador que ejecuta un golpe libre indirecto no podrá volver a jugar la pelota, hasta que la pelota haya sido tocada o jugada por cualquier otro jugador o, la pelota haya tocado en la parte exterior de una de las porterías. Todo gol resultante de un golpe libre indirecto, no será válido si la pelota entra en la portería del equipo adversario sin que, previamente haya sido tocada o jugada por cualquier otro jugador.

GOLPE LIBRE DIRECTO

Un golpe libre directo se señala para sancionar faltas graves (cargas violentas y peligrosas, etc.), el seguimiento de la suspensión (tarjeta azul) o de la expulsión (tarjeta roja) de un jugador que resulta directamente de la falta cometida por este.

El golpe libre directo puede marcarse en cualquiera de las medias pistas, pudiendo el jugador ejecutante:

- Jugar la pelota en todas las circunstancias (moverla hacia otro jugador, aprovechar el rebote de la pelota en la portería o en las vallas, etc.);
- Tirar directamente a portería;
- Patinar con la pelota en dirección a la portería contraria.

Durante la ejecución de un golpe libre directo, todos los jugadores (Excepto el jugador ejecutante y el portero del equipo sancionado, que no pueden sobrepasar la línea de 50 cm.) deben colocarse detrás de la línea de la pelota, a una distancia de por lo menos 8 metros.

El lugar de la ejecución del golpe libre directo, será siempre el punto más próximo de la portería del equipo del jugador infractor, independientemente del lugar en que se haya cometida la falta.

En el golpe libre directo, si la pelota se tira directamente y entra en la portería, el gol es válido.

PENALTI

Se sanciona con penalti siempre que el portero o cualquier otro jugador, en defensa de su portería, cometa una falta dentro del área de penalti de su equipo, en los casos en que:

- Se verifique contacto físico intencionado sobre el adversario, aunque éste se posicione o traslade dentro del área de portería del equipo del jugador infractor.
- Se verifique que la falta cometida dentro del área de portería del equipo del jugador infractor, es intencionada, y provoca desvío o detención de la trayectoria de la pelota con cualquier parte del cuerpo, así como cuando la utilización del stick, provoque la proyección de la pelota por encima de 1,5 metros.

El penalti se cobra desde la línea del área de penalti del equipo infractor, permitiéndose al ejecutante jugar la pelota en todas las circunstancias (moverla hacia otro jugador, aprovechar el rebote de la pelota en la portería o en las vallas, etc.); tirar directamente a portería, estando permitido el amago; patinar con la pelota en dirección a portería adversaria.

En el caso de desempate mediante el lanzamiento de series de penaltis, la respectiva ejecución tiene que ser realizada a través de un tiro en dirección a la portería en un sólo toque en la pelota.

Durante la ejecución de cualquier penal, todos los jugadores deben ubicarse más allá de la línea de media pista, a excepción del portero del equipo sancionado, que no puede sobrepasar la línea de 50 cm. y el jugador que realiza el cobro.

En la ejecución del penalti, el portero debe estar apoyado solamente en los patines, sin apoyarse en el suelo de la pista, el stick, los guantes.

Tras la señal de los árbitros, la pelota entra en juego, pudiendo cualquier jugador del equipo sancionado, intentar acortar la distancia y/o apoderarse de la pelota y continuar el partido.

RESTRICCIONES A LA INTERVENCIÓN DE LOS JUGADORES

Ningún jugador puede jugar la pelota o tomar parte activa en el partido cuando:

- Las ruedas de sus patines quedan bloqueadas o uno de sus patines se avería o se separa del botín.
- No tiene su stick en las manos.
- Además de los patines, cualquier otra parte de su cuerpo entra en contacto con la pista (a excepción del portero, en su área de penalti).
- Se apoya o se agarra a las porterías (a excepción del portero en su área).
- Se para con la pelota detrás de la portería, usando ésta como un obstáculo.

TARJETAS

Los árbitros tienen derecho de ejercer la acción disciplinaria para sancionar a los jugadores cuya conducta o comportamiento no sea correcto, garantizando el ejercicio de la acción disciplinaria, los árbitros utilizan tarjetas de diferentes colores de la siguiente manera:

- La *Tarjeta amarilla*, se utiliza para advertir cualquier jugador en pista o cualquiera que esté en el banquillo de suplentes.
- La *Tarjeta azul*, se utiliza para ordenar la suspensión de cualquier jugador en pista y en el banquillo, por un período de 2, 3, 4 o 5 minutos.
- La suspensión por un período de 2 minutos solamente, se aplica bajo las condiciones en que un jugador en pista sancionado con una advertencia (tarjeta amarilla), sea sancionado nuevamente con otra tarjeta amarilla. Por sustituciones irregulares.
- La tarjeta roja, se aplica para expulsar a un jugador en pista, o las personas que estén en el banquillo. Esta expulsión, puede resultar de la acumulación de tarjetas cuando:

  - Un jugador en pista es sancionado con una advertencia (tarjeta amarilla), después de haber sido sancionado anteriormente con una suspensión del juego (tarjeta azul).

  - Un jugador en pista es sancionado con una suspensión del juego (tarjeta azul), después de haber sido sancionado anteriormente con otra suspensión (tarjeta azul).

  - Un jugador en el banquillo de suplentes es sancionado con una advertencia (tarjeta amarilla), después de haber sido sancionado anteriormente con una advertencia (tarjeta amarilla) y/o con una suspensión del juego (tarjeta azul).

  - Una persona del banquillo de suplentes (no jugador), es sancionado con una advertencia (tarjeta amarilla), después de haber sido sancionado anteriormente con una advertencia (tarjeta amarilla).

Para efectos de la expulsión por acumulación de tarjetas, no se considera, ni las advertencias ni las suspensiones por 2 minutos, que hayan sido efectuadas a los capitanes de equipo, por motivo de la reincidencia de los equipos en la práctica del anti-juego. Cualquier jugador que sea suspendido (tarjeta azul) o expulsado (tarjeta roja), podrá ser sustituido por un jugador suplente.

POLO

El Polo es un deporte en el que dos equipos contrarios de cuatro jugadores cada uno, montados a caballo, intentan llevar una pequeña pelota de madera o plástico llamada bocha, hacia la portería del rival por medio de un stick o mazo que es obligatoriamente llevado en la mano derecha, con el objetivo de marcar goles.

Hacia el 525 a.C., los persas se divertían con un juego llamado *Pulu*, que con el pasar de los tiempos se extendió a otros países como el Tíbet, China, India y Japón, donde evolucionó una forma especial llamada *Dakyu* en el siglo VIII. Este juego, muy popular en la India del siglo XVI, fue llevado a Inglaterra durante la década de 1850, por algunos oficiales británicos, quienes fundaron en Assam en 1859, el primer club de polo de la era moderna, al que llamaron Cachar Club.

El reglamento de polo se estableció en 1875, en la Hurlingham Polo Association de Londres y el primer partido internacional se celebró en Newport, Rhode Island, en 1886, entre los equipos de Gran Bretaña y Estados Unidos.

En 1888 se implantó el sistema de handicap que sirve para nivelar a los jugadores.

Este deporte fue incluido en los Juegos Olímpicos de 1900, 1908, 1920, 1924 y 1936 , pero en los juegos de Londres de 1948 desapareció completamente del olimpismo. El primer Campeonato del Mundo se celebró en 1989.

REGLAMENTACIÓN

El terreno en el que se llevan a cabo los encuentros de polo miden entre 230-275 m. de largo y, 160-180 m. de ancho, si es abierta, o, 130-146 m., si tiene tablas; además la cancha debe contar con un espacio libre de 10 m. de ancho, a cada lado de las líneas laterales y de 30 m., detrás de cada línea final.

PORTERÍAS

Las porterías situadas en el centro de cada línea de fondo del campo, consisten en dos postes, lo suficientemente livianos que miden 3 m. de altura y están separados a una distancia de 7,3 m.

BOCHA

El tamaño de la bocha es de 7,8 a 8 cm. de diámetro y su peso oscila entre 120 a 135 gr.

STICK

El mazo tiene la cabeza de madera y un mango fino y flexible de bambú o grafito con una longitud entre 119 y 137 cm.

CABALLOS

Se requieren muchos años de entrenamiento para desarrollar un caballo veloz y manejable para jugar al polo. Por lo general son caballos adiestrados de pura raza, con experiencia en carreras en pista.

En el equipo del caballo no se permiten: anteojeras, herraduras con reborde (el reborde debe estar colocado únicamente en el interior de la herradura), clavos o tornillos sobresalientes; pero se admite el uso de tacos o ramplones, fijos o movibles, siempre que vayan colocados en el talón de la herradura trasera. (Los tacos o ramplones no pueden exceder los 2 cm^3).

JUECES

Los partidos de polo son controlados por:

- Dos *jueces montados a caballo.*
- Un *árbitro*, que permanece fuera de la cancha y cuyas decisiones son definitivas para el caso en que entre los dos jueces existan diferencias de opinión.
- Un *cronometrista*, encargado de llevar el marcador y de indicar mediante una campanilla el comienzo y final de cada período de tiempo.
- Un *anotador* de goles.
- Dos *banderilleros*. Se ubican en cada arco y señalan si se ha convertido un gol agitando una banderilla por sobre su(s) cabeza(s); cuando la bocha sale por la línea trasera la mueven horizontalmente a la altura de las rodillas.

EQUIPOS

Un encuentro de polo se lleva acabo entre dos equipos de cuatro jugadores cada uno, con un máximo de dos suplentes (para casos de eventualidades)

Todos los jugadores deben usar un casco o gorra de polo, con su correspondiente barbijo. Ningún jugador puede usar hebillas o botones en las botas o rodilleras, en forma que pueda deteriorar las botas o breeches de otro jugador, al igual que no se permiten las espuelas afiladas o puntiagudas.

SUSTITUCIONES

Durante un partido un jugador puede ser sustituido solo en el caso en que le sea imposible continuar en el juego, a causa de imposibilidad física o motivos de fuerza mayor. En este caso, cuando la sustitución tiene lugar por un jugador de handicap menor al jugador reemplazado, no se modifica el handicap que se ha otorgado. Cuando la sustitución se hace por un jugador de handicap mayor, se suman al número de períodos jugados por cada uno y las fracciones del período en que se produce el reemplazo se computan como jugadas íntegramente del jugador sustituto.

DURACIÓN

La duración de un partido de polo es de *6 períodos o chukkas, de 30 minutos* cada uno, con intervalos de 3 min. entre ellos. Cuando se juegan más de 6 períodos, como es el caso de los encuentros internacionales que se juegan a 8 chukkas, el intervalo después del cuarto período es de 5 minutos.

En caso de empate, éste se resuelve con uno o varios períodos extra en la modalidad de 'muerte súbita', ganando el equipo que marque primero el gol.

INICIO DEL JUEGO

Al comienzo del partido los dos bandos se alinean en el medio de la cancha, con cada equipo ubicado en su respectivo lado detrás de la línea del centro. El juez arroja la bocha con fuerza a ras de suelo, entre las dos líneas opuestas de jugadores desde una distancia mínima de 5 m., debiendo permanecer los jugadores inmóviles hasta que la bocha haya salido de la mano del juez.

HANDICAP

Los jugadores tienen un grado o handicap acorde con su habilidad y valor para el equipo; cuanto mayor es el handicap, mejor es el jugador. Los partidos se juegan a menudo sobre este handicap, que da la medida en goles hasta un máximo de diez. Un buen jugador tiene un handicap de cinco, de manera que un buen equipo tiene un handicap de veinte o más.

PUNTUACIÓN

Se marca gol cada vez que la bola pasa a cualquier altura por entre los postes de meta o entre las prolongaciones verticales (imaginarias) de éstos.

ACCIONES DE JUEGO E INFRACCIONES

Cualquier infracción a las reglas de cancha, constituye un "foul" y el juez puede detener el juego; pero queda a su criterio no hacerlo para aplicar una penalidad, si la detención del juego y la aplicación de la pena resulta desventajosa para el bando contra el cual se ha cometido el «foul» (ley de ventaja).

EQUITACIÓN PELIGROSA

Ningún jugador debe correr exponiéndose a peligros, como:

- Pechar en un ángulo que resulte peligroso para un jugador o su caballo.
- Hacer zigzag delante de otro jugador que vaya al galope, de tal manera que lo obligue a sujetar o arriesgar una caída.
- Volcar su caballo a través o por sobre las manos o patas de otro, a riesgo de hacerlo caer, etc.
- Pechar a un contrario, obligándolo a cometer cruce.
- Correr hacia un contrario intimidándolo y obligándolo a desviarse o errar su tiro, aún cuando en realidad no se produzca el «foul» o el cruce.
- Dos jugadores del mismo equipo no pueden pechar a un contrario a un mismo tiempo.
- Ningún jugador puede pechar al contrario del mismo lado en el momento en que éste se encuentre pegando.
- Por regla general en un pechazo el ángulo es peligroso cuando es mayor a 45° (el pechazo debe ser franco y de paleta a paleta).
- Ningún jugador puede asir con la mano, golpear o empujar con la cabeza, la mano, el antebrazo o el codo al contrario; pero un jugador puede empujar con su brazo, del codo para arriba, siempre que el codo se mantenga pegado al cuerpo.

USO DEL STICK

- Ningún jugador puede manejar el taco con la mano izquierda.
- Solo se puede enganchar el taco de un contrario cuando se está, respecto al caballo del contrario, del mismo lado que la bocha o directamente atrás.
- El taco no debe pasar por arriba ni por debajo del cuerpo del caballo contrario ni a través de sus patas o manos.
- El taco debe ser enganchado y no golpeado cuando el contrario está en la acción de pegarle a la bocha y solamente de la horizontal del hombro para abajo.
- Ningún jugador puede usar su taco en forma peligrosa, ni llevarlo de manera que moleste a otro jugador o caballo, ni tampoco castigar su caballo con él.

DERECHO A LA BOLA

- Los jugadores no pueden agarrar o llevar la bocha consigo, ni golpearla sino con su taco, aunque pueden pararla con cualquier parte de su cuerpo. Es una infracción, cuando la bocha queda detenida sobre un jugador, un caballo o el apero de éste, en tal forma que no pueda ser arrojada al suelo de inmediato; en este caso el juego se reinicia en el lugar donde la bocha empezó a ser llevada.
- Cualquier jugador que corra en la dirección general de la bocha en un ángulo con su trayectoria, tiene mayor derecho a ella que cualquier otro jugador que corra también en ángulo, pero en dirección contraria.
- Ningún jugador es considerado con derecho a la bocha, en razón de haber sido el último en pegarle, si después de hacerlo se hubiese desviado de la dirección exacta que lleva la bocha.
- El derecho a la bocha lo tiene el jugador que pega por el lado derecho de su caballo (lazo). Si se coloca para pegarle del lado izquierdo (montar) y de esta manera pone en peligro a algún otro jugador, pierde ese derecho y debe cederlo al jugador que se haya colocado para hacer un tiro que no hubiera representado peligro para ambos.
- Si uno o varios jugadores vienen corriendo en la línea de la bocha y ésta por cualquier razón es desviada imprevistamente, creando una nueva línea, los mismos, tienen derecho de paso , aún si continúan en la línea originaria por un corto trecho.
- Un jugador en posesión de la bocha, marcado por un jugador del bando contrario, debe mantenerse en movimiento.
- Ningún jugador desmontado puede pegarle a la bocha, ni intervenir en el juego.

CRUCES

- Ningún jugador puede cruzar a otro que lleve la línea de la bocha, salvo que sea a una distancia donde no haya posibilidad de un choque o peligro para los jugadores.
- Dos jugadores que siguen la línea de la bocha pechándose, tienen derecho a la misma con preferencia a todos los demás jugadores.
- El jugador que sigue la línea de la bocha por el lado del lazo de su caballo tiene derecho a la misma con preferencia a los otros jugadores.
- Un jugador que corre al encuentro de la bocha en la línea de la misma tomándola por el lado del lazo, tiene derecho a la bocha.
- Ningún jugador puede penetrar en la línea de la bocha por delante del jugador que se halle en posesión de ella salvo a una distancia que no haya posibilidad de un choque o peligro para cualquiera de ellos.
- Cuando un jugador entra debidamente en la línea de la bocha, otro no puede pecharlo desde atrás, debiendo pegar a la bocha por el lado de montar.
- Cuando dos o más jugadores corren en la dirección general que lleva la bocha, tiene preferencia a la misma el que corre en menor ángulo a la línea de la bocha. En caso de llevar el mismo ángulo tiene preferencia el que tenga la bocha a su derecha.

SANCIONES

GOL PENAL

Si en la opinión del juez un jugador comete una infracción peligrosa o deliberada para salvar un gol, en la proximidad del mismo, se concede un gol al bando perjudicado. Una vez se reanuda el juego no se cambia de lado y la bocha debe tirarse en donde se produjo la infracción, hacia el costado más próximo de la cancha.

PENAL DE 30 YARDAS

El penal de 30 yardas es un golpe libre a la bocha desde un punto situado a 27,45 m. de la línea trasera del bando infractor frente al medio del arco o a elección del capitán del bando perjudicado, desde donde se cometió la falta. Para este cobro, todo el bando infractor debe permanecer detrás de su línea trasera, pero fuera del arco, hasta que se pegue a la bocha o se intente pegarle, y una vez puesta en juego la bocha, ninguno de ese bando puede salir por entre los postes del arco. Los jugadores del equipo que ejecutan la pena deben estar detrás de la línea de las 30 yardas (27,45 m.).

Si el capitán del bando perjudicado elige tirar el penal desde el sitio donde se cometió la falta, ninguno del bando infractor debe ubicarse a menos de 27,45 m de la bocha.

PENAL DE 40 YARDAS

Es un cobro que se realiza mediante golpe libre a la bocha desde un punto situado a 36,60 m. (40 yardas) de la línea de gol del bando infractor frente al medio del arco. Para este cobro, todo el equipo infractor debe permanecer detrás de su línea trasera, pero fuera del arco, hasta que se pegue a la bocha o se intente pegarle y una vez puesta en juego la bocha ninguno de ese bando puede salir por entre los postes del arco. Los jugadores del bando que ejecuta el cobro deben estar detrás de la línea de las 36,60 m. (40) yardas.

PENAL DE 60 YARDAS (FRENTE AL ARCO)

Es un cobro en el que se realiza un golpe libre a la bocha desde un punto situado a 54,90 m (60 yardas) de la línea del arco del bando infractor, frente al medio del arco. Para ello ningún jugador del equipo infractor puede estar a menos de 27,45 m (30 yardas) de la bocha, en tanto que el equipo perjudicado puede ubicarse en el lugar que prefiera.

Deportes de Conjunto

RUGBY

El Rugby es un deporte rudo que se juega en diferentes modalidades dependiendo del número de jugadores en cada equipo. La más común es con 15 jugadores por equipo; una versión muy popular es con siete jugadores por equipo que se denomina «Sevens», en la que se juegan dos tiempos de 7 minutos; y por último la variedad menos practicada es de equipos de 10 jugadores.

Este deporte que se juega con un balón ovalado de difícil manejo y bote poco controlable, permite llevar la pelota con las manos o pies, chutarla, pasarla o lanzarla y realizar acciones de contacto con adversarios, compañeros y en el suelo. El objetivo del juego es anotar el mayor número de tantos, llevando el balón a través del campo adversario hasta la zona de anotación contraria o pateando el balón ovalado entre los postes por encima del travesaño.

Entre las jugadas que le dan una característica especial a este deporte están:

- ***No se permite pasar el balón hacia adelante, tampoco se permite que el balón caiga hacia adelante. Así pues, el balón solo puede pasarse hacia atrás, actuando como punto de referencia para los dos equipos, ya que, todo jugador que se encuentre delante del balón está en fuera de lugar (off-side)***
- ***El balón sólo puede avanzar siendo llevado o pateado hacia adelante.***
- ***Cualquier jugador en el campo de juego puede avanzar con el balón. Existe un medio lícito para evitar dicho avance (placaje) que consiste en un intento por detener al jugador que lleva el balón, sujetándolo por debajo de la cintura y derribarlo.***
- ***Todo jugador tackleado (derribado) cuyo balón haya tocado el suelo o que no pueda jugarlo está obligado a soltar o pasar inmediatamente el balón y alejarse de él para que pueda ser puesto en juego. El jugador que tacklea debe también soltar inmediatamente el jugador tackleado***
- ***Una Melé (scrum) reinicia el juego después de un pase hacia adelante o un knock-on. Para ello, los jugadores se sujetan unos a otros, con las dos primeras filas en posición de empuje.***

Existen tres tipos de infracciones:

- ***Las técnicas, que consisten en errores técnicos que no son intencionados; estas faltas se cobran mediante una melé o con una touche, jugadas en las que el equipo no infractor tiene cierta ventaja.***
- ***Las faltas por juego desleal, donde el infractor busca obtener cualquier tipo de ventaja transgrediendo las reglas. La sanción aplicada a éstas es un golpe franco, para las más leves o, un golpe de castigo, para las más graves.***
- ***Las faltas por juego peligroso, que atentan contra la integridad de los adversarios; estas faltas se sancionan con golpe de castigo, llegando en algunos casos a ser motivo de amonestación o expulsión.***

HISTORIA

Son varios los juegos antiguos que se pueden considerar predecesores del rugby, así los antiguos griegos practicaban un juego al que llamaban *phaiminda* en el que la lucha por la posesión del balón era fundamental. Más tarde los romanos crearon su propia versión de este juego al que llamaron *harpastum*, en el que adicionalmente había que traspasar con el balón la línea final del campo contrario.

En la Edad Media, se jugaba en Francia un juego llamado soule, con características similares al *harpastum*. Una vez extendida la práctica de la soule, modificó sus reglas dando origen al *football rugby* en Inglaterra y el *calcio* en Italia. En Inglaterra este juego se extendió en las Public Schools donde se adaptó fácilmente a las circunstancias propias de cada escuela.

El juego del Rugby moderno nació, cuando durante un partido de fútbol en 1823, en el Public School de la ciudad de Rugby (Inglaterra), el estudiante Williams Webb Ellis, haciendo caso omiso de las reglas del fútbol de entonces, tomó la pelota con las manos y empezó a correr con ella hasta introducirla en la meta contraria. Esta acción, constituyó con el tiempo, un innovador deporte del que se redactaron sus primeras reglas en 1846.

Jugar el balón con las manos estimuló el derribo del poseedor del balón, llegando a tener esta acción una importancia suprema, incluso por encima del uso pie. Esta nueva forma de ver el football rugby provocó conflictos con otros colegios que llevaban el balón sólo con los pies, hasta que en 1863, se reunieron los diferentes representantes de los colegios, para intentar unificar las normas, pero como no se llegó a ningún acuerdo, se produjo la separación entre lo que se conoce actualmente como rugby y soccer (fútbol).

Ya que uno de los hechos importantes de la separación fue el juego con la mano, en 1850 el rugby suplantó el balón redondo por el ovalado que se conoce hoy día.

En 1871 se fundó la Rugby Footbal Union, la primera asociación de rugby, apareciendo en 1895 dos tendencias de juego: con 15 y con 13 jugadores. Otra modalidad, Sevens (con 7 jugadores) se inició en Escocia en 1884 cuando un equipo local (Melrose) falto de fondos decidió organizar un evento de un día para reunir diversos equipos de la región y atraer público. En 1993 se jugó en Escocia el primer campeonato mundial reconocido por la International Board. A partir de esta fecha se vienen realizando los campeonatos mundiales de la modalidad cada 4 años.

Actualmente las dos asociaciones que regulan el Rugby son por una parte la Internacional Board, que modifica algunas reglas del juego para hacerlo más dinámico y menos peligroso, la Federación Internacional de Rugby Aficionado (FIRA), asociación a la que pertenecen todos los países del continente europeo a excepción de los países británicos.

REGLAMENTO DE 15 JUGADORES

TERRENO DE JUEGO

El juego se desarrolla sobre un terreno de hierba, arena o arcilla cuyas medidas son 100 metros de largo por 69 de ancho.

Una línea central divide el campo de juego en dos mitades; hacia ambos lados de esta línea, paralela y a 10 m. de ella, se traza una línea intermitente;

Otra línea continua se traza a 22 m. de la línea de meta (try) y hacia el centro del terreno.

Existen también líneas intermitentes paralelas y a 5 m. de las líneas de banda (touch), que se utilizan para identificar dónde se deben efectuar los saques de banda (line-outs).

Las líneas continuas cortas, perpendiculares a las líneas de gol, indican la distancia de 15 m. a la línea de lateral.

Las porterías que las constituyen dos postes verticales de más de 7 metros de longitud, separados a 5,6 m., y unidos por una barra transversal a 3m. de altura, se ubican en cada extremo del campo sobre la línea de gol o meta.

Detrás de cada línea de gol, el terreno se extiende hasta un máximo de 22 metros, conformando así el área del balón muerto.

EQUIPOS

La modalidad de rugby más común se juega en equipos conformados por quince jugadores, con no más de seis jugadores de reserva.

Los equipos de quince están formados por tres grupos de jugadores, los delanteros (forwards), los medios y los tres-cuartos (backs). Cada posición tiene un número y responsabilidades específicas durante el juego. Los nombres de las posiciones y sus números son:

Delanteros

Primera línea

- No. 1 Pilar Izquierdo (Pilar)
- No. 2 Talonador (Hooker)
- No. 3 Pilar derecho (Pilar)

Segunda línea

- No. 4 Segunda Línea izquierda
- No. 5 Segunda Línea derecha

Tercera línea

- No. 6 Ala izquierda (Flanker)
- No. 7 Ala derecha (Flanker)
- No. 8 Centro

Medios

- No. 9 Medio Scrum
- No. 10 Apertura

Tres-Cuartos

- No. 11 Tres cuartos ala izquierda (Wing)
- No. 12 Primer Centro
- No. 13 Segundo Centro
- No. 14 Tres cuartos ala derecha (Wing)
- No. 15 Zaguero (Fullback)

BALÓN

El balón de forma ovalada y 400-440 gr. de peso, tiene las siguientes dimensiones:

- Longitud del eje mayor: 2,80 a 3 cm.
- Perímetro mayor: 7,60 a 7,90 cm.
- Perímetro menor: 5,80 a 6,20 cm.

SUSTITUCIONES

Se pueden hacer un máximo de 4 sustituciones por equipo. La sustituciones están permitidas siempre que sean a causa de una herida abierta o sangrante, en cuyo caso, el jugador debe abandonar el área de juego el tiempo necesario para que la hemorragia sea controlada y la herida cubierta; esta sustitución es temporal pero, en caso de que el jugador no pueda reintegrarse al juego, se considera una sustitución definitiva. Un jugador que ha sido sustituido definitivamente no puede volver a jugar en el partido.

INICIO DEL ENCUENTRO

Una vez determinado por sorteo el equipo que realiza el saque de centro, el equipo al que corresponde el turno ubica sus delanteros a un lado de la línea media (50 m.), en tanto que los delanteros contrarios se colocan frente a ellos, dispersos y detrás de la línea de 10 m. para recibir la patada.

El pateador, que puede ser cualquier jugador, coloca el balón en el piso y lo patea lo más alto y corto posible, pasando la línea de los 10 m. Los delanteros del equipo que patea cargan hacia los delanteros contrarios, quienes al recibir el balón usualmente forman un maul para evitar que derriben al jugador que recibe la patada.

Después del saque de centro, cualquier jugador en juego, y siempre que lo haga conforme a las reglas, puede en todo momento:

- Coger o recoger el balón y correr con él;
- Pasar, lanzar o golpear el balón hacia otro jugador;
- Patear o propulsar el balón de cualquier otra forma;
- Placar, empujar o cargar con los hombros a un adversario portador del balón;
- Caer sobre el balón;
- Tomar parte en una melé, melé espontánea («ruck»), maul o lateral;
- Hacer un tocado en tierra en la zona de marca.

El segundo tiempo se inicia de la misma manera, con la diferencia de que los equipos cambian de lado y el que pateó el balón en el primer tiempo recibe ahora la patada.

DURACIÓN DEL ENCUENTRO

Un juego de rugby de 15 se desarrolla en *dos tiempos de 40 minutos*, con un descanso de 5 minutos entre ellos. Las pérdidas de tiempo y detenciones del juego se compensan al finalizar el periodo en que se hayan producido.

PUNTUACIÓN

Un gol se marca pateando o llevando el balón desde un punto cualquiera del campo de juego, por encima de la barra transversal y entre los postes de gol del adversario por medio de un puntapié colocado o de botepronto, excepto de saque de centro, de saque de 22 o de un puntapié franco, y sin que el balón toque el suelo o a un compañero del pateador.

La puntuación se fija de la siguiente forma:

- Un *ensayo* (Try): 5 puntos. Se otorga cuando el balón es llevado o pateado mas allá de la línea de gol y apoyado en el piso. Después de que se convierte un try o un penal, el balón es pateado por el equipo anotador (excepto en la modalidad de siete jugadores por equipo).
- *Conversión*: 2 puntos. Se otorgan al convertir la patada adicional después de un try.
- *Un gol sobre puntapié de castigo*: 3 puntos. Se otorgan al convertir un penal o un drop.
- Un *gol de botepronto* que no sea conseguido de puntapié franco o de la melé pedida en lugar del puntapié franco: 3 puntos.

JUECES

Un partido de rugby lo dirigen:

- Un *árbitro*, que contabiliza el tiempo y el tanteo y aplica lealmente las reglas del Juego.
- Dos *jueces laterales*. Ubicados con un banderín a lo largo de cada lateral, salvo cuando tenga lugar un intento de gol. Sus funciones que están directamente supervisadas por el árbitro, son: levantar su banderín cuando el balón o el jugador que lo lleva sale a la lateral e indicar el lugar del lanzamiento y el equipo que debe hacerlo; señalar al árbitro que el balón, o el jugador que lo lleva, ha salido a lateral de marca.

El juez de lateral además baja su banderín cuando el balón se ha lanzado, salvo en los casos siguientes que lo conserva levantado: cuando el jugador que lanza el balón pone cualquier parte de sus pies en el campo de juego; cuando el balón no es lanzado por el equipo adecuado; cuando, en un lanzamiento rápido, no se utiliza el balón que salió a lateral; o, después que ha salido a lateral, ha sido tocado por alguien distinto al jugador que realiza el lanzamiento.

ACCIONES DE JUEGO Y VIOLACIONES

SAQUE DE CENTRO

El saque de centro es un puntapié colocado que se efectúa desde el medio de la línea de centro al comenzar el juego o en la reanudación del juego después del medio tiempo.

Disposiciones generales:

- El balón debe ser pateado en el punto correcto y con la patada adecuada (ver inicio del encuentro);
- El balón debe alcanzar la línea de 10 m. adversaria, a menos que sea jugado en primer lugar por un adversario; si no es así el equipo contrario elige entre repetir el puntapié o formar una melé en el centro del terreno.
- Si el balón alcanza la línea de 10 m. y vuelve hacia atrás por causa del viento, el juego continua.
- Si el balón es pateado directamente a lateral, el equipo adversario puede aceptar el puntapié, hacerlo repetir o beneficiarse de una melé en el centro.
- Si el balón cruza la línea de marca adversaria sin tocar o ser tocado por un jugador, el equipo contrario tiene la opción de hacer un tocado en tierra, hacer que el balón acabe en «balón muerto», o jugarlo.

SAQUE DE 22

Se concede un saque de 22, cuando un jugador atacante patea, lleva, pasa o carga el balón de una patada del adversario, el cual penetra en la zona de marca contraria directamente, o cuando después de tocar a un defensor que voluntariamente no trataba de pararlo, cogerlo o patearlo, es tocado en tierra por un jugador del equipo defensor, o, sale a lateral de marca o más allá de la línea de balón muerto.

Un saque de 22 es un puntapié de botepronto que se concede al equipo defensor y se realiza desde un punto cualquiera situado sobre o detrás de la línea de 22 m.

- El balón en el saque debe cruzar la línea de 22 m.; si no es así, el equipo adversario puede elegir entre hacer repetir el puntapié o una melé en el centro de la línea de 22 m.
- El equipo del pateador debe colocarse detrás del balón cuando es pateado. Sin embargo, los jugadores del equipo del pateador que están delante del balón no son sancionados si su demora en retirarse se debe a la rapidez con la que el balón es jugado.

ADELANTADO (KNOCK-ON) O PASE ADELANTADO

Se produce un adelantado cuando el balón se proyecta hacia la línea de balón muerto del adversario a raíz de que:

- Un jugador pierda su posesión;
- Un jugador lo impulse o proyecte con el brazo o la mano;
- Golpea el brazo o la mano de un jugador y toca el suelo o a otro jugador antes de volver a ser recuperado por el jugador.

Un pase adelantado se produce cuando un jugador portador del balón lo lanza o pasa en dirección de la línea de balón muerto del adversario. La sanción a esta acción es un puntapié de castigo en el punto de la falta, o un ensayo de castigo.

Cuando el pase adelantado son involuntarios, se ordena una melé en el punto de la falta; si se produce en un saque de lateral la melé es a 15 m. de la línea de lateral sobre la línea de puesta en juego, salvo:

- Que el balón se proyecte hacia adelante por un jugador que carga sobre un puntapié de un adversario, pero sin intención de cogerlo.
- Que el balón se proyecte hacia adelante, una o más veces, por un jugador que pretende cogerlo o recogerlo del suelo, o que pierde su posesión, siempre que lo recupere antes de tocar el suelo o a otro jugador.

PLACAJE (TACKLE)

Se produce un placaje cuando un jugador portador del balón en el campo de juego es sujetado por uno o más adversarios de forma que, mientras está así sujeto, es derribado sobre el suelo o el balón entra en contacto con el suelo.

Si el portador del balón está con una o ambas rodillas o sentado en el suelo, o encima de otro jugador que está en el suelo, es considerado como derribado en el suelo.

- Un jugador placado debe inmediatamente: pasar el balón, dejar el balón y levantarse o, alejarse del balón.
- Un jugador que placa y que cae al suelo junto a su adversario por acción del placaje, debe inmediatamente soltar al jugador placado y levantarse o alejarse del jugador placado y del balón (No debe jugar el balón hasta que se encuentre de pie).

■ Un jugador que cae al suelo para recoger el balón o con el balón en su posesión pero que no está placado, debe inmediatamente ponerse de pie con el balón, pasar el balón, dejar el balón y levantarse o, alejarse del balón.

Es ilegal para cualquier jugador:

■ Pedir al jugador placado pasar o dejar el balón, o levantarse o alejarse del balón después de que lo haya pasado o dejado.

■ Arebatar el balón en posesión de un jugador placado o intentar cogerlo antes que lo haya dejado.

■ Mientras está caído en el suelo después de un placaje, jugar o interferir sobre el balón de cualquier forma o placar o intentar placar a un adversario portador del balón.

■ Caer voluntariamente sobre o por encima de un jugador caído en el suelo en posesión del balón.

■ Mientras está caído en el suelo, en proximidad cercana al balón, impedir a un adversario ganar la posesión del mismo.

MELÉ (SCRUM)

La melé es una forma de volver a poner en juego el balón después de una falta técnica leve. Una melé, está formada por jugadores de ambos equipos, agrupados de manera que permitan que el balón se lance al suelo entre ellos. No se puede formar a menos de 5 m de la línea de lateral o a menos de 5 m de la línea de marca.

El jugador colocado en el centro de cada primera línea es el «talonador» y los jugadores que están a ambos lados son los «pilares».

La línea mediana es una línea imaginaria trazada directamente sobre el suelo en la vertical de la línea formada por los hombros de las dos primeras líneas cuando están en contacto.

Formación de la melé

■ Toda melé se debe formar en el punto de la falta, o lo más cerca posible de este punto, dentro del campo de juego.

■ Debe ser estática, con la línea mediana paralela a las líneas de gol hasta que el balón haya sido introducido.

■ Antes de comenzar el contacto con el contrario, los jugadores de la primera línea deben estar agachados sin que sus cabezas y hombros estén más bajos que las caderas y a la distancia de un brazo de los hombros de sus adversarios.

■ Por razones de seguridad las primeras líneas efectúan el contacto siguiendo la secuencia de agacharse y pausa, entrando en contacto solamente cuando el árbitro ordene «entren».

Posiciones de los jugadores

Los jugadores de cada primera línea se agarran de forma firme y continuada mientras se forma la melé, mientras el balón se pone en juego y permanece dentro de ella.

- El talonador debe agarrarse a sus pilares por encima o por debajo de sus brazos, pero en ambos casos debe rodear firmemente sus cuerpos al nivel o por debajo de las axilas. Los pilares deben sujetar al talonador de la misma forma. El talonador no debe estar agarrado de tal forma que sus pies no soporten ningún peso.
- El pilar exterior debe adoptar una de estas posturas: sujetarse a su adversario directo pasando su brazo izquierdo por debajo del brazo derecho de aquel, o, colocar su mano o su antebrazo izquierdo sobre su muslo izquierdo.
- El pilar interior debe sujetarse con su brazo derecho por fuera de la parte superior del brazo izquierdo de su adversario directo. Puede agarrar la camiseta de su oponente con la mano derecha, pero solamente para mantenerse él mismo y la melé estabilizados, no debiendo tirar de ella hacia abajo.
- Todos los jugadores de la melé, que no sean de la primera línea, deben estar sujetos por lo menos con un brazo y la mano al cuerpo de otro jugador de su mismo equipo.
- Ningún jugador exterior distinto del pilar, puede sujetar a un adversario con su brazo exterior.

Introducción del balón

Cuando se produce una infracción, el equipo no responsable es el que pone en juego el balón. En otras circunstancias, el balón es puesto en juego por el equipo que progresaba en el momento de la detención del juego y si ninguno lo hacía, por el equipo atacante.

El balón debe ser introducido sin retraso tan pronto como las dos primeras líneas estén en contacto. Un equipo debe introducir el balón cuando se le ordena hacerlo y por el lado elegido en principio.

El jugador que introduce el balón debe:

- Colocarse a un metro de la melé y a la misma distancia de las dos primeras líneas;
- Sujetar el balón con ambas manos entre las dos primeras líneas y a media altura entre sus rodillas y sus tobillos;
- Introducir el balón, desde esta posición sin ningún retraso, «finta» y con un solo movimiento hacia adelante, y rápido sobre la línea mediana de tal forma que toque el suelo, por primera vez, inmediatamente más allá de los hombros del pilar más próximo.
- El juego en la melé empieza cuando el balón sale de las manos del jugador que lo pone en juego.
- Si el balón vuelve a salir por cualquier extremo del túnel deberá introducirse de nuevo, a menos que se conceda un puntapié franco o un puntapié de castigo. Si el balón sale por otro lugar que los extremos del túnel, y no se ha concedido un puntapié de castigo o puntapié franco, el juego debe continuar.

Jugadores de la primera línea

- Todos los jugadores de la primera línea deben colocar sus pies de manera que permitan un túnel claro. Ningún jugador debe impedir que el balón entre en la melé o toque el suelo en el punto debido.
- Ningún jugador de la primera línea puede elevar o avanzar un pie hasta que el balón salga de las manos del jugador que lo introduce en la melé. Hasta el momento en que les esté permitido levantarlos o avanzarlos, los pies deben mantener una posición normal.
- Cuando el balón toca el suelo, cualquier jugador de la primera línea puede servirse de cualquiera de sus pies para intentar obtenerlo.

No deben deliberadamente, en ningún momento durante la melé:

- Levantar simultáneamente ambos pies del suelo,
- Adoptar una posición o ejercer una acción tal como girarse o agachar el cuerpo o tirar de la vestimenta de un adversario, susceptibles de provocar el hundimiento de la melé,
- Levantar a un contrario del suelo o empujarle hacia arriba fuera de la melé,
- Patear el balón fuera del túnel en la dirección en que se ha introducido.

Los demás jugadores

Un jugador que no forma parte de la primera línea no debe jugar el balón mientras éste se encuentre en el túnel.

Ningún jugador debe:

- Volver a meter el balón en la melé cuando éste ha salido,
- Jugar el balón con la mano salvo para marcar un ensayo o hacer un anulado cuando el balón, dentro de la melé, toca o cruza la línea de gol,
- Coger el balón en la melé con las manos o entre las piernas,
- Derrumbar voluntariamente la melé,
- Caerse o arrodillarse voluntariamente en la melé,
- Intentar ganar el balón en la melé con cualquier parte del cuerpo excepto el pie o la parte inferior de la pierna (debajo de la rodilla).

MELÉ ESPONTANEA («RUCK»)

Una melé espontánea («ruck»), se forma cuando el balón está en el suelo y uno o más jugadores de cada equipo, de pie y en contacto físico, se agrupan alrededor del balón que se encuentra entre ellos.

Un jugador que se une a una melé espontánea («ruck») no debe tener la cabeza y los hombros más bajos que las caderas y agarrarse, al menos con un brazo alrededor del cuerpo de un jugador de su equipo que forme parte del ruck.

Ningún jugador debe:

- Volver a introducir el balón en el «ruck» cuando ha salido.
- Realizar cualquier acción, mientras el balón está en el «ruck», que haga suponer a los adversarios que el balón ha salido del «ruck».
- Jugar el balón con la mano en el «ruck», salvo para marcar un ensayo o hacer un anulado.
- Coger el balón con las manos o entre las piernas en el «ruck»..
- Provocar voluntariamente el hundimiento del «ruck».
- Saltar sobre otros jugadores participantes en el «ruck».
- Caerse o arrodillarse voluntariamente en el «ruck».
- Mientras está caído en el suelo, interferir sobre el balón que se encuentra dentro o saliendo del «ruck».

MAUL

Un maul, se forma cuando uno o más jugadores de cada equipo, de pie y en contacto físico, se agrupan alrededor de un jugador en posesión del balón y termina cuando el balón cae al suelo, o cuando el balón o el jugador que lo lleva se desprenden del maul, o cuando se ordena una melé.

Ningún jugador debe:

- Saltar sobre otros jugadores participantes en el maul.
- Provocar voluntariamente el hundimiento del maul.
- Intentar arrastrar a un adversario fuera del maul.
- Realizar cualquier acción, mientras el balón está en el maul, que haga suponer a los adversarios que el balón ha salido del maul.

LATERAL (LINE-OUT)

Salida a lateral

El balón está en lateral cuando no lo lleva ningún jugador y toca una línea de lateral, o el suelo, o a una persona, o un objeto, sobre o más allá de esta línea, o, cuando lo lleva un jugador y el balón o el jugador tocan una línea de lateral, o el suelo más allá de esta línea.

- Si el balón no está en lateral y no ha cruzado el plano vertical de la línea de lateral, un jugador que se encuentre en el lateral puede patear el balón o impulsarlo con la mano, pero no cogerlo.
- Se considera que el balón ha salido directamente a lateral si, tras un puntapié, sale a lateral sin tocar el área de juego o sin tocar o ser tocado en su trayectoria por un jugador o el árbitro.

Puesta en juego del lateral

La línea de puesta en juego es una línea imaginaria del campo de juego, perpendicular a la línea de lateral, que pasa por el punto por donde el balón debe ser lanzado.

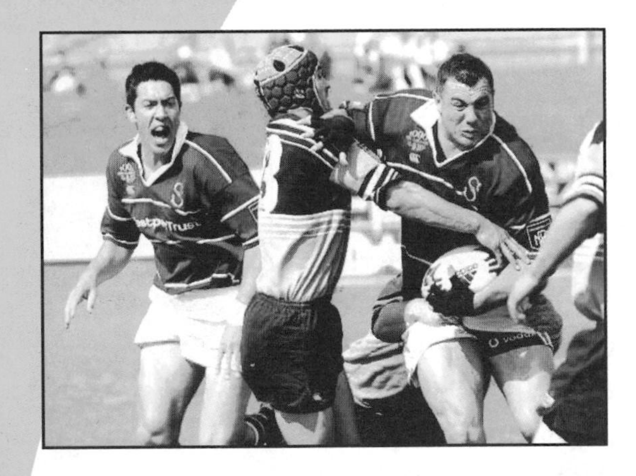

Formación de la alineación

- La alineación lo componen un mínimo de dos jugadores de cada equipo alineados en dos líneas paralelas a la línea de puesta en juego, dispuestos para que el balón sea lanzado entre ellos. El equipo que lanza el balón determina el número máximo de jugadores que cada equipo puede alinear.
- Cada equipo debe alinearse a medio metro de la línea de puesta en juego, para dejar un pasillo de un metro entre las dos líneas de jugadores.
- El alineamiento se extiende a partir de los 5 m. desde la línea de lateral donde el balón es lanzado, hasta una posición a 15 m desde dicha línea. Todo jugador de cualquier equipo que esté más allá de los 15 m de la línea de lateral cuando comienza la puesta en juego, no forma parte del alineamiento.

En un alineamiento, el jugador que lanza el balón debe:

- No poner ninguna parte de sus pies en el campo de juego.
- Lanzar el balón en el lugar indicado de manera que en primer lugar toque el suelo, o toque o sea tocado por un jugador a 5 m por lo menos de la línea de lateral sobre la línea de puesta en juego; de no ser así el equipo contrario podrá elegir entre lanzar el balón o una melé a 15 m de la línea de lateral.

El lateral comienza cuando el balón sale de las manos del jugador que lo lanza y finaliza cuando:

- Se forma un "ruck" o un maul y todos los pies de los jugadores del ruck o del maul sobrepasan la línea de puesta en juego.
- Un jugador portador del balón sale del alineamiento.
- El balón se pasa, golpea o patea fuera del alineamiento.
- El balón se lanza más allá de la posición de 15 m de la línea de lateral.
- El balón es injugable.

FUERA DE JUEGO (OFF-SIDE)

Fuera de juego significa que un jugador está colocado en tal posición que no puede participar en el juego y puede ser sancionado.

Fuera de juego en el juego general (juego abierto)

Un jugador está fuera de juego si el balón ha sido pateado, tocado, o es llevado por un compañero situado detrás de él. El hecho de estar en posición de fuera de juego no es sancionable, a menos que:

- El jugador juegue el balón u obstruya a un adversario.
- Estando a menos de 10 m de un adversario que espera jugar el balón o del lugar donde cae el balón, no se retira sin dilación y sin interferir al adversario.
- En cualquier otra situación, se acerca al adversario que espera jugar el balón o al punto de caída del balón, antes de ser puesto en juego.

Fuera de juego en la melé, ruck o maul

En el juego de melé, ruck, maul o lateral, un jugador está fuera de juego si permanece o avanza delante de la línea.

La "línea de fuera de juego" es una línea paralela a las líneas de marca, que pasa por el último pie de los jugadores de su equipo que forman la melé o participan en el ruck o en el maul.

Mientras se forma o desarrolla una melé, Un jugador está fuera de juego sí:

- Se une a la melé por el lado del adversario.

- No formando parte de la melé, ni siendo el jugador de uno u otro equipo encargado de introducir el balón, no se retira detrás de la línea de fuera de juego, o detrás de su propia línea de marca si está más cerca.
- Coloca uno de sus pies delante de su línea de fuera de juego mientras el balón está en la melé.

Mientras se desarrolla un "ruck" o un maul, un jugador está fuera de juego sí:

- Se une por el lado del adversario.
- Se une por delante del último jugador de su equipo.
- Participando en el lateral, pero no tomando parte en el "ruck" o el maul, no se retira y permanece delante de la línea de fuera de juego.

Fuera de juego durante el lateral

La expresión "participante en el lateral" se aplica exclusivamente a:

- Los jugadores que se encuentran en la alineación.
- El jugador que lanza el balón.
- Su adversario directo con opción de lanzar el balón.
- Otro jugador de cada equipo, que se sitúa para recibir el balón cuando es pasado o palmeado hacia atrás desde el alineamiento.

Los demás jugadores no participan en el lateral.

La "línea de fuera de juego" es una línea situada a 10 m de la línea de puesta en juego y paralela a las líneas de marca; si la línea de marca se encuentra a menos de 10 m de la línea de puesta en juego, la línea de fuera de juego es línea de marca.

Un jugador participante en el lateral está fuera de juego sí:

- Antes de que el balón toque a un jugador o al suelo, permanece o avanza uno de sus pies, voluntariamente, delante de la línea de puesta en juego a menos que lo haga para saltar hacia el balón y desde su lado de la línea de puesta en juego.
- Después que el balón toque a un jugador o el suelo, y si no es el portador del balón, avanza uno de sus pies delante del balón, a menos que plaque o intente placar reglamentariamente, a un adversario participante en el lateral. Este placaje, o intento de placaje debe comenzar, sin embargo, del lado de su equipo tomando como referencia el balón,
- Antes de que el lateral finalice se desplaza más allá de la posición a 15 m de la línea de lateral.

El lanzador y su adversario directo deben:

- Permanecer a menos de 5 m de la línea de lateral.
- Retirarse detrás de la línea de fuera de juego.
- Unirse al alineamiento después de que el balón haya recorrido 5 m.
- Colocarse en posición de recibir el balón si éste es pasado o palmeado hacia atrás del alineamiento, a condición de que no haya otro jugador ocupando esa posición.

EN JUEGO

En juego significa que un jugador puede participar en el juego y no debe ser objeto de sanción por fuera de juego.

Jugador puesto en juego por la acción de su equipo

Un jugador en fuera de juego en el juego general es puesto en juego por cualquiera de las siguientes acciones de su equipo:

- Cuando el jugador en fuera de juego se repliega detrás del compañero que ha pateado, tocado o llevado el balón en último lugar.
- Cuando uno de sus compañeros, portador del balón, le ha rebasado.
- Cuando uno de sus compañeros, que viene de un punto situado a la altura, o detrás del punto donde el balón ha sido pateado, le rebasa.

Jugador puesto en juego por la acción del equipo adversario

Un jugador en fuera de juego en el juego general, excepto el jugador fuera de juego que se encuentra a menos de 10 m de un adversario esperando jugar el balón, o del lugar donde cae el balón, es puesto en juego por cualquiera de las acciones siguientes:

- Cuando un adversario portador del balón ha recorrido 5 m.

- Cuando un adversario patea o pasa el balón.
- Cuando un adversario toca intencionadamente el balón y no puede cogerlo o recogerlo.

Un jugador en fuera de juego a menos de 10 m de un adversario esperando jugar el balón, o del lugar donde cae el balón, no puede ser puesto en juego por ninguna acción de sus adversarios.

Los demás jugadores en fuera de juego en el juego general, son siempre puestos en juego cuando un adversario juega el balón.

Jugador replegándose durante una melé, "ruck", maul o lateral

Un jugador que está en posición de fuera de juego cuando se forma o se desarrolla una melé, un "ruck", un maul o un lateral, y que se repliega, vuelve a estar en juego:

- Cuando un adversario portador del balón ha recorrido 5 m.
- Cuando un adversario patea el balón.

PUNTAPIE DE CASTIGO

Un puntapié de castigo es un puntapié concedido al equipo no infractor cuando el equipo contrario infringe ciertas reglas. Puede ser sacado por cualquier jugador del equipo no infractor y con el tipo de puntapié que desee, siempre que:

- Si tiene el balón en las manos, lo proyecte fuera de ellas antes de patear.
- Si el balón está en el suelo, lo impulse con el pie a una distancia visible del punto de la falta.
- El jugador puede mantener la mano sobre el balón mientras que lo patea.

Disposiciones generales:

- El puntapié se debe dar sin excesivo retraso en o detrás del punto de la falta, sobre una línea que pasa por ella y el pateador puede colocar el balón en caso de un puntapié colocado. Si el punto se encuentra a menos de 5 m de la línea de marca del equipo infractor, el puntapié de castigc, o la melé elegida en su lugar, estará a 5 m de la línea de marca, sobre una línea que pase por ese punto.
- El balón puede ser pateado en cualquier dirección y el pateador puede volverlo a jugar sin restricciones, a menos que haya indicado al árbitro su intención de patear a gol. Un jugador que patee a lateral sólo puede hacerlo de puntapié de volea o de botepronto.
- El equipo del pateador, excepto el que sujeta el balón en un puntapié colocado, debe encontrarse detrás del balón hasta que sea pateado.
- El equipo adversario debe correr sin dilación (y continuar haciéndolo incluso si se da el puntapié y el balón es jugado por el equipo del pateador) hacia o detrás de una línea paralela a la de marca y a 10 m de ella, o hacia su línea de marca si está más próxima. Si se patea a gol deben permanecer inmóviles, con los brazos a lo largo del cuerpo, hasta que el puntapié se haya dado.

Sanción

- Por una infracción del equipo del pateador: melé en el punto de la falta.
- Por una infracción del equipo adversario: puntapié de castigo a 10 m delante de la marca, o a 5 m de la línea de marca (tomándose siempre el más próximo al punto de marca anterior) sobre una línea que pasa por la marca. Cualquier jugador del equipo no infractor puede sacar el puntapié.

PUNTAPIE FRANCO

Un puntapié franco se otorga cuando el equipo contrario comete la infracción de realizar una parada de volea, es decir, detener el balón que lanza el adversario antes de que éste toque el suelo. El puntapié franco lo realiza el jugador que hace la parada de volea, pero si el jugador se lesiona por este motivo, se forma una melé en el punto de marca, siendo su equipo el beneficiado de la introducción.

Disposiciones generales:

- No se puede marcar un gol a partir de un puntapié franco.
- El equipo beneficiado por un puntapié franco no puede marcar un gol de botepronto hasta después de que el balón esté muerto o sea jugado o tocado por un adversario.
- Un puntapié franco concedido por una infracción puede ser pateado por cualquier jugador del equipo no infractor y mediante cualquier forma de puntapié (excepto si se patea a lateraL), siempre que el pateador: si tiene el balón en las manos lo proyecte fuera de ellas antes de patearlo, o, si el balón está en el suelo lo impulse a una distancia visible del punto de la marca.
- El equipo beneficiado de un puntapié franco tiene derecho a elegir, en su lugar, una melé en el punto de la marca con introducción del balón.
- El puntapié debe realizarse en o detrás de la marca, sobre una línea que pasa por ella.
- Si el lugar del puntapié se encuentra a menos de 5 m de la línea de marca adversaria, la marca del puntapié franco o de la melé elegida en su lugar, se sitúa a 5 m de la línea de marca sobre una línea que pase por ese punto.
- El jugador que patea el balón a lateral sólo puede hacerlo de volea o de botepronto.
- El equipo del pateador, excepto el que sujeta el balón en un puntapié colocado, debe encontrarse detrás del balón hasta que sea pateado.
- El equipo adversario debe retirarse sin dilación hasta o más allá de una línea paralela a la de marca y a 10 m de ella, o hasta su línea de marca si se encuentra a menos de 10 m de la marca, o a 5 m de la línea de marca del adversario si el punto de la marca está en la zona de marca. Estando así replegados, los jugadores del equipo adversario pueden cargar con el fin de impedir el puntapié desde el momento que el pateador comienza la carrera o inicia el puntapié.
- Si habiendo cargado en condiciones reglamentarias, los jugadores del equipo adversario impiden el puntapié, este será anulado.
- Ni el pateador ni el jugador que coloca el balón deben hacer voluntariamente cualquier acción que pueda llevar al equipo adversario a cargar prematuramente.

Sanción:

- Por una falta del equipo pateador o de anulación del puntapié, se ordena: una melé en el lugar de la falta y el equipo adversario se beneficia de la introducción. Si el punto está en la zona de marca, la melé se sitúa a 5 m de la línea de marca, sobre una línea que pasa por el punto.
- Por una falta del equipo adversario: puntapié franco 10 m más allá del punto de la falta o a 5 m de la línea de marca adversaria (tomándose el más próximo al punto de la falta), sobre una línea que pasa por la marca.

ANTIJUEGO

Antijuego es cualquier acción contraria al espíritu del juego, e incluye la obstrucción, el juego desleal, las incorrecciones, el juego peligroso, el comportamiento antideportivo, las represalias y las faltas repetidas.

Obstrucción

Está prohibido a cualquier jugador:

- Que corre hacia el balón, cargar o empujar a un adversario que también corre hacia el balón, excepto hombro contra hombro;

- Que se encuentra en fuera de juego, correr o colocarse voluntariamente delante de un compañero portador del balón, impidiendo así a un adversario alcanzar a este último jugador;
- Que lleva el balón después de que ha salido de una melé, "ruck", maul o un lateral, intentar abrirse camino a través de compañeros colocados delante de él;
- Que está situado en el exterior de la melé impedir a un adversario avanzar alrededor de esta.

JUEGO DESLEAL Y FALTAS REPETIDAS

Está prohibido a cualquier jugador:

- Jugar deliberadamente de forma desleal o infringir voluntariamente cualquier regla de juego;
- Perder tiempo voluntariamente;
- Golpear o lanzar el balón voluntariamente con la mano, desde el área de juego a lateral, lateral de marca o más allá de la línea de balón muerto;
- Infringir repetidamente cualquier regla de juego.

INCORRECCIONES Y JUEGO PELIGROSO

Está prohibido a cualquier jugador:

- Golpear a un adversario;
- Lesionar o dar una patada a un adversario, ponerle una zancadilla con el pie o pisarle mientras está caído en el suelo voluntariamente;
- Placar anticipadamente, con retraso o de forma peligrosa;
- Cargar u obstruir voluntariamente a un adversario que acaba de patear el balón;
- Sujetar, empujar, cargar, obstruir o agarrar a un adversario no portador del balón, salvo en una melé, un "ruck" o un maul; (Excepto en una melé o en un "ruck" está permitido alejar, tirando de él, a un jugador caído en el suelo en proximidad inmediata al balón. Fuera de estos casos toda acción consistente en tirar a un jugador de la camiseta está prohibida).
- A las primeras líneas de una melé, formar a una cierta distancia de sus adversarios y precipitarse contra ellos;
- A las primeras líneas de una melé,
- Voluntariamente a un contrario del suelo, o empujarle hacia arriba fuera de la melé;
- Causar voluntariamente el hundimiento de una melé, "ruck" o maul;
- Mientras el balón no está en juego molestar, obstruir o estorbar de cualquier forma a un adversario, o ser culpable de cualquier incorrección; cometer en el área de juego cualquier incorrección perjudicial al buen espíritu deportivo.

JUEGO PELIGROSO

Las siguientes acciones constituyen juego peligroso:

- Si un jugador carga o derriba a un contrario portador del balón sin intención de sujetarle con los brazos (como se hace normalmente en un placaje);
- Si un jugador golpea, o tira de los pies de otro jugador que salta para atrapar el balón en un alineamiento;
- Si un jugador intenta placar a un adversario que salta para coger el balón de un puntapié en el juego general.

PARTIDOS DE SIETE POR EQUIPO (SEVENS)

Un partido de Sevens consiste en dos tiempos de siete minutos y es mucho mas rápido que los partidos de quince, debido al menor número de jugadores en el mismo terreno de juego.

Para los Sevens se aplican las mismas reglas generales que se usan en los partidos de quince, con la excepción que la estrategia de juego es diferente, como por ejemplo:

- Se evita entrar en contacto en lo posible con el adversario, ya que es un juego más de rapidez, que de contacto físico.
- Los *scrums* se forman solamente con la primera línea (pilar, hooker, pilar). Los *rucks* y *mauls* son muy rápidos y poco frecuentes.
- El *tackle* es de suprema importancia para reducir las oportunidades quiebres en la defensa..
- Después de convertir un penal o un try, el mismo equipo que ha convertido tiene que patear la pelota hacia el contrario desde la línea de mitad de cancha para reiniciar el encuentro.

Los jugadores en una escuadra de Sevens son:

Delanteros:

No.1 Pilar

No.2 Hooker

No.3 Pilar

Tres Cuartos:

No.4 Medio Scrum

No.5 Apertura

No.6 Centro

No.7 Wing

Deportes de Conjunto

SOFTBOL

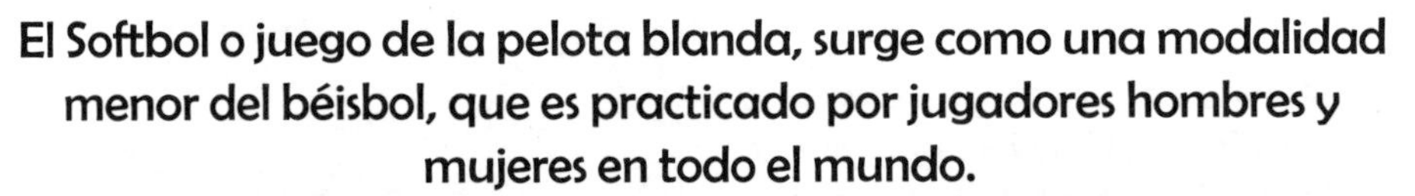

El Softbol o juego de la pelota blanda, surge como una modalidad menor del béisbol, que es practicado por jugadores hombres y mujeres en todo el mundo.

Aunque existen dos modalidades diferentes de softbol, el «fast pitch» o modalidad de lanzamiento rápido, donde la maniobra realizada por el pitcher permite un lanzamiento más rápido contra el bateador, y el «slow pitch» o modalidad de lanzamiento lento, el contenido básico del juego es el mismo: dos equipos de nueve jugadores o diez jugadores (según la modalidad), se alternan en períodos denominados entradas del juego defensivo al juego ofensivo, con el objeto de obtener un mayor número de carreras que el adversario.

HISTORIA

En noviembre de 1887, un grupo de amigos que estaba reunido en el gimnasio del Club Náutico Ferragut, ubicado en la ciudad de Chicago, en espera de la respuesta telegráfica del resultado de un partido de fútbol americano que disputaban los equipos de las universidades de Harvard y Yale, fue el creador de un nuevo deporte. En tanto esperaban el resultado, uno de ellos, luego de haberse fijado en un viejo guante de boxeo, decidió agarrarlo y tirárselo al primero que se le cruzaba por delante. Pronto terminaron tirándose la "manopla" de un lado a otro, hasta el momento en que uno de ellos tomó un palo de escoba y golpeo el guante que le era tirado.

George Hancock, un reportero que se encontraba en el lugar y que trabajaba para el diario Chicago Board Trade, al darse cuenta de la situación, exclamó "Vamos a jugar al béisbol", a lo que sus compañeros respondieron que era imposible, ya que afuera hacía un frío insoportable.

Entonces Hancock, pensó que se podía jugar al béisbol en el interior, entonces tomó el guante, lo redondeó apretándolo con fuerza, finalmente amarró esta forma redondeada con el cordón y así transformó el guante en una especie de pelota; luego, teniendo en cuenta las dimensiones reducidas del gimnasio del club en el que se hallaban, tomó una tiza y marcó las líneas del diamante, las bases y el home plate; finalmente se organizaron los equipos, y se dio inicio al que se considera el primer encuentro de sóftbol de la historia.

Este nuevo deporte se difundió con gran rapidez en casi todos los gimnasios de Chicago y luego se extendió a otras ciudades de Estados Unidos como Minneapolis, Saint Paul, Denver, Los Ángeles, etc.

A los pocos meses de aquel primer encuentro se comenzó a jugar al aire libre debido a la llegada de la primavera. Allí surgió una nueva denominación Béisbol de Interior a la Intemperie (Indoor-Outdoor Baseball). Dos años después, en octubre de 1889, Hancock redactó las reglas de la nueva disciplina inventada por él. Esta primera edición que tuvo lugar el 24 de octubre, fue adoptada posteriormente por la Liga de Invierno de Béisbol de Interior de Chicago (Winter Indoor Baseball League of Chicago).

Una de las reglas más significativas, que posteriormente dio origen al nombre por el cual se conoce este deporte en la actualidad, es que la pelota de juego debía estar constituida por una sustancia blanda (Bola Blanda: Softball).

A medida que el deporte se expandía, cada lugar en el que era practicado tomaba las reglas redactadas por Hancock y le hacía diversas modificaciones, hasta que en 1933, se creó la American Softball Asociation (A.S.A.), y junto con ella la Comisión Internacional de Reglamentos.

En 1950, los directivos de esta asociación se reunieron con los principales representantes de otras organizaciones de países cercanos como Cuba, Canadá y México, para comenzar a unificar la estructura definitiva del juego. Fue así como para 1952, ya se había creado la Federación Internacional de Sóftbol (International Softball Federation), cuyos principales objetivos fueron la difusión a nivel mundial de esta disciplina y la celebración de campeonatos mundiales.

En agosto de 1962 los representantes de Estados Unidos, Canadá, Japón y Australia, se reunieron para acordar la realización del Primer Campeonato Mundial (Femenino), que se llevó a cabo en febrero de 1965, en Melbourne (Australia) con un total de 5 delegaciones participantes.

Un año más tarde, en1966, se realizó en México, el primer campeonato mundial masculino, cita a la que asistieron 11 delegaciones.

La admisión del softbol en el programa olímpico, tuvo lugar en los Juegos Olímpicos Centenarios de 1996, llevados a cabo en Atlanta y únicamente en la rama femenina.

EL SOFTBOL Y SUS DIFERENCIAS CON EL BÉISBOL

Estructuralmente el sóftbol y el béisbol no presentan grandes diferencias, ya que el equipamiento, la infraestructura, y las reglas de estos dos deportes son básicamente las mismas, sin embargo, existen unas diferencias mínimas que se pueden observar a continuación.

DIFERENCIAS ENTRE EL BÉISBOL Y SÓFTBOL	
CAMPO DE JUEGO (dimensiones)	
Béisbol	27 m entre bases; 120-135 m hasta la valla del jardín exterior
Softbol	18 m entre bases; 70 m hasta la valla del jardín exterior
BATE (composición y peso)	
Béisbol	Hecho en madera con un peso fijo
Softbol	Fabricado en Aluminio y su peso varía siendo el máximo permi tido 1100 g.
PELOTA (composición y tamaño)	
Béisbol	Hecha en una sustancia dura;
Softbol	Hecha con una sustancia blanda de 30 cm. de circunferencia
REGLAMENTO (ROBO DE BASES)	
Béisbol	Antes del lanzamiento del pitcher
Softbol	Después del lanzamiento del pitcher
REGLAMENTO (LANZAMIENTO DE PITCHER)	
Béisbol	El pitcher debe realizar el lanzamiento por arriba del hombro y puede abrir juego a las bases en vez de lanzarle al bateador, siempre y cuando haya corredor en base intentando robar otra.
Softbol	El pitcher debe realizar el lanzamiento por abajo del hombro; no puede abrir juego a las bases en vez de lanzarle al bateador, ya que el robo solo se puede hacer luego de que el pitcher le ha lanzado al bateador

MODALIDADES

El béisbol es jugado únicamente por hombres, en tanto que el softbol se juega tanto por hombres como por mujeres en dos modalidades: lanzamiento rápido y lanzamiento lento.

TERRENO DE JUEGO

El campo de softbol también en forma de diamante, es más pequeño que el de béisbol.

El campo interior es un cuadrado de 18,30 m. de lado para *lanzamiento rápido* y de 19,80 m para *lanzamiento lento*, en cuyos ángulos se ubican las bases; un ángulo en una de las esquinas, marcado por una pieza de goma con forma de pentágono irregular es el home plate o meta. En las otras tres esquinas, se encuentran la primera, segunda y tercera bases, cada una marcada con una almohadilla y separadas a 18,30 o 19,80 metros (según la modalidad) las unas de las otras. La distancia en línea recta del home plate a la segunda base y de la primera a la tercera base es de 39,9 m. para hombres y 38,07 m para las mujeres.

Las líneas de base se extienden desde la meta hacia la primera y la tercera base, con prolongaciones llamadas líneas de falta, que llegan alargándose hasta el borde exterior del outfield y dividen el terreno de falta y el fair. Las líneas de base se extienden también desde la primera a la segunda y la tercera base, marcando el pasillo de un corredor.

Plataforma del lanzador

La plataforma del lanzador, situada dentro de un círculo de 5 metros de diámetro, es un rectángulo de 15,24 cm por 60,96 cm, y se encuentra cerca del centro del campo interno entre la meta y la segunda base a una distancia desde la punta trasera del home plate hasta la parte delantera del rectángulo de:

ESTILO	HOMBRES	MUJERES
Lanzamiento rápido	14,02 metros	12,19 metros
Lanzamiento lento	15 metros	15 metros

Cajón del bateador

Lo constituye un rectángulo que se ubica a 15 cm de home, a cada lado de éste, y cuyas medidas son 1 x 2,2 metros.

Cajón del receptor

Ubicado desde las esquinas exteriores de las partes traseras de los cajones del bateador, lo constituye un rectángulo de 3 x 2,75 metros.

Meta (Home plate)

El home plate lo constituye una goma blanda en forma pentagonal, cuyas medidas en uno de sus lados es de 43.18 cm, los dos lados adyacentes de 21,59 cm. y los dos lados restantes de 30.48 cm y puesta de tal forma que el ángulo que termina en punta esté colocada sobre la intersección de las líneas que van desde el home plate hasta la primera y la tercera base, con el lado de 43.18 cm. frente al plato del lanzador y los dos de 30,48 cm. coincidiendo con las líneas de primera y tercera bases respectivamente.

Bases

La primer, segunda y tercera bases las constituyen almohadillas de lona rellenas con material suave de 38 cm. de lado, fijadas al suelo en forma segura. Tanto la primer como la tercera base reposan totalmente dentro del "infield". La almohadilla de segunda base se centra sobre la segunda base. Para la primera base se puede usar la base doble que construida como las otras bases tiene unas medidas de 38 x 76 cm sin exceder los 13 cm de grueso.

Campo exterior

El campo exterior es el área que está más allá del infield, constituido por la extensión de las líneas formadas entre home y primera y home y tercera. El campo derecho es el que se ubica detrás de la

primera base, el de la segunda, detrás del centro del campo, y el de la tercera, por detrás del campo izquierdo. Una valla recorre el límite más lejano del extracampo.

El outfield tiene:

ESTILO	HOMBRES	MUJERES
Lanzamiento rápido	68,6 metros	61 metros
Lanzamiento lento	91,4 metros	76 metros

Zonas libres

La distancia entre la base de origen y la cerca obedece a las siguientes normas:

ESTILO	HOMBRES	MUJERES
Lanzamiento rápido	68 metros	60 metros
Lanzamiento lento	83 metros	76 metros

PELOTA

La pelota, más grande que la bola de béisbol, es una bola de forma regular, con costura fina, de puntada incrustada en el cuero o de superficie lisa, hecha de kapok, una mezcla de corcho y goma, recubierta de piel de caballo, vaca o material sintético y de costuras lisas. Tiene un peso entre 177-198.5 gr. y una circunferencia entre 28 a 30.48 cm.

BATE

Fabricado generalmente en aluminio, tiene una longitud máxima de 86.36 cm., no más de 5.7cm. de diámetro en su parte más gruesa y un peso no mayor a 1.077 Kg.

El agarre de seguridad, de corcho, cinta adhesiva, o material compuesto, mide no menos de 25.4cm. de largo y se extiende a menos de 38.1cm. desde el extremo delgado del bate.

JUEGOS REGLAMENTARIOS

Un partido de softbol se juega a siete entradas en lugar de las nueve del béisbol.

EQUIPOS

Un equipo de softbol lo conforman de acuerdo a la modalidad, diferente número de jugadores, numerados del 01 al 99:

- *Lanzamiento Rápido*. Nueve jugadores: lanzador, receptor, primera base, segunda base, tercera base, shortstop, left fielder, center fielder y, right fielder.
- *Lanzamiento Lento*. Diez jugadores: lanzador, receptor, primera base, segunda base, tercera base, shortstop, left fielder, left center fielder, right fielder y right center fielder.

LANZAMIENTO

El lanzamiento de la pelota al bateador tiene que ser por debajo del hombro, mientras que en el béisbol el pitcher puede lanzar de cualquier forma, incluso por arriba.

El pitcher en el momento del lanzamiento puede tener en contacto con la peana sólo un pie. En el softbol deben estar los dos pies en contacto con la peana.

El lanzamiento ilegal en el softbol se sanciona con 2 penalidades otorgando al equipo a la ofensiva una base y una bola.

En el softbol debido a que al pitcher sólo se le permite realizar lanzamientos por debajo del hombro, la técnica del lanzamiento varía considerablemente con relación al béisbol, presentándose aquí tres tipos principales de lanzamientos (chata, molinete y latiguillo), en los que el pitcher parte de una posición con ambos pies apoyados y haciendo contacto con la goma de lanzar (*pitcher's plate*), con la bola agarrada con una mano y las manos separadas. Antes del lanzamiento el pitcher debe llevar todo su cuerpo a una total inmovilidad de frente al bateador y sostiene la bola con ambas manos colocadas frente a su cuerpo.

ZONA DE STRIKE

la zona de strike, un área situada directamente encima del home que comprende:

Lanzamiento Rápido:

Aproximadamente la zona que hay entre las axilas y la parte superior de las rodillas del bateador, cuando éste asume su posición natural de bateo.

ROBO DE BASES

En el béisbol, los lanzadores toman las señas de sus receptores mientras están sobre la goma del pitcher y pueden despegarse de la goma y abrir juego hacia las bases para intentar la eliminación de los corredores que intentan su robo. En softbol no existe robo de bases pues, los corredores de bases deben permanecer quietos en su base hasta tanto la pelota ha salido de las manos del lanzador.

En el béisbol, en caso de que la bola no sea bateada el árbitro principal emite su concepto acerca del lanzamiento y la bola vuelve al lanzador, éste no está obligado a volverla a lanzar inmediatamente hacia su catcher, puesto que los corredores pueden empezar a correr antes de que el lanzador tire la pelota, si esto sucede tiene derecho a intentar su eliminación enviando la pelota a la base correspondiente siempre y cuando haga ver claramente su intención adelantándose un paso fuera de su montículo.

Lanzamiento Lento:

Aproximadamente la zona que hay entre el hombro trasero axilas y las rodillas del bateador, cuando éste asume su posición natural de bateo.

Zona de Strike Lanzamientio Rápido

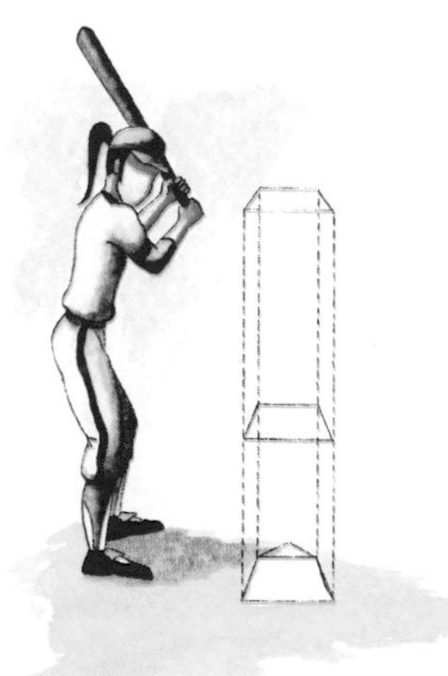

Zona de Strike Lanzamientio Lento

Deportes de Conjunto

VOLEIBOL

El Voleibol es un deporte de participación colectiva que se practica entre dos equipos de seis jugadores cada uno, su objetivo es enviar el balón con un golpe reglamentario por encima de una red dentro de los límites del campo contrario, tratando de que el adversario no pueda contestarla o evitar que caiga al piso.

Ambos equipos se sitúan en un espacio rectangular de 18 x 9 m. Los jugadores se disponen en dos líneas de tres jugadores: los delanteros más próximos a la red y los defensas, más alejados de ella. Dicho campo está dividido por una red que lo deja partido en dos mitades iguales de 9 x 9 m. Esta red se sitúa a una altura variable en función de las categorías de los equipos.

El juego se inicia con un golpeo por parte del jugador que está ubicado en la parte posterior del campo, detrás de la línea final. Cada equipo tiene normalmente derecho a tocar la pelota tres veces antes de devolverla al campo contrario. Ningún jugador en circunstancias habituales puede contactar dos veces consecutivas con la pelota. La jugada continúa hasta que la pelota toque el terreno de alguno de los equipos, alguno de éstos la envíe fuera o hasta que un equipo no pueda devolver la pelota reglamentariamente.

HISTORIA

Existían tanto en la cultura griega como en la civilización precolombina, juegos que tenían la característica de que el implemento del juego no podía tocar el suelo. También existe constancia de que en la Edad Media, en Italia, se practicaba un juego con ese mismo objetivo, denominado *pallone*. Finalmente, como últimos y más cercanos precedentes, en el siglo XIX, en Italia existía un juego llamado *mintonetti* o *minonette* y en Alemania se conocía un juego llamado *faustball*. Este deporte, que aún se practica, consiste en golpear un balón que superando una sirga situada a 2 metros de altura se dirige al terreno contrario intentando que bote en él dos veces.

El Voleibol, en su versión moderna de nombre original mintonette (igual al de su predecesor italiano) fue inventado en 1895 por William G. Morgan en Holyoke, Massachussets (Estados Unidos). El objetivo de este director de preparación física de la Young Men's Christian Association (YMCA), era el de crear un juego de salón similar al baloncesto, pero que eliminara el contacto físico de este deporte.

Morgan apoyado en la idea que el tenis de campo podría jugarse en el interior de un gimnasio, pero permitiendo un mayor número de participantes, suspendió la red reglamentaria del tenis a una altura aproximada de dos metros, para que fuera voleada sobre ella una cámara de caucho que tomó de un balón de baloncesto. Pasado el tiempo, un profesor del Springfield College llamado Alfred T. Halstead, aconsejó a Morgan cambiar el nombre inicial por el de Voleibol, ya que el primero no definía claramente la esencia y estructura de este naciente deporte.

Un año después de su creación, se redactaron las primeras reglas de juego y en 1964 ingresó como deporte olímpico en los Juegos de Tokio.

REGLAMENTACIÓN

TERRENO DE JUEGO

El terreno de voleibol es un rectángulo de 18 x 9 metros, rodeado por una zona libre de mínimo 3 metros y un espacio libre de 7m. de altura como mínimo a partir del suelo; una línea central que se extiende hasta las líneas laterales y sobre la cual se encuentra la red divide este terreno en dos campos iguales de 9 x9 metros.

En cada campo se traza a 3 metros de la línea central y paralela a ésta, una línea de ataque, que divide cada campo en zona de frente y zona de zaga; más allá de las líneas laterales, las líneas de ataque se consideran prolongadas indefinidamente.

RED

La red que es una malla que mide 1 m. de ancho y 9,50 m. de largo, se coloca verticalmente sobre el eje de la línea central. A cada lado de la red, se coloca una banda blanca móvil sobre las que se fijan las antenas, dos varillas flexibles que delimitan lateralmente el espacio de paso del balón, de 1,80 m. de largo x 10 mm. de diámetro, sobresalen a 80 cm. del borde superior de la red.

La altura de la red es de 2,43 m. para hombres y 2,24 m. para mujeres. Los postes que sostienen la red miden 2, 55 m. de alto y deben colocarse a una distancia entre 50 cm. y 1 metro de la línea lateral.

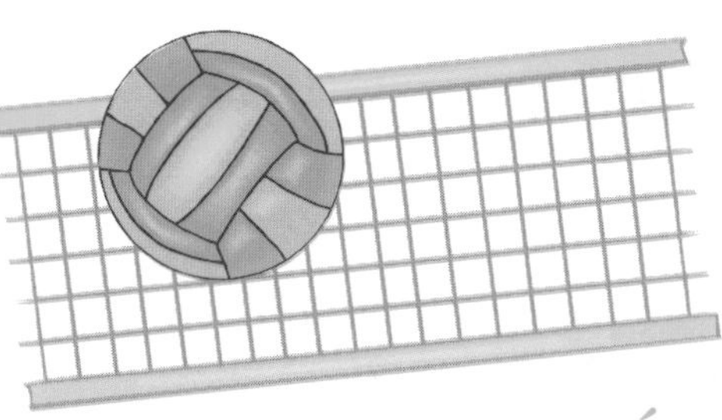

BALÓN

El balón con una circunferencia entre 65-67 cm. y un peso de 260 a 280 gr. debe ser de colores.

JUECES

El cuerpo arbitral está compuesto por un *primer árbitro*, un *segundo árbitro*, un *anotador* y cuatro o dos *jueces de línea*.

Sólo el primer y segundo árbitro pueden hacer sonar su silbato durante el encuentro.

El primer árbitro que desempeña sus funciones sobre una plataforma colocada en uno de los extremos de la red, es el encargado de dirigir el encuentro de principio a fin con autoridad sobre todos los demás miembros del cuerpo arbitral.

El segundo árbitro desempeña sus funciones de pie y en el lado opuesto, frente al primer árbitro; en el momento del saque, se sitúa en la prolongación de la zona de frente del equipo que recibe, luego se desplaza por la zona libre frente al anotador; está encargado de controlar la posición de los jugadores antes y durante el set, las penetraciones al campo contrario y el contacto con la red por debajo de la banda horizontal de ésta.

El anotador lleva la hoja del encuentro, registrando en ella los datos necesarios para el desarrollo del juego.

Los jueces de línea se ubican en la zona libre a 1-3 metros de cada esquina de la cancha, y son los encargados de señalizar cuando el balón cae dentro o fuera de la líneas de delimitación de la cancha.

EQUIPOS

Un equipo está compuesto por 12 jugadores como máximo, de los cuales seis son suplentes, los otros *6 jugadores* constituyen la formación en juego. Sin embargo los equipos tienen la opción de registrar a 12 jugadores y un jugador especializado "líbero".

SUSTITUCIÓN DE JUGADORES

Un equipo puede realizar un máximo de 6 sustituciones en cada set, siempre que se cumpla con los siguientes requisitos:

- Un jugador de la formación inicial puede salir del juego una sola vez por set, pero puede volver a entrar a condición de que lo haga únicamente por el jugador que lo sustituyó.
- Un jugador sustituto puede entrar al campo en cualquier posición una sola vez por set, y solo puede ser sustituido por el jugador que sustituyó.

INICIO DEL PARTIDO

Antes del encuentro de realiza un sorteo entre los capitanes para decidir el primer saque y los lados de la cancha del primer set. El ganador del sorteo elige entre el derecho a sacar o recibir el primer saque y el lado del campo.

Los equipos se ubican en sus correspondientes canchas y el anotador toma la formación inicial que indica el orden de rotación de los jugadores. El equipo a quien corresponda el saque lo realiza desde la línea final en los ocho segundos siguientes a la señal del árbitro. Cada jugador tanto del equipo receptor como del equipo al saque debe estar en su posición, hasta el momento en que el balón es golpeado por el sacador.

PUNTUACIÓN

Se marca punto siempre que un equipo comete una violación a las reglas de juego. La consecuencia de una falta es la pérdida de la jugada así:

- Si el equipo que comete la falta es el que realizó el saque, se anota un punto al adversario y además gana el derecho al saque.
- Si el equipo adversario al que realizó el saque comete la falta, se anota un punto al equipo servidor y continúa con el servicio.

Un set (excepto el decisivo) lo gana el equipo que primero consigue 25 puntos con una ventaja mínima de dos puntos. En caso de empate a 24 puntos, el juego debe continuar hasta que uno de los dos equipos logre una ventaja de dos puntos.

El partido lo gana el equipo que primero consigue ganar 2 o 3 sets, según sea el juego a 3 o 5 respectivamente. En caso de empate (1-1 o 2-2), el set decisivo (3o. o 5o.) se juega a 15 puntos con una ventaja mínima de dos puntos.

ACCIONES DE JUEGO Y FALTAS

SAQUE

El balón debe ser golpeado con una mano o cualquier parte del brazo después de ser lanzado o soltado de la(s) mano(s), y antes de que toque cualquier parte de su cuerpo o área de juego. Para ello se cuenta con un tiempo límite de ocho segundos después de la señal del árbitro.

El servicio que se realiza antes de la señal de árbitro es cancelado y repetido

En el momento del golpe de saque, el jugador no puede tocar la cancha. El balón no puede tocar la red, ningún integrante del equipo sacador, ni pasar fuera del plano vertical de la red.

Orden al Saque

Los jugadores deben seguir el orden al saque registrado en la planilla de juego. El zaguero derecho, es quien a su turno debe realizarlo.

El primer saque del primer set, así como el set decisivo lo realiza el equipo determinado por sorteo. Los otros sets comenzarán con el saque por parte del equipo que no sacó primero en el set anterior.

Cuando el equipo que realiza el saque gana la jugada, saca de nuevo el jugador que efectuó el saque anterior (o su sustituto). Cada vez que un equipo gana la jugada sin tener la posesión del saque, recupera éste y se produce una rotación de los jugadores en el sentido de las agujas de reloj. El jugador que se mueve de la posición delantero derecho a la posición zaguero derecho es el encargado de realizarlo.

Hay falta en el saque cuando:

El jugador infringe el orden al saque; El jugador no realiza el saque correctamente; El balón toca a un jugador del equipo al saque; El balón no pasa el plano vertical de la red; El balón toca la red; El balón va fuera; El balón pasa sobre una pantalla.

TOQUE DEL BALÓN

El balón debe ser golpeado (no retenido y/o lanzado), hacia cualquier dirección. Puede además tocar varias partes del cuerpo, siempre y cuando los contactos sean simultáneos.

En el toque dedos existen dos acciones que son consideradas como infracciones al reglamento: cuando el golpe del balón se produce primero sobre los dedos de una mano y luego rebota en los de la otra (el toque del balón debe producirse con las dos manos simultáneamente o, en situaciones especiales con una sola mano), y, cuando durante la realización del toque, la acción no se produce con un golpe seco sino que se acompaña con las manos el balón.

El equipo tiene derecho a un máximo de tres toques (además del bloqueo), para devolver el balón. Si se usan más, el equipo comete la falta de "cuatro toques".

Los toques del equipo incluyen no sólo los toques intencionales por los jugadores, sino también los contactos accidentales con el balón.

Un jugador no debe tocar el balón dos veces consecutivas. Pero dos o tres jugadores si pueden tocar el balón a la vez, en este caso se contarán dos o tres golpes, según sea la situación (exceptuando el caso del bloqueo).

El balón enviado al campo contrario debe pasar por encima de la red dentro de las antenas y su proyección imaginaria, sin embargo y con excepción del saque, el balón puede tocar el borde superior de la red.

Un balón enviado a la red puede ser recuperado dentro de los tres toques del equipo.

Faltas en el toque del balón

- Un equipo toca el balón cuatro veces antes de regresarlo.
- Un jugador se apoya en un compañero u objeto para alcanzar el balón.
- Un jugador retiene o lanza el balón.
- Un jugador golpea el balón dos veces consecutivas.
- El balón toca varias partes del cuerpo de un jugador.

REMATE

El golpe de remate debe ser limpio y el balón no puede ser retenido ni lanzado.

Sólo pueden realizar la acción de remate, desde la zona delantera, los tres jugadores que en esa rotación se encuentran como delanteros, es decir en las posiciones 2, 3 y 4. Los jugadores que ocupan las posiciones más alejadas de la red (1, 5, 6) pueden saltar a cualquier altura si su salto se efectúa detrás de la línea de 3 metros. Sin embargo, después de golpear el balón, el jugador puede caer dentro de la zona de ataque. Además un zaguero también puede rematar desde la zona delantera si, en el momento del contacto con el balón no está completamente por encima del borde superior de la red.

Después del golpe de ataque, se le permite al jugador pasar la mano por encima de la red, a condición de que el toque del balón haya sido realizado en el espacio propio.

Ningún jugador puede completar un golpe de ataque sobre el saque del adversario cuando el balón se encuentra en la zona de frente y completamente por encima del borde superior de la red.

Finalmente, un jugador líbero no puede realizar un golpe de ataque si en el momento de golpear el balón este está completamente por encima del borde superior de la red; ni tampoco puede ser completado un golpe de ataque por encima del borde superior de la red, si el balón proviene de un pase de dedos realizado por un líbero en la zona de ataque.

Faltas en el remate

- Un jugador golpea el balón en el espacio de juego del equipo contrario.
- El jugador que realiza el remate envía el balón fuera.
- Un zaguero completa el remate en la zona de frente cuando en el momento del golpe, el balón está completamente por encima del borde superior de la red.
- Un jugador realiza un remate sobre el saque del adversario cuando el balón está en la zona de frente y por encima del borde superior de la red.
- Un líbero completa un golpe de ataque.
- Un jugador completa un golpe de ataque por encima del borde superior de la red, si el pase proviene de un toque de dedos de un líbero desde la zona de frente.

Todas las faltas en que incurre un equipo se sancionan con un punto para el equipo contrario y, la pérdida del saque, si el equipo infractor lo tuviera.

CONDUCTA INCORRECTA

La conducta incorrecta de algún miembro del equipo hacia los oficiales, adversarios, compañeros de equipo o espectadores, es clasificada en cuatro categorías de acuerdo al grado de la ofensa:

- *Conducta antideportiva*: discusión, intimidación, etc.
- *Conducta grosera*: actuar en contra de las buenas costumbres o los principios morales, expresar desprecio.
- *Conducta injuriosa*: palabras o gestos difamatorios o insultantes.
- *Agresión*: ataque físico o intento de agresión.

Sanciones

Según el grado de incorrección de la conducta a juicio del primer Arbitro, las sanciones a aplicarse son:

- *Amonestación por conducta incorrecta*: Por conducta antideportiva. El miembro del equipo es advertido contra una repetición en el mismo set.
- *Castigo por conducta incorrecta*: Por conducta grosera el equipo es sancionado con la pérdida del saque, o se le otorga un punto al adversario en caso que éste se encuentre en posesión del saque.
- *Expulsión*: Repetida conducta grosera es sancionada con expulsión. El miembro del equipo, abandona el área de juego y su equipo es declarado incompleto por el set.
- *Descalificación*: Por conducta injuriosa y agresión. El jugador debe abandonar el área de juego y su equipo es declarado incompleto por el encuentro.

BLOQUEO

Bloquear es la acción de los jugadores cerca de la red para interceptar el balón proveniente del campo contrario haciéndolo por encima del borde de la misma. Sólo pueden realizar el bloqueo los tres jugadores que en esa rotación se encuentran como delanteros, (posiciones 2, 3, 4). Los jugadores que ocupan las posiciones lejanas a ésta no pueden adelantarse para realizarlo.

Durante el bloqueo, un bloqueador o grupo de bloqueadores puede(n) tocar el balón por encima de la red, incluso pasar las manos más allá de la red, a condición de no interferir en el juego del adversario antes o durante la acción de este último. Además puede(n) hacerse toques consecutivos (rápidos y sucesivos), a condición de que sean realizados durante la misma acción.

Debido a que la acción de bloqueo no se cuenta como toque, el equipo que lo realiza tiene derecho a sus tres toques para devolver el balón, incluso se le permite al jugador que tocó el balón en el bloqueo, un primer contacto después de esta acción.

Faltas en el bloqueo

- El bloqueador toca el balón en el espacio contrario antes o simultáneamente al golpe del adversarios.
- Un zaguero realiza el bloqueo.
- Un jugador bloquea el saque del adversario. El balón es enviado fuera por el bloqueo.
- Bloquear el balón en el espacio contrario por fuera de las antenas.
- Un líbero participa en un bloqueo.

VOLEIBOL PLAYA

El voley-playa es un deporte derivado del voleibol, llevado a cabo por dos equipos de dos jugadores cada uno (sin suplentes), en el que en un rectángulo de arena nivelada de 18 m. de largo x 9 m. de ancho y dividida por una red, los jugadores tratan, golpeando el balón con cualquier parte del cuerpo, de enviar el balón por encima de la red al piso del campo contrario e impedir que toque el de su propio campo.

El encuentro se puede ganar según el formato de juego que se pacte, que puede ser:

- De un set solamente, en el que gana el set y el partido el equipo que anote primero 15 puntos, con una diferencia mínima de 2 puntos. En el caso de un empate 16-16, el equipo que marque el punto 17 gana el set y el encuentro con un solo punto de diferencia.
- El mejor de tres sets, en el que el vencedor del encuentro es el equipo que gana dos sets, jugando los dos primeros a 12 puntos.

Cuando se produce un empate de 1-1 en los dos primeros sets, el equipo que anota primero 12 puntos con una diferencia de 2 puntos sobre su adversario, es el que gana el set decisivo, atribuyéndose el partido; en caso de empate a 14, gana el set el equipo que consiga el punto 15 primero. En este set, el punto es anotado cada vez que un equipo gana una jugada.

HISTORIA

Una variante muy actual del voleibol tradicional o regular es el voley-playa (Beach-Volleyball), que ha adquirido fama universal y que hizo su presentación como deporte de exhibición en los Juegos Olímpicos de Atlanta 1996.

El origen exacto del voley-playa es difícil de determinar. Puede que fuera hacia 1920 en las costas de California o Francia, donde los primeros torneos datan de 1935, fecha anterior a la creación de la Federación Francesa de Voleibol; o Brasil, en donde parece ser que en 1941 se organizó el «Primer Campeonato sobre Arena» y, al mismo tiempo, se institucionalizó la presencia de terrenos de voleibol en las playas de Copacabana, Ipanema, Leblon, etc.

A pesar de la dificultad de determinar dónde surgió realmente esta modalidad, los primeros torneos oficiales de voleibol playa ocurrieron en 1947, hacia finales de 1970 este deporte ya había alcanzado un buen nivel de profesionalismo; en 1987 la Federación Internacional de Voleibol realizó los Campeonatos Mundiales masculinos en Río de Janeiro y en 1993 se iniciaron los Campeonatos del Mundo femeninos.

Actualmente, la popularidad de este deporte, ha hecho que llegue prácticamente a todos los países con costa, incluso sin ella (voley-arena), y a países en que la climatología ideal para la práctica de este deporte dura apenas tres meses.

REGLAMENTACIÓN

TERRENO DE JUEGO

El terreno de juego es un rectángulo de arena nivelada con un espesor de 20 cm, libre de rocas, cuyas medidas son 18 m. de largo x 9 m. de ancho, rodeado por una zona libre de un mínimo de 3 m. de ancho y con un espacio libre de cualquier obstáculo hasta una altura mínima de 7 m. desde la superficie de juego.

A diferencia del voleibol, no existe línea central, ni zonas de ataque. La cancha se divide en dos partes iguales mediante una red, que mide 1,95 m. de largo, colocada a una altura de 2,43 m. para los hombres y los 2,24 m. para las mujeres.

Zona de saque: La zona de saque es el área detrás de la línea de fondo, entre la extensión de la red.

Antenas: Dos antenas de 1,80 m. de largo, 10 mm. de diámetro y construidas en fibra de vidrio o un material flexible similar, se fijan a los costados opuestos de la red en el extremo exterior de cada banda lateral, sobresaliendo de la red los 80 cm. superiores de la antena. Las antenas, se consideran parte de la red, y delimitan lateralmente el espacio de paso.

Postes: Los postes que sostienen la red, están cubiertos por almohadillas protectoras y se fijan al piso a una distancia de entre 70 cm.-1 m. de cada línea lateral.

BALÓN

El tamaño del balón usado en este deporte es muy similar al que se utiliza en el voleibol de sala, mide entre 65 - 67 cm. de circunferencia y pesa entre 260 y 280 gramos, pero tiene una presión de aire más baja (171 a 221 mbar. o hPa (0,175 a 0,225 kg/cm2)). Los colores de los balones son colores brillantes (tales como naranja, amarillo, rosa, blanco, etc.).

JUECES

El cuerpo arbitral para un encuentro se compone de los siguientes miembros:

- El *primer árbitro*. Desempeña sus funciones sentado o de pie en una silla plataforma colocada en uno de los extremos de la red. Es quien dirige el encuentro de principio a fin con autoridad sobre todos los oficiales y miembros de los equipos.
- El *segundo árbitro*. Cumple sus funciones de pie ante el poste, fuera de la cancha del lado opuesto y de frente al primer árbitro. Es el asistente del primer árbitro, pero también posee su propio ámbito de jurisdicción, tiene la facultad de señalar al primer árbitro, sin tocar su silbato, faltas que no sean de su competencia, controla la labor del anotador, autoriza y controla la duración de los tiempos para descanso y cambios de campo y rechaza las solicitudes improcedentes, controla el número de tiempos para descanso utilizados por cada equipo. Durante el encuentro, el segundo árbitro decide, pita y señala: el contacto de un jugador con la parte inferior de la red y con la antena de su sector, la interferencia debido a la penetración en el campo y espacio contrario debajo de la red, el balón que cruza el plano vertical de la red fuera del espacio de paso o que toca la antena de su sector y el contacto del balón con un objeto extraño.
- El *anotador*. Desempeña sus funciones sentado ante la mesa del anotador, en el lado opuesto y de frente al primer Arbitro. Llena la hoja del encuentro, registrando los puntos marcados y controlando el orden de saque a medida que cada jugador lo ejecuta en el set.
- Cuatro (dos) *jueces de línea*. Se ubican de pie en esquinas diagonalmente opuestas de la cancha y a una distancia de 1 a 2 m. de la esquina correspondiente. Cada uno controla las líneas de fondo y lateral de su sector. Llevan a cabo sus funciones por medio de señales hechas con un banderín, señalando el balón «dentro» o «fuera» cuando cae cerca de su/s línea(s).

EQUIPOS

Un equipo está compuesto por *dos jugadores* exclusivamente (sin suplentes), vestidos con pantalón corto o traje de baño y sin zapatos. Pueden usar además una camiseta o «pechera» y gorras. Los uniformes de los jugadores (camisetas o pantalón corto) deben estar numeradas con los números 1 y 2.

Ninguno de los jugadores mantiene una posición fija y pueden golpear el balón con cualquier parte de su cuerpo.

INICIO DEL PARTIDO

Antes de iniciar el encuentro, el primer árbitro realiza un sorteo en presencia de los dos capitanes. El ganador del sorteo escoge entre las opciones de: el derecho a sacar o recibir el primer saque, o, el lado de la cancha; en tanto que el perdedor toma la alternativa restante. En el caso de que se juegue segundo set, el perdedor del sorteo en el primer set es quien tiene el derecho de elegir entre las dos alternativas y en el set decisivo, se realiza nuevamente el sorteo.

En el momento que el balón es golpeado por el sacador, cada equipo debe estar dentro de su propio campo (excepto el sacador) y los jugadores colocados libremente en cualquier posición, listos para responder el saque del adversario.

PUNTUACIÓN

El encuentro se puede ganar según el formato de juego que se pacte, que puede ser:

- De un set solamente, en el que gana el set y el partido el equipo que anote primero 15 puntos, con una diferencia mínima de 2 puntos. En caso de empate 14 - 14, el juego continúa hasta que uno de los dos equipos alcance una diferencia de 2 puntos. Sin embargo, el punto límite es el 17, aunque sea con un solo punto de diferencia.
- El mejor de tres sets, en el que el vencedor del encuentro es el equipo que gana dos sets, y los dos primeros sets los gana el equipo que marca primero 12 puntos (En caso de empate 11-11, el equipo que marca primero el punto 12 gana el set.).

Cuando se produce un empate de 1 - 1 en sets, el set decisivo (3º) se juega como desempate con el sistema de "punto por jugada" (se anota punto cada vez que un equipo gana una jugada). El equipo que anota primero 12 puntos con una diferencia de 2 puntos sobre su adversario, es el que gana el set decisivo, atribuyéndose el partido; en caso de empate 11-11 el juego continúa hasta que uno de los dos equipos alcance una diferencia de 2 puntos.

GANAR UNA JUGADA

Siempre que un equipo falle en ejecutar el saque o en devolver el balón o cometa una falta, el equipo adversario gana la jugada, de acuerdo a los siguientes aspectos:

- Si el equipo adversario realizó el saque, éste marca un punto y sigue sacando.
- Si el equipo adversario recibió el saque, éste obtiene el derecho al saque sin marcar un punto (cambio de saque), excepto en el set decisivo (3º).

GANAR UNA JUGADA EN EL SET DECISIVO (3º)

En el set decisivo un punto es marcado cuando un equipo gana la jugada, de acuerdo a los siguientes aspectos:

- El equipo que sacó marca un punto y continúa sacando.
- El equipo que recibió el saque marca un punto y gana el derecho a sacar.

ACCIONES DE JUEGO Y VIOLACIONES

ORDEN DE SAQUE

El orden de saque debe mantenerse a lo largo de cada set (en concordancia con el determinado por el capitán del equipo inmediatamente después del sorteo).

BALÓN «DENTRO»

El balón está «dentro» cuando toca el piso de la cancha, incluyendo las líneas de delimitación.

En Voleibol-Playa no hay faltas de posición

CONTACTO CON EL BALÓN

Toques por equipo:

- Cada equipo tiene derecho a un máximo de tres toques para regresar el balón por encima de la red. Los toques por equipo incluyen no sólo los toques intencionales hechos por el jugador, sino también los contactos accidentales con el balón.
- Un jugador no debe tocar el balón dos veces consecutivas (excepto en el bloqueo).

Toques simultáneos

- Dos jugadores pueden tocar el balón simultáneamente. Cuando dos compañeros tocan el balón simultáneamente, se cuentan 2 toques de balón (excepto en el bloqueo).
- Si se produce un toque simultáneo encima de la red por dos adversarios y el balón sigue en juego, el equipo receptor del balón tiene derecho a otros tres toques. Si dicho balón cae «fuera», la falta es del equipo que está en el lado contrario.

Toques con apoyo externo:

Dentro del área de juego no se permite a un jugador apoyarse en un compañero o en una estructura u objeto para al lanzar el balón. Sin embargo, un jugador que está a punto de cometer una falta (tocar la red o interferir a un adversario, etc.) puede ser detenido o empujado por su compañero.

Características del toque:

- El balón puede tocar cualquier parte del cuerpo de los jugadores o, tocar varias partes del cuerpo, siempre que los contactos sean simultáneos.
- El balón debe ser golpeado, sin ser atrapado o lanzado y puede rebotar en cualquier dirección.
- El balón puede ser momentáneamente retenido con los dedos en posición de voleo, en una acción defensiva de un remate violento, o en contactos simultáneos de dos adversarios que provocan un «balón detenido».
- Durante el bloqueo se permiten contactos consecutivos entre uno o más bloqueadores, siempre que ocurran durante una misma acción.
- En el primer toque del equipo, si el balón no es voleado con los dedos, puede hacer contacto consecutivamente con varias partes del cuerpo, siempre que los contactos sean realizados durante una misma acción.

BALÓN EN LA RED

Paso del balón por encima de la red:

El balón enviado al campo contrario debe pasar por encima de la red, dentro del espacio de paso. Un balón que se dirige hacia el campo adversario por fuera del espacio de paso, está «fuera» cuando cruza completamente el plano vertical de la red. Sin embargo, un jugador puede entrar al campo adversario a fin de jugar el balón antes de que éste cruce completamente el plano vertical por debajo de la red o por fuera del espacio de paso.

Balón que toca la red:

- Exceptuando el balón de saque, un balón que cruza la red puede tocarla.
- Un balón enviado a la red puede ser recuperado dentro de los tres toques del equipo.

Jugador en la red

Cada equipo debe ejecutar sus acciones dentro de su propio campo y espacio de juego. Sin embargo, el balón puede ser recuperado más allá de la zona libre.

Rebasar con las manos el plano vertical de la red:

- Durante el bloqueo, un bloqueador puede tocar el balón por encima de la red, a condición de no interferir el juego del adversario antes o durante la acción de este último.
- Después del golpe de ataque está permitido a un jugador pasar la mano por encima de la red, a condición de que el toque del balón se haya realizado en el espacio propio.
- Un jugador puede penetrar en el espacio, campo y/o zona libre adversaria, a condición de que no interfiera con el juego de éste.

Contacto con la red:

- Está prohibido tocar cualquier parte de la red o las antenas
- Después de golpear el balón, un jugador puede tocar los postes, cuerdas o cualquier objeto fuera de la longitud de la red, a condición de que ello no interfiera con el juego.
- No hay falta cuando el balón es lanzado contra la red y ocasiona que la misma, al desplazarse, toque a un adversario.

SAQUE

Orden de saque

Después del primer saque en un set, el jugador que saca se determina de la siguiente manera:

- Cuando el equipo que hizo el saque gana la jugada, saca de nuevo el jugador que efectuó el saque anterior.
- Cuando el equipo que recibió el saque gana la jugada, obtiene el derecho al saque y el jugador que no sacó anteriormente debe sacar.

Ejecución del saque

- El sacador puede moverse libremente dentro de la zona de saque, pero debe golpear el balón dentro de los 5 segundos siguientes al toque de silbato del primer árbitro.

- El balón debe ser golpeado con una mano o con cualquier parte del brazo, después de ser lanzado al aire o soltado y antes que toque el suelo (Se considera un saque efectuado si el balón, después de haber sido lanzado al aire o soltado por el sacador, cae al suelo sin haber sido tocado o atrapado por éste).
- Al momento de golpear el balón o elevarse para un saque en salto, el sacador no puede tocar la cancha (ni la línea de fondo) ni fuera de la zona. Su pie no puede estar debajo de la línea. Después de golpear el balón, el sacador puede pisar o caer fuera de la zona de saque o dentro del campo.
- El compañero del jugador que saca no debe impedir a sus adversarios ver al sacador o la trayectoria del balón por medio de una pantalla.

GOLPE DE ATAQUE

Todas las acciones para dirigir el balón al adversario, excepto el saque y el bloqueo, se consideran golpes de ataque. Se completa un golpe de ataque cuando el balón cruza completamente el plano vertical de la red o es tocado por un bloqueador.

Cualquier jugador puede realizar un golpe de ataque a cualquier altura, a condición de que:

- Su contacto con el balón sea hecho dentro de su propio espacio de juego.
- El golpe de ataque usado no sea un «toque a mano abierta» dirigiendo el balón con los dedos.
- No se realice un golpe de ataque sobre el saque del adversario cuando el balón está completamente sobre el borde superior de la red.
- No se realice un golpe de ataque efectuando un pase de voleo con una trayectoria no perpendicular a la línea de los hombros, excepto cuando pasa a su compañero.

BLOQUEO

El bloqueo es la acción de los jugadores cerca de la red para interceptar, por encima del borde superior de la misma, el balón proveniente del campo contrario.

- El primer contacto después del bloqueo puede realizarlo cualquier jugador, incluso el que tocó el balón durante el bloqueo.
- En el bloqueo, el jugador puede pasar las manos y brazos más allá de la red, a condición de que la acción no interfiera con el juego del adversario (No está permitido tocar el balón más allá de la red hasta que el adversario haya realizado un golpe de ataque).
- El toque de bloqueo se cuenta como un toque del equipo (Luego del toque de bloqueo, al equipo que bloqueó le restan sólo dos toques más).
- Los Toques consecutivos se cuentan como un solo toque del equipo, a condición de que sean realizados durante una misma acción.

CAMBIOS DE CAMPO E INTERVALOS

- En el juego a un solo set, los equipos cambian de campo después de cada 5 puntos jugados. En el juego al mejor de tres sets, los equipos cambian de campo después de cada 4 puntos jugados.
- El intervalo entre cada set (cuando se juega más de uno) dura 5 minutos.
- Durante los cambios de campo los equipos tienen derecho a un intervalo máximo de 30 segundos, en los cuales los jugadores pueden sentarse en sus sillas.

CONDUCTA INCORRECTA

La conducta incorrecta de algún miembro del equipo hacia los oficiales, adversarios, compañeros de equipo o espectadores, es clasificada en cuatro categorías de acuerdo al grado de la ofensa:

- *Conducta antideportiva:* discusión, intimidación, etc.
- *Conducta grosera*: actuar en contra de las buenas costumbres o los principios morales, expresar desprecio.
- *Conducta injuriosa:* palabras o gestos difamatorios o insultantes.
- *Agresión*: ataque físico o intento de agresión.

SANCIONES

Según el grado de incorrección de la conducta a juicio del primer árbitro, las sanciones a aplicarse son:

- *Amonestación por conducta incorrecta*: Por conducta antideportiva, el miembro del equipo es advertido contra una repetición en el mismo set.
- *Castigo por conducta incorrecta*: Por conducta grosera el equipo es sancionado con la pérdida del saque, o se le otorga un punto al adversario en caso que éste se encuentre en posesión del saque.
- *Expulsión*: Repetida conducta grosera es sancionada con expulsión. El miembro del equipo que es sancionado con expulsión debe abandonar el área de juego y su equipo es declarado incompleto por el set .
- *Descalificación*: Por conducta injuriosa y agresión, el jugador debe abandonar el área de juego y su equipo es declarado incompleto por el encuentro.

Grupo de Estudio Kinesis
El libro de los deportes / Grupo de Estudio Kinesis ; coordinación Gladys Elena Campo Sánchez. — Armenia : Editorial Kinesis, 2003.
2 v. : il. ; 28 cm. — (Colección deporte para todos)
Contenido : v.1 acerca del deporte ; juegos olímpicos ; Artes marciales ; Deportes acuáticos ; Deportes de aventura ; Deportes de combate ; Deportes de conjunto. — v.2 Deportes de invierno ; Deportes de precisión ; Deportes de raqueta ; Deportes individuales ; Deportes náuticos.
ISBN 958-94-0175-9
1. Deportes 2. Deportes - Clasificación I. Campo Sánchez, Gladys Elena II. Acerca del deporte III. Juegos olímpicos IV. Artes marciales V. Deportes Acuáticos VI. Deportes de aventura VII. Deportes de combate VIII. Deportes de conjunto IX. Deportes de invierno X. Deportes de precisión XI. Deportes de raqueta XII. Deportes individuales XIII. Deportes náuticos XIV. Tít. XV. Serie
796 cd 20 ed.
AHQ9933

CEP-Banco de la República-Biblioteca Luis-Angel Arango